Die Fährte

Das Buch

Zwei ungewöhnliche Mordfälle setzen den Kriminalbeamten Harry Hole unter Druck: Bei einem Bankraub in Oslo wird eine junge Angestellte von dem maskierten Täter kaltblütig und grundlos erschossen. Harry Hole fällt es schwer, zu begreifen, dass ein offensichtlicher Profiverbrecher sich plötzlich von sadistischen Emotionen leiten lassen soll. Die Ermittlungen gestalten sich ausgesprochen schwierig und werden jäh unterbrochen, als Harry selbst in einen Mord verwickelt wird: Er trifft seine alte Liebe Anna wieder, die ihn zu sich einlädt. Am nächsten Tag wacht er in seiner eigenen Wohnung auf und kann sich an nichts erinnern. Als Harry erfährt, dass Anna tot ist, wird ihm klar, dass er sie wohl als Letzter lebend gesehen hat. Bevor er sich's versieht, gerät er unter Mordverdacht und muss untertauchen, um auf eigene Faust weiter ermitteln zu können. Eine heiße Fährte führt ihn bis nach Südamerika ...

Der Autor

Jo Nesbø, 1960 geboren, ist Ökonom, Schriftsteller und Musiker. Der erfolgreichste Autor Norwegens ist längst auch international ein Bestsellerautor, seine Romane um Kommissar Harry Hole werden in dreißig Sprachen übersetzt. Sowohl sein Debütroman *Der Fledermausmann* als auch *Schneemann* wurden als »Bester Kriminalroman des Jahres« ausgezeichnet. Jo Nesbø lebt in Oslo.

In unserem Hause sind von Jo Nesbø bereits erschienen:

Der Fledermausmann (Harry Holes 1. Fall)
Kakerlaken (Harry Holes 2. Fall)
Rotkehlchen (Harry Holes 3. Fall)
Die Fährte (Harry Holes 4. Fall)
Das fünfte Zeichen (Harry Holes 5. Fall)
Der Erlöser (Harry Holes 6. Fall)
Schneemann (Harry Holes 7. Fall)
Leopard (Harry Holes 8. Fall)
Die Larve (Harry Holes 9. Fall)
Koma (Harry Holes 10. Fall)

Außerdem:

Headhunter
Der Sohn

Jo Nesbø

Die Fährte

Kriminalroman

Aus dem Norwegischen von
Günther Frauenlob

List Taschenbuch

Besuchen Sie uns im Internet:
www.ullstein-taschenbuch.de

Ungekürzte Ausgabe im Ullstein Taschenbuch
1. Auflage März 2006
15. Auflage 2014
© für die deutsche Ausgabe Ullstein Buchverlage GmbH, Berlin 2004
© 2002 by Jo Nesbø
Titel der norwegischen Originalausgabe: *Sorgenfri* (H. Aschehoug & Co., Oslo)
Umschlaggestaltung: HildenDesign, München
nach einer Vorlage von Thomas Jarzina, Köln
Titelabbildung: Zefa Visual Medien, Düsseldorf
Satz: Pinkuin Satz und Datentechnik, Berlin
Gesetzt aus der Minion
Papier: Pamo Super von Arctic Paper Mochenwangen GmbH
Druck und Bindearbeiten: CPI books GmbH, Leck
Printed in Germany
ISBN 978-3-548-26388-5

Teil 1

Kapitel 1

Der Plan

Ich muss sterben. Aber das macht keinen Sinn. So war das doch nicht geplant, jedenfalls nicht von mir. Kann sein, dass ich schon die ganze Zeit auf diesem Weg war – ohne es zu wissen. Aber mein Plan war das nicht. Mein Plan war besser. Mein Plan hatte einen Sinn.

Ich starre in die Mündung der Waffe und weiß, dass er von dort kommen wird. Der Bote des Todes. Der Fährmann. Zeit für ein letztes Lachen. Wenn du Licht am Ende des Tunnels siehst, kann das durchaus auch eine Stichflamme sein. Zeit für eine letzte Träne. Wir hätten etwas aus diesem Leben machen können, du und ich. Wenn wir uns an den Plan gehalten hätten. Ein letzter Gedanke. Alle fragen, was der Sinn des Lebens ist, aber niemand schert sich um den Sinn des Todes.

Kapitel 2

Der Astronaut

Der alte Mann ließ Harry an einen Astronauten denken. Die komischen kurzen Schritte, die steifen Bewegungen, der schwarze, tote Blick und die unablässig über das Parkett schleifenden Schuhsohlen. Als habe er Angst, den Bodenkontakt zu verlieren und zu entschweben, in die Weite des Weltraums.

Harry warf einen Blick auf die Uhr an der weißen Wand über der Ausgangstür. 15.16 Uhr. Vor dem Fenster, auf dem Bogstadvei, hasteten die Menschen in ihrer Freitagshektik vorbei. Die tief stehende Oktobersonne wurde vom Außenspiegel eines Autos reflektiert, das sich in der Schlange der Autos vorwärts bewegte.

Harry hatte sich auf den alten Mann konzentriert. Hut und grauer, eleganter Mantel, der allerdings mal wieder gereinigt werden könnte. Darunter eine Tweedjacke, Schlips und abgetragene, graue Hosen mit messerscharfer Bügelfalte. Blank gewienerte Schuhe mit abgelaufenen Sohlen. Einer dieser Rentner, von denen der Stadtteil Majorstua anscheinend so dicht bevölkert war. Das war keine Vermutung. Harry wusste, dass August Schultz 81 Jahre alt war, früher in einer Herrenkonfektion gearbeitet hatte und sein ganzes Leben in Majorstua gelebt hatte, außer im Krieg, den er in einer Baracke in

Auschwitz überlebt hatte. Die steifen Knie rührten von einem Sturz auf der Fußgängerüberführung über die Ringstraße, die er bei seinen täglichen Besuchen bei seiner Tochter überqueren musste. Der Eindruck einer mechanischen Puppe wurde durch die Haltung der Arme verstärkt. Er hielt sie angewinkelt, und die Unterarme ragten waagerecht nach vorn. Über dem rechten Unterarm hing ein brauner Spazierstock, und die linke Hand umklammerte einen Überweisungsvordruck, den er bereits dem jungen, kurzhaarigen Angestellten hinter dem Schalter 2 entgegenstreckte. Harry konnte das Gesicht des Bankangestellten nicht sehen, wusste aber, dass er den alten Mann mit einer Mischung aus Mitleid und Verärgerung anstarrte.

Es war 15.17 Uhr, als August Schultz endlich an der Reihe war. Harry seufzte.

An Schalter 1 saß Stine Grette und zählte 730 Kronen für einen Jungen mit Zipfelmütze ab, der ihr soeben eine Zahlungsanweisung gegeben hatte. Der Diamant an ihrem linken Ringfinger blitzte mit jedem Schein, den sie auf den Tisch legte.

Obgleich sie nicht in seinem Blickfeld war, wusste Harry, dass sich rechts neben dem Jungen vor Schalter 3 eine Frau mit einem Kinderwagen befand, den sie, vermutlich in Gedanken, hin und her bewegte, denn das Kind schlief. Die Frau wartete darauf, von Frau Brænne bedient zu werden, die ihrerseits mit lauter Stimme einem Mann am Telefon erklärte, dass er nicht per Bankeinzug bezahlen könne, ohne dass der Empfänger das bestätigt habe, und dass schließlich sie es sei, die in der Bank arbeite und nicht er, und sie deshalb vielleicht jetzt endlich diese Diskussion beenden könnten?

Im gleichen Augenblick ging die Tür der Bankfiliale auf und zwei Männer, ein großer und ein kleiner, bekleidet mit identischen, dunklen Overalls, betraten rasch den Raum. Stine Grette blickte auf. Harry sah auf seine Uhr und begann zu zählen. Die Männer hasteten zu dem Schalter, an dem Stine Grette saß. Der Große bewegte sich so, als steige er über Pfützen, während der Kleine den schaukelnden Gang eines Mannes hatte, der sich mehr Muskeln antrainiert hatte, als sein Körper tragen konnte. Der Junge mit der blauen Zipfelmütze drehte sich langsam um und ging auf den Ausgang zu. Er war so beschäftigt damit, sein Geld zu zählen, dass er die zwei gar nicht bemerkte.

»Hallo«, sagte der Große an Stine gerichtet, trat vor und knallte einen schwarzen Koffer vor ihr auf den Tresen. Der Kleine schob sich seine verspiegelte Sonnenbrille auf der Nase zurecht, ging vor und stellte einen identischen Koffer daneben. »Geld!«, piepste er mit hoher Stimme. »Mach die Tür auf!«

Es war, als hätte jemand auf einen Pausenknopf gedrückt: Alle Bewegungen in der Bankfiliale erstarrten. Einzig der Verkehr draußen vor der Tür verriet, dass die Zeit nicht stillstand. Und der Sekundenzeiger auf Harrys Uhr, der jetzt anzeigte, dass zehn Sekunden vergangen waren. Stine drückte auf einen Knopf unter ihrem Schalter. Ein elektronisches Summen ertönte und der Kleine schob die niedrige Schwingtür ganz am Rand der Filiale mit dem Knie auf.

»Wer hat die Schlüssel?«, fragte er. »Schnell, wir haben nicht den ganzen Tag Zeit!«

»Helge!«, rief Stine über ihre Schulter.

»Was?« Die Stimme drang aus dem einzigen Büroraum der Filiale, dessen Tür offen stand.

»Wir haben Besuch, Helge!«

Ein Mann mit Fliege und Lesebrille kam zum Vorschein.

»Du sollst den Geldautomaten öffnen, Helge!«, sagte Stine.

Helge Klementsen starrte dumpf auf die beiden Männer mit den Overalls, die jetzt beide auf der Innenseite der Schalter waren. Der Große sah nervös zur Eingangstür, während der Kleine den Filialleiter anstarrte.

»Ja, ja, natürlich«, stammelte Klementsen, als erinnere er sich plötzlich an eine alte Abmachung, und brach in lautes, hektisches Lachen aus.

Harry rührte sich nicht, nur seine Augen sogen jedes Detail von Bewegung und Mimik ein. Fünfundzwanzig Sekunden. Er blickte noch immer auf die Uhr über der Tür, doch aus den Augenwinkeln konnte er sehen, wie der Filialleiter den Geldautomaten von innen öffnete, zwei längliche Metallkassetten mit Geldscheinen herauszog und sie den zwei Männern übergab. Das Ganze lief schnell und leise ab. Fünfzig Sekunden.

»Die sind für dich, Vater!« Der Kleine hatte zwei identische Metallkassetten aus dem Koffer gezogen, die er Helge Klementsen entgegenstreckte. Der Filialleiter schluckte, nickte und schob sie in den Geldautomaten.

»Ein schönes Wochenende!«, sagte der Kleine, richtete sich auf und ergriff den Koffer. Anderthalb Minuten.

»Nicht so schnell«, sagte Helge.

Der Kleine erstarrte.

Harry sog die Wangen ein und versuchte, sich zu konzentrieren.

»Die Quittung ...«, sagte Helge.

Einen langen Augenblick starrten die beiden Männer auf den kleinen, grauhaarigen Filialleiter. Dann begann der Kleine zu lachen. Ein hohes, dünnes Lachen mit schrillem, hysterischem Oberton, als wäre er auf Speed. »Du glaubst doch nicht, dass wir ohne Unterschrift gegangen wären? Wer gibt schon zwei Millionen ab, ohne sich das bestätigen zu lassen!«

»Nun«, sagte Helge Klementsen. »Einer von euch hätte das letzte Woche fast vergessen.«

»Es sind zurzeit so viele Frischlinge auf den Geldtransportern«, sagte der Kleine, während er und Klementsen unterschrieben und gelbe und rosa Formulare austauschten.

Harry wartete, bis sich die Tür hinter ihnen geschlossen hatte, ehe er wieder auf die Uhr blickte. Zwei Minuten und zehn Sekunden.

Durch das Glas in der Tür konnte er den weißen Kastenwagen mit dem Emblem der Nordea-Bank wegfahren sehen.

In der Bank wurden die Gespräche wieder aufgenommen.

Harry brauchte nicht zu zählen, tat es aber dennoch. Sieben. Drei hinter den Schaltern und drei davor, wobei er das Baby und den Typ in den Zimmermannshosen mitgerechnet hatte, der soeben in die Bank gekommen und an den Tisch in der Mitte der Bank getreten war, um seine Kontonummer auf einen Einzahlungsschein zu schreiben, der, wie Harry erkannt hatte, von der Firma Saga Sonnenreisen stammte.

»Wiedersehen«, sagte August Schultz und begann seine Füße in Richtung Ausgangstür zu schieben.

Es war jetzt genau 15.21 Uhr und zehn Sekunden, und erst jetzt fing alles richtig an.

Als sich die Tür öffnete, sah Harry Stine Grettes Kopf kurz nach oben wippen, ehe sie sich wieder auf die Papiere vor sich konzentrierte. Dann hob sie ihren Kopf wieder, dieses Mal langsamer. Harry blickte zur Eingangstür. Der Mann, der in die Bank gekommen war, hatte bereits den Reißverschluss seines Overalls geöffnet und ein schwarz-olivgrünes G3-Gewehr gezückt. Eine marineblaue Sturmhaube verdeckte mit Ausnahme der Augen sein ganzes Gesicht. Harry begann erneut von null zu zählen.

Wie bei einer Muppets-Puppe begann sich die Sturmhaube dort zu bewegen, wo sich der Mund befinden musste: »This is a robbery. Nobody moves.«

Er hatte nicht laut gesprochen, doch wie nach einem donnernden Kanonenschlag waren alle Geräusche in der kleinen Bankfiliale verstummt. Harry blickte zu Stine. Durch das ferne Rauschen der Autos war das glatte Klicken geölter Waffenteile zu hören, als der Mann den Ladegriff betätigte. Ihre linke Schulter sank kaum merkbar nach unten.

Mutiges Mädchen, dachte Harry. Oder einfach nur zu Tode erschrocken. Aune, der Psychologieprofessor an der Polizeischule, hatte gesagt, dass die Menschen zu denken aufhören und beinahe wie vorprogrammiert handeln, wenn die Angst nur groß genug ist. Die meisten Bankangestellten lösen den stillen Alarm wie im Schock aus, hatte Aune behauptet und seine Aussage damit belegt, dass sie sich hinterher bei den Befragungen nicht mehr erinnern konnten, ob sie den Alarm ausgelöst hatten oder nicht. Sie liefen auf Autopilot. Genau wie ein Bankräuber, der sich vorher eingebläut hat, alle zu erschießen, die ihn aufzuhalten versuchen, sagte Aune. Je ängstlicher ein Bankräuber ist, desto unwahrscheinlicher ist es, dass er sich von seinem Vorhaben abbringen lässt. Harry bewegte sich nicht. Er versuchte nur, die Augen des Bankräubers zu erkennen. Blau.

Der Mann nahm seinen schwarzen Rucksack ab und warf ihn zwischen dem Geldautomaten und dem Mann mit den Zimmererhosen auf den Boden. Die Spitze des Kugelschreibers ruhte noch immer auf dem letzten Bogen der Acht. Der schwarz gekleidete Mann ging die sechs Schritte zu der niedrigen Schaltertür, setzte sich auf den Rand und schwang seine Beine hinüber. Dann stellte er sich hinter Stine, die still dasaß und den Blick nach vorne gerichtet hatte. Gut, dachte Harry. Sie hält sich an die Anweisungen und provoziert keine Reaktion, indem sie den Räuber anstarrt.

Der Mann richtete den Lauf des Gewehres auf Stines Nacken, beugte sich vor und flüsterte ihr etwas ins Ohr.

Noch hatte sie keine Panik, doch Harry konnte erkennen, wie sich ihre Brust hob und senkte. Ihr dünner Körper schien unter der weißen und mit einem Mal engen Bluse nicht genug Luft zu bekommen. Fünfzehn Sekunden.

Sie räusperte sich. Einmal. Zweimal. Dann brachten ihre Stimmbänder endlich Töne hervor:

»Helge. Die Schlüssel für den Geldautomaten.« Die Stimme war leise und heiser, sie hatte nichts mehr mit der Stimme zu tun, die noch vor drei Minuten die beinahe gleichen Worte gesprochen hatte.

Harry sah ihn nicht, wusste aber, dass Helge Klementsen die ersten Worte des Bankräubers gehört hatte und bereits in der Bürotür stand.

»Schnell, sonst …« Ihre Stimme war kaum hörbar, und in

der Pause, die folgte, war das Schleifen von August Schultz' Schuhsohlen auf dem Parkett das einzige hörbare Geräusch – wie ein paar Jazzbesen, die in einem unglaublich langsamen Shuffle über die Haut der Trommel geführt wurden.

»… erschießt er mich.«

Harry sah aus dem Fenster. Vermutlich stand irgendwo dort draußen ein Auto mit laufendem Motor, doch von dort, wo er stand, konnte er nichts sehen. Nur Autos und Menschen, die mehr oder weniger unbekümmert vorbeigingen.

»Helge …« Ihre Stimme klang flehend.

Los, Helge, dachte Harry. Harry wusste auch einiges über den alternden Filialleiter. Er wusste, dass er zwei Königspudel hatte, eine Frau und eine kürzlich erst sitzen gelassene schwangere Tochter, die zu Hause auf ihn warteten. Dass sie gepackt hatten und nur darauf warteten, in ihre Hütte in den Bergen zu fahren, sobald Helge Klementsen nach Hause kam. Dass Klementsen sich jetzt aber wie in einem Traum unter Wasser fühlte, in dem alle Bewegungen unendlich verlangsamt werden, so sehr man sich auch beeilte. Dann tauchte er in Harrys Blickfeld auf. Der Bankräuber hatte Stines Stuhl herumgedreht, so dass er hinter ihr stand, den Blick auf Helge Klementsen gerichtet. Wie ein ängstliches Kind, das ein Pferd füttern soll, stand Klementsen nach hinten gebeugt da, wobei er die Hand mit dem Schlüsselbund so weit wie nur möglich nach vorne streckte. Es waren vier Schlüssel daran. Der Bankräuber flüsterte Stine ins Ohr, während er die Waffe auf Klementsen richtete, der zwei unsichere Schritte nach hinten taumelte.

Stine räusperte sich: »Er sagt, dass du den Geldautomaten öffnen und die neuen Scheine in den schwarzen Rucksack packen sollst.«

Helge Klementsen starrte wie hypnotisiert auf das auf ihn gerichtete Gewehr.

»Du hast fünfundzwanzig Sekunden. Dann schießt er. Auf mich, nicht dich.«

Klementsens Mund öffnete und schloss sich, als wollte er etwas sagen.

»Los, Helge«, rief Stine. Der Türöffner summte und Helge Klementsen trat in den Tresorraum.

Dreißig Sekunden waren vergangen, seit der Bankräuber die Filiale betreten hatte. August Schultz hatte die Ausgangstür jetzt fast erreicht. Der Filialleiter kniete sich vor dem Geldautomaten hin und starrte auf den Schlüsselbund. Es waren vier Schlüssel daran.

»Noch zwanzig Sekunden«, ertönte Stines Stimme.

Die Polizeiwache von Majorstua, dachte Harry. Jetzt waren sie auf dem Weg zu den Autos. Acht Blöcke. Rushhour.

Mit zitternden Fingern suchte Helge Klementsen einen Schlüssel aus und steckte ihn ins Schlüsselloch. Auf halbem Weg blieb er stecken. Helge Klementsen drückte fester.

»Siebzehn.«

»Aber ...«, begann er.

»Fünfzehn.«

Helge Klementsen zog den Schlüssel wieder heraus und versuchte einen anderen. Dieser ließ sich ins Schloss stecken, doch er konnte ihn nicht drehen.

»Herrgott noch mal ...«

»Dreizehn. Der mit dem grünen Kleber, Helge!«

Helge Klementsen starrte auf den Schlüsselbund, als hätte er ihn noch niemals zuvor gesehen.

»Elf.«

Der dritte Schlüssel passte. Helge Klementsen öffnete die Tür und drehte sich zu Stine und dem Räuber um.

»Ich muss noch ein Schloss öffnen, um die Kassette herauszu...«

»Neun!«, rief Stine.

Ein Schluchzen entwich Klementsen, der jetzt wie ein Blinder mit den Fingern über die Zacken der Schlüssel fuhr, als könnten ihm diese wie Blindenschrift verraten, welcher Schlüssel der richtige war.

»Sieben.«

Harry lauschte angespannt. Noch keine Polizeisirenen. August Schultz fasste nach dem Griff der Ausgangstür.

Metall klirrte, als der Schlüsselbund zu Boden fiel.

»Fünf«, flüsterte Stine.

Die Tür ging auf und der Lärm der Straße drang herein. In der Ferne glaubte Harry einen vertrauten, klagenden Ton zu hören. Er fiel ab und stieg gleich darauf wieder an. Polizeisirenen. Dann schloss sich die Tür wieder.

»Zwei. Helge!«

Harry schloss die Augen und zählte bis zwei.

»Ich bin so weit!« Helge Klementsen hatte gerufen. Er hatte das zweite Schloss aufbekommen und kämpfte jetzt damit, die Kassetten herauszubekommen, die sich offensichtlich verkeilt hatten. »Ich muss nur erst das Geld herausbekommen. Ich ...«

In diesem Moment wurde er von einem schrillen Heulen unterbrochen. Harry blickte zum anderen Ende der Schalter hinüber, wo die junge Frau erschrocken den Bankräuber anstarrte, der noch immer reglos dastand und die Waffe auf Stines Nacken richtete. Die Frau blinzelte zweimal und nickte stumm in Richtung Kinderwagen, während sich das Gebrüll des Säuglings in die Höhe arbeitete.

Helge Klementsen wäre beinahe nach hinten gestürzt, als sich die erste Kassette löste. Er zog den schwarzen Rucksack zu sich, und im Laufe von sechs Sekunden waren alle Kassetten im Rucksack verstaut. Auf Kommando zog Klementsen den Reißverschluss zu und stellte sich an den Tisch. Alle Befehle wurden ihm von Stine gegeben, deren Stimme jetzt überraschend fest und ruhig klang.

Eine Minute und drei Sekunden. Der Bankraub war vorüber. Das Geld lag in einem Rucksack in der Mitte der Bank. In wenigen Sekunden würde der erste Polizeiwagen ankommen. In vier Minuten würden die anderen Polizeiwagen die nächsten Fluchtwege abgeriegelt haben. Jede Faser im Körper des Räubers musste schreien, dass es höchste Zeit war, sich jetzt abzusetzen. Und dann geschah das, was Harry nicht verstand. Es hatte ganz einfach keinen Sinn. Statt abzuhauen drehte der Bankräuber Stines Stuhl herum, so dass sie sich von Angesicht zu Angesicht gegenüberstanden. Er beugte sich vor und flüsterte ihr etwas ins Ohr. Harry blinzelte. Er sollte irgendwann einmal sein Sehvermögen überprüfen lassen. Aber er sah, was er sah. Dass sie den gesichtslosen Bankräuber anstarrte, während ihr eigenes Gesicht eine langsame Veränderung erfuhr, je mehr ihr die Bedeutung der Worte, die er ihr ins Ohr geflüstert hatte, bewusst wurden. Die schmalen, gepflegten Augenbrauen zeichneten zwei S-Bögen über die Augen, die ihr aus dem Kopf zu quellen schienen, ihre Oberlippe rollte sich nach oben, während sich ihre Mundwinkel zu einem grotesken Grinsen nach unten zogen. Das Kind hörte ebenso plötzlich zu weinen auf, wie es begonnen hatte. Harry holte tief Luft. Denn er wusste es. Das Ganze war wie ein Standbild, ein Meisterfoto. Zwei Menschen, gefangen in dem Augenblick, in dem der eine dem anderen sein Todesurteil mitgeteilt hat, das maskierte Gesicht zwei Handbreit vor dem unmaskierten. Der Henker und sein Opfer. Der Gewehrlauf zeigt auf die Halsgrube und ein kleines, goldenes Herz an einer dünnen Kette. Harry sieht ihren Puls nicht, spürt ihn aber dennoch unter ihrer dünnen Haut.

Ein gedämpftes, klagendes Geräusch. Harry spitzt die Ohren. Doch das ist keine Polizeisirene, sondern bloß das Klingeln eines Telefons im Nebenraum.

Der Bankräuber dreht sich um und sieht zur Überwachungskamera an der Decke hinter dem Schalter. Er streckt eine Hand hoch und zeigt seine fünf Finger in den schwarzen Handschuhen. Dann schließt er die Hand und streckt nur seinen Zeigefinger in die Höhe. Sechs Finger. Sechs Sekunden über der Zeit. Er dreht sich wieder zu Stine, ergreift das Gewehr mit beiden Händen, hält es an der Hüfte, hebt die Gewehrmündung, bis sie auf ihren Kopf zeigt, und spreizt die

Beine, um den Rückstoß abzufangen. Das Telefon klingelt und klingelt. Eine Minute und zwölf Sekunden. Der Diamantring blinkt auf, als Stine die Hand ein wenig hebt, als wolle sie jemandem zum Abschied zuwinken.

Es ist exakt 15.22 Uhr und 22 Sekunden, als er abdrückt. Der Knall ist kurz und dumpf. Stines Stuhl wird nach hinten geworfen, während ihr Kopf wie bei einer kaputten Puppe auf dem Hals tanzt. Dann kippt der Stuhl nach hinten. Ein Schlag ist zu hören, als ihr Kopf auf der Kante des Schreibtisches aufschlägt, dann kann Harry sie nicht mehr sehen. Auch die Reklame für Nordeas neuen Rentensparplan, die an der Außenseite der Scheibe über dem Schalter klebt, hat plötzlich einen roten Hintergrund bekommen und ist nicht mehr zu erkennen. Er hört bloß das Klingeln des Telefons, wütend und eindringlich. Der Bankräuber schwingt sich über die Tür und rennt zu dem Rucksack in der Mitte des Raumes. Harry muss sich jetzt entscheiden. Der Bankräuber ergreift den Rucksack. Harry entschließt sich. Mit einem Ruck ist er aus dem Stuhl. Sechs lange Schritte. Dann ist er da. Und hebt den Hörer des Telefons ab.

»Ja.«

In der darauf folgenden Pause hört er das Geräusch der Polizeisirenen aus den Fernsehlautsprechern im Wohnzimmer, einen pakistanischen Hit aus der Nachbarwohnung und schwere Schritte draußen auf der Treppe, die auf Frau Madsen schließen lassen. Dann lacht es weich am anderen Ende. Ein Lachen aus einer fernen Vergangenheit. Nicht was die Zeit angeht, aber dennoch fern. Wie siebzig Prozent von Harrys Vergangenheit, die in unregelmäßigen Abständen als vages Gerücht oder wildeste Erfindung wie aus dem Nichts auftaucht. Aber diese Geschichte konnte er bestätigen.

»Fährst du noch immer auf dieser Macho-Schiene, Harry?«

»Anna?«

»Aber hallo, du beeindruckst mich.«

Harry spürte eine süße Wärme in seinem Inneren, fast wie

18

Whisky. Fast. Im Spiegel sah er ein Bild, das er an die gegen-überliegende Wand geheftet hatte. Von ihm und Søs aus einem lange vergangenen Sommerurlaub in Hvitsten, als sie klein waren. Sie lächelten, wie Kinder lächeln, die noch immer glauben, dass ihnen nichts Schlimmes zustoßen kann.

»Und was machst du so an einem Sonntagabend, Harry?«

»Nun.« Harry hörte, wie seine eigene Stimme automatisch die ihre imitierte. Ein bisschen zu tief und zu zögerlich. Aber das war es nicht, was er wollte. Nicht jetzt. Er räusperte sich und fand eine etwas neutralere Klangfarbe. »Was wohl die meisten Menschen machen.«

»Und das wäre?«

»Videos gucken.«

Kapitel 3

House of Pain

»Das Video angeguckt?«

Der kaputte Bürostuhl schrie protestierend auf, als sich Polizeimeister Halvorsen nach hinten lehnte und seinen neun Jahre älteren Kollegen, Hauptkommissar Harry Hole, mit einem ungläubigen Ausdruck auf seinem jungen, unschuldigen Gesicht anstarrte.

»Ja, natürlich«, sagte Harry und fuhr sich mit Zeigefinger und Daumen über die dünne, schlaffe Haut unter seinen blutunterlaufenen Augen.

»Das ganze Wochenende?«

»Von Samstagvormittag bis Sonntagabend.«

»Hattest du dann wenigstens Freitagabend ein bisschen Spaß?«, fragte Halvorsen.

»Ja.« Harry zog eine blaue Mappe aus seiner Manteltasche und legte sie auf seinen Schreibtisch, der Kopf an Kopf mit dem von Halvorsen stand. »Ich habe mir die Verhörprotokolle durchgelesen.«

Aus der anderen Manteltasche zog Harry eine graue Tüte mit French-Colonial-Kaffee. Er und Halvorsen teilten sich das vorletzte Büro der roten Zone in der sechsten Etage des Polizeipräsidiums von Oslo-Grønland. Vor zwei Monaten hatten sie gemeinsam eine Rancilio-Silvio-Espressomaschine gekauft, die einen Ehrenplatz auf dem Archivschrank bekommen hatte. Darüber hing das Foto einer jungen Frau, die ihre Beine auf den Schreibtisch gelegt hatte. Ihr sommersprossiges Gesicht schien eine Grimasse machen zu wollen, war dann aber von Lachen übermannt worden. Im Hintergrund sah man die gleiche Bürowand, an der jetzt das Bild hing.

»Wusstest du, dass drei von vier Polizisten nicht einmal das Wort ›uninteressant‹ buchstabieren können?«, fragte Harry und hängte seinen Mantel an die Garderobe. »Entweder schreiben sie es ohne ›e‹ zwischen dem ›t‹ und dem ›r‹, oder …«

»Interessant.«

»Was hast du am Wochenende gemacht?«

»Freitag habe ich in einem Auto vor der amerikanischen Botschafterwohnung gehockt. Wir hatten doch diese anonyme Autobombendrohung von irgendeinem Idioten. Natürlich falscher Alarm, aber zurzeit sind ja alle so hypersensibel, dass wir den ganzen Abend da hocken mussten. Samstag habe ich dann wieder versucht, die Frau meines Lebens zu finden, und Sonntag bin ich zu dem Ergebnis gekommen, dass es sie nicht gibt. Was ist bei den Verhören über den Bankräuber rausgekommen?« Halvorsen dosierte den Kaffee in einen Doppelfilter.

»Nada«, sagte Harry und zog sich den Pullover aus. Darunter trug er ein koksgraues T-Shirt, das einmal schwarz gewesen sein musste, mit der beinahe vollkommen verwaschenen Aufschrift »Violent Femmes«. Mit einem Stöhnen sank er in seinen Bürostuhl. »Es hat sich niemand gemeldet, der den Gesuchten vor dem Überfall in der Nähe der Bank gesehen hat. Ein Typ ist aus dem 7-Eleven auf der anderen Seite des Bogstadvei gekommen und hat den Bankräuber die Industrigata hinauflaufen sehen. Er ist ihm wegen der Sturmhaube aufgefallen. Die Überwachungskamera außerhalb der Bank zeigt sie beide, als der Bankräuber den Zeugen vor dem Container neben dem 7-Eleven passiert. Das Einzige, was der Zeuge uns berichten konnte, und was wir noch nicht von der Kameraaufzeichnung wussten, ist, dass der Bankräuber bei seiner Flucht über die Industrigata zweimal die Straßenseite gewechselt hat.«

»Ein Typ, der sich nicht entscheiden kann, welche Straßenseite er nehmen soll. Für mich hört sich das ziemlich uninteressant an.« Halvorsen platzierte den Doppelfilter in der Maschine. »Also mit ›e‹ und zwei ›s‹.«

»Du weißt wohl nicht viel über Bankräuber, Halvorsen?«

»Warum sollte ich? Wir sind für die Mörder zuständig. Sollen sich doch die Provinzler aus der Hedmark um die Räuber kümmern.«

»Hedmark?«

»Ist dir das im Raubdezernat noch nicht aufgefallen? Überall Dialekt und Strickjacken. Also, was ist der Clou an der Sache?«

»Der Clou ist Victor.«

»Die Hundepatrouille?«

»Die sind in der Regel mit als Erste am Tatort. Ein erfahrener Bankräuber weiß das. Ein guter Hund kann einen Räuber verfolgen, der zu Fuß durch die Stadt flieht, aber wenn er die Straße überquert und ein Auto über seine Spuren fährt, verliert der Hund die Spur.«

»Und dann?« Halvorsen presste den Kaffee mit dem Stempel nach unten und glättete die Oberfläche, indem er die flache Metallscheibe hin und her bewegte, was, wie er selbst meinte, die Profis von den Amateuren unterschied.

»Das nährt den Verdacht, dass wir es mit einem erfahrenen Bankräuber zu tun haben. Und allein diese Tatsache reicht für die Annahme aus, dass unser möglicher Täterkreis dramatisch kleiner ist, als er es sonst wäre. Der Chef vom Raubdezernat hat mir gesagt, dass ...«

»Ivarsson? Ich dachte, ihr redet nicht so oft miteinander?«

»Tun wir auch nicht, er hat zu der Sonderkommission gesprochen, zu der ich gehöre. Und in diesem Zusammenhang hat er gesagt, dass das Milieu in Olso nur knapp hundert Personen umfasst. Fünfzig davon sind so doof, zugedröhnt oder

22

mental kaputt, dass sie fast jedes Mal geschnappt werden. Die Hälfte davon sitzt ein, die können wir also vergessen. Vierzig sind gute Handwerker, die unterzutauchen wissen, wenn ihnen jemand bei der Planung geholfen hat. Und dann gibt es noch zehn echte Profis, die sich an Geldtransporter oder Großbanken wagen, bei denen brauchen wir richtig Glück, um sie zu überführen. Bei diesen zehn versuchen wir, ihren Aufenthaltsort immer zu kennen. Ihre Alibis werden heute überprüft.« Harry warf einen Blick zu Silvia, die vom Archivschrank fauchte. »Und dann habe ich am Samstag mit Weber von der Spurensicherung gesprochen.«

»Ich dachte, Weber sei diesen Monat pensioniert worden.«

»Da hat sich jemand verrechnet, das ist erst im Sommer.«

Halvorsen lachte. »Dann hat er jetzt wohl noch schlechtere Laune als sonst.«

»Jau«, sagte Harry, »aber nicht deshalb. Er und seine Leute haben nichts, aber auch gar nichts gefunden.«

»Gar nichts?«

»Keinen einzigen Fingerabdruck, kein Haar, nicht einmal eine Faser von seiner Kleidung. Und der Abdruck seiner Schuhe zeigt uns natürlich, dass die nagelneu waren.«

»So dass man das Muster der Sohlen-Abnutzung nicht mit seinen anderen Schuhen vergleichen kann.«

»Ko-rrekt«, sagte Harry mit Betonung auf dem »o«.

»Und die Tatwaffe?«, fragte Halvorsen, während er eine der Kaffeetassen zu Harrys Schreibtisch balancierte. Als er aufblickte, bemerkte er, dass Harry die linke Augenbraue bis zu seinem blonden Haaransatz hochgezogen hatte. »Sorry, Mordwaffe?«

»Danke, nicht gefunden.«

Halvorsen setzte sich an seinen Schreibtisch und nippte an seinem Kaffee. »Kurz gesagt ist da also ein Mann am helllichten Tage in eine gut besuchte Bank der norwegischen Hauptstadt marschiert, hat zwei Millionen eingesteckt und eine Frau ermordet und ist dann über eine nicht so bevölkerte, aber dennoch gut frequentierte Straße nur wenige hundert Meter von der nächsten Polizeiwache entfernt davonspaziert. Und wir, die professionell bezahlten königlichen Polizeikräfte, haben nichts?«

Harry nickte langsam. »Fast. Wir haben das Video.«

»Das du jetzt, wie ich dich kenne, Sekunde für Sekunde auswendig kennst.«

»Hm, jede Zehntelsekunde, denke ich.«

»Und die Zeugenaussagen kannst du vermutlich Satz für Satz zitieren?«

»Nur die von August Schultz. Er hat viel Interessantes über den Krieg erzählt. Er hat die Namen seiner Konkurrenten aus der Herrenmode aufgezählt, alles so genannte gute Norweger, die dann während des Krieges das Eigentum seiner Familie konfisziert haben. Er wusste exakt, was die jetzt alle so treiben. Aber, tja, dass da ein Bankraub abgelaufen ist, hat er nicht mitbekommen.«

Schweigend tranken sie den Rest ihres Kaffees. Regen klatschte an die Scheibe.

»Du magst dieses Leben, oder?«, fragte Halvorsen plötzlich. »Das ganze Wochenende allein in deiner Bude zu hocken und Gespenster zu jagen.«

Harry lächelte, gab aber keine Antwort.

»Ich dachte, du hättest mit deiner Eigenbrötlerei aufgehört, jetzt, da du familiäre Verpflichtungen hast!«

Harry sah warnend zu seinem jüngeren Kollegen hinüber. »Ich weiß nicht, ob man das so sehen sollte«, sagte er langsam. »Wir wohnen ja noch nicht einmal zusammen, weißt du.«

»Nein, aber Rakel hat einen kleinen Sohn, und das ändert doch wohl einiges, oder?«

»Oleg«, sagte Harry und schob sich zum Archivschrank. »Sie sind am Freitag nach Moskau geflogen.«

»Ach ja?«

»Ein Rechtsstreit. Der Kindsvater will das Sorgerecht.«

»Ach ja, stimmt. Was ist das eigentlich für ein Typ?«

»Nun.« Harry richtete seinen Blick auf das Bild über der Kaffeemaschine. Es hing etwas schief. »Er ist ein Professor, den Rakel in ihrer Zeit in Moskau kennengelernt und dann geheiratet hat. Er stammt aus einer alten, steinreichen Familie mit großem politischem Einfluss.«

»Dann kennen die womöglich auch ein paar Richter?«

»Bestimmt, aber wir glauben, es wird schon gutgehen. Der Vater ist wirklich verrückt, und das ist allgemein nicht unbekannt. Intelligenter Alki mit verminderter Impulskontrolle, du kennst diese Typen.«

»Ich glaube schon.«

Harry blickte abrupt auf und sah gerade noch, wie Halvorsen sich das Lächeln von den Lippen wischte.

Es war im Präsidium allgemein bekannt, dass Harry Alkoholprobleme hatte. Alkoholismus allein ist noch kein Kündigungsgrund für einen Polizeibeamten, wohl aber, betrunken im Dienst zu erscheinen. Nach Harrys letztem Zusammenbruch hatten sie in den oberen Etagen versucht, ihn zu kündigen, doch der Chef des Dezernats für Gewaltverbrechen, Polizeiabteilungschef Bjarne Møller, hatte wie üblich seine schützende Hand über Harry gehalten und die speziellen Umstände zur Sprache gebracht, die zu seinem Zusammenbruch geführt hatten. Nämlich dass das Mädchen auf dem Bild über der Espressomaschine – Ellen Gjelten, Harrys Partnerin und enge Freundin – mit einem Baseballschläger auf einem Weg am Akerselva-Fluss erschlagen worden war. Harry hatte wieder Boden unter die Füße bekommen, doch der Verlust von Ellen war eine Wunde, die ihn noch immer schmerzte. Insbesondere da die Sache nach Harrys Meinung noch immer nicht aufgeklärt war. Als Harry und Halvorsen genug Indizien gegen den Neonazi Sverre Olsen gefunden hatten, war Hauptkommissar Tom Waaler überraschend schnell bei dem Verdächtigen aufgetaucht, um ihn zu verhaften. Olsen hatte dabei einen Schuss auf Waaler abgefeuert, der das Feuer erwidert und Olsen erschossen hatte. Das Feuergefecht stand in Waalers Bericht, und weder die Funde am Tatort noch die Untersuchungen der polizeiinternen Behörde SEFO hatten andere Schlüsse erlaubt. Auf der anderen Seite war man sich nie über Olsens Motiv klargeworden. Der einzige Hinweis war, dass Olsen in den illegalen Waffenhandel verstrickt war, der Oslo in den letzten Jahren mit Handfeuerwaffen überschwemmt hatte, und dass Ellen auf seine Spur gekommen war. Doch Olsen war bloß ein Handlanger gewesen, und wer wirklich hinter der Liquidation stand, hatte die Polizei noch nicht ermittelt.

Um an dem Ellen-Gjelten-Fall zu arbeiten, hatte sich Harry nach einem kürzeren Gastaufenthalt im Polizeilichen Überwachungsdienst PÜD in der obersten Etage in das Dezernat für Gewaltverbrechen zurückversetzen lassen. Im PÜD hatte man sich nur gefreut, ihn wieder loszuwerden. Und Møller war froh, ihn zurück in der sechsten Etage zu haben.

»Ich geh hiermit nach oben zu Ivarsson ins Raubdezernat«, brummte Harry und wedelte mit der VHS-Kassette herum. »Er wollte gemeinsam mit einem neuen Wunderkind, das sie dort oben haben, einen Blick drauf werfen.«

»Oh, von wem sprichst du?«

»Eine Frau, die erst in diesem Sommer von der Polizeischule gekommen ist, sie soll drei Raubüberfälle gelöst haben, bloß indem sie sich die Videos angesehen hat.«

»Oho, sie ist hübsch, oder?«

Harry seufzte. »Ihr jungen Leute seid so schrecklich berechenbar. Ich hoffe, sie ist gut, der Rest interessiert mich nicht.«

»Bist du sicher, dass es eine Frau ist?«

»Wer weiß, vielleicht hatten Herr und Frau Lønn ja eine besondere Freude daran, ihren Sohn Beate zu nennen.«

»Ich spüre irgendwie, dass sie hübsch ist.«

»Ich hoffe nicht«, sagte Harry und duckte sich aus alter Gewohnheit, als er seine 195 Zentimeter unter dem Türrahmen hindurchbewegte.

»Ach?«

Die Antwort kam vom Flur: »Gute Polizisten sind hässlich.«

Auf den ersten Blick gab Beate Lønns Aussehen keinen Hinweis in die eine oder andere Richtung. Sie war nicht hässlich, und manch einer würde sicher sagen, dass sie ein Puppengesicht hatte. Aber der Grund dafür war vermutlich, dass alles an ihr klein war: Gesicht, Nase, Ohren, Körper. Und zuallererst war sie blass. Ihre Haut und ihre Haare waren derart farblos, dass Harry sofort an die Frauenleiche denken musste, die er und Ellen aus dem Bunnefjord gefischt hatten. Doch im Gegensatz zu der Leiche hatte Harry das Gefühl, dass er vergessen würde, wie Beate Lønn aussah, sobald er nur einen Augenblick den Raum verließ. Wogegen Beate Lønn nichts zu haben schien, denn sie murmelte nur kurz ihren Namen, während Harry ihre kleine, feuchte Hand drücken durfte, ehe sie sie schnell wieder zurückzog.

»Hole ist hier im Haus eine Art Legende, verstehst du«, sagte Dezernatsleiter Ivarsson, der ihnen den Rücken zugedreht hatte und an einem Schlüsselbund herumfingerte. Ganz oben auf der grauen Stahltür vor ihnen stand in gotischen Buchstaben: House of Pain. Und darunter: Gruppenraum 508. »Stimmt doch, Hole, oder?« Harry gab keine Antwort. Es gab keinen Zweifel, welche Art Legende Ivarsson meinte, er hatte sich nie sonderlich angestrengt, seine Meinung über Hole zu verbergen. Er hielt Harry Hole für eine Schande für die ganze Polizei, die längst hätte ausgemerzt werden sollen.

Ivarsson bekam schließlich die Tür auf, und sie traten ein. Das House of Pain war ein Spezialraum, den das Raubdezernat nutzte, um Videoaufnahmen zu studieren, zu redigieren und zu kopieren. In der Mitte des fensterlosen Raumes stand ein großer Tisch mit drei Arbeitsplätzen. Eine Wand war durch ein Regal mit Videobändern verstellt, an der anderen hingen die Steckbriefe gesuchter Räuber und an der dritten eine große Leinwand, eine Oslokarte und ein paar Trophäen erfolgreicher Festnahmen. So auch neben der Tür, wo zwei abgetrennte Pulloverärmel mit Löchern für Augen und Mund hingen. Ansonsten bestand das Interieur aus grauen Computern, schwarzen Fernsehbildschirmen, Video- und DVD-Spielern sowie eine ganze Reihe anderer Geräte, von deren Funktion Harry keine Ahnung hatte.

»Und, was hat das Dezernat für Gewaltverbrechen dem Video entnehmen können?«, fragte Ivarsson, als er sich auf einen der Stühle fallen ließ. Bei dem Wort Gewaltverbrechen legte er sehr viel Druck auf das »w«.

»Das eine oder andere«, sagte Harry und ging zum Regal mit den VHS-Kassetten.

»Ja?«

»Nicht sonderlich viel.«

»Schade, dass ihr nicht zu dem Vortrag gekommen seid, den ich im September in der Kantine gehalten habe. Außer euch waren alle Abteilungen anwesend, wenn ich mich nicht täusche.«

Ivarsson war groß und hatte lange Gliedmaßen. Seine blonden Haare lagen lockig über seinen blauen Augen. Sein Gesicht hatte die markanten Züge deutscher Männermodels, die für Markenartikel, wie zum Beispiel Boss, posierten. Es war noch immer braun von den zahlreichen Sommernachmittagen auf dem Tennisplatz und möglicherweise von der einen oder anderen Stunde im Solarium des Fitnesscenters. Rune Ivarsson war kurz gesagt das, was die meisten einen gutaussehenden Mann nennen würden, und er bestätigte damit Harrys Theorie über den Zusammenhang des Äußerlichen mit der Fähigkeit im Dienst. Doch was Rune Ivarsson in puncto Ermittlungstalent fehlte, kompensierte er mit seinem Gespür für Politik und Allianzbildung in der Polizeihierarchie. Ivarsson hatte überdies ein natürliches Selbstvertrauen, das viele mit Führungsqualitäten verwechselten. Dieses Selbstvertrauen war in Ivarssons Fall einzig dadurch zu begründen, dass er mit einer totalen Blindheit für seine eigene Beschränktheit ausgestattet war, was ihn unweigerlich dazu qualifizierte, aufzusteigen, und ihn eines Tages – direkt oder indirekt – zu Harrys Vorgesetztem machen würde. Prinzipiell hatte Harry nichts dagegen, wenn Mittelmäßigkeit hinwegbefördert wurde und nichts mehr mit den Ermittlungen zu tun hatte, doch die Gefahr bei Leuten wie Ivarsson war, dass ihnen durchaus in den Sinn kommen konnte, die Arbeit derjenigen zu leiten, die etwas von Ermittlungen verstanden.

»Hab ich was verpasst?«, fragte Harry und fuhr mit dem Finger über die kleinen, handschriftlichen Etiketten auf den Kassettenrücken.

»Vielleicht nicht«, sagte Ivarsson. »Wenn man nicht an den kleinen Details interessiert ist, mittels derer die Kriminalfälle gelöst werden.«

Harry widerstand der Versuchung zu sagen, dass er nicht gekommen war, weil er von früheren Zuhörern erfahren hatte, dass es sich bei dem Vortrag um eine einzige Selbstbeweihräucherung gehandelt hatte, deren alleiniger Zweck es war, darauf hinzuweisen, dass die Aufklärungsrate des Raubdezernats seit Ivarssons Amtsübernahme von 35 % auf 50 % gestiegen war, ohne natürlich zu erwähnen, dass diese Amtsübernahme einhergegangen war mit einer Verdopplung des gesamten Personals, einer generellen Ausweitung der Kompetenzen hinsichtlich der Ermittlungsmethoden und der Tatsache, dass die Abteilung ihren schlechtesten Ermittler losgeworden war – Rune Ivarsson.

»Ich halte mich für durchaus interessiert«, sagte Harry. »Also erzählen Sie mir, wie Sie diesen Fall hier gelöst haben.« Er zog eine Kassette aus dem Regal und las laut: »20.11.94, Sparebanken Nord, Manglerud.«

Ivarsson lachte. »Gerne. Wir haben ihn auf die herkömmliche Weise geschnappt. Sie haben den Fluchtwagen auf einer Müllkippe bei Alnabru gewechselt und den ersten Wagen angezündet. Aber er brannte nicht ganz aus, so dass wir die

Handschuhe von einem der Täter mit einer DNA-Spur gefunden haben. Die haben wir mit den Leuten verglichen, die uns die Fahnder nach Begutachtung des Videos als mögliche Täter genannt haben, und einer von ihnen passte. Der Idiot bekam vier Jahre, weil er einen Schuss an die Decke abgefeuert hatte. Sonst noch Fragen, Hole?«

»Mm.« Harry fingerte an der Kassette herum. »Was für eine DNA-Spur war das?«

»Hab ich doch gesagt: Eine, die passte.« Ivarssons linkes Auge begann zu zittern.

»Gut, aber was genau? Tote Haut? Ein Nagel? Blut?«

»Ist das wichtig?« Ivarssons Stimme klang jetzt hart und ungeduldig.

Harry forderte sich selbst auf, die Klappe zu halten und dieses Don-Quijote-Projekt aufzugeben. Menschen wie Ivarsson waren ohnehin nicht lernfähig.

»Vielleicht nicht«, hörte Harry sich selbst sagen. »Wenn man nicht an den kleinen Details interessiert ist, mittels derer die Kriminalfälle gelöst werden.«

Ivarsson hatte seinen Blick starr auf Harry gerichtet. In dem geräuschisolierten Spezialraum legte sich die Stille wie ein physischer Druck auf die Ohren. Ivarsson öffnete seinen Mund, um etwas zu sagen.

»Knöchelhaare.«

Beide Männer im Raum sahen zu Beate Lønn. Harry hatte sie beinahe vergessen. Sie sah von dem einen zum anderen und wiederholte beinahe flüsternd:

»Knöchelhaare. Die oben auf den Fingern ... die heißen doch so ...«

Ivarsson räusperte sich: »Stimmt, das war ein Haar. Aber es war doch wohl – ohne dass wir jetzt genauer darauf eingehen müssten – ein Haar vom Handrücken. Nicht wahr, Beate?« Ohne eine Antwort abzuwarten, klopfte er mit dem Zeigefinger leicht auf das Glas seiner breiten Armbanduhr. »Aber ich muss jetzt los. Viel Spaß mit dem Video.«

Als die Tür hinter Ivarsson ins Schloss fiel, nahm Beate Harry die VHS-Kassette ab, die gleich darauf mit einem summenden Geräusch im Abspielgerät verschwand.

»Zwei Haare«, sagte sie. »Im linken Handschuh. Von den Knöcheln. Und die Müllkippe war in Karihaugen, nicht in Alnabru. Aber das mit den vier Jahren stimmt.«

Harry sah sie verblüfft an. »War das nicht eine ganze Weile vor deiner Zeit?«

Sie zuckte mit den Schultern, während sie den Play-Knopf auf der Fernbedienung drückte. »Man muss doch bloß die Berichte lesen.«

»Mm«, sagte Harry und betrachtete sie genauer von der Seite. Dann machte er es sich auf dem Stuhl bequem. »Mal sehen, ob der da ein paar Knöchelhaare für uns hat.«

Es klickte leise im Videogerät, und Beate löschte das Licht. Während ihnen das blaue Pausenbild entgegenstrahlte, startete in Harrys Kopf ein ganz anderer Film. Er war kurz, dauerte nur ein paar Sekunden, eine in blaues Stroboskoplicht getauchte Szene aus dem Waterfront, einem längst geschlossenen Club in Aker Brygge. Er wusste damals nicht, wie sie hieß, die Frau mit den lachenden, braunen Augen, die ihm durch die Musik etwas zuzurufen versuchte. Es lief Power Pop. Green on Red. Jason and The Scorchers. Er hatte Jim Beam in seine Cola gekippt und darauf geschissen, wie sie hieß. Doch am nächsten Abend, als sie alle Vertäuungen des Bettes mit dem kopflosen Pferd auf dem Bettpfosten gelöst und sich auf ihre Jungfernfahrt begeben hatten, wusste er es. Harry spürte die gleiche Wärme in seinem Bauch wie am Tag zuvor, als er ihre Stimme im Telefon gehört hatte.

Dann begann der andere Film.

Der alte Mann hatte seine Polarexpedition zum Schalter begonnen und wurde alle fünf Sekunden aus einem anderen Kamerawinkel gefilmt.

»Thorkildsen, TV2«, sagte Beate.

»Nein, August Schultz«, sagte Harry.

»Ich meine die Regie«, erwiderte sie. »Das trägt die Handschrift von Thorkildsen bei TV2. Da fehlen immer wieder Bruchteile von Sekunden ...«

»Fehlen? Wie siehst du ...«

»An verschiedenen Sachen. Pass auf den Hintergrund auf. Der rote Mazda, den du hinten auf der Straße erkennst, war bei zwei Kameras mitten im Bild, als die Perspektive wechselte. Ein Objekt kann nicht an zwei Orten gleichzeitig sein.«

»Meinst du, da hat jemand an dem Band herumgespielt?«

»Nein, nein. Alle Aufnahmen der sechs Kameras in der Bank und der einen draußen werden gleichzeitig auf ein Band gespielt. Auf dem Originaltape wechselt das Bild blitzschnell von Kamera zu Kamera, so dass das nur ein Geflimmer ist. Deshalb muss der Film redigiert werden, damit man längere, zusammenhängende Sequenzen erhält. Manchmal, wenn wir selbst nicht genug Zeit haben, wird das von irgendwelchen Leuten vom Fernsehen gemacht. Fernsehleute wie Thorkildsen nehmen es manchmal nicht so genau mit dem Zeitcode, damit es etwas schöner aussieht, nicht so abgehackt. Eine Berufsneurose, denke ich.«

»Berufsneurose«, wiederholte Harry. Das Wort erschien ihm seltsam altmodisch für ein so junges Mädchen. Oder war sie vielleicht doch nicht so jung, wie er zuerst gedacht hatte? Etwas war mit ihr geschehen, kaum dass das Licht gelöscht worden war, die Silhouette ihres Körpers schien entspannter, die Stimme fester.

Der Bankräuber betrat die Filiale und rief etwas auf Englisch. Die Stimme klang fern und dumpf, wie in eine Decke gehüllt.

»Was hältst du davon?«, fragte Harry.

»Norwegisch. Er spricht Englisch, damit wir keinen Dialekt, Akzent oder sonst irgendwelche typischen Worte erkennen können, die wir mit irgendwelchen früheren Banküberfällen in Verbindung bringen könnten. Er trägt glatte Kleider, die keine Fasern verlieren, die wir in irgendwelchen Fluchtautos, verdeckten Wohnungen oder zu Hause bei ihm wiederfinden könnten.«

»Mm, und sonst?«

»Alle Kleidungsöffnungen sind verklebt, um keine DNA-Spuren wie Haare oder Schweiß zu hinterlassen. Du kannst erkennen, dass die Hosenbeine an die Stiefel und die Ärmel an die Handschuhe geklebt sind. Ich möchte darauf wetten, dass sein ganzer Kopf mit Klebeband umwickelt ist und er sich Wachs auf die Augenbrauen geschmiert hat.«

»Ein Profi also?«

Sie zuckte mit den Schultern. »Achtzig Prozent aller Bankraube sind weniger als eine Woche vorher geplant worden und werden von Leuten begangen, die unter Drogen oder Alkohol stehen. Dieser Überfall war vorbereitet, und der Täter wirkt nüchtern.«

»Woran kannst du das erkennen?«

»Wenn wir perfektes Licht hätten und bessere Kameras, könnten wir die Bilder vergrößern und uns die Pupillen ansehen. Aber das haben wir nicht, weshalb ich seine Körpersprache deuten muss. Ruhige, gut überlegte Bewegungen, siehst du? Wenn er etwas genommen hat, dann sicher kein Speed oder irgendwelche Amphetamine. Rohypnol vielleicht. Das wird am liebsten genommen.«

»Warum?«

»Ein Bankraub ist ein extremes Erlebnis. Da braucht man kein Speed, eher im Gegenteil. Letztes Jahr ist einer mit einer automatischen Waffe in eine DnB-Filiale am Solli-Platz gekommen, hat wild um sich geballert und ist dann ohne Geld wieder gegangen. Zum Richter sagte er später, er hätte so viel Amphetamin genommen, dass er es einfach irgendwie rauslassen musste. Ich mag Bankräuber mit Rohypnol lieber, um es mal so auszudrücken.«

Harry nickte in Richtung Leinwand: »Achte auf die Schulter von Stine Grette an Schalter eins. Jetzt löst sie den Alarm aus. Und der Ton der Aufnahme wird plötzlich viel besser. Wie kommt das?«

»Der Alarm ist mit der Aufnahme gekoppelt. Wenn er ausgelöst wird, läuft der Film deutlich schneller, was uns bessere Bilder und einen klareren Ton gibt. Gut genug, um Stimmanalysen des Täters zu erstellen. Und dann hilft es dem Täter auch nichts, wenn er Englisch spricht.«

»Ist das wirklich so treffsicher, wie ihr behauptet?«

»Die Laute unserer Stimmbänder sind wie Fingerabdrücke. Wenn die Stimmanalytiker am NTNU in Trondheim zehn Worte auf einem Band bekommen, können sie zwei Stimmen mit fünfundneunzigprozentiger Sicherheit zuordnen.«

»Mm, aber nicht mit der Tonqualität, bevor der Alarm ausgelöst wird?«

»Dann ist es deutlich unsicherer.«

»Deshalb ruft er also zuerst etwas auf Englisch und nutzt dann, wenn er damit rechnet, dass der Alarm ausgelöst worden ist, Stine Grette als Sprachrohr.«

»Genau.«

Schweigend studierten sie, wie sich der schwarz gekleidete Bankräuber über den Tisch schwang, den Gewehrlauf an Stine Grettes Kopf drückte und ihr etwas ins Ohr flüsterte.

»Was hältst du von ihrer Reaktion?«, fragte Harry.

»Wie meinst du das?«

»Ihren Gesichtsausdruck. Sie scheint ziemlich ruhig zu sein, findest du nicht auch?«

»Ich finde gar nichts. Gesichtsausdrücke geben in der Regel nicht viele Informationen preis. Ich tippe, dass ihr Puls bei 180 liegt.«

Sie blickten auf Helge Klementsen, der auf den Knien vor dem Geldautomat herumrutschte.

»Ich hoffe bloß, dass der da eine gute Betreuung bekommt«, sagte Beate leise und schüttelte den Kopf. »Ich habe gesehen, wie Menschen nach solchen Überfällen zu psychischen Invaliden wurden.«

Harry sagte nichts, dachte aber, dass sie diese Aussage von irgendeinem älteren Kollegen aufgeschnappt haben musste.

Der Bankräuber drehte sich um und zeigte ihnen sechs Finger.

»Interessant«, murmelte Beate und notierte etwas auf dem Block vor sich, ohne auf das Papier zu blicken. Harry beobachtete die junge Polizistin aus den Augenwinkeln und sah, wie sie auf ihrem Stuhl zusammenzuckte, als der Schuss knallte. Während der Räuber auf der Leinwand über den Tisch sprang, sich den Sack schnappte und auf dem Weg zur Tür war, glitt Beates kleines Kinn nach oben und der Stift aus ihrer Hand.

»Das Letzte haben wir nicht ins Internet gestellt oder an die Fernsehsender weitergegeben«, sagte Harry. »Guck, jetzt ist er im Blickfeld der Außenkamera.«

Sie sahen, wie der Räuber an der grünen Ampel über den Bogstadvei hastete und dann rasch über die Industrigata verschwand.

»Und die Polizei?«, fragte Beate.

»Die nächste Polizeistation liegt im Sørkedalsvei direkt hinter der Mautstation, nur achthundert Meter von der Bank entfernt. Trotzdem dauerte es ab der Auslösung des Alarms mehr als drei Minuten, bis sie an der Bank waren. Damit hatte der Räuber also knapp zwei Minuten, um zu verschwinden.«

Beate sah nachdenklich auf die Leinwand, wo sich Autos und Menschen vorbeibewegten, als wäre nichts geschehen.

»Die Flucht war ebenso gut geplant wie der Überfall. Das Fluchtauto stand vermutlich direkt hinter der Kurve, so dass es nicht im Blickfeld der Außenkamera war. Er hatte Glück.«

»Vielleicht«, sagte Harry. »Auf der anderen Seite hast du aber auch nicht den Eindruck, dass das einer ist, der sich auf sein Glück verlässt, oder?«

Beate zuckte mit den Schultern. »Die meisten Banküberfälle sehen durchdacht aus, wenn sie gelingen.«

»Okay, aber hier waren die Chancen, dass die Polizei spät

kommt, ziemlich groß. Denn am Freitag zu diesem Zeitpunkt waren alle Streifen der Gegend mit einer anderen Sache beschäftigt, nämlich ...«

»... mit der Wohnung des amerikanischen Botschafters!«, entfuhr es Beate. Sie schlug sich mit der Hand gegen die Stirn. »Der anonyme Anruf wegen der Autobombe. Ich hatte Freitag frei, aber ich habe das ja in den Nachrichten gehört. Und das jetzt, wo ohnehin schon alle so hysterisch sind. Da mussten ja alle da sein.«

»Sie haben keine Bombe gefunden.«

»Natürlich nicht. Es ist ein klassischer Trick, unmittelbar vor einem Überfall etwas zu erfinden, das die Polizeikräfte an einen anderen Ort bindet.«

Gedankenverloren sahen sie sich den Rest der Aufnahme an. August Schultz stand vor dem Fußgängerüberweg und wartete. Aus Grün wurde Rot und dann wieder Grün, ohne dass er sich in Bewegung setzte. Auf was wartet er?, dachte Harry. Eine Abweichung, eine extra lange Grünphase, eine hundertjährige Ampelwelle? Tja. Bald würde sie kommen. In der Ferne hörte er die Polizeisirenen.

»Irgendetwas stimmt da nicht«, sagte Harry.

Beate Lønn antwortete mit dem müden Seufzer eines alten Mannes. »Irgendetwas stimmt immer nicht.«

Dann war der Film zu Ende, auf der Leinwand wütete ein Schneesturm.

Kapitel 4

Das Echo

»Schnee?«

Harry brüllte ins Handy, während er über den Bürgersteig hastete.

»Ja, klar«, antwortete Rakel über eine schlechte Verbindung aus Moskau, dicht gefolgt von einem knackenden Echo: »... klar.«

»Hallo?«

»Es ist eiskalt hier ... ier. Drinnen wie draußen ... außen.«

»Und im Gericht?«

»Auch da knapp unter null. Als wir hier wohnten, hat sogar seine Mutter gesagt, ich solle Oleg nehmen und hier wegziehen. Jetzt hockt sie bei den anderen und wirft mir fast hasserfüllte Blicke zu ... icke zu.«

»Wie läuft die Verhandlung?«

»Woher soll ich das denn wissen?«

»Nun, du bist doch Juristin, und außerdem sprichst du Russisch.«

»Harry. Wie hundertfünfzig Millionen andere Russen verstehe ich kein bisschen von diesem Rechtssystem, o. k. ... ke?«

»O. k., und wie packt Oleg das Ganze?«

Harry wiederholte die Frage noch einmal, ohne eine Antwort zu bekommen, und warf einen Blick auf das Display, um zu überprüfen, ob die Verbindung zusammengebrochen war, doch die Zeitanzeige der Gesprächsverbindung lief. Er drückte sich das Telefon wieder gegen das Ohr.

»Hallo?«

»Hallo, Harry, ich höre dich … ich. Du fehlst mir … ir. Warum lachst du … u?«

»Es hört sich komisch an. Du hast so ein Echo.«

Harry hatte die Haustür erreicht, zog seinen Schlüssel aus der Tasche und sperrte die Tür auf.

»Findest du mich zu aufdringlich, Harry?«

»Ach was.«

Harry nickte Ali zu, der ein Kickboard durch die Kellertür zu schieben versuchte. »Ich liebe dich. Hallo, hörst du mich? Ich liebe dich! Hallo?«

Harry blickte betroffen von dem toten Telefon auf und bemerkte das strahlende Lächeln seines Nachbarn.

»Ja, doch, dich auch, Ali«, murmelte er, während er mühselig Rakels Nummer zum zweiten Mal wählte.

»Wiederwahl-Taste«, sagte Ali.

»Häh?«

»Nichts. Du, sag Bescheid, wenn du mal Lust hast, dein Kellerabteil zu vermieten. Du benutzt das ja nicht so viel, oder?«

»Habe ich ein Kellerabteil?«

Ali verdrehte die Augen. »Wie lange wohnst du jetzt hier, Harry?«

»Ich habe gesagt, ich liebe dich.«

Ali blickte Harry fragend an, der jedoch abwehrend mit der Hand wedelte und ihm signalisierte, dass er wieder eine Verbindung bekommen hatte. Er joggte die Treppe nach oben und hielt die Schlüssel wie eine Wünschelrute vor sich.

»So, jetzt können wir reden«, sagte Harry, als er endlich in seiner spartanisch eingerichteten, aber sauberen Wohnung war, die er irgendwann Ende der achtziger Jahre für einen Spottpreis gekauft hatte, als der Wohnungsmarkt am Boden war. Schon manches Mal hatte Harry gedacht, dass er mit diesem Schnäppchen alles Glück aufgebraucht hatte, das ihm im Leben zustand.

»Wenn du doch hier bei uns sein könntest, Harry! Oleg sehnt sich so nach dir.«

»Hat er das gesagt?«

»Er braucht das nicht zu sagen. In dem Punkt seid ihr euch ähnlich.«

»He, ich habe doch gerade gesagt, dass ich dich liebe. Dreimal. Mit meinem Nachbarn als Zeugen. Weißt du, was das kostet?«

Rakel lachte. Harry liebte dieses Lachen, seit er es zum ersten Mal gehört hatte. Instinktiv hatte er damals gewusst, dass er alles tun würde, um dieses Lachen öfter zu hören. Am liebsten jeden Tag.

Er streifte sich die Schuhe ab und lächelte, als er den blinkenden Anrufbeantworter im Flur sah. Er musste kein Hellseher sein, um zu wissen, dass dort ein früherer Anruf von Rakel aufgenommen worden war. Sonst rief niemand Harry Hole privat an.

»Woher willst du denn wissen, dass du mich liebst?«, gurrte Rakel. Das Echo war verschwunden.

»Ich spüre, dass mir warm wird im ... wie heißt das da?«

»Herz?«

»Nein, das ist etwas unterhalb des Herzen. Nieren? Leber? Milz? Ja, das ist es, mir wird warm um die Milz.«

Harry war sich nicht sicher, ob das, was er am anderen Ende der Leitung hörte, Lachen oder Weinen war. Er drückte die Play-Taste des Anrufbeantworters.

»Ich hoffe, dass wir in vierzehn Tagen wieder zu Hause sind«, sagte Rakel ins Handy, ehe sie vom Anrufbeantworter übertönt wurde.

»Hei, ich bin's noch mal ...«

Harry spürte, wie sein Herz einen Sprung machte, und reagierte, ehe er einen klaren Gedanken fassen konnte. Er drückte die Stopp-Taste. Doch irgendwie schien das Echo der Worte dieser etwas heiseren, eindringlichen Frauenstimme zwischen den Wänden hin und her zu rollen.

»Was war das?«, fragte Rakel.

Harry hielt die Luft an. Ein Gedanke versuchte ihn zu erreichen, bevor er antwortete, aber er kam zu spät. »Nur das Radio.« Er räusperte sich. »Sag mir Bescheid, mit welchem Flugzeug ihr kommt, ich hol euch dann ab.«

»Natürlich tue ich das«, sagte sie etwas überrascht.

Es entstand eine etwas peinliche Pause.

»Du, ich muss jetzt los«, sagte Rakel. »Telefonieren wir heute Abend gegen acht noch mal?«

»Ja, das heißt nein, da kann ich nicht.«

»Oh, ich hoffe, es ist wenigstens mal etwas Angenehmes?«

»Nun«, sagte Harry und holte tief Luft. »Auf jeden Fall gehe ich mit einer Frau weg.«

»Ach nein. Wer ist die Glückliche?«

»Beate Lønn. Eine neue Beamtin im Raubdezernat.«

»Und was ist der Anlass?«

»Ein Gespräch mit dem Ehemann von Stine Grette, das ist die, die bei dem Raub im Bogstadvei erschossen worden ist. Ich habe dir davon erzählt. Und mit dem Filialleiter.«

»Na, dann viel Spaß. Dann telefonieren wir morgen. Oleg will dir aber noch gute Nacht sagen.«

Harry hörte schnelle, laufende Schritte und dann einen hastigen Atem im Hörer.

Nachdem sie aufgelegt hatten, blieb Harry im Flur stehen und starrte in den Spiegel über dem Telefontischchen. Wenn seine Theorie stimmte, blickte er jetzt in das Gesicht eines tüchtigen Polizeibeamten. Zwei blutunterlaufene Augen auf jeder Seite eines kräftigen Nasenrückens, umgeben von einem feinen Netz blauer Äderchen in einem blassen, knochigen Gesicht mit groben Poren. Die Falten sahen aus wie die Kerben auf einem Balken, der willkürlich mit einem Messer bearbeitet worden war. Wie war es dazu gekommen? Im Spiegel sah er die Wand hinter sich, an der das Bild von dem lächelnden, sonnengebräunten Jungen und dessen Schwester hing. Doch Harry war nicht auf der Suche nach verloren gegangener Schönheit oder Jugend. Denn der Gedanke hatte ihn endlich erreicht. Er suchte in seinen Zügen nach dem Betrügerischen, dem Ausweichenden, dem Feigen, das ihn gerade erst wieder dazu gebracht hatte, eines der Versprechen zu brechen, die er sich selbst gegeben hatte: nämlich Rakel niemals – wie auch immer – zu belügen. Dass ihre Beziehung bei all den Hindernissen, die es ohnehin bereits gab, auf keinen Fall auf Lügen aufbauen durfte. Warum also hatte er es wieder getan? Es stimmte, dass er und Beate Stine Grettes Ehemann treffen sollten, aber warum hatte er nicht erzählt, dass er anschließend Anna treffen wollte? Eine alte Flamme, aber – na und? Sie hatten eine wilde, stürmische Affäre gehabt, die ein paar Spuren hinterlassen hatte, doch keine bleibenden. Sie wollten bloß miteinander reden, einen Kaffee trinken und sich gegenseitig erzählen, wie es ihnen nach dem Ende ihrer Beziehung ergangen war, ehe sie wieder jeder zu sich nach Hause gingen.

Harry drückte die Play-Taste des Anrufbeantworters, um den Rest der Nachricht abzuspielen. Annas Stimme erfüllte den Flur: »… ich freu mich drauf, dich heute Abend im ›M‹ zu sehen. Nur zwei Sachen: Kannst du beim Schlüsseldienst in der Vibes Gate vorbeigehen und mir ein paar Schlüssel mitbringen, die ich da bestellt habe? Die haben bis sieben geöffnet, und ich habe deinen Namen als Abholer angegeben. Und kannst du nicht die Jeans anziehen, du weißt schon, die, die ich so gerne mochte?«

Tiefes, heiseres Lachen, und der ganze Raum schien im gleichen Takt zu vibrieren. Sie war die Gleiche geblieben, gar kein Zweifel.

Kapitel 5

Nemesis

Im Licht der Außenlampe, die über dem Keramikschild mit den Namen von Espen, Stine und Trond Grette hing, zeichnete der Regen helle Spuren in den dunklen Oktoberhimmel. Sie standen vor einem gelben Reihenhaus im Viertel Disengrenda. Er drückte auf die Klingel und sah sich um. Disengrenda bestand aus vier langen Reihenhäusern im Herzen eines großen, flachen Feldes, umgeben von größeren Wohnblocks. Harry musste unwillkürlich an eine Siedlung in der Prärie denken, in der sich die Menschen mit einem Ringwall gegen Indianerangriffe geschützt hatten. Und vielleicht war es ja so. Die Reihenhäuser waren in den sechziger Jahren für die stetig wachsende Mittelklasse gebaut worden. Vielleicht hatte die bereits schwindende Urbevölkerung der Arbeiter in den Blocks im Disenvei und im Travervei bereits damals erkannt, dass dies die neuen Herren waren, die die alleinige Herrschaft über das noch junge Land übernehmen würden.

»Scheint keiner da zu sein«, sagte Harry und klingelte noch einmal. »Bist du sicher, dass er auch mitbekommen hat, dass wir heute Nachmittag kommen wollten?«

»Nein.«

»Nein?« Harry drehte sich um und blickte auf Beate hinab, die schlotternd unter dem Regenschirm stand. Sie trug ein

Kleid und hochhackige Schuhe. Harry hatte spontan gedacht, dass sie sich wie für ein Kaffeekränzchen herausgeputzt hatte, als sie ihn vor der Gaststätte Schrøder aufgelesen hatte.

»Grette hat den Termin zweimal bestätigt, als ich ihn am Telefon hatte«, sagte sie. »Aber er ... schien nicht ganz bei sich zu sein.«

Harry beugte sich zur Seite und drückte seine Nase an das Küchenfenster. Es war dunkel im Haus, und das Einzige, was er sehen konnte, war ein weißer Kalender an der Wand mit dem Logo der Nordea-Bank.

»Lass uns zurückfahren«, sagte er.

In diesem Moment öffnete sich mit einem lauten Ruck das Küchenfenster der Nachbarn. »Wollen Sie zu Trond?«

Die Worte waren im breitesten Bergendialekt gesprochen worden. Jedes »r« klang, als würde ein Zug entgleisen. Harry drehte sich um und blickte in ein braunes, faltiges Frauengesicht, das anscheinend gleichzeitig lächeln und todernst aussehen wollte.

»Das wollen wir«, bestätigte Harry.

»Verwandtschaft?«

»Polizei.«

»Ah so«, erwiderte die Frau und ließ das Begräbnisgesicht fallen. »Ich dachte, Sie seien gekommen, um ihm Ihr Beileid zu bekunden. Der Arme ist auf dem Tennisplatz.«

»Auf dem Tennisplatz?«

Sie streckte ihren Arm aus. »Auf dem Feld. Seit vier Uhr steht er da.«

»Aber es ist doch dunkel«, sagte Beate. »Und es regnet.«

Die Frau zuckte mit den Schultern. »Das ist wohl die Trauer.« Sie rollte das »r« derart, dass Harry an die Pappstreifen denken musste, die sie als Kinder früher in Oppsal an der Fahrradgabel befestigt hatten, damit sie in den Speichen klapperten.

»Du bist doch auch irgendwo im Osten der Stadt aufgewachsen?«, fragte Harry, während er und Beate langsam in die

Richtung gingen, die ihnen die Frau gewiesen hatte. »Oder täusche ich mich?«

»Nein«, sagte Beate bloß.

Der Tennisplatz lag mitten auf dem Feld genau zwischen Reihenhäusern und Blocks. Sie hörten das dumpfe Klatschen eines nassen Balls auf der Bespannung eines Tennisschlägers, und hinter dem hohen Netz, das den Platz umgab, erblickten sie eine Gestalt, die in der zunehmenden Dunkelheit Aufschläge übte.

»Hallo!«, rief Harry, als sie am Netz standen, doch der Mann antwortete nicht. Erst jetzt erkannten sie, dass er ein Sakko, Hemd und Schlips trug.

»Trond Grette?«

Ein Ball prallte in eine schwarze Pfütze, sprang wieder hoch, klatschte in das Netz vor ihnen und besprühte sie mit einer feinen Dusche aus Regenwasser, die Beate mit dem Schirm abwehrte.

Beate rüttelte an der Tür. »Er hat sich eingeschlossen«, flüsterte sie.

»Hole und Lønn von der Polizei!«, rief Harry. »Wir hatten uns angemeldet. Könnten Sie … verflucht!« Harry hatte den Ball nicht gesehen, ehe er ins Netz klatschte und nur einen Daumenbreit vor seinem Gesicht in den Maschen hängen blieb. Er wischte sich das Wasser aus den Augen und blickte an sich herab. Er sah aus, als sei er in den rotbraunen Sprühnebel einer Lackiererei gekommen. Harry drehte sich automatisch um, als er den Mann den nächsten Ball hochwerfen sah.

»Trond Grette!« Harrys Ruf wurde von den Wänden der Blocks zurückgeworfen. Sie sahen einen Tennisball vor den Lichtern der Blocks eine Parabel beschreiben, ehe er vom Dunkel verschluckt wurde und irgendwo auf dem Feld landete. Harry drehte sich gerade rechtzeitig wieder zum Tennisplatz um, um den wilden Schrei zu hören und die Gestalt zu erkennen, die aus dem Dunkel auf sie zugestürmt kam. Stahl klirrte, als der Zaun den angreifenden Tennisspieler auffing.

Er stürzte auf die Asche, sackte auf alle viere, stand wieder auf, nahm erneut Anlauf und warf sich gegen den Zaun. Fiel, stand auf und griff wieder an.

»Mein Gott, der ist vollkommen von Sinnen«, murmelte Harry. Automatisch trat er einen Schritt zurück, als das weiße Gesicht mit den aufgerissenen Augen vor ihm im Licht auftauchte. Beate hatte die Taschenlampe eingeschaltet und den Lichtstrahl auf Grette gerichtet, der im Netz hing. Schwarze, nasse Haare klebten auf seiner weißen Stirn, und sein Blick schien nach etwas zu suchen, als er wie Seife auf einer Autoscheibe am Netz nach unten rutschte, bis er reglos auf dem Boden lag.

»Was machen wir jetzt?«, flüsterte Beate.

Harry spürte es zwischen den Zähnen knirschen. Er spuckte auf seine Handfläche und erkannte rote Asche.

»Du rufst einen Krankenwagen, und ich hole den Bolzenschneider aus dem Auto«, sagte er.

»Und dann hat er irgendwas zur Beruhigung gekriegt?«, fragte Anna.

Harry nickte und nippte an der Cola.

Die junge Weststadtklientel saß auf wackeligen Barhockern um sie herum und trank Wein, durchsichtige Drinks oder Cola light. Das »M« war wie die meisten Cafés in Oslo auf eine provinzielle, naive Art urban. Es war nicht unsympathisch, und Harry musste an Diss denken, seinen früheren, wohlerzogenen Klassenkameraden, der, wie sie eines Tages entdeckt hatten, in einem kleinen Buch all die Slangausdrücke niederschrieb, die die coolsten Jungs der Klasse benutzten.

»Sie haben den Armen ins Krankenhaus gebracht. Dann haben wir noch einmal mit der Nachbarin gesprochen, und die hat uns gesagt, dass er seit dem Tod seiner Frau jeden Abend da gestanden und Aufschläge trainiert hat. Manche verdrängen einfach alles und tun so, als ob die Toten noch lebten. Die Nachbarin erzählte, Trond und Stine Grette seien ein wirklich gutes Mixedpaar gewesen, und dass sie im Sommer fast jeden Nachmittag trainierten.«

»Dann wartete er also irgendwie darauf, dass seine Frau die Bälle zurückschlug?«

»Vielleicht.«

»Jesus! Bestellst du mir ein Bier, ich muss aufs Klo.«

Anna stand schwungvoll auf und ging mit schwingenden Hüften durch das Lokal. Harry versuchte, ihr nicht nachzublicken. Es war nicht nötig, er hatte gesehen, was er wissen musste. Sie hatte an den Augen ein paar Fältchen bekommen und vereinzelte graue Haare, doch ansonsten war sie unverändert. Die gleichen schwarzen Augen mit dem etwas gehetzten Blick unter den zusammengewachsenen Augenbrauen, die gleiche schmale, hohe Nase über den vulgären, vollen Lippen und die noch immer eingefallenen Wangen, die ihr diesen hungrigen Ausdruck gaben. Sie war nicht direkt hübsch, dafür waren ihre Züge zu hart und kräftig, doch ihr schlanker Körper hatte noch immer so viele Kurven, dass Harry mindestens zwei Männer auffielen, die aus dem Konzept kamen, als sie vorbeiging.

Harry zündete sich eine weitere Zigarette an. Nach Grette hatten sie Helge Klementsen, den Filialleiter, besucht, doch auch hier hatten sie nicht viel Brauchbares erfahren. Er war noch immer in einer Art Schockzustand und hatte auf einem Stuhl in seiner Doppelhaushälfte im Kjelsåsvei gehockt und abwechselnd von seinem herumwieselnden Königspudel zu seiner nicht minder unruhigen Frau geschaut, die unablässig mit Kaffee und den trockensten Keksen, die Harry jemals gegessen hatte, zwischen Küche und Wohnzimmer hin und her rannte. Beates Kleider hatten besser in das bürgerliche Heim der Klementsens gepasst als Harrys ausgewaschene Jeans und seine Doc Martens. Trotzdem war es größtenteils Harry, der mit der nervös herumtrippelnden Frau Klementsen über die ungewöhnlich hohen Niederschlagsmengen dieses Herbstes plauderte oder über die Kunst, gerade diese Kekse zu backen, wobei sie aber immer wieder durch stampfende Schritte und lautes Schluchzen von der oberen Etage unterbrochen wurden. Frau Klementsen erklärte, dass der Mann ihrer armen, im sechsten Monat schwangeren Tochter Ina gerade erst das Weite gesucht habe. Weit weg sei er gegangen, nach Kos, und dort gehöre er auch hin, denn er sei Grieche. Harry hätte vor Lachen beinahe den ganzen Keks über dem Tisch verteilt, als Beate endlich das Wort ergriff und Helge Klementsen ruhig fragte: »Wie groß, glauben Sie, war der Bankräuber?«

Helge Klementsen hatte sie angesehen, die Kaffeetasse ergriffen und sie halb zum Mund geführt, wo sie jedoch notwendigerweise warten musste, da er nicht gleichzeitig sprechen und trinken konnte: »Groß. Zwei Meter vielleicht. Sie hat ihre Arbeit immer so genau genommen, die Stine.«

»Er war nicht so groß, Herr Klementsen.«

»Dann vielleicht 1,90. Und sie trat immer so gepflegt auf.«

»Und was trug er für Kleider?«

»Etwas Schwarzes, Gummiartiges. Im Sommer hat sie zum ersten Mal richtig Ferien gemacht, auf Kos.«

Frau Klementsen schnaubte.

»Gummiartig?«, fragte Beate.

»Ja. Und eine Haube.«

»Welche Farbe, Herr Klementsen?«

»Rot.«

In diesem Moment hatte Beate mit dem Protokollieren aufgehört, und kurz darauf hatten sie wieder im Auto in Richtung Stadt gesessen.

»Wenn die Richter und Schöffen wüssten, wie unzuverlässig Zeugenaussagen bei solchen Banküberfällen sind, dürften wir die sicher nicht als Beweismittel verwenden«, hatte Beate gesagt. »Es ist fast schon faszinierend fehlerhaft, was sich die Gehirne der Menschen so alles ausdenken. Als würde ihnen die Furcht eine Brille aufsetzen, die alle Bankräuber größer und schwärzer machte, ihre Waffen vervielfältigte und die Sekunden in die Länge zog. Der Bankräuber brauchte etwas über eine Minute, aber Frau Brænne, die Frau am Schalter gleich beim Eingang, meinte, er müsse an die fünf Minuten da gewesen sein. Und er war nicht zwei Meter groß, sondern 1,78 Meter. Wenn er keine Einlegesohlen trug, was bei Profis auch nicht ausgeschlossen ist.«

»Woher willst du die Größe so genau wissen?«

»Aus dem Video. Man misst die Höhe im Vergleich zum Türrahmen, wenn der Räuber die Bank betritt. Ich war heute Morgen in der Filiale, habe Kreidemarkierungen gesetzt, neue Bilder gemacht und dann gemessen.«

»Hm, bei uns überlassen wir so etwas der Spurensicherung.«

»Größenmessung per Video ist etwas komplizierter, als es sich anhört. Die Spurensicherung irrte sich zum Beispiel um drei Zentimeter bei dem Überfall auf die DnB in Kaldbakken 1989. Deshalb mache ich lieber meine eigenen Messungen.«

Harry hatte sie angesehen und sich gefragt, warum sie wohl zur Polizei gegangen war. Stattdessen hatte er gefragt, ob sie ihn beim Schlüsseldienst in der Vibes Gate herauslassen könnte. Ehe er aus dem Wagen stieg, hatte er sie auch noch gefragt, ob sie bemerkt habe, dass Klementsen nicht einen Tropfen aus der randvollen Kaffeetasse verschüttet hatte, die er während der ganzen Befragung in der Hand gehalten hatte. Sie hatte es nicht.

»Gefällt es dir hier?«, fragte Anna und ließ sich auf den Stuhl fallen.

»Tja.« Harry sah sich um. »So ganz meine Richtung ist das nicht.«

»Meine auch nicht«, sagte Anna, nahm ihre Tasche und stand auf. »Komm, wir gehen zu mir.«

»Du hast gerade dein Bier gekriegt.« Harry deutete auf das Glas mit der Schaumkrone.

»Es ist so langweilig, alleine zu trinken«, sagte sie mit einer Grimasse. »Entspann dich, Harry. Komm.«

Draußen hatte der Regen aufgehört, und die frisch gespülte, kalte Luft schmeckte gut.

»Erinnerst du dich an den Herbsttag, an dem wir im Maridal waren?«, fragte Anna, schob ihre Hand unter seinen Arm und ging los.

»Nein«, sagte Harry.

»Natürlich tust du das! In deinem desolaten Ford Escort, in dem man nicht einmal die Sitze runterklappen konnte.«

Harry lächelte schief.

»Du wirst ja rot«, rief sie begeistert aus. »Dann erinnerst du dich sicher auch noch, dass wir das Auto abgestellt haben und in den Wald gegangen sind. Und all die gelben Blätter, das war wie ein ...« Sie drückte seinen Arm. »Wie ein Bett. Ein gediegenes, goldenes Bett.« Sie lachte und gab ihm einen Schubs. »Und anschließend musste ich dir helfen, deinen Kadaver von Auto wieder in Gang zu bringen. Das bist du doch wohl inzwischen los?«

»Tja«, sagte Harry. »Es ist in der Werkstatt, warten wir's mal ab.«

»Och nein. Jetzt hast du dich angehört, als sei das ein Freund, der mit einer Geschwulst oder irgend so etwas im Krankenhaus liegt.« Und dann fügte sie leise hinzu: »Du solltest nicht so leicht aufgeben, Harry.«

Er antwortete nicht.

»Da wären wir«, sagte sie. »Aber daran erinnerst du dich doch noch?« Sie standen vor einer blauen Haustür in der Sorgenfrigata.

Harry löste sich vorsichtig. »Hör mal, Anna«, begann er und versuchte, ihren warnenden Blick zu ignorieren. »Ich habe morgen schrecklich früh eine Besprechung mit den Fahndern vom Raubdezernat.«

»Du brauchst es gar nicht erst zu versuchen«, sagte sie und öffnete die Tür.

Harry kam etwas in den Sinn, er schob die Hand in seine Manteltasche und reichte ihr einen gelben Umschlag. »Vom Schlüsseldienst.«

»Ach, der Schlüssel. Ging alles glatt?«

»Der Typ hinter dem Tresen hat sich meinen Ausweis ziemlich genau angeguckt. Und ich musste unterschreiben. Merkwürdiger Typ.« Harry sah auf die Uhr und gähnte.

»Bei diesen Systemschlüsseln sind sie immer sehr streng«, sagte Anna schnell. »Der passt ja im ganzen Haus, Eingangstür, Kellertür, Wohnung, alles.« Sie lachte schnell und nervös. »Die brauchten eine schriftliche Bestätigung der Besitzergemeinschaft, nur um diesen einen Nachschlüssel machen zu lassen.«

»Verstehe«, sagte Harry, wippte auf den Hacken und holte tief Luft, um gute Nacht zu sagen.

Sie kam ihm zuvor. Ihre Stimme klang fast flehend: »Nur eine Tasse Kaffee, Harry.«

An der hohen Decke hing noch der gleiche Kronleuchter, und auch der alte Esstisch stand noch im großen Wohnzimmer. Harry meinte sich daran zu erinnern, dass die Wände hell gewesen waren, weiß, oder vielleicht gelb. Doch er war sich nicht sicher. Jetzt waren sie blau, was den Raum kleiner wirken ließ. Vielleicht wollte Anna etwas gegen die Leere tun. Es ist nicht leicht für einen einzigen Menschen, eine Wohnung mit drei Wohnzimmern, zwei großen Schlafzimmern und einer 3,50 Meter hohen Decke zu füllen. Harry erinnerte sich an Annas Erzählung, dass auch ihre Großmutter hier allein gewohnt hatte. Doch dass sie nicht viel Zeit hier verbracht hätte, denn sie war eine bekannte Sopranistin gewesen und in der Welt herumgereist, so lange sie noch singen konnte.

Anna verschwand in der Küche, und Harry blickte in das sich anschließende Zimmer. Der Raum war nackt und leer, abgesehen von einem Pferd in der Größe eines Islandponys, das auf vier hölzernen Beinen in der Mitte des Raumes stand. Zwei runde Griffe ragten aus dem Rücken. Harry trat dicht heran und strich mit der Hand über das glatte, braune Leder.

»Hast du zu turnen begonnen?«, rief er.

»Wegen dem Seitpferd?«, erwiderte Anna aus der Küche.

»Ich dachte, das sei ein Gerät für Männer?«

»Ja, klar. Bist du sicher, dass du kein Bier verträgst, Harry?«

»Ganz sicher«, rief er zurück. »Aber mal im Ernst, wo hast du das denn her?«

Harry zuckte zusammen, als er ihre Stimme plötzlich dicht hinter sich hörte: »Weil es mir Spaß macht, Dinge zu tun, die Männer machen.«

Harry drehte sich um. Sie hatte sich den Pullover ausgezogen und stand in der Tür. Eine Hand ruhte auf ihrer Hüfte, und mit der anderen stützte sie sich am Türrahmen ab. Es gelang Harry gerade noch, sie nicht von Kopf bis Fuß zu mustern.

»Das hab ich vom Osloer Turnverein gekauft. Es soll ein Kunstwerk werden. Eine Installation. Wie seinerzeit das ›Kontakt‹, du erinnerst dich doch?«

»Du meinst diese Box mit dem Vorhang auf dem Tisch, in die man die Hand stecken sollte? Und in der diese vielen künstlichen Hände waren, die man drücken konnte?«

»Oder streicheln, oder mit ihnen flirten. Oder sie abweisen. Der Witz war, dass da Heizelemente drin waren, die sie auf Körpertemperatur hielten. Nicht wahr? Die Menschen glaubten, dass sich jemand unter dem Tisch versteckte. Komm, ich zeig dir noch etwas anderes.«

Er folgte ihr zu dem dritten, am weitesten hinten liegenden Zimmer, dessen Schiebetür Anna öffnete. Dann nahm sie seine Hand und zog ihn ins Dunkle. Als das Licht anging, blieb Harry stehen und starrte auf die Lampe. Es war eine vergoldete Stehlampe in Form eines Frauenkörpers, die in der einen Hand eine Waage und in der anderen ein Schwert hielt. Die drei Lampen waren am äußeren Rand von Schwert, Kopf und Waage befestigt, und als Harry sich umdrehte, erkannte er, dass diese Lampen drei Ölgemälde anstrahlten. Zwei davon hingen an der Wand, während das dritte, offensichtlich noch unvollendete Bild auf einer Staffelei stand, an der unten links eine gelb und braun gesprenkelte Palette befestigt war.

»Was sind das für Bilder?«, fragte Harry.

»Das sind Porträts, erkennst du das nicht?«

»Ah, ja. Sind das die Augen?« Er zeigte auf das Bild. »Und das der Mund?«

Anna legte den Kopf zur Seite. »Wenn du willst. Das sind drei Männer.«

»Jemand, den ich kenne?«

Anna sah Harry lange nachdenklich an, ehe sie antwortete: »Nein, ich glaube nicht, dass du einen davon kennst, Harry. Aber das kann ja noch werden. Wenn du wirklich willst.«

Harry sah sich die Bilder genauer an.

»Erzähl mir, was du siehst.«

»Ich sehe meinen Nachbarn mit dem Kickboard. Und einen Typ, der aus dem Hinterzimmer des Schlüsseldienstes kommt, als ich gerade zur Tür gehe. Und ich sehe die Bedienung im ›M‹ und Per Ståle Lønning.«

Sie lachte. »Wusstest du, dass die Netzhaut alles umdreht, so dass man zuerst alles spiegelverkehrt sieht? Wenn man die Dinge so sehen will, wie sie wirklich sind, muss man sie durch einen Spiegel betrachten. Dann würdest du ganz andere Menschen auf den Bildern sehen.« Ihre Augen strahlten, und Harry konnte einfach nicht seinen Einwand bringen, dass die Netzhaut die Bilder nicht spiegelverkehrt darstellt, sondern auf dem Kopf. »Das wird mein wirkliches Meisterwerk werden, Harry. Daran wird man sich erinnern.«

»Diese Porträts?«

»Nein, die sind nur ein Teil des gesamten Kunstwerks. Es ist noch nicht fertig, aber warte nur.«

»Hm, hast du schon einen Namen dafür?«

»Nemesis«, sagte sie leise.

Er sah sie fragend an, und ihre Blicke verhakten sich.

»Nach der Göttin, du weißt schon.«

Schatten fiel auf die eine Seite ihres Gesichts. Harry sah weg. Er hatte genug gesehen. Den Schwung ihres Rückens, der einen Tanzpartner suchte, den einen Fuß, den sie etwas vor den anderen gestellt hatte, als könne sie sich nicht entscheiden, ob sie kommen oder gehen sollte, ihre Brüste, die sich hoben und senkten, und ihren schmalen Hals mit der dicken Ader, in der er ihren Pulsschlag sehen konnte. Ihm war warm, und er fühlte sich ein wenig schwindelig. Was hatte sie gesagt? »Du solltest nicht so leicht aufgeben.« Hatte er das?

»Harry ...«

»Ich muss gehen«, sagte er.

Er zog ihr das Kleid über den Kopf, und sie ließ sich lachend nach hinten auf die weißen Laken fallen. Sie löste seinen Gürtel, während vom Schreibtisch her der Bildschirmschoner des Laptops die Geisterköpfe und aufgerissenen Mäuler der Dämonen, die in die Bettpfosten geschnitzt waren, in türkises Flackerlicht tauchte. Anna hatte erzählt, dass das Bett einmal ihrer Großmutter gehört und dass es beinahe achtzig Jahre dort gestanden hatte. Sie biss ihn ins Ohr und flüsterte Worte in einer unbekannten Sprache. Dann hörte sie auf zu flüstern und ritt ihn, während sie rief und lachte und unbekannte Mächte anflehte, und Harry wünschte sich nur, es würde nie zu Ende gehen. Kurz bevor er kam, hielt sie abrupt inne, nahm sein Gesicht zwischen ihre Hände und flüsterte: »Für ewig mein?«

»Vergiss es«, lachte er und drehte sie um, so dass er über sie kam. Die hölzernen Dämonen grinsten ihn an.

»Für ewig mein?«

»Ja«, stöhnte er und kam.

Als das Gelächter verstummt war und sie verschwitzt, aber eng umschlungen auf der Bettdecke lagen, erzählte Anna, dass ihre Großmutter das Bett von einem spanischen Adligen geschenkt bekommen hatte.

»Nach einem Konzert, das sie 1911 in Sevilla gegeben hatte«, sagte sie und hob ihren Kopf ein wenig, so dass Harry ihr die entzündete Zigarette zwischen die Lippen stecken konnte.

Das Bett kam drei Monate später mit dem Dampfschiff

»Eleonora« in Oslo an. Der Zufall, und vielleicht noch ein bisschen mehr, wollte es, dass der dänische Kapitän, Jesper-ich-weiß-nicht-wie-weiter, Großmutters erster Liebhaber in diesem Bett wurde, aber nicht ihr erster überhaupt. Jesper muss ein sehr leidenschaftlicher Mann gewesen sein, und das ist, laut Großmutter, auch der Grund dafür, weshalb dem Pferd ganz oben auf dem Bettpfosten der Kopf fehlt. Den habe nämlich Kapitän Jesper vor Ekstase abgebissen.

Anna lachte und Harry lächelte. Dann war die Zigarette heruntergebrannt, und sie liebten sich beim Knirschen und Knacken des spanischen Manilaholzes, was Harry auf den Ge-danken brachte, an Bord eines steuerlosen Schiffes zu sein, doch das war ein gutes Gefühl.

Es war lange her und das erste und letzte Mal gewesen, dass er nüchtern in Annas Großmutterbett eingeschlafen war.

Harry wandte sich in dem schmalen Eisenbett herum. 3.21 Uhr leuchtete es vom Display des Radioweckers auf dem Nachttischchen. Er fluchte. Dann schloss er die Augen, und langsam glitten seine Gedanken zurück zu Anna und dem Sommer auf den weißen Laken im Bett ihrer Großmutter. Die meiste Zeit über war er voll gewesen, doch die Nächte, an die er sich erinnerte, waren warm und rosa gewesen wie erotische Postkarten. Sogar seine letzten Worte am Ende des Sommers hatten wie ein abgenutztes, aber warm und innerlich empfun-denes Klischee geklungen: »Du verdienst jemand Besseres als mich.«

In dieser Zeit hatte er dermaßen getrunken, dass es mit ihm nur in eine Richtung gehen konnte. Und in einem seiner kla-ren Momente hatte er sich entschlossen, sie nicht mit sich in den Abgrund zu ziehen. Sie hatte ihn in ihrer fremden Sprache verflucht und ihm geschworen, eines Tages das Gleiche mit ihm zu tun: ihm die Einzige zu nehmen, die er liebte.

Das war vor sieben Jahren gewesen, und das Ganze hatte nur sechs Wochen gedauert. Danach hatte er sie nur noch zweimal gesehen. Einmal in einer Bar, in der sie mit Tränen in den Augen zu ihm gekommen war und ihn gebeten hatte, zu verschwinden, was er dann auch getan hatte, und das andere Mal in einer Ausstellung, auf die Harry seine kleine Schwester Søs mitgenommen hatte. Er hatte versprochen, sie anzurufen, was er aber nicht getan hatte.

Harry drehte sich erneut zum Wecker. 3.32 Uhr. Er hatte sie geküsst. Jetzt, an diesem Abend. Als er in Sicherheit war und draußen vor ihrer Wohnungstür mit den rauen Glasscheiben stand, hatte er sich zu ihr gebeugt, um sie in den Arm zu neh-men und ihr eine gute Nacht zu wünschen, doch daraus war ein Kuss geworden. Einfach und gut. Einfach auf jeden Fall. 3.33 Uhr. Scheiße, wann war er nur so sentimental geworden, dass er ein schlechtes Gewissen bekam, bloß weil er einer alten Flamme einen Kuss gegeben hatte? Harry versuchte tief und gleichmäßig zu atmen und an mögliche Fluchtrouten vom Bogstadvei über die Industrigata zu denken. Hin und her. Und wieder in die Industrigata hinein. Noch immer hatte er ihren Geruch in der Nase. Die süße Schwere ihres Körpers. Die raue, eindringliche Sprache ihres Zungenmuskels.

Kapitel 6

Chili

Die ersten Sonnenstrahlen des Tages huschten über den Rand des Ekeberg, unter den halb zugezogenen Vorhängen des Sitzungszimmers im Dezernat für Gewaltverbrechen hindurch und verfingen sich in den Fältchen um Harrys zugekniffene Augen. Am Ende des langen Tisches stand breitbeinig Rune Ivarsson und wippte, die Hände auf dem Rücken, auf seinen Zehen auf und ab. Hinter ihm stand ein Flip-Chart, auf dem mit großen roten Buchstaben WILLKOMMEN stand. Harry rechnete damit, dass Ivarsson das auf irgendeinem Präsentationsseminar aufgeschnappt hatte, und versuchte halbherzig, sein Gähnen zu unterdrücken, als der Abteilungschef zu reden begann.

»Guten Morgen, alle zusammen. Wir acht, die wir hier sitzen, bilden die Kommission, die den Überfall auf die Bank im Bogstadvei letzten Freitag untersucht.«

»Das Tötungsdelikt«, murmelte Harry.

»Wie bitte?«

Harry richtete sich ein ganz klein wenig auf. Die verdammte Sonne blendete ihn, wie er auch zu sitzen versuchte. »Es ist wohl richtig, davon auszugehen, dass wir es hier mit einem Tötungsdelikt zu tun haben, und die Nachforschungen dementsprechend ausrichten.«

Ivarsson verzog seinen Mund zu einem Lächeln. Es galt nicht Harry, sondern den anderen am Tisch, über die er seinen Blick schweifen ließ. »Ich dachte, ich sollte vielleicht damit beginnen, sie einander vorzustellen, doch unser Freund vom Dezernat für Gewaltverbrechen hat ja schon den Anfang gemacht. Hauptkommissar Harry Hole ist uns gnädigst von seinem Chef Bjarne Møller zur Seite gestellt worden, weil seine Spezialität Morde sind.«

»Tötungsdelikte«, sagte Harry.

»Na gut. Zu seiner Linken sitzt Weber von der Kriminaltechnik, der die Spurensicherung vor Ort leitete. Weber ist, wie die meisten von Ihnen wissen, unser erfahrenster Mann in der Spurensicherung. Bekannt für seine analytischen Fähigkeiten und seine treffsichere Intuition. Der Polizeipräsident hat einmal gesagt, dass er Weber gerne als Hund bei der Jagd in Trysil dabeihätte.«

Gelächter am Tisch. Harry brauchte Weber nicht anzusehen, um zu wissen, dass er nicht lachte. Weber lächelte fast nie, auf jeden Fall nicht bei jemandem, den er nicht mochte, und er mochte beinahe niemanden. Und ganz sicher keinen der jüngeren Führungsriege, für ihn waren das alles nur inkompetente Emporkömmlinge ohne Gefühl für die Sache und ihre Einheit, die aber stattdessen über ein übersteigertes Gefühl für ihre bürokratische Macht und den Einfluss verfügten, den sie durch einen kurzen Gastaufenthalt im Polizeipräsidium bekamen.

Ivarsson lächelte und wippte zufrieden auf und ab wie ein Skipper bei Seegang, während er darauf wartete, dass die Anwesenden zu lachen aufhörten.

»Beate Lønn ist ein neues Gesicht in unserer Runde. Sie ist unsere Spezialistin für Videoanalyse.«

Beate wurde puterrot.

»Beate ist die Tochter von Jørgen Lønn, der mehr als zwanzig Jahre im damaligen Dezernat für Raub- und Gewaltverbrechen tätig war. Sie scheint wirklich in die Fußstapfen ihres

Vaters zu steigen und hat bereits entscheidende Hinweise in mehreren Fällen leisten können. Ich weiß nicht, ob ich das schon erwähnt habe, aber es ist uns in unserem Dezernat im letzten Jahr gelungen, die Aufklärungsrate auf beinahe fünfzig Prozent zu bringen, was im internationalen Zusammenhang als wirklich ...«

»Sie haben das bereits erwähnt, Ivarsson.«

»Danke.«

Dieses Mal blickte Ivarsson Harry direkt an, als er lächelte. Ein starres Kriechtierlächeln, das auch die hinteren Backenzähne entblößte. Und dieses Lächeln behielt er bei, während er die anderen vorstellte. Harry kannte zwei von ihnen. Magnus Rien, ein junger Kerl vom Tomrefjord, der ein halbes Jahr in der Abteilung war und einen soliden Eindruck machte. Der andere war Didrik Gudmundson, der erfahrenste Ermittler am Tisch und stellvertretender Abteilungsleiter der Abteilung. Ein ruhiger, methodisch arbeitender Polizist, mit dem Harry noch nie Probleme gehabt hatte. Auch die beiden letzten waren vom Raubdezernat, sie hatten beide den Nachnamen Li, aber Harry erkannte auf den ersten Blick, dass sie ganz sicher keine eineiigen Zwillinge waren. Toril Li war eine große, blonde Frau mit schmalem Mund und verschlossenen Gesichtszügen, während Ola Li ein rothaariger, kleiner Kerl mit Koboldgesicht und lachenden Augen war. Harry hatte sie so oft in den Fluren gesehen, dass die meisten es wohl für angebracht gehalten hätten zu grüßen, was Harry aber nie eingefallen war.

»Ich selbst sollte den meisten von euch bekannt sein«, schloss Ivarsson die Runde ab.

»Aber nur damit das gesagt ist, ich bin Leiter des Raubdezernats und leite diese Ermittlungen. Und bezüglich Ihrer Eingangsfrage, Hole, so ist es nicht das erste Mal, dass wir in einem Raub ermitteln, bei dem es zu Toten gekommen ist.«

Harry versuchte, nicht zu reagieren. Er versuchte es wirklich. Aber das Krokodilgrinsen machte es ihm unmöglich.

»Dabei auch mit einer Aufklärungsrate von etwas unter fünfzig Prozent?«

Nur einer am Tisch lachte, der aber laut. Weber.

»Entschuldigen Sie, das habe ich vielleicht über Hole zu sagen vergessen«, sagte Ivarsson, ohne zu lächeln. »Er soll Humor haben. Der reinste Komiker, habe ich gehört.«

Eine Sekunde peinlicher Stille folgte. Dann lachte Ivarsson laut und schallend, und ein erleichtertes Raunen ging um den Tisch.

»O. k., beginnen wir mit den Fakten, was haben wir bis jetzt?« Ivarsson blätterte das Flip-Chart um. Unter der Überschrift SPURENSICHERUNG war das Blatt leer. Er nahm die Kappe vom Stift und machte sich bereit. »Bitte, Weber.«

Karl Weber erhob sich. Er war ein kleinwüchsiger Mann mit grauer Löwenmähne und Bart. Seine Stimme war ein unheilverkündendes tiefes Brummen, aber deutlich zu verstehen. »Ich werde mich kurzfassen.«

»Aber bitte«, sagte Ivarsson und legte die Spitze des Stiftes an das Blatt, »nehmen Sie sich die Zeit, die Sie brauchen, Karl.«

»Ich fasse mich kurz, weil ich nicht viel habe«, brummte Weber. »Wir haben nichts.«

»Ah ja«, sagte Ivarsson und ließ den Stift sinken, »und was genau meinen Sie mit nichts?«

»Wir haben den Abdruck eines nagelneuen Nike-Schuhs, Größe 45. Das meiste an diesem Raub ist derart professionell, dass wir wohl davon ausgehen können, dass das nicht die Größe ist, die er normalerweise braucht. Das Projektil ist von der Ballistik untersucht worden. Es ist die 7,62-mm-Standardmunition des AG3, die häufigste Munition im Königreich Norwegen, die es in jeder Militärbaracke gibt, in jedem Waffenlager und bei allen zu Hause, die Befehlshaber sind oder in der Heimwehr. Mit anderen Worten: unmöglich aufzuspüren. Abgesehen davon könnte man den Eindruck haben, dass er niemals in oder vor dieser Bank gewesen ist. Dort haben wir nämlich auch alles auf Spuren untersucht.«

Weber setzte sich.

»Danke, Weber, das war … äh, deutlich.« Ivarsson blätterte um zum nächsten Blatt, auf dem ZEUGEN stand.

»Hole?«

Harry sank noch ein wenig mehr auf seinem Stuhl zusammen. »Alle, die während des Überfalls in der Bank waren, wurden unmittelbar danach verhört, doch niemand kann uns mehr sagen, als wir auf dem Video sehen. Das heißt, sie erinnern sich an ein paar Sachen, von denen wir sicher wissen, dass sie nicht stimmen. Ein Zeuge sah den Räuber über die Industrigata verschwinden, sonst hat sich niemand gemeldet.«

»Was uns zum nächsten Punkt führt, dem Fluchtwagen«, sagte Ivarsson. »Toril?«

Toril trat vor, schaltete den Tageslichtprojektor ein, auf dem bereits eine Folie mit einer Übersicht über die in den letzten drei Monaten gestohlenen Personenwagen lag. In hartem Sunnmøre-Dialekt erklärte sie, welche vier Wagentypen sie für die wahrscheinlichsten Fluchtwagen hielt, da es sich bei diesen um die häufigsten Marken und Modelle handelte, sie helle neutrale Farben hatten und neu genug waren, so dass sich der Räuber sicher fühlen konnte, keine Panne zu bekommen. Speziell einer der Wagen, ein Golf GTI, der im Maridalsveien geparkt gewesen war, sei interessant, da dieser erst am Abend zuvor gestohlen worden sei.

»Bankräuber stehlen die Fluchtwagen oft erst unmittelbar vor einem Raub, damit sie zum Zeitpunkt des Überfalls nicht schon auf den Listen der Streifenpolizisten sind«, erklärte Toril Li, schaltete den Projektor aus und nahm die Folie mit zu ihrem Platz.

Ivarsson nickte. »Danke.«

»Für nichts«, flüsterte Harry Weber zu.

Auf dem nächsten Blatt stand VIDEOANALYSE. Ivarsson hatte die Kappe auf den Stift gedrückt. Beate schluckte, räusperte sich, nahm einen Schluck aus dem Glas vor sich und räusperte sich noch einmal, ehe sie, den Blick auf die Tischplatte gerichtet, begann:

»Ich habe die Körpergröße bestimmt ...«

»Beate, sprich bitte etwas lauter ...« Kriechtierlächeln. Beate räusperte sich erneut.

»Ich habe aufgrund der Videoaufnahmen die Körpergröße des Täters bestimmt. Er ist 1,79 Meter groß. Ich habe das mit Weber überprüft. Er stimmt mir zu.«

Weber nickte.

»Wunderbar!«, rief Ivarsson mit gekünsteltem Enthusiasmus in der Stimme, riss die Kappe vom Stift und schrieb: GRÖSSE 179 cm.

Beate fuhr in ihrer Konversation mit der Tischplatte fort: »Ich habe gerade mit Aslaksen von der NTNU gesprochen, unserem Stimmenanalytiker. Er hat sich die fünf Worte vorgenommen, die der Bankräuber auf Englisch gesagt hat. Er ...« Beate warf einen ängstlichen Blick auf Ivarsson, der ihr, bereit zu notieren, den Rücken zugedreht hatte. »... sagte, die Qualität der Aufnahme sei zu schlecht. Die könne er nicht nutzen.«

Ivarsson ließ die Arme sinken, während gleichzeitig die tief stehende Sonne hinter einer Wolke verschwand und das leuchtende Viereck an der Wand verblasste. Es war mucksmäuschenstill im Raum. Ivarsson holte tief Luft und wippte offensiv auf den Zehen.

»Zum Glück haben wir noch unsere Trumpfkarte.«

Der Dezernatsleiter blätterte zum letzten Blatt um. ÜBERWACHUNGSDIENST.

»Für diejenigen, die nicht im Raubdezernat arbeiten, sollten wir vielleicht erklären, dass der Überwachungsdienst von uns immer als Erstes kontaktiert wird, wenn wir eine Videoaufzeichnung eines Überfalls haben. In sieben von zehn Fällen hilft uns eine gute Videoaufzeichnung, den Täter zu entlarven, wenn dieser ein guter alter Bekannter von uns ist.«

»Auch wenn er maskiert ist?«, fragte Weber.

Ivarsson nickte. »Ein guter Fahnder erkennt einen alten Bekannten am Körperbau, an der Körpersprache, der Stimme, der Art, wie er während des Überfalls spricht, an all diesen kleinen Dingen, die man nicht hinter einer Maske verstecken kann.«

»Aber es reicht nicht zu wissen, wer es ist«, fügte Ivarssons Vize Didrik Gudmundson hinzu. »Wir brauchen ...«

»Genau«, unterbrach ihn Ivarsson. »Wir brauchen Beweise. Ein Bankräuber kann ruhig seinen Namen vor der Kamera buchstabieren – solange er maskiert ist und wir keine Indizien haben, hilft uns das gar nichts.«

»Und wie viele von den sieben, die ihr kennt, werden verurteilt?«, fragte Weber.

»Einige«, antwortete Gudmundson. »Auf jeden Fall ist es besser zu wissen, wer einen Überfall begangen hat, auch wenn sie frei herumlaufen. So lernen wir etwas über ihre Muster und Methoden. Und kriegen sie beim nächsten Mal.«

»Und wenn es kein nächstes Mal gibt?«, fragte Harry. Er bemerkte, wie die dicken Adern unmittelbar über Ivarssons Ohren anschwollen, als er lachte.

»Lieber Mordexperte«, sagte Ivarsson, noch immer lachend. »Wenn Sie sich umsehen, werden Sie bemerken, dass die meisten wegen Ihrer Frage lächeln. Weil nämlich ein Räuber nach einem gelungenen Coup immer – immer – wieder zuschlägt. Das ist gleichsam die Schwerkraft des Raubes.« Ivarsson blickte aus dem Fenster und gönnte sich noch ein Lachen, ehe er abrupt auf dem Absatz kehrtmachte.

»Wenn wir jetzt mit der Erwachsenenbildung fertig sind, können wir uns ja vielleicht der Frage zuwenden, ob wir jemanden im Visier haben. Ola?«

Ola Li sah zu Ivarsson hinüber, unsicher, ob er aufstehen sollte oder nicht, doch schließlich entschied er sich, sitzen zu bleiben. »Ja, ich hatte also am Wochenende Dienst. Wir hatten ein fertig redigiertes Video Freitagabend um acht, und ich habe die Fahnder um Unterstützung gebeten, die im House of

Pain Dienst hatten. Wer keinen Dienst hatte, wurde Samstag zu Hilfe gerufen. Insgesamt dreizehn Fahnder waren an diesem Freitag gegen acht anwesend ...«

»Das ist gut, Ola«, sagte Ivarsson. »Sag uns jetzt, was ihr herausgefunden habt.«

Ola lachte nervös. Es klang wie ein vorsichtiger Möwenschrei.

»Nun?«

»Espen Vaaland ist krankgemeldet«, sagte Ola. »Er ist derjenige, der sich im Bankräubermilieu am besten auskennt. Ich versuche, ihn morgen herzubekommen.«

»Versuchst du uns zu sagen, dass ihr ...?«

Olas Augen tanzten rasch über die Runde der Anwesenden. »Wir haben nicht viel«, sagte er leise.

»Ola ist noch immer relativ neu«, sagte Ivarsson, und Harry sah, dass seine Kiefermuskulatur zu arbeiten begonnen hatte. »Ola verlangt eine hundertprozentige Identifikation, und das ist ja auch gut so. Aber das ist vielleicht zu viel erwartet, wenn ein Bankräuber ...«

»Mörder.«

»... von Kopf bis Fuß maskiert ist, durchschnittlich groß ist, den Mund hält und sich atypisch in zu großen Schuhen bewegt.« Ivarsson richtete sich auf. »Also gib uns lieber die ganze Liste, Ola. Wer sind die aktuellen?«

»Es gibt keine aktuellen.«

»Natürlich gibt es die, es gibt immer irgendwelche möglichen Verdächtigen!«

»Nein«, sagte Ola Li und schluckte.

»Willst du uns sagen, dass keiner eine Vermutung hatte, dass keine unserer übereifrigen freiwilligen Kanalratten, die ihre Ehre daransetzen, täglichen Umgang mit unseren übelsten Zeitgenossen zu haben, und die in neun von zehn Fällen Gerüchte darüber gehört haben, wer das Auto gefahren hat, die Geldsäcke getragen oder an der Tür Wache gestanden hat – auch nur raten wollte?«

»Doch, geraten haben sie«, sagte Ola. »Sechs Namen wurden genannt.«

»Ja, dann spuck sie doch aus, Mann.«

»Ich habe alle Namen überprüft. Drei sitzen ein. Einer ist zur Zeit des Überfalls im Plata gesehen worden. Einer ist in Pattaya in Thailand, das habe ich überprüft. Und dann war da noch einer, der von allen genannt wurde, weil er ihm vom Körperbau her ähnlich war und alles so professionell war; das war Bjørn Johansen von der Tveita-Gang.«

»Ja und?«

Ola sah aus, als wäre er am liebsten vom Stuhl geglitten und unter dem Tisch verschwunden. »Er war im Ullevål-Krankenhaus und wurde am Freitag operiert. Auris Alatae.«

»Auris Alatae?«

»Segelohren«, stöhnte Harry und schnippte einen Schweißtropfen von seiner Augenbraue. »Ivarsson sah aus, als wolle er explodieren. Wie weit bist du?«

»Kurz hinter 21.« Halvorsens Stimme hallte zwischen den Mauern. So früh am Nachmittag hatten sie den Trainingsraum im Keller des Präsidiums fast für sich allein.

»Du hast wohl eine Abkürzung genommen?« Harry biss die Zähne zusammen und erhöhte die Frequenz ein wenig. Um das Ergometerrad, auf dem er saß, hatte sich bereits ein kleiner Schweißsee gebildet, während Halvorsens Stirn noch immer fast trocken schien.

»Ihr steht also noch immer mit leeren Händen da?«, fragte Halvorsen mit gleichmäßigem, ruhigem Atem.

»Abgesehen von dem, was Beate Lønn am Schluss sagte, haben wir nicht viel, nein. Wenn es denn stimmt.«

»Und was sagte sie?«

»Sie arbeitet mit einem Programm, mit dem sie, ausgehend von den Videoaufzeichnungen, ein dreidimensionales Bild von Kopf und Gesicht des Täters erstellen kann.«

»Mit Maske?«

»Das Programm nutzt die Informationen, die es aus den Bildern ziehen kann. Hell, dunkel, Einbuchtungen, Erhebungen. Je enger die Maske sitzt, desto leichter ist es, ein Bild zu erstellen, das der Person darunter ähnlich sieht. In jedem Fall wird es aber nur eine Skizze, aber Beate meinte, dass sie diese nutzen könne, um sie mit den Fotos eventueller Verdächtiger abgleichen zu können.«

»Mit diesem Identifizierungsprogramm des FBI?« Halvorsen drehte sich zu Harry und stellte nicht ohne Faszination fest, dass der Schweißfleck, der seinen Ausgangspunkt auf dem Jokke-&-Valentiner-Logo genommen hatte, sich jetzt über das gesamte T-Shirt ausgebreitet hatte.

»Nein, sie hat ein besseres Programm«, sagte Harry. »Wo bist du jetzt?«

»22, was ist das für ein Programm?«

»Gyrus fusiforme.«

»Microsoft, Apple?«

Harry klopfte sich mit dem Finger auf seine feuerrote Stirn. »Allgemeines Programm. Sitzt im Temporallappen des Gehirns und hat einzig die Funktion, Gesichter wiederzuerkennen. Mehr tut es nicht. Es ist der Teil des Gehirns, der uns befähigt, Hunderttausende von menschlichen Gesichtern zu unterscheiden, aber nur knapp ein Dutzend Nashörner.«

»Nashörner?«

Harry kniff die Lider zusammen, damit ihm der brennende Schweiß nicht in die Augen lief. »Das war ein Beispiel, Halvorsen. Aber Beate Lønn ist sicher ein Sonderfall. Ihr Fusiform hat wohl ein paar Extrawindungen, was sich dahingehend äußert, dass sie sich an beinahe alle Gesichter erinnert, die sie in ihrem Leben gesehen hat. Und damit meine ich nicht nur solche, die sie kennt oder mit denen sie gesprochen hat, sondern auch die Gesichter hinter den Sonnenbrillen, die ihr irgendwo vor fünfzehn Jahren auf der Straße entgegengekommen sind.«

»Du machst Witze.«

»Von wegen.« Harry senkte seinen Kopf und bekam wieder

genug Luft, um weiterzureden: »Man kennt nur wenige hundert Fälle wie sie. Didrik Gudmundson sagte, sie habe auf der Polizeischule einen Test über sich ergehen lassen, in dem sie sämtliche bekannten Identifikationsprogramme geschlagen hat. Die Frau ist eine wandelnde Gesichtskartothek. Wenn sie dich fragt, ›Wo hab ich dich schon mal gesehen?‹, kannst du davon ausgehen, dass das kein Versuch ist, dich anzubaggern.«

»Wahnsinn. Und was macht sie bei der Polizei? Mit einem solchen Talent, meine ich.«

Harry zuckte mit den Schultern. »Du erinnerst dich vielleicht an den Beamten, der in den Achtzigern bei einem Überfall in Ryen erschossen worden ist?«

»Das war vor meiner Zeit.«

»Er befand sich rein zufällig in der Nähe, als die Meldung kam, und da er als Erster am Tatort war, ging er unbewaffnet in die Bank, um zu verhandeln. Er wurde mit einer automatischen Waffe niedergemäht, und die Bankräuber wurden nie gefasst. An der Polizeischule galt das später als Beispiel dafür, wie man es nicht machen sollte.«

»Man soll auf Verstärkung warten, die Räuber nicht konfrontieren und sich selbst, die Bankangestellten und auch die Täter nicht unnötig in Gefahr bringen.«

»Richtig, so steht es in den Lehrbüchern. Das Merkwürdige war aber, dass er einer der erfahrensten und besten Ermittler war, die sie hatten. Jørgen Lønn. Beates Vater.«

»Ach so. Und du meinst, dass sie deshalb zur Polizei gegangen ist? Wegen ihres Vaters?«

»Vielleicht.«

»Ist sie hübsch?«

»Sie ist schlau. Wie weit?«

»Gerade bei 24, noch sechs. Und du?«

»22. Ich werd dich noch einholen.«

»Dieses Mal nicht«, sagte Halvorsen und trat in die Pedale.

»Doch, denn jetzt kommt der Gegenhang. Und da gebe ich Gas. Und du wirst nervös und verkrampfst, wie üblich.«

66

»Dieses Mal nicht«, sagte Halvorsen und trampelte noch fester. Ein Schweißtropfen kam am Haaransatz zum Vorschein. Harry lächelte und beugte sich über den Lenker.

Bjarne Møller starrte vom Einkaufszettel, den ihm seine Frau mitgegeben hatte, auf das Regal, in dem er Koriander zu finden hoffte. Margrete hatte sich letzten Winter während der Ferien in Phuket in die thailändische Küche verliebt, doch der Chef des Dezernats für Gewaltverbrechen war noch nicht ganz vertraut mit den verschiedenen Gemüsesorten, die jeden Tag per Flugzeug von Bangkok an das pakistanische Lebensmittelgeschäft am Grønlandsleiret geliefert wurden.

»Das da ist grüner Chili, Chef«, sagte eine Stimme dicht hinter seinem Ohr, und Bjarne Møller schnellte herum und blickte in Harrys nasses, feuerrotes Gesicht. »Ein paar davon und ein paar Scheiben Ingwer und du kannst Tom-Yam-Suppe kochen. Da fliegen dir die Ohren ab, aber du schwitzt gut was aus.«

»Du scheinst das ja gerade probiert zu haben, Harry.«

»Bloß ein kleines Fahrradrennen mit Halvorsen.«

»Ah so. Und was hast du da in der Hand?«

»Japone. Eine kleine rote Chili.«

»Wusste gar nicht, dass du kochst.«

Harry blickte leicht verwundert auf die Tüte mit der Chilischote, als sei das auch für ihn neu. »Übrigens gut, dass ich dich treffe, Chef. Wir haben ein Problem.«

Møller spürte, wie seine Kopfhaut zu jucken begann.

»Ich weiß nicht, wer beschlossen hat, dass Ivarsson die Ermittlungen im Falle des Mordes im Bogstadvei leiten soll, aber das funktioniert nicht.«

Møller legte den Einkaufszettel in seinen Korb. »Wie lange arbeitet ihr jetzt zusammen? Ganze zwei Tage?«

»Das ist nicht der Punkt, Chef.«

»Kannst du nicht einfach mal deine Arbeit als Ermittler tun, Harry? Und die anderen bestimmen lassen, wie alles organisiert wird? Du wirst nicht unbedingt bleibende Schäden davontragen, wenn du einmal nicht in der Opposition bist, weißt du.«

»Ich will bloß, dass die Sache schnell aufgeklärt wird. Um dann an dem anderen Fall weiterzuarbeiten, du weißt schon.«

»Ja, ich weiß. Aber du bist an dieser Sache schon länger als die sechs Monate, die ich dir gegeben habe, und ich kann dir nicht versprechen, dass wir dir aufgrund persönlicher Gefühle und Ansichten weitere Ressourcen einräumen, Harry.«

»Sie war eine Polizistin, Chef. Eine Kollegin.«

»Das weiß ich!«, fauchte Møller. Er hielt inne, sah sich um und fuhr dann gedämpfter fort. »Was ist dein Problem, Harry?«

»Sie sind es gewohnt, an Überfällen zu arbeiten, und Ivarsson ist überhaupt nicht interessiert an konstruktiven Beiträgen.«

Bjarne Møller musste bei dem Gedanken an Harrys »konstruktive Beiträge« lächeln. Harry beugte sich vor und sprach schnell und eindringlich: »Was fragen wir uns als Erstes, wenn ein Mord begangen wird, Chef? Warum, was ist das Motiv, nicht wahr? Im Raubdezernat nehmen sie es als gegeben, dass das Motiv Geld ist. Sie stellen sich die Frage überhaupt nicht.«

»So, und was glaubst du, ist das Motiv?«

»Ich glaube gar nichts, der Punkt ist bloß, dass sie methodisch vollkommen falsch vorgehen.«

»Sie verwenden eine andere Methodik, Harry, eine *andere*. Ich muss jetzt diesen Gemüsekram kaufen und nach Hause, also was willst du?«

»Ich will, dass du mit denen redest, mit denen du reden musst, damit ich mir einen der anderen aussuchen und wir solo arbeiten können.«

»Aus der Kommission ausscheiden?«

»Parallelermittlung.«

»Harry …«

»So haben wir das Rotkehlchen geschnappt, erinnerst du dich?«

»Harry, ich kann mich da nicht einmischen ...«

»Ich will Beate Lønn, und dann fangen wir zwei noch einmal an. Ivarsson ist schon jetzt im Begriff, sich festzufahren und ...«

»Harry!«

»Ja?«

»Was ist wirklich der Grund?«

Harry trat von einem Fuß auf den anderen. »Ich kann mit diesem Krokodil nicht arbeiten.«

»Ivarsson?«

»Sonst mach ich noch was wirklich Dummes.«

Bjarne Møllers Augenbrauen zogen sich über seiner Nasenwurzel zu einem schwarzen V zusammen: »Soll das etwa eine Drohung sein?«

Harry legte eine Hand auf Møllers Schulter. »Nur diesen einen Gefallen, ich werde dich auch nie wieder um etwas bitten, Chef.«

Møller brummte. Wie oft hatte er im Laufe der Jahre seinen Kopf für Harry hingehalten, statt dem Rat seiner erfahrenen Kollegen zu folgen und einen gewissen Abstand zu diesem unberechenbaren Ermittler zu halten? Das einzige Sichere bei Harry war doch, dass es irgendwann einmal wirklich schiefgehen würde. Doch weil er und Harry seltsamerweise immer wieder auf den Füßen gelandet waren, hatte niemand einen drastischen Schnitt machen können. Bis jetzt. Die interessanteste Frage war aber wohl, warum er es immer wieder tat? Er sah zu Harry hinüber. Dem Alkoholiker. Dem Unruhestifter. Dem manchmal unerträglich arroganten Starrkopf. Seinem besten Ermittler neben Waaler.

»Du bleibst in der Bahn, Harry. Sonst verfrachte ich dich hinter einen Schreibtisch und schließe dich ein, verstanden?«

»Verstanden, Chef.«

Møller seufzte. »Ich habe morgen eine Sitzung mit dem Polizeipräsidenten und dem Kriminalchef. Wir werden sehen. Aber ich verspreche dir nichts, hörst du?«

»Aye, aye, Chef. Schönen Gruß an deine Frau.«

Harry drehte sich auf dem Weg nach draußen noch einmal um. »Der Koriander ist ganz unten links.«

Bjarne Møller blieb stehen und starrte in seinen Korb, nachdem Harry verschwunden war. Er wusste jetzt, was der Grund war. Er mochte diesen alkoholisierten, Unruhe stiftenden Starrkopf.

Kapitel 7

Der weiße König

Harry nickte einem Stammgast zu und setzte sich an einen der Tische unter den schmalen Rauglasfenstern zur Waldemar Thranes Gate. An der Wand hinter ihm hing ein großes Gemälde, ein Sonnentag auf dem Youngstorget, auf dem Frauen mit Sonnenschirmen von Zylinder tragenden Männern fröhlich gegrüßt wurden. Der Kontrast zu dem ewig herbstdunklen Licht und der fast andächtigen Stille im Restaurant Schrøder konnte nicht größer sein.

»Schön, dass du kommen konntest«, sagte Harry zu dem leicht korpulenten Mann, der bereits am Tisch saß. Es war leicht zu sehen, dass dieser Mann kein Stammgast war. Nicht wegen der eleganten Tweedjacke oder der rot gepunkteten Fliege, sondern weil er in einer weißen Teetasse rührte, die auf einer bierparfümierten, von Zigarettenkippen durchlöcherten Decke stand. Der zufällige Gast war der Psychologe Ståle Aune, einer der besten seines Fachs im ganzen Land und ein Spezialist, auf dessen Fähigkeiten die Osloer Polizei gerne zurückgriff. Der ihr aber auch manches Mal Sorgen bereitete, denn Aune war ein durch und durch redlicher Mann, dem seine Integrität am Herzen lag und der sich niemals zu einer Rechtssache äußerte, wenn er nicht hundertprozentige, wissenschaftliche Beweise hatte. Und da es in der Psychologie nur selten Beweise für irgendetwas gab, kam es oft dazu, dass er als Zeuge der Staatsanwaltschaft der beste Freund der Verteidigung wurde, da der Zweifel, den er verbreitete, in der Regel dem Angeklagten zugutekam. Als Polizist hatte Harry Aunes Expertisen bei Mordfällen so häufig in Anspruch genommen, dass er ihn inzwischen als Kollegen betrachtete. Und als Alkoholiker hatte er sich diesem warmherzigen, klugen und sorgsam distanzierten Mann dermaßen vollkommen ausgeliefert, dass er ihn – in einem Augenblick stärksten Drucks – sogar als Freund bezeichnet hatte.

»Soso, das ist also dein Zufluchtsort?«, fragte Aune.

»Ja«, sagte Harry und gab Maja hinter dem Tresen mit seinen Augenbrauen ein Zeichen, woraufhin diese sogleich durch die Schwingtür in die Küche verschwand.

»Und was hast du da?«

»Japone. Chili.«

Ein Schweißtropfen rann über Harrys Nasenrücken, klammerte sich einen Augenblick lang an seiner Nasenspitze fest, ehe er herabfiel und auf der Tischdecke landete. Aune blickte verwundert auf den kleinen, nassen Fleck.

»Träger Thermostat«, sagte Harry. »Ich komme vom Training.«

Aune rümpfte die Nase. »Als Mediziner sollte ich wohl applaudieren, doch als Philosoph stelle ich es durchaus in Frage, seinen Körper einem derartigen Unbehagen auszusetzen.«

Eine stählerne Kanne und ein Becher wurden vor Harry gestellt. »Danke, Maja.«

»Schuldgefühle«, sagte Aune. »Manch einer kommt damit nur zurecht, indem er sich selbst quält. So wie bei dir, wenn du die Kontrolle verlierst, Harry. In deinem Fall ist der Alkohol keine Flucht, sondern die ultimative Art, dich selbst zu bestrafen.«

»Herzlichen Dank, diese Diagnose habe ich schon mal von dir bekommen.«

»Trainierst du deshalb so hart? Schlechtes Gewissen?«

Harry zuckte mit den Schultern.

Aune senkte die Stimme. »Denkst du noch immer an Ellen?«

Harrys Blick zuckte nach oben und begegnete dem von Aune. Er führte die Kaffeetasse langsam an seine Lippen und trank lange, ehe er sie wieder mit einer Grimasse auf den Tisch stellte. »Nein, es ist nicht die Ellen-Sache. Wir kommen nicht weiter, aber nicht, weil wir schlechte Arbeit gemacht haben, das weiß ich. Etwas wird auftauchen, wir müssen nur Geduld haben.«

»Gut«, sagte Aune. »Ellens Tod war nicht deine Schuld, denk immer daran. Und vergiss nicht, dass alle deine Kollegen der Meinung sind, dass der richtige Täter gefasst worden ist.«

»Vielleicht. Vielleicht nicht. Er ist tot und kann uns keine Antwort mehr geben.«

»Lass das nicht zu einer fixen Idee werden, Harry.« Aune steckte zwei Finger in die Tasche seiner Tweedjacke und zog eine silberne Uhr heraus, auf die er einen kurzen Blick warf. »Aber du wolltest sicher nicht über Schuldgefühle sprechen.«

»Nein.« Harry zog einen Stapel Bilder aus seiner Innentasche. »Ich will wissen, was du davon hältst.«

Aune nahm die Fotografien und begann zu blättern. »Sieht wie ein Banküberfall aus. Ich dachte, mit so etwas hättet ihr in eurem Dezernat nichts zu tun?«

»Die Erklärung findest du auf dem nächsten Bild.«

»Ach ja? Er deutet mit dem Zeigefinger auf die Kamera.«

»Sorry, dann halt das nächste.«

»Oje. Wurde sie …?«

»Ja, du siehst kein Mündungsfeuer, weil das ein AG3 ist, aber er hat gerade abgedrückt. Wie du siehst, ist die Kugel gerade in die Stirn der Frau eingedrungen. Auf dem nächsten Bild ist sie aus dem Hinterkopf wieder heraus und in das Holz neben dem Schalterglas geschlagen.«

Aune legte den Stapel zur Seite. »Warum müsst ihr mir immer diese grausamen Bilder zeigen, Harry?«

»Du weißt also, wovon wir sprechen. Sieh dir das nächste Bild an.«

Aune seufzte.

»Zu diesem Zeitpunkt hat der Räuber sein Geld schon bekommen«, sagte Harry und zeigte mit dem Finger auf das Foto. »Eigentlich fehlt nur noch die Flucht. Er ist ein Profi, ruhig und entschlossen, und es gibt keinen Grund mehr, irgendjemandem Angst zu machen oder etwas erzwingen zu wollen. Trotzdem wartet er mit der Flucht noch ein paar Sekunden, um die Bankangestellte zu erschießen. Bloß weil der Filialleiter sechs Sekunden zu lange brauchte, um den Geldautomaten zu leeren.«

Aune beschrieb mit dem Löffel langsam eine Acht in seinem Tee. »Und jetzt fragst du dich, was sein Motiv sein mochte?«

»Tja. Es gibt immer ein Motiv, aber es ist nicht leicht zu wissen, auf welcher Seite der Vernunft man mit der Suche beginnen soll. Dein erster Eindruck?«

»Schwere Persönlichkeitsstörung.«

»Aber er wirkt in allem anderen so rational.«

»Persönlichkeitsstörung bedeutet nicht, dass man dumm ist. Menschen mit solchen Störungen sind klug, manchmal sogar klüger als zuvor, um das zu erreichen, was sie wollen. Was sie von uns unterscheidet, ist das, was sie wollen.«

»Wie sieht es mit Drogen aus? Gibt es irgendeinen Stoff, der eine ansonsten normale Person so aggressiv machen kann, dass sie tötet?«

Aune schüttelte den Kopf. »Ein Drogenrausch verstärkt bloß Neigungen, die man schon hat. Wer seine Frau in betrunkenem Zustand schlägt, denkt sicher auch nüchtern oft daran, Gewalt gegen sie auszuüben. Menschen, die einen vorsätzlichen Mord wie diesen hier begehen, neigen in der Regel beständig dazu.«

»Du sagst also, dass dieser Typ vollkommen verrückt ist?«

»Oder programmiert.«

»Programmiert?«

Aune nickte. »Erinnerst du dich an den Bankräuber, der niemals gefasst wurde, Raskol Baxhet?«

Harry schüttelte den Kopf.

»Ein Zigeuner«, sagte Aune. »Lange Jahre kursierten Gerüchte über diese mystische Figur, die das eigentliche Hirn all der großen Überfälle auf Geldtransporter und Wechselzentralen in Oslo in den achtziger Jahren gewesen sein soll. Es dauerte viele Jahre, bis die Polizei begriff, dass er tatsächlich existierte, doch selbst da gelang es ihnen nicht, irgendwelche Beweise gegen ihn zu finden.«

»Jetzt dämmert mir etwas«, sagte Harry. »Aber wenn ich mich nicht täusche, wurde er gefasst?«

»Falsch. Das Einzige, was man hatte, waren zwei Bankräuber, die gegen Strafermäßigung bereit waren, gegen ihn auszusagen, doch die verschwanden plötzlich unter geheimnisvollen Umständen.«

»Nicht ungewöhnlich«, sagte Harry und zog ein Päckchen Camel-Zigaretten aus seiner Tasche.

»Wenn sie im Gefängnis sitzen, schon«, sagte Aune.

Harry pfiff leise. »Ich meine trotzdem, dass er im Bau sitzt.«

»Und das stimmt auch«, sagte Aune. »Aber er wurde nicht gefasst. Raskol hat sich gestellt. Eines Tages stand er plötzlich am Empfang des Polizeipräsidiums und sagte, er wolle eine ganze Reihe von alten Überfällen gestehen. Es gab natürlich den größten Aufruhr. Keiner hat etwas verstanden, und Raskol selbst hat nie gesagt, warum er sich gestellt hat. Ehe die Sache verhandelt wurde, hat man mich angerufen und um ein Gutachten gebeten, ob er zurechnungsfähig ist und sein Zustand für ein Verfahren ausreicht. Raskol hat sich damals unter zwei Bedingungen bereit erklärt, mit mir zu sprechen. Dass wir eine Partie Schach spielen – frag mich nicht, woher er wusste, dass ich Schachspieler bin. Und dass ich ihm die französische Übersetzung des Buches ›Die Kunst des Krieges‹ besorge, eines uralten chinesischen Buches über Kriegstaktik.«

Aune öffnete eine Packung Nobel-Petit-Zigarillos.

»Ich bekam das Buch aus Paris geschickt und nahm ein Schachspiel mit. Dann wurde ich in seiner Zelle eingeschlossen und durfte einen Mann begrüßen, der am ehesten wie ein Mönch aussah. Er bat darum, sich meinen Stift ausleihen zu dürfen, begann im Buch zu blättern und gab mir mit dem Kopf ein Zeichen, dass ich das Schachspiel auspacken sollte. Ich stellte die Figuren auf und begann die Partie mit der Réti-Eröffnung – einem Beginn, mit dem man den Gegenspieler erst dann angreift, wenn die Zentrumspositionen eingenommen sind. Diese Eröffnung ist oft gerade gegen mittelmäßige Spieler effektiv. Es ist unmöglich, bereits nach dem ersten Zug zu erkennen, was der Gegner im Schilde führt, doch dieser Zigeuner blickt kurz vom Buch auf, fährt sich durch seinen Ziegenbart, sieht mich mit einem wissenden Lächeln an und notiert etwas im Buch ...«

Ein silbernes Feuerzeug flammte am Ende des Zigarillos auf.

»... und liest weiter. Dann frage ich: ›Wollen Sie keinen Zug machen?‹ Ich sehe seine Hand mit meinem Stift ins Buch kritzeln, während er antwortet: ›Das brauche ich nicht. Ich schreibe gerade auf, wie dieses Spiel ablaufen wird, Zug für Zug. Es endet damit, dass Sie Ihren König stürzen.‹ Ich antworte ihm, dass er den Gang des Spieles unmöglich nach einem Zug vorhersagen könne. ›Sollen wir wetten?‹, fragt er. Ich versuche, es mit einem Lachen abzutun, doch er besteht darauf. Also gehe ich die Wette um einen Hunderter ein, um sein Wohlwollen für das Interview zu gewinnen. Er will den Schein sehen, ich muss ihn neben das Schachbrett legen, wo er ihn sehen kann. Er hebt seine Hand, als wolle er seinen Zug machen, als die Dinge plötzlich sehr rasch geschehen.«

»Blitzschach?«

Aune lächelte, während er nachdenklich einen blauen Rauchring an die Decke blies. »Im nächsten Augenblick hing ich in einem eisernen Griff fest, den Kopf nach hinten gedrückt, so dass ich an die Decke starrte. Eine Stimme flüsterte in mein Ohr: ›Spürst du die Klinge des Messers, *gadzo?*‹ Und

76

ich spürte ihn, den scharfen, rasiermesserdünnen Stahl, der sich gegen die Haut meines Kehlkopfs drückte. Hast du das jemals gespürt, Harry?«

Harrys Hirn durchwühlte in rasender Eile alle ähnlichen Situationen, doch er fand kein wirklich passendes Erlebnis. Er schüttelte den Kopf.

»Es fühlte sich – um einige meiner Patienten zu zitieren – vollkommen schräg an. Ich hatte dermaßen Angst, dass ich mir fast in die Hosen gemacht hätte. Dann flüsterte er mir ins Ohr: ›Leg deinen König hin, Aune.‹ Er lockerte seine Umklammerung ein wenig, so dass ich meinen Arm bewegen und die Figur umstoßen konnte. Dann ließ er mich ebenso plötzlich wieder los. Er ging zu seiner Seite des Tisches hinüber und wartete, bis ich wieder auf den Beinen war und richtig Luft bekam. ›Was, zum Teufel, war das‹, stöhnte ich. ›Das war ein Banküberfall‹, antwortete er. ›Erst geplant und dann durchgeführt.‹ Dann drehte er das Buch um, in dem er den Verlauf des Spieles notiert hatte. Was dort stand, war mein einziger Zug und ›weißer König kapituliert‹. Dann fragte er: ›Beantwortet das Ihre Fragen, Aune?‹«

»Und was hast du gesagt?«

»Nichts. Ich habe nach der Wache draußen gebrüllt. Doch bevor sie öffnen konnte, habe ich Raskol noch eine letzte Frage gestellt. Denn ich wusste, dass ich mich totgrübeln würde, wenn ich nicht sofort eine Antwort bekam. Ich fragte: ›Hätten Sie das getan? Hätten Sie mir die Kehle durchgeschnitten, wenn mein König nicht kapituliert hätte? Bloß um eine idiotische Wette zu gewinnen?‹«

»Und was hat er geantwortet?«

»Er hat gelächelt und gefragt, ob ich wisse, was Programmierung sei.«

»Und?«

»Das war alles. Die Tür ging auf, und ich ging nach draußen.«

»Aber was meinte er mit Programmierung?«

Aune schob die Teetasse beiseite. »Man kann sein eigenes

77

Hirn vorprogrammieren, einem bestimmten Verhaltensmuster zu folgen. Das Gehirn wird dann alle anderen Impulse überlagern und den vorbestimmten Regeln folgen, egal was passiert. Nützlich in Situationen, in denen der natürliche Impuls des Gehirns die blanke Panik ist. Zum Beispiel, wenn sich ein Fallschirm nicht öffnet. Dann hat der Fallschirmspringer hoffentlich die Notprozedur vorprogrammiert.«

»Oder Soldaten im Kampf.«

»Genau. Es gibt mittlerweile Methoden, mit denen Menschen derart gründlich programmiert werden können, dass sie in eine Art Trance fallen, die nicht einmal von extremem, äußerlichem Druck durchbrochen werden kann, und in der sie zu lebenden Robotern werden. Die Tatsache ist, dass ein solcher Zustand, von dem wohl mancher feuchte Traum eines Generals handelt, erschreckend leicht zu erreichen ist, wenn man die notwendigen Techniken beherrscht.«

»Sprichst du von Hypnose?«

»Ich würde das lieber Programmierung nennen, das hört sich nicht so geheimnisvoll an. Es geht nur darum, die Wege für Impulse zu öffnen oder zu verschließen. Wer die Fähigkeit hat, dem fällt es leicht, sich selbst zu programmieren, die sogenannte Selbsthypnose. Wenn sich Raskol vorher programmiert hatte, mich zu töten, wenn ich meinen König nicht hinlege, hatte er sich selbst jeder anderen möglichen Handlungsweise beraubt.«

»Aber er hat dich doch nicht getötet.«

»Alle Programme haben eine Escape-Taste, ein Passwort, das die Trance bricht. In diesem Fall kann das ein stürzender weißer König sein.«

»Hm, faszinierend.«

»Und damit bin ich am Punkt ...«

»Ich glaube, ich verstehe«, sagte Harry. »Der Bankräuber kann sich programmiert haben zu schießen, wenn der Filialleiter die Frist nicht einhält.«

»Die Regeln einer Programmierung müssen einfach sein«,

sagte Aune, ließ das Zigarillo in die Teetasse fallen und stellte die Untertasse darauf. »Um dich in Trance zu versetzen, brauchst du ein kleines, aber logisch geschlossenes System, das keine anderen Gedanken zulässt.«

Harry legte einen Fünfzigkronenschein neben die Kaffeetasse und erhob sich. Aune sah still zu, bis Harry alle Bilder eingesammelt hatte. Dann fragte er: »Du glaubst nicht im Geringsten an das, was ich gesagt habe, oder?«

»Nein.«

Auch Aune stand auf und knöpfte sich die Jacke über seinem Bauch zu. »Also, an was glaubst du?«

»Ich glaube an das, was ich mit der Zeit gelernt habe«, sagte Harry. »Dass Banditen im Großen und Ganzen auch nicht klüger sind als ich, dass sie einfache Lösungen suchen und unkomplizierte Motive haben. Kurz gesagt, dass die Dinge in der Regel so sind, wie sie scheinen. Ich glaube, dass dieser Bankräuber entweder vollkommen zugedröhnt war oder Panik bekommen hat. Was er getan hat, war so dumm, dass ich daraus schließen muss, dass auch er dumm ist. Zum Beispiel dieser Zigeuner, den du für so klug hältst, wie lange muss er zusätzlich brummen, für diese Messerattacke?«

»Keinen Tag«, sagte Aune mit sardonischem Lächeln.

»Oh?«

»Sie haben nie ein Messer gefunden.«

»Hast du nicht gesagt, dass ihr in seiner Zelle wart?«

»Kennst du das, wenn du auf dem Bauch am Strand liegst und deine Freunde dir sagen, dass du bloß ruhig liegen bleiben sollst, weil sie gerade brennende Kohlen über deinen Rücken halten? Und dann hörst du ›oh, Scheiße‹ und spürst im nächsten Augenblick, wie sich diese Kohlenstückchen in deine Haut brennen?«

Harrys Hirn sortierte Sommerferienerinnerungen. Er war schnell damit fertig. »Nein.«

»Und dann stellte sich heraus, dass das alles bloß Spaß war und es keine Kohlen waren, sondern bloß Eiswürfel …?«

»Ach ja?«

Aune seufzte. »Manchmal frage ich mich, wo du die fünfunddreißig Jahre zugebracht hast, die du nach eigenen Angaben auf der Welt bist, Harry.«

Harry fuhr sich mit der Hand über das Gesicht. Er war müde. »O. k., aber was willst du damit sagen, Aune?«

»Dass dich ein guter Manipulator glauben lassen kann, dass der Rand eines Hunderters die Klinge eines Messers ist.«

Die blonde Frau sah Harry direkt in die Augen und versprach ihm Sonne und nachmittags aufkommende Bewölkung. Harry drückte die Aus-Taste, und das Bild schrumpfte zu einem kleinen, leuchtenden Punkt im Zentrum des Vierzehn-Zoll-Bildschirms zusammen. Doch als er die Augen schloss, hing wieder das Bild von Stine Grette wie das Echo der Nachrichtensprecherin auf seiner Netzhaut. »... noch immer keine Verdächtigen in diesem Fall.«

Er öffnete die Augen wieder und studierte das Spiegelbild auf dem toten Bildschirm. Er selbst, der alte, grüne Ohrensessel von Elevator und der nackte Couchtisch, einzig dekoriert mit Ringen von Flaschen und Gläsern. Alles war wie immer. Der Reise-Fernseher stand schon seit seinem Einzug im Regal zwischen dem Lonely-Planet-Buch über Thailand und dem NAF-Straßenatlas, und in diesen sieben Jahren war er selbst nicht einen Meter weit verreist. Er hatte von siebenjährigen Rhythmen gelesen, dass sich Menschen häufig nach sieben Jahren eine neue Bleibe suchen, einen neuen Job oder einen neuen Partner. Er hatte nichts davon bemerkt. Und seinen Job hatte er bereits seit zehn Jahren. Harry sah auf die Uhr. Gegen acht, hatte Anna gesagt.

Was Partner anging, war er nie weit genug gekommen, um diese Theorie zu überprüfen. Abgesehen von den beiden Beziehungen, die vielleicht so weit hätten kommen können, waren alle Romanzen dem Phänomen zum Opfer gefallen, das Harry Sechswochenklaue nannte. Ob sein Widerwillen gegen jedes gefühlsmäßige Engagement daraus resultierte, dass die beiden Male, als er eine Frau wirklich geliebt hatte, mit Tragödien belohnt worden waren, wusste er nicht. Oder ob es seine beiden treuen Gefährten waren – die Polizeiarbeit und der Alkohol –, die die Schuld traf. Ehe er Rakel vor einem Jahr getroffen hatte, hatte er jedenfalls zu glauben begonnen, dass er nicht für bleibende Beziehungen geschaffen war. Er dachte an ihr großes, kühles Schlafzimmer in Holmenkollen. Ihre beinahe kodierten Brummlaute beim Frühstück. Olegs Zeichnung auf der Tür des Kühlschranks: drei Menschen, die sich an den Händen hielten, und die Buchstaben HARY unter der Figur, die bis zur Sonne unter dem wolkenlosen Himmel emporragte.

Harry stand von seinem Stuhl auf, nahm den Zettel mit ihrer Nummer vom Telefontischchen und tippte die Handynummer. Es klingelte viermal, ehe jemand am anderen Ende den Hörer abnahm.

»Hei, Harry.«

»Hei. Woher wusstest du, dass ich das bin?«

Ein leises, tiefes Lachen. »Wo bist du die letzten Jahre gewesen, Harry?«

»Hier. Und dort. Wieso? Hab ich mich wieder lächerlich gemacht?«

Sie lachte lauter.

»Ach ja, du kannst meine Nummer auf dem Display lesen. Dumm von mir.« Harry merkte, wie blöd das klang, aber das machte nichts, das Wichtigste war, dass er gesagt bekam, was er sagen wollte, und dann auflegte. Ene mene mu. »Hör mal, Anna, was heute Abend angeht …«

»Sei nicht kindisch, Harry!«

»Kindisch?«

»Ich bin dabei, das beste Curry des Jahrhunderts zu machen. Und wenn du Angst hast, ich könnte dich verführen, muss ich dich enttäuschen. Ich meine nur, wir schulden einander ein paar Stunden Zeit bei einem guten Essen. Um ein

bisschen zu reden. Missverständnisse von damals auszuräu-
men. Oder vielleicht auch nicht. Vielleicht, um einfach ein
bisschen zu lachen. Hast du an das Japone-Chili gedacht?«

»Tja, äh, ja.«

»Gut! Punkt acht, Okay?«

»Ähh ...«

»Gut.«

Harry starrte noch auf den Hörer, als sie schon aufgelegt
hatte.

Kapitel 8

Jalalabad

»Ich werde dich töten«, sagte Harry und umklammerte den kalten Stahl des Gewehres noch härter. »Nur, damit du es weißt. Denk ein bisschen darüber nach. Mund auf!« Die Menschen um ihn herum waren Wachsfiguren. Unbeweglich, seelenlos und entmenscht. Harry schwitzte hinter der Maske. Das Blut pochte an seinen Schläfen, und jedes Pochen hinterließ einen dumpfen Schmerz. Er wollte die Menschen um sich herum nicht ansehen, wollte ihren anklagenden Blicken nicht begegnen.

»Pack das Geld in eine Tüte«, sagte er zu der gesichtslosen Person vor sich. »Und zieh dir die Tüte über den Kopf.«

Der Gesichtslose begann zu lachen, und Harry drehte das Gewehr um und schlug mit dem Kolben gegen seinen Kopf, verfehlte aber sein Ziel. Jetzt begannen auch die anderen im Raum zu lachen, und Harry betrachtete sie durch die unregelmäßig geschnittenen Löcher seiner Maske. Sie wirkten auf einmal so bekannt. Das Mädchen am zweiten Schalter sah aus wie Brigitta. Und der farbige Mann am Automaten für die Wartenummern sah Andrew verflucht ähnlich. Und die Frau mit den weißen Haaren mit dem Kinderwagen …

»Mutter?«, flüsterte er.

»Wollen Sie Geld oder nicht?«, fragte der Gesichtslose. »Noch fünfundzwanzig Sekunden.«

»Ich bestimme hier, wie lange es dauert!«, brüllte Harry und rammte den Gewehrlauf in seinen schwarzen, offenen Mund. »Du bist das, ich habe das die ganze Zeit über gewusst. In sechs Sekunden wirst du sterben. Du solltest Angst haben.«

Ein Zahn hing an einer Hautfaser, und Blut rann aus dem Mund des Gesichtslosen, doch er sprach, als würde er all dies nicht merken: »Ich kann es nicht gutheißen, aufgrund persönlicher Ansichten Einzelner über Zeit und Ressourcen zu disponieren.« Irgendwo begann frenetisch ein Telefon zu klingeln.

»Hab jetzt Angst! Angst, wie sie sie hatte!«

»Vorsichtig, Harry, lass das nicht zu einer fixen Idee werden!« Harry spürte den Mund am Gewehrkolben.

»Sie war eine Polizistin, du Arsch! Sie war meine beste …« Die Maske klebte sich an Harrys Mund und erschwerte ihm das Atmen. Doch die Stimme des Gesichtslosen mahlte unverdrossen weiter: »Hat sich davongemacht.«

»… Freundin.« Harry drückte den Abzug bis zum Anschlag, doch nichts geschah. Er öffnete die Augen.

Das Erste, was Harry dachte, war, dass er bloß kurz eingenickt war. Er saß in dem gleichen grünen Ohrensessel und starrte auf den toten TV-Schirm. Aber der Anzug war neu. Er lag über ihm und verdeckte die Hälfte seines Gesichts. Er hatte den Geschmack des nassen Leinenstoffs im Mund. Und das Tageslicht erfüllte das Wohnzimmer. Dann spürte er den Hammer. Er traf einen Nerv unmittelbar hinter seinen Augen, wieder und wieder mit gnadenloser Präzision. Das Resultat war ein gleichermaßen auffallender wie bekannter Schmerz. Er versuchte zu rekapitulieren. War er bei Schrøder gelandet? Hatte er bei Anna zu trinken begonnen? Doch es war, wie er es befürchtet hatte: schwarz. Er erinnerte sich, dass er sich nach dem Telefonat mit Anna ins Wohnzimmer gesetzt hatte, doch danach war alles wie ausradiert. In diesem Moment kam sein Mageninhalt. Harry beugte sich über den Rand des Sessels und hörte das Erbrochene aufs Parkett klatschen. Er stöhnte, schloss die Augen und versuchte das Geräusch des unablässig schellenden Telefons auszublenden. Als sich der Anrufbeantworter einschaltete, war er wieder eingeschlafen.

Es war, als hätte jemand in seiner Zeit herumgeschnipselt und ließe diese Schnipsel jetzt fallen. Harry wachte wieder auf, wartete aber einen Augenblick damit, die Augen zu öffnen, um sicher zu sein, dass es ihm etwas besser ging. Er spürte aber nichts. Der einzige Unterschied war, dass sich die Hammerschläge inzwischen über ein größeres Areal ausgebreitet hatten, dass es nach Kotze stank und dass er sich sicher war, nicht wieder einschlafen zu können. Er zählte bis drei, stand auf, taumelte gebeugt die acht Schritte zum Klo und gab dem Würgen seines Magens erneut nach. Er blieb stehen und hielt sich an der Kloschüssel fest, bis er wieder zu Atem kam, und stellte zu seiner Verwunderung fest, dass die gelbe Materie, die an dem weißen Porzellan herabbrannte, mikroskopisch kleine rote und grüne Teilchen beinhaltete. Es gelang ihm, eines dieser Teilchen zwischen Zeigefinger und Daumen zu packen, es zum Wasserhahn zu transportieren und abzuspülen. Dann betrachtete er es im Licht, platzierte es vorsichtig zwischen seinen Zähnen und kaute. Er schnitt eine Grimasse, als er den brennend scharfen Saft des Japone-Chilis schmeckte. Dann wusch er sich das Gesicht, richtete sich auf und bemerkte im Spiegel das gewaltige Veilchen. Das Licht im Wohnzimmer brannte in seinen Augen, als er den Anrufbeantworter abhörte.

»Hei, hier ist Beate Lønn. Ich hoffe, ich störe nicht, aber Ivarsson sagte, ich müsse sofort alle anrufen. Es hat noch einen Überfall gegeben. DnB im Kirkevei zwischen dem Frognerpark und dem Majorstukrysset.«

Kapitel 9

Nebel

Die Sonne war hinter einer Schicht stahlgrauer Wolken verschwunden, die in niedriger Höhe vom Oslofjord heraufgekrochen waren, und als Ouvertüre des drohenden Regens kam der böige Südwind. Dachrinnen pfiffen, und Markisen knatterten über dem Kirkeveien. Die Bäume hatten bereits all ihr Laub verloren, und auch die letzten Farben schienen aus der Stadt gesaugt worden zu sein, Oslo in Schwarz-Weiß. Harry kämpfte gebeugt gegen den Wind an und hielt den Mantel mit den Händen in den Taschen zusammen. Er hatte festgestellt, dass sich im Laufe des Abends oder der Nacht nun auch noch der letzte Knopf verabschiedet hatte, doch das war nicht das Einzige, was verschwunden war. Als er Anna anrufen wollte, um seiner Erinnerung auf die Sprünge zu helfen, hatte er bemerkt, dass auch sein Handy verschwunden war. Und als er sie von seinem Festanschluss angerufen hatte, war Harry von einer aus irgendeinem Vorzimmer verflucht bekannten Stimme geantwortet worden, dass diejenige, die er sprechen wolle, derzeit nicht erreichbar sei, er aber gerne eine Nachricht hinterlassen könne. Er ließ es bleiben.

Er war relativ schnell auf die Beine gekommen, und es war ihm überraschend leicht gelungen, sich gegen den Drang weiterzutrinken und kurz einen Abstecher ins Weinmonopol oder zu Schrøder zu machen durchzusetzen. Stattdessen hatte er geduscht, sich angezogen und war losgegangen. Von der Sofies Gate aus vorbei am Bislett-Stadion, über die Pilestredet am Stenspark vorbei nach Majorstua. Er fragte sich, was er getrunken hatte. Statt der üblichen Magenschmerzen, der Handschrift Jim Beams, waren alle seine Sinne irgendwie benebelt. Und nicht einmal die frischen Windböen konnten diesen Nebel lichten.

Zwei Streifenwagen standen mit blinkendem Blaulicht vor der DnB-Filiale. Harry streckte einem der uniformierten Polizisten seinen Ausweis entgegen, duckte sich unter der Absperrung hindurch und ging zur Eingangstür. Dort stand Weber und unterhielt sich mit einem seiner Männer.

»Guten Tag, Herr Kommissar«, sagte Weber mit besonderer Betonung auf dem Wort »Tag«. Er zog eine Augenbraue hoch, als er Harrys Veilchen bemerkte. »Fängt die Frau mit dem Prügeln an?«

Harry fiel keine schlagfertige Antwort ein, er schnippte bloß die Asche von seiner Zigarette und fragte: »Was war hier los?«

»Ein maskierter Kerl mit einem AG3.«

»Und der Vogel ist ausgeflogen?«

»Weit weg.«

»Hat jemand mit Zeugen gesprochen?«

»Ja, klar, Li und Li sind auf der Wache dabei.«

»Schon ein paar Details über den Ablauf?«

»Der Bankräuber gab der Filialleiterin 25 Sekunden, den Geldautomat zu öffnen, während er den Gewehrlauf auf den Kopf einer der Angestellten richtete.«

»Und die durfte dann für ihn sprechen?«

»Jau. Und als er in die Bank kam, gab er den gleichen englischen Mist von sich.«

»This is a robbery! Don't move!«, sagte eine Stimme hinter ihm, gefolgt von einem kurzen, abgehackten Lachen. »Wirklich nett, dass Sie noch kommen konnten, Hole. Uiih, im Bad ausgerutscht?«

Harry zündete sich eine Zigarette an, während er Ivarsson mit der anderen Hand das Päckchen entgegenstreckte. Ivarsson schüttelte den Kopf. »Schlechte Angewohnheit, Hole.«

»Da haben Sie recht.« Harry steckte das Camel-Päckchen in seine Manteltasche. »Man sollte seine Zigaretten nicht feilbieten, sondern davon ausgehen, dass sich ein Gentleman die seinen selbst kauft, das ist von Benjamin Franklin.«

»Wirklich?«, sagte Ivarsson und übersah Webers Grinsen. »Sie haben viel mitbekommen, Hole. Vielleicht haben Sie auch bemerkt, dass unser Räuber wieder zugeschlagen hat – was wir ja exakt so vorhergesagt haben.«

»Woher wissen Sie, dass er es war?«

»Sie haben doch gehört, dass dieser Raub eine genaue Kopie des Überfalls auf die Nordea-Bank im Bogstadvei war.«

»Oh?«, sagte Harry und inhalierte tief. »Wo ist die Leiche?«

Ivarsson und Harry maßen einander lange mit den Augen. Reptilzähne blitzten auf. Weber mischte sich ein: »Die Filialleiterin war schnell. Ihr gelang es, den Geldautomat in 23 Sekunden zu leeren.«

»Kein Mordopfer«, sagte Ivarsson. »Enttäuscht?«

»Nein«, sagte Harry und atmete den Rauch durch die Nase aus. Ein Windhauch fegte den Qualm weg. Doch der Nebel im Kopf wollte nicht schwinden.

Halvorsen blickte von Silvia auf, als sich die Tür öffnete.

»Kannst du mir ganz schnell einen Hochoktan-Espresso machen, pronto?«, fragte Harry und fiel auf seinen Stuhl.

»Dir auch einen guten Morgen«, sagte Halvorsen. »Du siehst schrecklich aus.«

Harry verbarg das Gesicht in seinen Händen. »Ich kann mich an nichts von gestern Abend erinnern. Ich habe keine Ahnung, was ich getrunken habe, aber ich will nie wieder auch nur einen Tropfen davon.«

Er blickte zwischen seinen Fingern hindurch und sah, dass sein Kollege eine tiefe Sorgenfalte auf seiner Stirn hatte.

»Beruhig dich, Halvorsen, das war bloß ein unglücklicher Unfall, ich bin jetzt nüchtern wie ein Schreibtisch.«

»Was ist passiert?«

Harry lachte hohl. »Mein Mageninhalt lässt vermuten, dass ich bei einer alten Freundin gewesen bin. Ich habe sie ein paar Mal angerufen, um mir das bestätigen zu lassen, aber sie geht nicht ans Telefon.«

»Eine Freundin?«

»Ja, eine Freundin.«

»Womöglich so eine unfähige Polizistin?«, fragte Halvorsen vorsichtig.

»Konzentrier du dich auf den Kaffee«, brummte Harry. »Bloß eine alte Flamme, ganz unschuldige Sache.«

»Woher willst du das wissen, du erinnerst dich doch an nichts?«

Harry fuhr sich mit der Handfläche über sein unrasiertes Kinn und dachte an Aunes Worte, dass Rauschzustände nur die Schwächen begünstigen, die man ohnehin schon hat. Er wusste nicht, ob er das beruhigend fand. Einzelne Details waren in seinem Kopf aufgetaucht. Ein schwarzes Kleid. Anna hatte ein schwarzes Kleid getragen. Und er hatte auf einer Treppe gelegen, bis ihm von einer Frau geholfen worden war. Mit halbem Gesicht. Wie eines von Annas Porträts.

»Ich habe immer diese Blackouts«, sagte Harry. »Der ist auch nicht schlimmer als die anderen.«

»Und das Auge?«

»Bin vermutlich zu Hause gegen den Kühlschrank gerannt oder so etwas.«

»Ich will dich ja nicht ärgern, Harry, aber das sieht wesentlich heftiger aus als ein Kuss vom Kühlschrank.«

»Nun«, sagte Harry und nahm die Kaffeetasse mit beiden Händen entgegen. »Sehe ich gestresst aus? Wenn ich mich im besoffenen Zustand gekloppt habe, dann immer nur mit Leuten, die ich auch nüchtern nicht mochte.«

»Ich hab übrigens einen Bescheid von Møller. Er bat mich

auszurichten, dass die Sache in Ordnung zu gehen scheint, was für eine Sache hat er aber nicht gesagt.«

Harry rollte den Espresso in seinem Mund herum, ehe er schluckte: »Du wirst noch, Halvorsen, du wirst noch.«

Der Überfall wurde noch am gleichen Nachmittag detailliert in der Kommissionssitzung im Präsidium erörtert. Didrik Gudmundson berichtete, es seien drei Minuten vergangen zwischen dem Moment, in dem der Alarm in der Bank ausgelöst wurde, und dem Erscheinen der Polizei am Tatort, doch da sei der Bankräuber bereits verschwunden gewesen. Nebst einem inneren Ring mit patrouillierenden Streifenwagen, die sofort die nächsten Straßen abgeriegelt hätten, seien im Laufe der nächsten zehn Minuten auch alle wichtigen Hauptstraßen abgesperrt worden: die E18 bei Fornebu, der Ring 3 bei Ullevål, der Trondheimsvei beim Aker-Krankenhaus, der Grinivei durch Bærum und die Kreuzung am Carl Berners Plass. »Ich würde das gerne eine eiserne Sperre nennen, aber ihr wisst, wie das mit der heutigen Bemannung ist.«

Toril Li hatte einen Zeugen verhört, der gesehen hatte, wie sich ein Mann mit Sturmhaube auf den Beifahrersitz eines weißen Opel Ascona setzte, der mit laufendem Motor im Majorstuveien gestanden hatte. Der Wagen war nach links in die Jacob Aalls Gate abgebogen. Magnus Rian konnte berichten, dass ein anderer Zeuge ein weißes Fahrzeug, eventuell einen Opel, bemerkt hatte, der in einer Garage in Vindern geparkt worden war, und dass gleich darauf ein blauer Volvo diese Garage verlassen hatte. Ivarsson warf einen Blick auf die Karte, die an die weiße Tafel gehängt worden war.

»Hört sich nicht unmöglich an. Erweitern Sie die Fahndung auf einen blauen Volvo, Ola. Weber?«

»Kleiderfasern«, sagte Weber. »Zwei hinter der Schaltertür, über die er gesprungen ist, und eine an der Tür.«

»Jawoll!« Ivarsson schwenkte die geballte Faust in der Luft. Er hatte begonnen, hinter ihren Rücken auf und ab zu gehen, was Harry zunehmend nervös machte. »Dann gilt es jetzt nur noch, die möglichen Kandidaten zu finden. Wir stellen das Video des Überfalls ins Internet, sobald Beate den redigierten Film fertig hat.«

»Ist das wirklich klug?«, fragte Harry und ließ seinen Stuhl nach hinten an die Wand kippen, so dass er Ivarsson den Weg versperrte.

Der Dezernatsleiter blickte überrascht auf ihn herab. »Klug oder nicht klug. Wir haben wohl kaum etwas dagegen, dass jemand anruft und uns sagt, wer die Person auf dem Video ist.«

Ola fiel ihm ins Wort: »Erinnert ihr euch noch an die Mutter, die bei uns angerufen und uns gesagt hat, dass sie ihren Sohn auf einem Überfallvideo im Internet erkannt hat? Und dann zeigte sich, dass er längst wegen eines anderen Überfalls einsaß.«

Lautes Gelächter. Ivarsson lächelte. »Wir lehnen einen neuen Zeugen nie ab, Hole.«

»Oder eine neue Copycat?« Harry verschränkte die Hände hinter seinem Kopf.

»Ein Nachahmer? Jetzt hör aber auf, Hole.«

»Ach ja? Wenn ich heute eine Bank überfallen müsste, würde ich natürlich den gesuchtesten Bankräuber ganz Norwegens nachahmen und den Verdacht auf ihn lenken. Alle Details des Überfalls im Bogstadvei sind im Internet verfügbar.«

Ivarsson schüttelte den Kopf. »Ich fürchte, der normale Bankräuber ist nicht so sehr in der Realität verankert, Hole. Möchte jemand der Anwesenden unserem Vertreter des Dezernats für Gewaltverbrechen erklären, was die typischsten Merkmale eines Serienräubers sind? Nicht? Nun, dass er – und zwar mit peinlichster Genauigkeit – das Verhalten seines letzten geglückten Überfalls wiederholt. Erst wenn ein Überfall schiefgeht – das heißt, wenn der Räuber kein Geld bekommt oder gefasst wird –, wird er sein Muster verändern.«

»Das stärkt Ihre Behauptung, schließt meine aber nicht aus«, sagte Harry.

Ivarsson warf einen verzweifelten Blick in die Runde, als suche er Unterstützung. »Ist gut, Hole. Probieren Sie Ihre Theorien ruhig aus. Ich habe nämlich gerade erst beschlossen, eine etwas neuere Arbeitstechnik anzuwenden. Diese basiert darauf, dass eine kleinere Einheit unabhängig, aber parallel zur Kommission arbeitet. Die Idee stammt vom FBI, sie soll verhindern, dass man sich auf einen Blickwinkel versteift, was oft in großen Gruppen passiert, die sich über die Grundzüge bewusst oder unbewusst einig sind. Die kleine Einheit kann einen neuen, frischen Fokus schaffen, weil sie unabhängig arbeitet und nicht von der anderen Gruppe beeinflusst wird. Die Methode ist besonders bei komplizierten Fällen effektiv. Ich glaube, die meisten hier sind meiner Meinung, dass Harry Hole natürlich für eine solche Einheit qualifiziert wäre.«

Allgemeines Grinsen. Ivarsson blieb hinter Beates Stuhl stehen. »Beate, du bildest mit Hole diese Einheit.«

Beate wurde rot. Ivarsson legte väterlich die Hand auf ihre Schulter. »Wenn sich herausstellt, dass dieses Vorgehen nicht funktioniert, musst du es nur sagen.«

»Das werde ich tun«, sagte Harry.

Harry wollte gerade die Haustür aufschließen, als er es sich anders überlegte und die zehn Meter zu dem kleinen Lebensmittelgeschäft weiterging, in das Ali gerade die auf dem Bürgersteig stehenden Gemüse- und Obstkisten trug.

»Hei Harry! Geht's wieder besser?« Ali grinste breit, und Harry schloss einen Augenblick lang die Augen. Es war also wie befürchtet.

»Hast du mir geholfen, Ali?«

»Nur die Treppe hoch. Als wir deine Tür aufhatten, sagtest du, du kämst selber zurecht.«

»Wie bin ich angekommen? Zu Fuß, oder …«

»Taxi. Du schuldest mir hundertzwanzig Kronen.«

Harry stöhnte und folgte Ali in den Laden. »Tut mir leid, Ali, wirklich. Kannst du mir eine Kurzversion geben, ohne allzu peinliche Details?«

»Du hast dich mit dem Taxifahrer auf dem Bürgersteig gestritten. Und unser Schlafzimmer führt ja da raus.« Dann fügte er mit einem süßsauren Lächeln hinzu: »Verdammte Scheiße, das Fenster nach da zu haben.«

»Und wann war das?«

»Mitten in der Nacht.«

»Du stehst morgens um fünf auf, Ali, ich weiß nicht, wann für Menschen wie dich ›mitten in der Nacht‹ ist.«

»Halb zwölf. Mindestens.«

Harry versprach, dass sich das nie mehr wiederholen würde, während Ali gutmütig nickte, als kenne er diese Geschichte schon auswendig. Harry fragte, wie er Ali danken könne, und der antwortete, er könne ihm ja sein Kellerabteil vermieten. Harry versprach, noch intensiver darüber nachzudenken, als er es ohnehin schon täte, bezahlte seine Schulden und legte noch etwas für eine Cola und eine Tüte Nudeln mit Fleischklößchen dazu.

»Dann sind wir quitt«, sagte Harry.

Ali schüttelte den Kopf. »Umlagekosten für drei Monate«, sagte der Vertrauensmann, Kassierer und Reparaturmeister des Mietshauses.

»Oh, Scheiße, das hab ich vergessen.«

»Eriksen«, sagte Ali lächelnd.

»Wer ist das?«

»Von dem hab ich letzten Sommer einen Brief gekriegt. Er wollte die Kontonummer, damit er die Umlagen für Mai und Juni 1972 zahlen könne. Er meinte, deswegen hätte er die letzten dreißig Jahre nicht mehr richtig schlafen können. Ich hab ihm zurückgeschrieben und ihm gesagt, dass sich niemand mehr im Haus an ihn erinnere und dass er die Sache vergessen könne.« Ali richtete seinen Finger auf Harry. »Aber das mach ich bei dir nicht.«

Harry breitete die Arme aus: »Ich mach morgen eine Überweisung.«

Das Erste, was Harry tat, nachdem er die Wohnungstür hinter sich geschlossen hatte, war, noch einmal Annas Nummer zu wählen. Die gleiche mechanische Stimme antwortete ihm. Er hatte gerade die Tüte mit Nudeln und Fleischklößchen in die Pfanne gekippt, als er das Klingeln des Telefons durch das Zischen hörte. Er rannte in den Flur und schnappte sich den Hörer:

»Hallo!«, rief er.

»Hei«, antwortete die wohlbekannte Frauenstimme am anderen Ende etwas überrumpelt.

»Ach, du bist's.«

»Ja, wer dachtest du denn?«

Harry kniff die Augen zusammen. »Ein Kollege. Es hat einen neuen Überfall gegeben.« Die Worte schmeckten wie Galle und Chili, und der dumpfe Schmerz hinter seinen Augen war wieder da.

»Ich habe versucht, dich über das Handy zu erreichen«, sagte Rakel.

»Das habe ich verloren.«

»Verloren?«

»Irgendwo liegen gelassen oder gestohlen, ich weiß es nicht, Rakel.«

»Harry, stimmt irgendwas nicht?«

»Wieso?«

»Du hörst dich so gestresst an.«

»Ich …«

»Ja?«

Harry holte tief Luft. »Wie läuft es im Gericht?«

Harry hörte zu, doch es gelang ihm nicht, die Worte zu Sätzen zu sortieren, die Sinn machten. Er hörte etwas von »wirtschaftlicher Situation«, »das Beste für das Kind« und »Vermittlung« und begriff, dass es noch nichts Neues gab, dass der nächste Verhandlungstermin auf Freitag vertagt war und dass es Oleg gutging, er es aber leid war, im Hotel zu wohnen.

»Sag ihm, dass ich mich auf eure Rückkehr freue«, sagte er.

Als sie aufgelegt hatten, blieb Harry stehen und fragte sich, ob er zurückrufen sollte. Aber um was zu sagen? Um ihr zu erzählen, dass er bei einer alten Flamme zu Abend gegessen und keine Ahnung hatte, was geschehen war? Harry legte die Hand aufs Telefon, doch in diesem Moment begann der Rauchmelder in der Küche zu heulen. Und als er die Pfanne von der Kochplatte gezogen und das Fenster geöffnet hatte, klingelte das Telefon erneut. Später sollte Harry oft denken, dass vieles anders gekommen wäre, wenn Bjarne Møller an diesem Abend nicht ausgerechnet ihn angerufen hätte.

»Ich weiß, dass dein Dienst gerade zu Ende ist«, sagte Møller, »aber wir haben gerade sehr wenig Leute. Eine Frau ist tot in ihrer Wohnung gefunden worden. Sieht aus, als hätte sie sich erschossen. Kannst du dir das mal anschauen?«

»Klar, Chef«, sagte Harry. »Das schulde ich dir heute. Ivarsson hat die Parallelermittlung heute übrigens als seine eigene Idee vorgestellt.«

»Was hättest du getan, wenn du als Chef einen solchen Befehl von oben erhalten hättest?«

»Ich als Chef? Diese Idee hat keine Substanz, Chef. Wie komme ich zu dieser Wohnung?«

»Bleib zu Hause, dann wirst du abgeholt.«

Zwanzig Minuten später klingelte die Türglocke. Ein Laut, den Harry so selten hörte, dass er zusammenzuckte. Die Stimme, die sagte, das Taxi sei da, war durch die Sprechanlage metallisch verzerrt, dennoch spürte Harry, wie sich seine Nackenhaare sträubten. Und als er nach unten kam und den flachen, roten Sportwagen sah, einen Toyota MR2, bestätigten sich seine Befürchtungen.

»Guten Abend, Hole.« Die Stimme erklang durch das geöffnete Fenster, das jedoch so tief unten über dem Asphalt war, dass Harry nicht sehen konnte, wer sprach. Harry öffnete die Autotür und wurde von einem Funkbass begrüßt, einer Orgel, synthetisch wie blaue Drops, und einer unverkennbaren Falsettstimme: »*You sexy motherfucker!*«

Harry kletterte mit etwas Mühe in den engen Schalensitz.

»Dann trifft es also uns zwei heute Abend«, sagte Kommissar Tom Waaler, öffnete seine teutonischen Kiefer und entblößte seine beeindruckend fehlerfreien Zähne in seinem sonnengebräunten Gesicht. Doch die polarblauen Augen blieben unverändert kalt. Es gab viele im Polizeipräsidium, die Harry nicht mochten, doch soweit er wusste, gab es bloß einen, der ihn richtiggehend hasste. Harry wusste, dass er in Waalers Augen ein unwürdiger Repräsentant des Polizeikorps und damit eine persönliche Beleidigung war. Harry hatte bei mehreren Gelegenheiten deutlich gemacht, dass er Waalers braun gesprenkelte Ansichten über Schwule, Kommunisten, Sozialhilfeempfänger, Pakistanis, Japsen, Nigger und Türken im Gegensatz zu einigen anderen Kollegen nicht teilte, während Waaler seinerseits Harry als besoffenen Rockreporter tituliert hatte. Doch Harry hatte den Verdacht, dass der wirkliche Grund dafür, dass Waaler ihn nicht mochte, sein Hang zum Alkohol war. Denn Tom Waaler konnte Schwäche nicht akzeptieren. Harry glaubte auch, dass das der Grund war, warum Waaler so viele Stunden mit immer neuen Trainingseinheiten und wechselnden Sparringspartnern im Fitnessraum verbrachte. In der Kantine hatte er gehört, wie einer der jungen Angestellten mit Begeisterung darüber berichtet hatte, dass Waaler einem der Karatejungs der Vietnamesengang im Bahnhof beide Arme gebrochen hatte. In Anbetracht von Waalers Ansichten über Hautfarben fand Harry es geradezu paradox, dass sein Kollege so viel Zeit unter dem Solarium des Fitnessraums verbrachte, doch vielleicht stimmte es ja, was ihm jemand als Witz geflüstert hatte: dass Waaler nämlich im Grunde gar kein Rassist war, schließlich verprügelte er ebenso gerne Neonazis wie Schwarze.

Nebst dem, was alle wussten, gab es aber auch noch etwas, was niemand wusste, das aber einige wenige trotzdem spürten. Es lag mehr als ein Jahr zurück, dass Sverre Olsen – die einzige Person, die ihnen hätte sagen können, warum Ellen Gjelten sterben musste – mit einer abgefeuerten Pistole in der Hand und Waalers Kugel zwischen den Augen auf seinem Bett gefunden worden war.

»Vorsichtig, Waaler.«

»Wie meinen?«

Harry streckte seine Hand aus und drehte das Liebesgestöhne leiser. »Es ist glatt heute Abend.«

Der Motor summte wie eine Nähmaschine, doch das Geräusch trog, denn die Beschleunigung ließ Harry den harten Sitz spüren. Sie rasten den Hügel am Stenspark vorbei und passierten die Suhms Gate.

»Wohin fahren wir?«, fragte Harry.

»Hierhin«, antwortete Waaler und bog unmittelbar vor einem entgegenkommenden Auto nach links ab. Das Fenster war noch immer offen, und Harry hörte das schmatzende Geräusch des nassen Laubes unter den Reifen.

»Willkommen zurück im Dezernat für Gewaltverbrechen«, sagte Harry. »Wollten sie dich nicht im Überwachungsdienst?«

»Umstrukturierung«, sagte Waaler. »Außerdem wollten mich der Polizeipräsident und Møller zurückhaben. Ich hatte hier ja ganz gute Ergebnisse, falls du dich noch daran erinnerst.«

»Wie könnte ich das vergessen?«

»Tja, man hört ja so viel über die Spätfolgen des Trinkens.«

Es gelang Harry gerade noch, sich mit einem Arm am Armaturenbrett abzustützen, so dass ihn das plötzliche Bremsen nicht in die Frontscheibe katapultierte. Der Deckel des Handschuhfachs sprang auf, und etwas Hartes traf Harry am Knie, ehe es auf den Wagenboden fiel.

»Verflucht, was war das?«

»Jericho 941, israelische Polizeipistole«, sagte Waaler und machte den Motor aus. »Nicht geladen. Lass sie liegen, wir sind da.«

»Hier?«, fragte Harry überrascht und beugte sich hinunter, um an der gelben Fassade vor ihnen emporzuschauen.

»Warum nicht?«, sagte Waaler, der bereits halb aus dem Wagen gestiegen war.

Harry spürte, wie sein Herz zu hämmern begann. Und während er nach dem Türöffner suchte, schoss immer wieder ein Gedanke durch seinen Kopf, bis er sich schließlich festsetzte: Er hätte Rakel zurückrufen sollen.

Der Nebel war zurück. Er kam von der Straße herangewabert, aus den Spalten der geschlossenen Fenster, hinter den Bäumen der Stadtallee, aus der blauen Haustür, die sich geöffnet hatte, nachdem sie Weber kurz über die Sprechanlage gehört hatten, und durch die Schlüssellöcher all der Türen, an denen sie auf dem Weg die Treppe hinauf vorbeikamen. Er schlang sich wie eine Decke aus Baumwolle um Harry, und als sie durch die Wohnungstür traten, hatte Harry das Gefühl, durch Milch zu gehen. Alles um ihn herum – die Menschen, die Stimmen, das Knattern der Walkie-Talkies, das Licht der Blitzgeräte – hatte etwas Traumartiges, eine Aura der Gleichgültigkeit, denn es stimmte nicht, es durfte nicht wahr sein, nicht wirklich. Und als sie vor dem Bett standen, auf dem die Tote lag, eine Pistole in der rechten Hand und ein schwarzes Loch in der Stirn, gelang es Harry nicht, seine Augen auf das Blut auf dem Kopfkissen zu richten oder ihrem leeren, anklagenden Blick zu begegnen. Stattdessen starrte er auf den Bettpfosten, auf das Pferd mit dem abgebissenen Kopf, und hoffte, dass sich der Nebel lichtete und er endlich erwachte.

Kapitel 10

Sorgenfrei

Die Stimmen um ihn herum kamen und gingen.

»Ich bin Hauptkommissar Tom Waaler. Kann mir jemand kurz Bericht erstatten?«

»Wir sind vor einer Dreiviertelstunde gekommen. Der Elektriker hat sie gefunden.«

»Wann?«

»Um fünf. Er hat sofort die Polizei gerufen. Sein Name ist … Moment … René Jensen. Hier hab ich auch seine Privatnummer und Adresse.«

»Gut. Rufen Sie im Präsidium an und lassen Sie überprüfen, ob irgendetwas gegen ihn vorliegt.«

»O. k.«

»René Jensen?«

»Das bin ich.«

»Können Sie hierher kommen? Mein Name ist Waaler. Wie sind Sie hereingekommen?«

»Wie ich schon den anderen gesagt habe, mit dem Reserveschlüssel. Sie war Dienstag bei mir im Geschäft und hat mir den Schlüssel gegeben, weil sie nicht zu Hause sein würde, wenn ich den Auftrag erledige.«

»Weil sie auf der Arbeit sein musste?«

»Keine Ahnung. Ich glaub nicht, dass sie einen Job hat. Jedenfalls keinen gewöhnlichen. Sie hat von einer großen Ausstellung mit allem Drum und Dran gesprochen.«

»Künstlerin also. Hat jemand hier mal etwas von ihr gehört?«

Stille.

»Was haben Sie im Schlafzimmer gemacht, Jensen?«

»Nach dem Bad gesucht.«

Eine andere Stimme: »Das Bad ist hier hinter der Tür.«

»O. k. Haben Sie irgendetwas Verdächtiges bemerkt, als Sie in die Wohnung kamen, Jensen?«

»Etwas Verdächtiges ... wie meinen Sie das?«

»War die Tür verschlossen? Waren Fenster geöffnet? Komische Gerüche oder Geräusche? Irgendwas.«

»Die Tür war verschlossen. Offene Fenster habe ich nicht gesehen, hab aber auch nicht drauf geachtet. Gerochen hab ich bloß so'n Lösungsmittelkram.«

»Terpentin?«

Die andere Stimme: »In einem der Zimmer stehen Malersachen.«

»Danke. Haben Sie sonst noch etwas bemerkt, Jensen?«

»Was war noch mal das Letzte?«

»Geräusche.«

»Geräusche, ja! Nein, ich hab überhaupt nichts gehört, es war totenstill. Also, hehe ... ich wollte keinen ...«

»Ist schon o. k., Jensen. Haben Sie die Tote vorher schon einmal gesehen?«

»Ich habe sie nie gesehen, bis sie in mein Geschäft kam. Da war sie ziemlich gut drauf.«

»Was sollten Sie tun?«

»Den Thermostat an der Badezimmerheizung reparieren.«

»Könnten Sie bitte überprüfen, ob mit dem Thermostat wirklich etwas nicht stimmt? Ob sie überhaupt eine Fußbodenheizung hat?«

»Ähh, wieso ... ach ja, verstehe, dass sie den ganzen Scheiß geplant hat und wir sie so finden sollten, was?«

»Ja, so ähnlich.«

»Ähh, also, der Thermostat hatte wirklich den Geist aufgegeben.«

»Den Geist aufgegeben?«

»Kaputt.«

»Woher wissen Sie das?«

Pause.

»Hat man Ihnen nicht gesagt, dass Sie nichts anfassen sollen, Jensen?«

»Doch, doch, aber das dauerte so verflucht lange, bis ihr kamt, und ich wurde so nervös, dass ich einfach irgendetwas machen musste.«

»Und jetzt hat die Tote einen reparierten Thermostat?«

»Ähh, hehe ... ja.«

Harry versuchte vom Bett aufzustehen, doch seine Füße wollten sich nicht bewegen. Der Arzt hatte Anna die Lider geschlossen, und jetzt sah sie aus, als schliefe sie. Tom Waaler hatte den Elektriker nach Hause geschickt und ihn gebeten, sich in den nächsten Tagen zur Verfügung zu halten. Dann hatte er die Beamten der alarmierten Polizeiwache zurückgeschickt. Harry hätte das niemals für möglich gehalten, aber er war tatsächlich froh darüber, dass Tom Waaler da war. Ohne den erfahrenen Kollegen vor Ort wäre nicht eine einzige vernünftige Frage gestellt und erst recht kein richtiger Entschluss gefällt worden.

Waaler fragte den Arzt, ob er ihnen eine vorläufige Stellungnahme abgeben könne.

»Die Kugel ist anscheinend durch den Kopf geschlagen, hat das Gehirn zerstört und damit alle vitalen Körperfunktionen lahmgelegt. Wenn wir davon ausgehen, dass die Temperatur im Zimmer konstant war, sollte man bei der aktuellen Körpertemperatur davon ausgehen, dass sie seit mindestens sechzehn Stunden tot ist. Kein Zeichen anderer Gewalteinwirkung. Keine Einstichwunden oder andere Anzeichen von Medikamentenmissbrauch. Aber ...« Der Arzt machte eine Kunstpause. »Die Narben an den Handgelenken deuten darauf hin, dass sie so etwas schon einmal versucht hat. Eine rein spekulative, aber qualifizierte Diagnose könnte lauten: manisch-depressiv oder einfach nur depressiv und lebensmüde. Ich denke, dass wir bei irgendeinem Psychologen eine Akte über sie finden.«

Harry versuchte, etwas zu sagen, doch seine Zunge gehorchte ihm nicht.

»Ich weiß das besser, wenn ich sie mir ein bisschen genauer angesehen habe.«

»Danke, Doktor, wie sieht es bei dir aus, Weber?«

»Bei der Waffe handelt es sich um eine Beretta M92F, ein ziemlich gewöhnlicher Waffentyp. Auf dem Griff findet sich nur ein Satz Fingerabdrücke, der also zwangsläufig von ihr stammt. Das Projektil steckte im Bettpfosten, und die Munition passt zur Waffe, die Ballistik wird da auch nicht zu anderen Schlüssen kommen. Aber den vollständigen Bericht bekommt ihr erst morgen.«

»Gut, Weber. Noch eine Sache. Es war abgeschlossen, als der Elektriker kam. Ich habe bemerkt, dass die Wohnungstür kein Schnappschloss hat, was bedeutet, dass nicht einfach jemand die Wohnung verlassen haben kann, außer natürlich, er hätte den Schlüssel der Toten mitgenommen. Wenn wir ihren Schlüssel finden, stehen wir, mit anderen Worten, vor der Lösung des Falls.«

Weber nickte und hob einen gelben Bleistift in die Höhe, an dem ein Schlüsselbund hing. »Lag auf der Kommode im Flur. Das ist ein Systemschlüssel, mit dem man auch die Haustür und alle anderen gemeinschaftlich genutzten Räume öffnen kann. Ich habe es überprüft, es ist der Wohnungsschlüssel.«

»Wunderbar. Dann fehlt uns eigentlich nur noch ein unterschriebener Abschiedsbrief. Hat jemand etwas dagegen, dass wir das hier einen klaren Fall nennen?«

Waaler ließ seinen Blick über Weber, den Arzt und Harry

schweifen. »O.k. Dann können die Angehörigen die traurige Botschaft erhalten und zur Identifizierung kommen.«

Er ging auf den Flur, während Harry am Bett stehen blieb. Kurz darauf schob Waaler noch einmal seinen Kopf durch die Tür.

»Ist das nicht geil, wenn so eine Patience gleich beim ersten Mal aufgeht, Hole?«

Harrys Gehirn gab seinem Kopf den Befehl zu nicken, doch er hatte keine Ahnung, ob er ihm gehorchte.

Kapitel 11

Illusion

Ich sehe mir das erste Video an. Wenn ich es Bild für Bild laufen lasse, erkenne ich sogar die Stichflamme. Pulverpartikel, die noch nicht zu reiner Energie geworden sind, wie ein glühender Asteroidenschwarm, der dem großen Kometen bis in die Atmosphäre gefolgt ist, wo er verglüht, während der Komet selbst unbeirrt seine Reise fortsetzt. Und niemand kann etwas tun, denn seine Bahn wurde vor Millionen von Jahren vorherbestimmt, vor dem Erscheinen der Menschen, vor den Gefühlen, vor der Geburt von Hass und Barmherzigkeit. Die Kugel dringt in den Kopf ein, schneidet die Gedanken ab und dreht die Träume herum. Und im Innern der Welt des Kopfes zersplittert die letzte Reflexion, der Nervenimpuls des Schmerzzentrums, ein letztes, sich selbst widersprechendes SOS, ehe alles verstummt. Ich klicke auf den Titel des anderen Videos. Ich sehe aus dem Fenster, während der Computer arbeitet und seine Finger in der Internetnacht ausstreckt. Am Himmel sind Sterne, und ich denke, dass jeder einzelne von ihnen ein Beweis für die Unausweichlichkeit des Schicksals ist. Sie haben keinen Sinn, sie stehen über der menschlichen Sehnsucht nach Logik und Zusammenhang. Und deshalb sind sie so schön, denke ich.

Dann ist das andere Video bereit. Ich klicke auf Play. Play a play. Wie ein herumreisendes Theater, das immer die gleiche

Vorstellung gibt, nur in einer anderen Stadt. Die gleichen Antworten und Bewegungen, das gleiche Kostüm, das gleiche Bühnenbild. Nur die Statisten sind ausgetauscht worden. Und die Schlussszene. Heute Abend wurde es keine Tragödie.

Ich bin mit mir selbst zufrieden. Ich bin zum Kern des Charakters, den ich spiele, vorgedrungen – der kalte, professionelle Antagonist, der genau weiß, was er will, und der tötet, wenn es sein muss. Niemand versucht, Zeit zu schinden, niemand wagt das mehr nach dem Bogstadvei. Und deshalb bin ich in diesen zwei Minuten Gott, hundertzwanzig Sekunden, die ich mir selbst gegeben habe. Und die Illusion funktioniert. Die dicken Kleider unter dem Overall, die doppelten Einlegesohlen, die gefärbten Kontaktlinsen und die eingeübten Bewegungen.

Ich beende die Verbindung, und es wird dunkel im Raum. Einzig das ferne Rauschen der Stadt erreicht mich. Heute habe ich Prinz getroffen. Eine merkwürdige Person. Sie gibt mir das zwiespältige Gefühl eines Pluvianus aegyptius, dieses kleinen Vogels, der davon lebt, die Kiefer der Krokodile zu reinigen. Er sagte, alles sei unter Kontrolle, dass man im Raubdezernat keine Spuren gefunden habe. Er bekam seinen Anteil und ich die Judenpistole, die er mir versprochen hatte.

Vielleicht sollte ich mich freuen, aber nichts kann mich wieder heilen.

Danach rief ich aus einer Telefonzelle im Polizeipräsidium an, aber sie wollten nichts sagen, bis ich mich als Verwandter zu erkennen gab. Sie sagten, es sei Selbstmord, dass sich Anna erschossen hätte. Die Sache sei zu den Akten gelegt worden. Ich konnte gerade noch auflegen, ehe ich lachen musste.

<u>Teil 2</u>

Kapitel 12

Freitod

»Albert Camus hat gesagt, dass Selbstmord das einzige wirkliche Problem der Philosophie sei«, sagte Aune und blickte schnüffelnd in den grauen Himmel über dem Bogstadvei. »Weil die Frage, ob das Leben wert ist, gelebt zu werden, die Grundfragen der Philosophie beantwortet. Alles andere – ob die Welt drei Dimensionen hat und der Geist neun oder zwölf Kategorien – kommt später.«

»Hm«, sagte Harry.

»Viele meiner Kollegen haben sich in ihrer Forschung mit der Frage auseinandergesetzt, warum sich Menschen das Leben nehmen. Weißt du, was sie als häufigste Ursache erkannt haben?«

»Solche Fragen wollte ich von dir beantwortet haben.« Harry musste im Slalom um die entgegenkommenden Menschen herumkurven, um mit dem runden Psychologen Schritt zu halten.

»Dass sie nicht mehr länger leben wollen«, sagte Aune.

»Hört sich an, als hätte sich da jemand den Nobelpreis verdient.« Harry hatte Aune am Abend zuvor angerufen und mit ihm ausgemacht, ihn um neun Uhr in seinem Büro in der Sporveisgata abzuholen. Sie gingen an der Nordea-Filiale vorbei, und Harry bemerkte, dass der grüne Müllcontainer noch immer auf der anderen Seite der Straße neben dem 7-Eleven stand.

»Wir vergessen oft, dass der Entschluss, Selbstmord zu begehen, häufig von rational denkenden und mental vollkommen gesunden Menschen gefasst wird, die nicht daran glauben, dass ihnen das Leben noch etwas zu bieten hat«, sagte Aune. »Alte Menschen, die ihren Partner verloren haben oder um deren Gesundheit es nicht mehr gut steht, zum Beispiel.«

»Diese Frau war jung und gesund. Welche rationalen Gründe kann sie gehabt haben?«

»Zuerst sollten wir mal definieren, was man mit rational meint. Wenn sich eine depressive Person entscheidet, den Schmerzen zu entfliehen, indem sie sich das Leben nimmt, sollte man davon ausgehen, dass die Betreffende das Für und Wider gut abgewägt hat. Auf der anderen Seite ist es schwierig, Selbstmord in der Situation als rational anzusehen, in der ein Depressiver aus dem Tal der Tränen herauskommt und erst jetzt wieder genug Kraft hat, um die aktive Handlung zu vollenden, die ein Selbstmord erfordert.«

»Kann ein Selbstmord vollkommen spontan geschehen?«

»Natürlich ist das möglich. Doch in der Regel beginnt es mit Selbstmordversuchen, speziell bei Frauen. In den USA rechnet man bei Frauen mit zehn sogenannten Selbstmordversuchen auf einen Selbstmord.«

»Sogenannten?«

»Fünf Schlaftabletten zu nehmen, ist schon ein ernstzunehmender Hilferuf, aber ich würde es keinen Selbstmordversuch nennen, wenn der Rest des Pillenglases unangetastet auf dem Nachttischchen steht.«

»Diese hat sich erschossen.«

»Ein männlicher Selbstmord also.«

»Männlich?«

»Einer der Gründe, weshalb bei Männern Selbstmorde oft erfolgreicher sind, ist die Tatsache, dass sie oft aggressivere, fatalere Methoden wählen als Frauen. Schusswaffen und hohe

Gebäude statt sich die Pulsadern aufzuschneiden oder Schlaftabletten zu nehmen. Dass sich eine Frau erschießt, ist sehr ungewöhnlich.«

»Verdächtig ungewöhnlich?«

Aune sah Harry an. »Hast du einen Grund, daran zu zweifeln, dass es Selbstmord war?«

Harry schüttelte den Kopf. »Ich will nur ganz sichergehen. Hier müssen wir nach rechts, ihre Wohnung ist gleich hier in der Straße.«

»In der Sorgenfrigate?« Aune brummte amüsiert und sah zu den drohenden Wolken am Himmel. »Natürlich.«

»*Sans Souci.* Ohne Sorgen. Das war der Name des Palastes von Christophe, dem König von Haiti, der Selbstmord beging, als er von den Franzosen gefangen genommen wurde. Der, der die Kanonen zum Himmel gerichtet hatte, um sich an Gott zu rächen, du weißt doch.«

»Tja, äh …«

»Und weißt du, was der Schriftsteller Ola Bauer über diese Straße sagt? ›Ich zog in die Sorgenfrigate, aber auch das half nicht.‹« Aune lachte so herzhaft, dass sein Doppelkinn ins Wackeln geriet.

Halvorsen wartete vor der Tür des Mietshauses. »Auf dem Weg aus dem Polizeipräsidium ist mir Bjarne Møller begegnet«, sagte er. »Er gab mir zu verstehen, dass die Sache bereits zu den Akten gelegt sei.«

»Wir müssen nur noch ein paar letzte offene Fragen klären«, sagte Harry und schloss mit dem Schlüssel auf, den er von dem Elektriker bekommen hatte.

Die Absperrungen vor der Wohnungstür waren entfernt und die Leiche war abtransportiert worden, doch ansonsten war alles wie am Abend zuvor. Sie gingen ins Schlafzimmer. Die weißen Laken auf dem großen Bett leuchteten im Halbdunkel. »Also, was suchen wir?«, fragte Halvorsen, während Harry die Gardinen zur Seite zog.

»Einen Nachschlüssel zur Wohnung«, sagte Harry.

»Warum?«

»Wir sind davon ausgegangen, dass sie einen Nachschlüssel hatte, nämlich den, den sie dem Elektriker gegeben hat. Ich habe ein wenig nachgeforscht. Systemschlüssel kann man nicht so einfach bei einem x-beliebigen Schlüsseldienst nachmachen lassen, die müssen über einen autorisierten Schlüsseldienst beim Hersteller bestellt werden. Da der Schlüssel auch zu den Gemeinschaftsräumen, der Haustür und der Kellertür passt, will die Hausverwaltung Kontrolle über alle Schlüssel haben. Die Bewohner brauchen deshalb eine schriftliche Einwilligung der Hausverwaltung, wenn sie neue Schlüssel wollen, nicht wahr? Und nach Absprache mit der Verwaltung hat der autorisierte Schlüsseldienst eine Übersicht über alle ausgegebenen Schlüssel für alle Wohnungen. Ich habe gestern Abend den Schlüsseldienst in der Vibes Gate angerufen. Anna Bethsen hat zwei Nachschlüssel bekommen, sie hat also insgesamt drei Schlüssel. Einen haben wir in der Wohnung gefunden, und einen hatte der Elektriker. Aber wo ist der dritte Schlüssel? Bis wir den nicht gefunden haben, können wir uns auch nicht sicher sein, dass nicht noch jemand hier war, als sie starb, und dann einfach gegangen ist.«

Halvorsen nickte langsam. »Den dritten Schlüssel also.«

»Den dritten Schlüssel. Fängst du hier drinnen an, Halvorsen? Dann zeige ich Aune in der Zwischenzeit etwas anderes.«

»O.k.«

»Ja, und noch etwas. Wundere dich nicht, wenn du mein Handy findest. Ich glaube, ich habe das gestern Nachmittag hier liegen gelassen.«

»Hast du nicht gesagt, dass du das schon vorgestern verloren hast?«

»Ich hab es wiedergefunden. Und wieder liegen lassen. Du weißt ...«

Halvorsen schüttelte den Kopf. Harry führte Aune durch den Flur zu den Zimmern. »Ich habe dich gefragt, weil du der einzige meiner Bekannten bist, der malt.«

»Das kommt in der letzten Zeit leider etwas zu kurz.« Aune war noch immer kurzatmig von den Treppen.

»Na ja, aber du kennst dich in der Kunst wenigstens ein bisschen aus, deswegen hoffe ich, dass du damit etwas anfangen kannst.«

Harry öffnete die Schiebetür zum hintersten Zimmer und machte das Licht an. Doch statt sich die Gemälde anzuschauen, murmelte Aune leise »huiuiui« und ging zu der dreiköpfigen Stehlampe. Er nahm seine Brille aus der Innentasche seiner Tweedjacke. Beugte sich ein wenig vor und las etwas auf dem schweren Fuß.

»Aber hallo!«, platzte er begeistert heraus. »Eine echte Grimmer-Lampe.«

»Grimmer?«

»Bertol Grimmer. Weltberühmter deutscher Designer. Er hat unter anderem das Siegesdenkmal entworfen, das Hitler 1941 in Paris errichten ließ. Er hätte einer der größten Künstler unserer Zeit werden können, doch auf dem Zenit seines Ruhms kam heraus, dass er Dreiviertel-Zigeuner war. Er wurde ins Konzentrationslager gesteckt und sein Name von sämtlichen Gebäuden oder Kunstwerken getilgt, an denen er beteiligt gewesen war. Grimmer überlebte, aber seine beiden Hände wurden in dem Steinbruch zerschmettert, in dem die Zigeuner arbeiten mussten. Er hat nach dem Krieg wieder gearbeitet, aber aufgrund seiner Verletzung erreichte er nie wieder die alte Position. Obwohl ich glaube, dass die hier aus der Nachkriegszeit stammt.« Aune nahm einen Lampenschirm ab.

Harry räusperte sich: »Ich dachte eigentlich eher an diese Porträts.«

»Amateurkram«, schnaubte Aune. »Sieh dir lieber diese fantastische Frauenstatuette an. Die Göttin Nemesis, Bertol Grimmers Lieblingsmotiv nach dem Krieg. Die Göttin der Rache. Rache ist übrigens auch ein häufiges Motiv bei Selbstmord, weißt du. Man fühlt, dass andere daran schuld sind, dass man mit seinem Leben nicht zurechtkommt, und will durch seinen Selbstmord bei diesen Menschen Schuldgefühle wecken. Bertol Grimmer hat sich übrigens auch das Leben genommen. Nachdem er seine Frau umgebracht hatte, weil sie ihm untreu geworden war. Rache, Rache, Rache. Wusstest du, dass der Mensch das einzige lebende Wesen ist, das Rache ausübt? Das Interessante an der Rache ist …«

»Aune?«

»Ach ja, es ging dir ja um diese Bilder, du willst, dass ich da irgendwas zu deuten versuche? Tja, sie sehen ein bisschen wie die Tintenkleckse eines Rorschach-Tests aus.«

»Du meinst diese Bilder, mit denen ihr bei den Patienten Assoziationen zu wecken versucht?«

»Richtig. Und damit haben wir hier das Problem, dass ich, wenn ich diese Bilder deute, vermutlich mehr über mein Seelenleben preisgebe als über das ihre. Aber eigentlich glaubt ja ohnehin niemand mehr an den Rorschach-Test, also warum nicht? Lass mal sehen … Also diese Bilder sind ja ziemlich düster. Aber eher wütend als deprimiert, vielleicht. Aber das eine ist ganz offensichtlich noch nicht fertig.«

»Vielleicht soll es so sein, vielleicht ist das der Abschluss des Ganzen.«

»Warum glaubst du das?«

»Ich weiß nicht. Vielleicht die Tatsache, dass das Licht der drei Lampen exakt auf je eines der drei Bilder fällt?«

»Hm.« Aune legte einen Arm auf die Brust und fuhr sich mit dem Zeigefinger nachdenklich über die Lippen. »Du hast recht. Bestimmt hast du recht. Und weißt du was, Harry?«

»Äh, nein?«

»Das sagt mir nichts – entschuldige meine Ausdrucksweise – nicht den kleinsten Scheiß. Sind wir fertig?«

»Ja. Oder Moment, da du ja malst. Wie du siehst, steht die Palette links neben der Staffelei. Ist das nicht total unpraktisch?«

»Ja, außer man ist Linkshänder.«

»Verstehe. Ich sollte Halvorsen suchen helfen. Ich weiß nicht, wie ich dir danken soll, Aune.«

»Aber ich, beim nächsten Mal rechne ich eine Stunde mehr ab.«

Halvorsen war mit dem Schlafzimmer fertig.

»Sie hat nicht viel besessen«, sagte er. »Fast könnte man meinen, man durchsucht ein Hotelzimmer. Nur Kleider, Toilettensachen, Bügeleisen, Handtücher und Bettwäsche und so was. Aber nicht ein Familienfoto, kein Brief oder persönliche Papiere.«

Eine Stunde später begriff Harry, was Halvorsen meinte. Sie hatten die ganze Wohnung durchsucht und waren wieder im Schlafzimmer, ohne auch nur eine Telefonrechnung oder einen Kontoauszug gefunden zu haben.

»Das ist das Seltsamste, was ich bisher erlebt habe«, sagte Halvorsen und setzte sich neben Harry auf den Schreibtisch. »Sie muss aufgeräumt haben. Vielleicht wollte sie alles mitnehmen, was ihr gehörte, die ganze Person auslöschen, verstehst du, was ich meine?«

»Ja. Hast du nicht irgendwo einen Laptop gesehen?«

»Laptop?«

»Ja, einen tragbaren Computer.«

»Wovon redest du?«

»Siehst du nicht das helle Viereck hier?« Harry deutete auf die Schreibtischplatte zwischen ihnen. »Sieht aus, als hätte hier ein Laptop gestanden, der jetzt verschwunden ist.«

»Meinst du?«

Harry spürte Halvorsens musternden Blick.

Draußen auf der Straße blieben sie stehen und sahen an der blassgelben Fassade zu ihren Fenstern empor. Harry rauchte eine zerknautschte Zigarette, die er lose in der Innentasche seines Mantels gefunden hatte.

»Das mit den Angehörigen ist merkwürdig«, sagte Halvorsen.

»Wieso?«

»Hat Møller dir nichts gesagt? Sie haben keine Adresse gefunden. Weder von Eltern noch von Geschwistern oder sonst irgendwem, mal abgesehen von einem Onkel, der im Gefängnis sitzt. Møller musste selbst das Beerdigungsinstitut anrufen, damit das arme Mädchen abgeholt wurde. Als wenn der Tod nicht schon einsam genug wäre.«

»Hm, welches Beerdigungsinstitut?«

»Sandemann«, sagte Halvorsen. »Der Onkel wollte, dass sie verbrannt wird.«

Harry zog an der Zigarette und sah zu, wie der Rauch im Himmel verschwand.

Halvorsen räusperte sich zweimal. »Woher wusstest du, dass sie die Schlüssel gerade bei dem Schlüsseldienst in der Vibes Gate in Auftrag gegeben hatte?«

Harry ließ die Zigarettenkippe auf den Boden fallen und schlug den Mantel enger um sich. »Sieht aus, als ob Aune recht behalten würde«, sagte er. »Es gibt Regen. Wenn du direkt ins Präsidium fährst, komme ich gerne mit.«

»Es gibt sicher mindestens hundert Schlüsseldienste in Oslo, Harry.«

»Hm. Ich habe den stellvertretenden Hausverwalter angerufen. Knut Arne Ringnes. Netter Kerl. Sie arbeiten schon seit zwanzig Jahren mit diesem Schlüsseldienst zusammen. Fahren wir?«

»Gut, dass du da bist«, sagte Beate Lønn, als Harry ins House of Pain kam. »Ich habe gestern Abend etwas entdeckt. Sieh dir das mal an.« Sie spulte das Video zurück und drückte den Pausenknopf. Ein zitterndes Standbild von Stine Grettes Gesicht, das in die Augen des maskierten Täters blickte, erfüllte die Leinwand. »Ich habe ein Feld des Videobildes vergrößert. Ich wollte Stines Gesicht so groß wie möglich haben.«

»Warum?«, fragte Harry und ließ sich auf einen Stuhl fallen.

»Achte mal auf das Zählwerk, das hier ist acht Sekunden, bevor der Exekutor schießt ...«

»Exekutor?«

Sie lächelte verlegen. »Ich für mich habe damit angefangen, ihn so zu nennen. Mein Großvater hatte einen Bauernhof, und da ... ja.«

»Wo?«

»In Valle im Setesdal.«

»Und da hast du Tiere gesehen, die geschlachtet wurden?«

»Ja.« Der Tonfall wehrte alle weiteren Fragen ab. Beate drückte die Slow-Taste, und Stine Grettes Gesicht wurde lebendig. Harry sah, wie sie in Zeitlupe blinzelte, während sich ihre Lippen bewegten. Er begann sich schon vor dem Schuss zu grauen, als Beate plötzlich das Video stoppte.

»Hast du das gesehen?«, fragte sie gespannt.

Es dauerte ein paar Sekunden, ehe es Harry bewusst wurde.

»Sie hat gesprochen!«, sagte er. »Unmittelbar bevor sie erschossen wurde, hat sie noch etwas gesagt, aber auf der Aufnahme ist nichts.«

»Weil sie geflüstert hat.«

»Dass ich das nicht vorher bemerkt habe! Aber warum? Und was sagt sie?«

»Das werden wir hoffentlich bald wissen. Ich habe einen Spezialisten für Lippenlesen im Taubstummenzentrum erreicht. Er ist auf dem Weg hierher.«

»Gut.«

Beate sah auf die Uhr. Harry biss sich auf die Unterlippe, atmete ein und sagte leise: »Du, Beate ...«

Er sah, wie sie erstarrte, als er sie beim Vornamen nannte. »Ich hatte eine Partnerin, die Ellen Gjelten hieß.«

»Ich weiß«, sagte sie schnell. »Sie wurde am Akerselva ermordet.«

»Ja. Wenn sie und ich mit einer Sache nicht weiterkamen, haben wir verschiedene Techniken angewendet, um Informationen zu aktivieren, die irgendwo im Unterbewusstsein hängen geblieben waren. Assoziationsspiele, bei denen wir Worte auf Zettel notierten und so etwas.«

Harry lächelte verlegen. »Das hört sich vielleicht seltsam an, aber hin und wieder hat uns das weitergebracht. Deshalb dachte ich, dass wir vielleicht auch so etwas machen könnten.«

»Wenn du meinst.« Wieder bemerkte Harry, wie viel sicherer Beate wirkte, wenn sie sich auf ein Video oder einen PC-Bildschirm konzentrieren konnte. Jetzt sah sie ihn mit einem Blick an, als hätte er gerade eine Partie Strip-Poker vorgeschlagen.

»Ich will gerne wissen, was du *fühlst,* wenn du an diesen Fall denkst«, sagte er.

Sie lachte unsicher. »Fühlen, was soll ich schon fühlen?«

»Vergiss mal einen Moment die kalten Fakten.« Harry beugte sich im Stuhl vor. »Sei jetzt kein braves Mädchen. Was du sagst, muss nicht stimmen. Sag mir einfach, was dir dein Bauch zuflüstert.«

Sie starrte eine Weile auf die Tischplatte. Harry wartete. Dann blickte sie auf und sah ihm direkt in die Augen. »Ich glaube an eine 2.«

»Eine 2?«

»Auswärtssieg. Dass das da einer dieser fünfzig Prozent wird, den wir nicht aufklären.«

»Soso, und warum nicht?«

»Einfache Mathematik. Wenn du an all die Idioten denkst, die wir nicht kriegen, hat ein Mann wie der Exekutor, der sich reichlich Gedanken gemacht hat und einiges darüber weiß, wie wir arbeiten, relativ gute Karten.«

»Hm.« Harry rieb sich das Gesicht. »Dein Bauch beschäftigt sich also bloß mit Kopfrechnen?«

»Nicht nur. Da ist etwas an der Art, wie er vorgeht. So entschieden, so … so, als ob er von etwas getrieben würde …«

»Was treibt ihn an, Beate? Geldgier?«

»Ich weiß es nicht. Statistisch gesehen ist die Geldgier das Motiv Nummer eins, die Spannung Motiv Nummer zwei …«

»Vergiss die Statistik, Beate. Jetzt ermittelst du, du analysierst jetzt nicht bloß Videobilder, sondern auch deine eigenen unbewussten Deutungen von allem, was du gesehen hast. Glaub mir, das ist das Wichtigste, an das man sich bei den Ermittlungen halten muss.«

Beate sah ihn an. Harry wusste, dass er im Begriff war, sie aus der Reserve zu locken. »Los!«, feuerte er sie an. »Was treibt den Exekutor an?«

»Gefühle.«

»Was für Gefühle?«

»Starke Gefühle.«

»Was für Gefühle, Beate?«

Sie schloss die Augen. »Liebe oder Hass. Hass. Nein, Liebe. Ich weiß es nicht.«

»Warum erschießt er sie?«

»Weil er … Nein.«

»Los. Warum erschießt er sie?« Harry hatte seinen Stuhl Stückchen für Stückchen näher an sie herangeschoben.

»Weil er muss. Weil er das schon vorher … entschieden hatte.«

»Gut. Warum hatte er das schon vorher entschieden?«

Es klopfte an der Tür.

Harry hätte nichts dagegen gehabt, wenn Fritz Bjelke nicht gar so schnell durchs Zentrum geradelt wäre, um ihnen beizustehen. Doch jetzt stand er in der Tür. Ein freundlicher, runder Mann mit runder Brille und rosa Fahrradhelm. Bjelke war nicht taub und definitiv nicht stumm. Damit Bjelke möglichst viel über die Lippenbewegungen von Stine Grette erfuhr, spielte Beate zuerst den Teil des Videos, in dem sie hören konnten, was sie sagte. Während das Band lief, redete Bjelke selbst ohne Unterlass.

»Ich bin Spezialist, aber eigentlich sind wir alle Lippenleser, auch wenn wir hören, was der Sprecher sagt. Deshalb ist es auch unangenehm, wenn ein Film nicht gut synchronisiert ist, obgleich es da in der Regel nur um Hundertstelsekunden geht.«

»Tja«, sagte Harry. »Ich persönlich kann nichts aus ihren Lippenbewegungen lesen.«

»Das Problem ist, dass sich nur etwa 30 bis 40 Prozent der Worte direkt von den Lippen ablesen lassen. Um den Rest zu verstehen, muss man den Gesichtsausdruck und die Körpersprache berücksichtigen und seine eigene Logik und sein Sprachgefühl einsetzen, um die fehlenden Worte zu finden. Denken ist also genauso wichtig wie Sehen.«

»Jetzt beginnt sie zu flüstern«, sagte Beate.

Bjelke hielt abrupt den Mund und folgte tief konzentriert den minimalen Lippenbewegungen auf der Leinwand. Beate hielt die Videoaufzeichnung an, ehe der Schuss fiel.

»Ah ja«, sagte Bjelke. »Noch einmal bitte.«

Und danach: »Noch einmal.«

Dann: »Bitte noch einmal.«

Nach sieben Durchgängen nickte er. Er hatte genug gesehen.

»Ich verstehe nicht, was sie meint«, sagte Bjelke. Harry und Beate sahen sich an. »Aber ich glaube zu wissen, was sie sagt.«

Beate hastete über den Flur, um mit Harry Schritt zu halten.

»Er gilt als der beste Experte des Landes«, sagte sie.

»Das hilft uns auch nicht«, sagte Harry. »Er hat selbst gesagt, dass er sich nicht sicher ist.«

»Aber was, wenn sie wirklich das sagte, was Bjelke meint?«

»Das hat keinen Sinn. Er muss ein ›nicht‹ übersehen haben.«

»Das glaube ich nicht.«

Harry blieb abrupt stehen, und Beate wäre fast in ihn hineingelaufen. Mit verschrecktem Blick starrte sie in seine weit aufgerissenen Augen.

»Gut«, sagte er.

Beate sah verwirrt aus. »Wie meinst du das?«

»Es ist gut, dass du anderer Meinung bist. Das bedeutet vielleicht, dass du etwas begriffen hast, ohne selbst zu wissen, was. Nur ich habe noch nichts gerafft.« Er begann wieder zu gehen. »Dann gehen wir davon aus, dass du recht hast. Denken wir mal darüber nach, wohin uns das führt.« Er blieb vor dem Aufzug stehen und drückte auf den Knopf.

»Wohin willst du jetzt?«, fragte Beate.

»Ein Detail überprüfen, ich bin in einer knappen Stunde wieder hier.«

Die Aufzugtüren öffneten sich, und Dezernatsleiter Ivarsson kam heraus.

»Ei«, rief er strahlend. »Unsere Meisterdetektive auf heißer Spur? Gibt es etwas Neues?«

»Das Besondere an der Parallelermittlung ist doch wohl, nicht immer gleich über alles Bericht zu erstatten«, sagte Harry und ging um ihn herum in den Aufzug. »Wenn ich Sie und das FBI richtig verstanden habe.«

Ivarsson grinste breit, hielt aber Harrys Blick stand. »Entscheidende Hinweise müssen wir natürlich teilen.«

Harry drückte den Aufzugknopf zum Erdgeschoss, doch Ivarsson stellte sich in die Öffnung und blockierte die Türen: »Nun?«

Harry zuckte mit den Schultern. »Stine Grette hat dem Bankräuber etwas zugeflüstert, ehe er sie erschossen hat.«

»Ach ja?«

»Wir glauben, dass sie gesagt hat: ›Es ist meine Schuld.‹«

»Es ist meine Schuld?«

»Ja.«

Ivarsson runzelte die Stirn. »Das kann doch wohl nicht stimmen? Es würde doch wohl besser passen, wenn sie ›Es ist *nicht* meine Schuld‹ gesagt hätte, schließlich war es der Filialleiter, der sechs Sekunden zu lang gebraucht hat, um das Geld in die Tasche zu stopfen.«

»Da bin ich anderer Meinung«, sagte Harry und blickte demonstrativ auf die Uhr. »Wir haben den besten Experten des

121

Landes zu Rate gezogen. Aber die Details kann Ihnen Beate berichten.«

Ivarsson lehnte sich gegen die Aufzugtür, die ärgerlich gegen seinen Rücken drückte. »Sie vergisst also in der ganzen Aufregung das ›nicht‹? Mehr habt ihr nicht, Beate?«

Beate wurde rot. »Ich habe gerade mit der Auswertung des Videos von dem Überfall im Kirkevei begonnen.«

»Schon ein paar Erkenntnisse?«

Ihr Blick huschte von Ivarsson zu Harry und zurück. »Vorläufig nicht.«

»Also nichts«, sagte Ivarsson. »Dann freut es euch ja vielleicht zu hören, dass wir neun Verdächtige zum Verhör herbestellt haben. Und wir haben einen Plan, wie wir endlich etwas aus Raskol herausbekommen.«

»Raskol?«, fragte Harry.

»Raskol Baxhet, der wahre König der Ratten«, sagte Ivarsson, packte seine Hosenträger, holte tief Luft und zog seine Hose mit zufriedenem Grinsen hoch. »Aber über die Details kann Sie ja Beate informieren.«

Kapitel 13

Marmor

Harry war sich im Klaren darüber, dass er, was einzelne Sachen anging, kleinlich war. Wie beim Bogstadvei, zum Beispiel. Er mochte den Bogstadvei nicht. Er wusste eigentlich nicht, warum, vielleicht weil auf dieser Straße, gepflastert mit Gold und Öl, den eigentlichen Sahnehäubchen auf der Sahne, niemand lächelte. Harry lächelte auch nicht, aber er wohnte in Bislett, wurde nicht fürs Lächeln bezahlt und hatte gerade jetzt einige gute Gründe, nicht zu lächeln. Doch das bedeutete nicht, dass Harry, so wie die meisten Norweger, nicht gerne angelächelt wurde.

Harry versuchte innerlich, das Verhalten des Jungen hinter dem Tresen des 7-Eleven damit zu entschuldigen, dass er vielleicht seinen Job hasste, womöglich auch in Bislett wohnte und dass es überdies wieder zu schütten begonnen hatte.

Das blasse Gesicht mit den roten, wütenden Pickeln blickte uninteressiert auf Harrys Polizeimarke: »Woher soll ich denn wissen, wie lange dieses Ding da schon steht?«

»Weil es grün ist und dir die halbe Aussicht auf den Bogstadvei versperrt«, sagte Harry.

Der Junge stöhnte und stemmte die Hände in seine Hüften, die auf mirakulöse Weise seine Hose festhielten. »Eine Woche, so etwa. Du, hinter dir is' 'ne Schlange.«

123

»Hm. Ich hab mal reingeguckt, das Ding ist abgesehen von ein paar Zeitungen und Flaschen vollkommen leer. Weißt du, wer den Container bestellt hat?«

»Nee.«

»Wie ich sehe, habt ihr hier über dem Tresen eine Überwachungskamera. Es sieht fast so aus, als wäre der Container draußen vor dem Fenster im Bild?«

»Möglich.«

»Wenn es noch die Aufnahmen vom letzten Freitag gibt, würde ich mir die gerne ansehen.«

»Ruf morgen an, dann ist Tobben hier.«

»Tobben?«

»Der Ladeninhaber.«

»Ich würde eher vorschlagen, dass du jetzt diesen Tobben anrufst und dir die Erlaubnis holst, mir dieses Band auszuhändigen, dann werde ich dich auch nicht länger aufhalten.«

»Sieh dich doch mal um«, sagte er, wobei seine Pickel noch röter wurden. »Ich hab jetzt keine Zeit, nach irgendwelchen Videos zu suchen.«

»Oh«, sagte Harry, ohne sich umzusehen. »Lieber nach Ladenschluss?«

»Wir haben rund um die Uhr auf«, sagte der Junge und verdrehte die Augen.

»Das war ein Witz«, sagte Harry.

»Ja, ja«, sagte der Junge mit seiner Schlafwandlerstimme. »Willste sonst noch was käufen?«

Harry schüttelte den Kopf, und der Junge sah an ihm vorbei. »Der Nächste?«

Harry seufzte und drehte sich zu den Wartenden um, die auf den Tresen zustürmten. »Nichts da, kein Nächster bitte! Ich bin von der Polizei.« Er hielt seine Marke hoch. »Und dieser Mann ist verhaftet, weil er nicht richtig ›kaufen‹ sagen kann.«

Harry war, wie gesagt, in manchen Punkten kleinlich. Doch in diesem Moment war er mit seiner Reaktion zufrieden. Er wurde gerne angelächelt.

Doch nicht mit dem Lächeln, das Teil der Berufsausbildung von Pfarrern, Politikern oder Bestattern zu sein scheint. Die lächeln beim Reden mit den Augen, was Herrn Sandemann vom Beerdigungsinstitut Sandemann eine Inbrunst verlieh, die, in Verbindung mit der Temperatur in der Kapelle unter der Kirche von Majorstua, Harry schaudern ließ. Er sah sich um. Zwei Särge, ein Stuhl, ein Kranz, ein Bestatter, ein schwarzer Anzug und ein Seitenscheitel.

»Sie sieht so schön aus«, sagte Sandemann. »So friedlich, so voller Ruhe und Würde. Sie gehören sicher zur Familie?«

»Nicht ganz.« Harry zeigte seine Polizei-Marke in der Hoffnung, das salbungsvolle Auftreten sei für Angehörige reserviert. Das war es nicht.

»So tragisch, dass ein junger Mensch auf diese Art und Weise von uns geht«, sagte Sandemann lächelnd, während er seine Handflächen gegeneinanderdrückte. Die Finger des Bestatters waren ungewöhnlich dünn und krumm.

»Ich würde mir gerne noch einmal die Kleider ansehen, die die Tote trug, als sie gefunden wurde«, sagte Harry. »In Ihrem Büro sagten sie mir, Sie hätten sie mit hierher genommen.«

Sandemann nickte, holte eine weiße Plastiktüte und erklärte ihm, dass er sie mitgenommen habe, um sie weitergeben zu können, falls Eltern oder Geschwister auftauchten. Harry suchte in dem schwarzen Kleid vergeblich nach Taschen.

»Suchen Sie nach etwas Speziellem?«, fragte Sandemann in einem unschuldigen Tonfall, während er sich über Harrys Schulter beugte.

»Einen Haustürschlüssel«, erwiderte Harry. »Sie haben wohl nichts gefunden, als Sie …«, er starrte auf Sandemanns krumme Finger, »… sie ausgezogen haben.«

Sandemann schloss die Augen und schüttelte den Kopf. »Unter ihren Kleidern war nur sie selbst. Abgesehen von dem Bild im Schuh natürlich.«

»Ein Bild?«

»Ja. Merkwürdig, nicht wahr? Sicher so ein Brauch von denen. Es liegt noch immer in ihrem Schuh.«

Harry nahm einen schwarzen, hochhackigen Schuh aus der Tüte und sah sie plötzlich kurz vor sich in der Türöffnung stehen, als er kam: schwarzes Kleid, schwarze Schuhe, roter Mund. Sehr roter Mund.

Das zerknitterte Bild zeigte eine Frau mit drei Kindern an einem Badestrand. Es sah aus wie ein Ferienfoto irgendwo in Norwegen, mit glatten Schären und Kiefern auf dem Hügel im Hintergrund.

»War jemand von der Familie hier?«, fragte Harry.

»Nur ihr Onkel. Natürlich in Begleitung eines Ihrer Kollegen.«

»Natürlich?«

»Ja, soweit ich weiß, sitzt er eine Strafe ab.«

Harry antwortete nicht. Sandemann lehnte sich nach vorn und krümmte seinen Rücken, so dass sein kleiner Kopf zwischen die Schultern sackte und ihn wie einen Geier aussehen ließ: »Was das wohl für eine Strafe ist?« Auch die flüsternde Stimme klang wie der heisere Schrei eines Vogels. »Wenn er nicht einmal der Beerdigung beiwohnen darf, meine ich.«

Harry räusperte sich. »Darf ich sie mir ansehen?«

Sandemann sah enttäuscht aus, machte aber rasch eine einladende Geste in Richtung eines der Särge.

Wie gewöhnlich war Harry überrascht, wie sehr man eine Leiche durch professionelle Arbeit verschönern konnte. Anna sah wirklich friedlich aus. Er berührte ihre Stirn. Sie war wie Marmor.

»Was ist das für eine Halskette?«, fragte Harry.

»Goldmünzen«, sagte Sandemann. »Ihr Onkel hat die mitgebracht.«

»Und was ist das?« Harry hob ein Bündel Papiere hoch, die mit einer breiten Banderole zusammengehalten wurden. Es waren Hunderter.

»Auch so ein Brauch von ihnen«, sagte Sandemann.

»Von wem reden Sie da immer?«

»Wussten Sie das nicht?« Sandemann lächelte mit dünnen, nassen Lippen. »Sie stammte aus einer Zigeunerfamilie.«

Alle Tische der Polizeikantine waren besetzt mit Kollegen, die sich eifrig unterhielten. Abgesehen von einem. Harry wählte diesen Tisch.

»Mit der Zeit wirst du die Leute hier kennenlernen«, sagte er. Beate sah ihn verständnislos an, und er begriff, dass sie vielleicht mehr gemeinsam hatten, als er bislang angenommen hatte. Er setzte sich und legte eine VHS-Kassette vor sie hin. »Die ist aus dem 7-Eleven schräg gegenüber der Bank. Vom Tag des Überfalls. Sowie eine vom Donnerstag davor. Kannst du mal checken, ob du da was Interessantes findest?«

»Du meinst, ob der Täter vorher da gewesen ist?«, murmelte Beate, den Mund voller Brot und Leberwurst. Harry blickte auf ihr mitgebrachtes Lunchpaket. »Nun«, sagte er. »Man darf doch noch hoffen.«

»Natürlich«, sagte sie. Sie verschluckte sich, und ihr traten Tränen in die Augen. »1993 gab es einen Überfall auf die Kreditkasse in Frogner, bei der der Täter eine Plastiktüte für das Geld mitgebracht hatte. Auf der Tüte war eine Shell-Werbung, und als wir die Überwachungskamera der nächstgelegenen Shell-Tankstelle überprüft haben, stellte sich heraus, dass der Täter die Tüte dort zehn Minuten vor dem Überfall gekauft hatte. In den gleichen Kleidern, nur ohne Maske. Eine halbe Stunde später haben wir ihn festgenommen.«

»*Wir* vor zehn Jahren?«, platzte es aus Harry heraus.

Beates Gesicht wechselte die Farbe wie eine Ampel. Sie schnappte sich die Brotscheibe und versuchte, sich dahinter zu verbergen. »Mein Vater«, murmelte sie.

»Tut mir leid, ich meinte das nicht so.«

»Macht nichts«, kam es rasch.

»Dein Vater …«

»Ist umgekommen«, sagte sie, »das ist inzwischen aber schon lange her.«

Harry lauschte ihrem Kauen, während er seine Hände anstarrte.

»Warum hast du auch eine Aufnahme eine Woche vor dem Überfall?«, fragte Beate.

»Der Container«, sagte Harry.

»Was ist mit dem?«

»Ich habe den Containerservice angerufen und nachgefragt. Er wurde am Dienstag von einem Stein Søbstad in der Industrigata bestellt und direkt am nächsten Tag unmittelbar vor dem 7-Eleven abgestellt. Es gibt zwei Stein Søbstads in Oslo, und beide behaupten, diesen Container nicht bestellt zu haben. Meine Theorie ist, dass der Täter ihn dort hat abstellen lassen, um die Aussicht durch das Fenster zu verbauen, damit ihn die Kamera nicht von vorne aufnehmen konnte, wenn er nach dem Überfall die Straße überquerte. Wenn er am gleichen Tag im 7-Eleven war, an dem er den Container bestellt hat, sehen wir vielleicht eine Person, die zuerst in die Kamera blickt und dann aus dem Fenster in Richtung Bank, um den Kamerawinkel und so etwas zu überprüfen.«

»Wenn wir Glück haben, ja. Der Zeuge vor dem 7-Eleven sagte, dass der Räuber beim Verlassen der Bank noch immer maskiert war. Warum sollte er sich dann die Arbeit mit dem Container machen?«

»Vielleicht wollte er sich beim Überqueren der Straße die Maske vom Kopf ziehen.« Harry seufzte. »Ich weiß nicht, ich weiß nur, dass mit diesem grünen Container irgendetwas nicht stimmt. Der steht da jetzt seit einer Woche, und abgesehen von ein paar Passanten, die da ihren Müll reingeworfen haben, scheint ihn niemand zu brauchen.«

»O. k.«, sagte Beate, nahm die Videobänder und stand auf.

»Noch eine Sache«, sagte Harry. »Was weißt du über diesen Raskol Baxhet?«

»Raskol?« Beate runzelte die Stirn. »Er war eine Art Mythos, bis er sich selber stellte. Wenn die Gerüchte stimmen, hatte er bei neunzig Prozent aller Banküberfälle in Oslo seine Finger mit im Spiel. Ich schätze, er kennt jeden, der in dieser Stadt in den letzten zwanzig Jahren einen Banküberfall verübt hat.«

»Dafür will ihn Ivarsson also. Wo sitzt er?«

Beate zeigte mit dem Daumen über ihre Schulter. »Im A-Block, gleich hinter der Grünanlage.«

»Im Botsen?«

»Ja. Und seit er da sitzt, weigert er sich, auch nur ein einziges Wort mit einem Polizisten zu wechseln.«

»Und was lässt dann Ivarsson glauben, dass er es schaffen wird?«

»Er hat endlich etwas gefunden, das für Raskol interessant sein könnte, so dass er vielleicht zu einem Handel bereit ist. Im Botsen heißt es, dass er zum ersten Mal, seit er dort ist, um etwas gebeten hat. Es geht um eine kürzlich verstorbene Angehörige.«

»Ach ja?«, sagte Harry und hoffte, dass sein Gesicht ihn nicht verriet.

»Sie soll in zwei Tagen beerdigt werden, und Raskol hat eine eindringliche Bitte an den Gefängnisdirektor gerichtet, an der Beerdigung teilnehmen zu dürfen.«

Als Beate ging, blieb Harry sitzen. Die Mittagspause war vorüber, und die Kantine leerte sich. Sie war, wie man so sagt, hell und gemütlich und wurde von einem staatlichen Catering-Unternehmen geleitet, weshalb Harry lieber woanders aß. Doch gerade in diesem Moment war ihm eingefallen, dass er an der Weihnachtsfeier genau hier mit Rakel getanzt hatte, dass er sich genau an diesem Fleck entschlossen hatte, sie mit Beschlag zu belegen. Oder umgekehrt. Noch immer spürte er den Schwung ihres Rückens unter seiner Handfläche.

Rakel.

In zwei Tagen sollte Anna beerdigt werden, und niemand zweifelte daran, dass sie durch ihre eigene Hand zu Tode gekommen war. Der Einzige, der dort gewesen war und ihnen hätte widersprechen können, war er selbst, doch er konnte sich an nichts erinnern. Weshalb konnte er es dann nicht einfach auf sich beruhen lassen? Er hatte alles zu verlieren und nichts zu gewinnen. Und eins kam noch hinzu: Warum konnte er die Sache nicht einfach vergessen, um Rakel und seiner selbst willen?

Harry stützte die Ellenbogen auf die Tischplatte und verbarg das Gesicht in seinen Händen.

Und wenn er ihnen hätte widersprechen können? Hätte er es getan?

Die Menschen am Nachbartisch drehten sich um, als der Stuhl harsch zurückgeschoben wurde, sich der kahlgeschorene, langbeinige Polizist mit dem schlechten Ruf erhob und rasch die Kantine verließ.

Kapitel 14

Lotterie

Die Glocke über der Tür des kleinen, engen Kiosks läutete wütend, als die zwei Männer hereingestürzt kamen. Elmers Frucht & Tabak war einer der letzten Kioske seiner Art, eine Wand war mit Zeitschriften zu den Themen Motor, Jagd, Sport und Softporno belegt und die anderen mit Zigaretten und Zigarren, während auf dem Tresen zwischen schwitzenden Lakritzstangen und vertrockneten, grauen Marzipanschweinchen mit dem Weihnachtsschmuck des vergangenen Jahres drei Stapel Lotto- und Totoscheine thronten.

»Das habt ihr ja gerade noch geschafft«, sagte Elmer, ein dünner, kahlköpfiger Mann um die sechzig mit Bart und nordländischem Dialekt.

»Verflucht, das kam aber auch plötzlich«, sagte Halvorsen und wischte sich die Regentropfen von den Schultern.

»Typischer Oslo-Herbst«, sagte der Mann, »Wolkenbruch oder Trockenheit. Ein Päckchen Camel?«

Harry nickte und holte sein Portemonnaie heraus.

»Und zwei Lotterielose für den jungen Beamten?« Elmer streckte Halvorsen zwei Lose entgegen, der sie betreten lächelnd schnell in die Tasche steckte.

»Ist das o.k., wenn ich hier drin eine Zigarette rauche, Elmer?«, fragte Harry und schielte in den Regen hinaus, der auf den plötzlich menschenleeren Bürgersteig hinter dem schmutzigen Fenster klatschte.

»Also wirklich«, sagte Elmer und gab ihnen das Wechselgeld. »Gift und Gambling sind mein täglich Brot.«

Er verbeugte sich leicht und verschwand hinter einem schiefhängenden, braunen Vorhang, hinter dem sie eine Kaffeemaschine gurgeln hörten.

»Hier ist das Bild«, sagte Harry. »Du musst bloß herausfinden, wer die Frau ist.«

»Bloß?« Halvorsen blickte auf das grobkörnige, zerknitterte Foto, das ihm Harry reichte.

»Versuch zuerst herauszufinden, woher diese Aufnahme stammt«, sagte Harry und hustete plötzlich heftig, als er versuchte, den Rauch in den Lungen zu behalten. »Sieht wie irgendein Ferienort aus. Wenn das stimmt, gibt es da sicher einen kleinen Laden, jemanden, der Hütten vermietet oder so etwas. Wenn die Familie auf dem Bild regelmäßig kommt, weiß einer von denen, die dort arbeiten, wer das ist. Überlass mir den Rest, wenn du das herausgefunden hast.«

»Und das alles, weil das Bild im Schuh lag?«

»Nicht gerade ein gewöhnlicher Ort, um ein Bild aufzubewahren, oder?«

Halvorsen zuckte mit den Schultern und sah hinaus auf die Straße.

»Das hört so schnell nicht auf«, sagte Harry.

»Ich weiß, aber ich muss nach Hause.«

»Wozu?«, fragte Harry.

»Zu ein paar Sachen, die man Leben nennt. Nichts, was dich interessieren würde.«

Harry zog die Mundwinkel hoch, um zu zeigen, dass er die Ironie verstanden hatte. »Na dann, viel Spaß.«

Die Glocke klingelte, und die Tür fiel hinter Halvorsen ins Schloss. Harry zog an der Zigarette, und während er Elmers ausgesuchte Lektüre studierte, erkannte er, wie wenige Interessen er mit dem norwegischen Durchschnittsmann teilte.

War das so, weil er keine mehr hatte? Musik, doch, aber in den letzten zehn Jahren war nichts Gutes mehr auf den Markt gekommen, nicht einmal von den alten Helden. Film? Wenn er heute einmal aus dem Kino kam, ohne sich gehirnamputiert zu fühlen, konnte er froh sein. Ansonsten Fehlanzeige. Mit anderen Worten: Das Einzige, was ihn noch immer interessierte, war, Menschen zu finden und sie einzusperren. Und nicht einmal das ließ sein Herz so schnell schlagen wie früher. Das Unheimliche …, dachte Harry und legte eine Hand auf Elmers kalten, glatten Tresen, das Unheimliche daran war, dass ihn dieser Umstand überhaupt nicht störte. Dass er kapituliert hatte. Dass es einfach nur befreiend war, alt zu werden.

Erneut klingelte die Glocke zornig.

»Ich hab vergessen, dir von diesem Jugendlichen zu erzählen, den wir gestern wegen unerlaubten Waffenbesitzes festgenommen haben«, sagte Halvorsen. »Roy Kvinsvik, einer der Glatzköpfe von Herbert's Pizza.« Er stand in der Tür, während der Regen um seine nassen Schuhe herumtanzte.

»Hm?«

»Er hatte ganz offensichtlich Angst, und deshalb habe ich ihm gesagt, dass er mir schon etwas geben müsse, mit dem ich etwas anfangen könnte, wenn ich ihn einfach so davonkommen lassen sollte.«

»Und?«

»Er hat gesagt, dass er Sverre Olsen in Grünerløkka gesehen hat, an dem Abend, an dem Ellen getötet wurde.«

»Ja und? Dafür gibt es mehrere Zeugen.«

»Ja, aber dieser Typ hat Olsen in einem Auto mit jemandem sprechen sehen.«

Harry fiel die Zigarette aus der Hand. Er ließ sie liegen.

»Wusste er, wer das war?«, fragte er langsam.

Halvorsen schüttelte den Kopf. »Nein, er hat nur Olsen erkannt.«

»Hat er dir eine Beschreibung gegeben?«

»Er erinnerte sich nur noch an seinen Gedanken, dass der

Typ wie ein Polizist ausgesehen hat. Aber er meinte, dass er ihn vielleicht wiedererkennen würde.«

Harry spürte, wie es ihm unter seinem Mantel heiß wurde. Er betonte jedes einzelne Wort: »Konnte er dir sagen, was für ein Auto es war?«

»Nein, er ist bloß vorbeigerannt.«

Harry nickte, während er mit der Hand immer wieder über den Tresen strich.

Halvorsen räusperte sich: »Aber er meinte, es sei ein Sportwagen gewesen.«

Harry blickte auf die am Boden qualmende Zigarette. »Farbe?«

Halvorsen machte eine bedauernde Geste mit dem Arm.

»War es rot?«, fragte Harry mit leiser, belegter Stimme.

»Was hast du gesagt?«

Harry richtete sich auf. »Nichts. Merk dir den Namen. Und geh nach Hause zu deinem Leben.« Die Glocke klingelte.

Harry hörte auf, den Tisch zu streicheln, und ließ die Hand einfach liegen. Der Tisch fühlte sich auf einmal wie kalter Marmor an.

Astrid Monsen war 45 Jahre alt und lebte von der Übersetzung französischer Belletristik im Büro in ihrer Wohnung in der Sorgenfrigata. In ihrem Leben gab es keinen Mann, aber ein Tonband mit Hundegebell, das jede Nacht in einer Endlosschleife vor der Wohnungstür abgespielt wurde. Harry hörte ihre Schritte hinter der Tür, und dann schepperte es mindestens in drei Schlössern, ehe sich die Tür einen Spaltbreit öffnete und ein kleines sommersprossiges Gesicht unter dunklen Locken zum Vorschein kam.

»Huch«, rief sie aus, als sie Harrys große Gestalt erblickte.

Obgleich ihm das Gesicht nicht bekannt war, hatte er unmittelbar das Gefühl, diese Frau schon einmal gesehen zu haben. Vermutlich aufgrund Annas ausführlicher Beschreibung ihrer ängstlichen Nachbarin.

»Harry Hole vom Dezernat für Gewaltverbrechen«, sagte er und zeigte ihr seinen Ausweis. »Tut mir leid, dass ich so spät am Nachmittag noch stören muss. Ich habe noch ein paar Fragen zu dem Abend, an dem Anna Bethsen gestorben ist.«

Er versuchte, beruhigend zu lächeln, als er bemerkte, dass sie Schwierigkeiten hatte, den Mund zu schließen. Aus den Augenwinkeln sah er, wie sich die Gardine hinter der Scheibe der Nachbartür bewegte.

»Kann ich einen Moment hereinkommen, Frau Monsen? Es dauert nicht lang.«

Astrid Monsen wich zwei Schritte zurück, und Harry nutzte die Gelegenheit, um durch die Tür zu schlüpfen und sie hinter sich zu schließen. Jetzt durfte er ihre ganze Afrofrisur bewundern. Sie musste ihre Haare schwarz gefärbt haben, sie umrahmten ihren kleinen, weißen Kopf wie ein gewaltiger Globus. In dem sparsam beleuchteten Flur blieben sie dicht voreinander stehen. An den Wänden hingen Trockenblumen und ein eingerahmtes Plakat aus dem Chagall-Museum in Nizza.

»Haben Sie mich schon einmal gesehen?«, fragte Harry.

»Wie ... meinen Sie?«

»Bloß, ob Sie mich schon einmal gesehen haben? Das andere kommt noch.«

Ihr Mund öffnete und schloss sich. Dann schüttelte sie hart den Kopf.

»Gut«, sagte Harry. »Waren Sie Dienstagabend zu Hause?« Sie nickte zögerlich.

»Haben Sie etwas gehört oder gesehen?«

»Nein«, sagte sie. Etwas zu schnell, wie Harry fand.

»Nehmen Sie sich Zeit und denken Sie nach«, sagte er und versuchte freundlich zu lächeln, was aber nicht gerade zum besttrainierten Teil seines begrenzten Repertoires an Gesichtsausdrücken gehörte.

»Überhaupt ...«, sagte sie, während ihr Blick zur Tür hinter Harry huschte, »nichts.«

Harry zündete sich draußen auf der Straße eine Zigarette an. Er hatte gehört, wie Astrid Monsen die Sicherheitskette befestigt hatte, kaum dass er die Wohnung verlassen hatte. Arme Frau. Sie war die Letzte der Runde, woraus er schließen konnte, dass ihn niemand im Haus an dem Abend, an dem Anna gestorben war, im Flur gesehen oder gehört hatte.

Nach zwei Zügen warf er die Zigarette weg.

Zu Hause blieb er in seinem Ohrensessel sitzen und sah lange auf das rote Blinken des Anrufbeantworters, ehe er die Play-Taste drückte. Es war Rakel, die ihm gute Nacht wünschte, und ein Journalist, der einen Kommentar zu den beiden Überfällen wollte. Danach spulte er das Band zurück und hörte sich Annas Nachrichten noch einmal an: Und kannst du nicht die Jeans anziehen, du weißt schon, die, die ich so gerne mochte?

Er rieb sich das Gesicht. Dann nahm er das Band heraus und warf es in den Mülleimer.

Draußen tropfte der Regen, und drinnen zappte Harry. Damenhandball, eine Seifenoper und ein Quiz, bei dem man Millionär werden konnte. Harry blieb bei einem schwedischen Sender hängen, auf dem ein Sozialanthropologe und ein Philosoph den Rachebegriff diskutierten. Der eine vertrat die Meinung, dass ein Land wie die USA, das für moralische Werte wie Freiheit und Demokratie einsteht, die moralische Verantwortung habe, Angriffe auf ihr Territorium zu verteidigen, weil es sich dabei auch um Angriffe auf eben jene Werte handele.

»Nur das Versprechen der Vergeltung – und deren Durchführung – kann ein so verwundbares System wie eine Demokratie schützen.«

»Was, wenn die Werte, für die eine Demokratie steht, selbst die Opfer einer Racheaktion werden?«, erwiderte der andere. »Was, wenn das Recht einer anderen Nation nach internationaler Gesetzgebung gebrochen wird? Was für Werte sind das, die man verteidigt, wenn man unschuldige Zivilisten auf der

Jagd nach den Schuldigen zu Rechtlosen macht? Und was ist mit der moralischen Regel, die besagt, dass du die andere Wange hinhalten sollst?«

»Das Problem ist«, sagte der andere lächelnd, »dass man nur zwei Wangen hat, nicht wahr?«

Harry schaltete aus. Er fragte sich, ob er Rakel anrufen sollte, kam aber zu dem Schluss, dass es schon zu spät war. Er versuchte ein wenig in einem Jim-Thompson-Buch zu lesen, bemerkte dann aber, dass die Seiten 24 bis 38 fehlten. Dann stand er auf und ging im Zimmer auf und ab. Öffnete den Kühlschrank und starrte ziellos auf einen Käse und ein Glas Erdbeermarmelade. Er hatte Lust auf etwas, wusste aber nicht, auf was. Schließlich warf er die Kühlschranktür wieder zu. Wen wollte er eigentlich verarschen? Er hatte Lust auf einen Drink.

Um zwei Uhr in der Nacht wachte er, noch immer angezogen, im Sessel auf. Er stand auf, ging ins Bad und trank ein Glas Wasser.

»Scheiße«, sagte er zu seinem Spiegelbild. Er ging ins Schlafzimmer und schaltete den PC an. Im Internet fand er 104 Artikel über Selbstmord, aber keinen über Rache, nur Stichworte und viele Hinweise zu Rachemotiven in der Literatur und der griechischen Mythologie. Als er den Computer ausschalten wollte, fiel ihm ein, dass er schon seit ein paar Wochen seine Mails nicht mehr gecheckt hatte. Er hatte zwei Nachrichten erhalten. Die eine war vom Netzbetreiber und informierte über eine Störung von vor vierzehn Tagen. Die andere trug den Absender *anna.beth@chello.no*. Er klickte auf das Symbol und las die Nachricht: *Hi, Harry. Denk an die Schlüssel. Anna.* Der Absendezeitpunkt verriet ihm, dass sie die Mail zwei Stunden vor ihrem letzten Treffen abgeschickt hatte. Er las die Nachricht noch einmal. So kurz. So ... normal. Die Menschen schickten sich wohl solche Mails, nahm er an. *Hi, Harry.* Für einen Außenstehenden musste es aussehen, als wenn sie alte Freunde wären, dabei hatten sie sich nur

sechs Wochen irgendwann einmal in der Vergangenheit gekannt, und er wusste nicht einmal, dass sie seine E-Mail-
Adresse hatte.

Als er einschlief, träumte er wieder davon, mit einem Gewehr in der Bank zu stehen. Die Menschen um ihn herum waren aus Marmor.

Kapitel 15

Gadzo

»Heute ist aber tolles Wetter«, sagte Bjarne Møller, als er am nächsten Morgen in Harrys und Halvorsens Büro gerauscht kam.

»Du musst das ja wissen, du hast ja ein Fenster«, erwiderte Harry, ohne von seiner Kaffeetasse aufzuschauen. »Und neue Büromöbel«, fügte er hinzu, als Møller sich auf Halvorsens kaputten Stuhl fallen ließ, der einen Schmerzensschrei von sich gab.

»Aber hallo«, sagte Møller. »Schlechte Laune heute?«

Harry zuckte mit den Schultern. »Ich werde bald vierzig und beginne es langsam zu schätzen, ein wenig griesgrämig zu sein. Ist daran etwas auszusetzen?«

»Aber nein, übrigens, schick, dich in einem Anzug zu sehen.«

Harry zupfte verwundert an seinem Kragen herum, als hätte er erst jetzt den dunklen Anzug bemerkt.

»Gestern war Abteilungsleitersitzung«, sagte Møller. »Willst du die Kurz- oder die Langversion?«

Harry rührte mit einem Bleistift in seiner Tasse herum. »Wir dürfen uns ab sofort nicht mehr mit dem Ellen-Fall beschäftigen, ist es das?«

»Der Fall ist längst aufgeklärt, Harry. Und der Chef der Kriminaltechnik hat sich beschwert, dass du sie mit Fragen zu allen möglichen alten Indizien quälst.«

»Gestern ist ein neuer Zeuge aufgetaucht, der …«

»Es gibt immer neue Zeugen, Harry. Sie wollen ganz einfach nichts mehr davon wissen.«

»Aber …«

»Schluss, Harry. Tut mir leid.«

Møller drehte sich in der Tür um: »Geh ein bisschen in die Sonne. Es ist vielleicht der letzte warme Tag für eine ganze Weile.«

»Es gibt Gerüchte, die Sonne würde scheinen«, sagte Harry zu Beate, als er ins House of Pain kam. »Nur damit du es weißt.«

»Mach das Licht aus«, sagte sie. »Ich muss dir was zeigen.«

Sie hatte am Telefon ganz aufgeregt geklungen, aber nicht gesagt, worum es ging. Sie hob die Fernbedienung hoch: »Auf dem Band von dem Tag, an dem der Container bestellt wurde, habe ich nichts gefunden, aber sieh dir dies hier vom Tag des Überfalls an.«

Auf der Leinwand sah Harry ein Übersichtsbild vom 7-Eleven. Er sah den grünen Container vor dem Fenster, die Vanilleteilchen davor und den Hinterkopf und die Kimme des Jungen, mit dem er tags zuvor gesprochen hatte. Er bediente ein Mädchen, das Milch, eine Frauenzeitschrift und Kondome kaufte.

»Die Aufnahme ist von 15.05 Uhr, also fünfzehn Minuten vor dem Überfall. Jetzt pass auf.«

Das Mädchen nahm seine Sachen und ging, die Schlange rückte vor, und ein Mann mit schwarzem Overall und einer tief in die Stirn gezogenen Schirmmütze mit Ohrenklappen deutete auf etwas auf dem Tresen. Er hielt seinen Kopf gesenkt, so dass sie sein Gesicht nicht erkennen konnten. Unter dem Arm trug er eine schwarze, zusammengefaltete Tasche.

»Verflucht noch mal«, zischte Harry.

»Das ist der Exekutor«, sagte Beate.

»Sicher? Es gibt viele mit schwarzen Overalls, und der Täter trug keine Schirmmütze.«

»Wenn er einen Schritt vom Tresen zurücktritt, wirst du erkennen, dass er die gleichen Schuhe trägt wie auf dem Video vom Überfall. Und achte mal drauf, die linke Seite des Overalls beult sich irgendwie aus. Das ist die AG3.«

»Er hat sie an den Körper getapt. Aber was zum Teufel macht er denn im 7-Eleven?«

»Er wartet auf den Geldtransporter und braucht einen Aussichtspunkt, an dem er nicht bemerkt wird. Er war vorher schon mal da und weiß, dass der Transporter irgendwann zwischen 15.15 und 15.20 Uhr kommt. In der Zwischenzeit kann er ja nicht mit Sturmhaube herumrennen und allen zu erkennen geben, dass er die Bank ausrauben will. Deshalb braucht er eine Mütze, die möglichst viel von seinem Gesicht verdeckt. Als er an die Kasse kommt, kann man, wenn man genau darauf achtet, ein helles Viereck sehen, das über den Tresen huscht. Das ist die Reflexion von Glas. Du trägst eine Sonnenbrille, du Exekutorarsch.« Sie sprach leise, aber schnell und mit einer Erregung, die Harry bisher noch nie bei ihr gehört hatte. »Er ist sich ganz offensichtlich auch über die Kamera im 7-Eleven bewusst und zeigt uns nichts von seinem Gesicht. Achte mal darauf, wie gut er die verschiedenen Blickwinkel beachtet! Er macht das wirklich gut, das muss man ihm lassen.«

Der Junge hinter dem Tresen gab dem Mann im Overall ein Vanilleteilchen und nahm dann die Zehnkronenstücke, die der Mann auf den Tresen gelegt hatte.

»He!«, rief Harry.

»Richtig«, sagte Beate. »Er trägt keine Handschuhe. Aber es sieht nicht so aus, als hätte er irgendetwas in diesem Laden berührt. Und da siehst du dieses helle Viereck, von dem ich gesprochen habe.«

Harry sah nichts.

141

Der Mann verließ den Laden, als der Letzte der Schlange bedient wurde.

»Hm. Wir sollten noch einmal nach Zeugen suchen«, sagte Harry und erhob sich.

»Ich wäre nicht zu optimistisch«, sagte Beate, den Blick noch immer auf die Leinwand geheftet. »Denk dran, dass sich nur ein einziger Zeuge gemeldet hat, der gesehen hat, wie der Exekutor durch den Stoßverkehr am Freitagnachmittag geflohen ist. Menschenmengen sind das beste Versteck für Bankräuber.«

»Gut, aber hast du einen anderen Vorschlag?«

»Dass du dich wieder hinsetzt. Du verpasst sonst das Beste.«

Harry sah sie reichlich überrascht an und wandte sich wieder dem Bildschirm zu. Der Junge hinter dem Tresen hatte sich in Richtung Kamera gedreht und seinen Finger tief in die Nase gegraben.

»Das Beste, das Beste«, brummte Harry.

»Achte auf den Container vor dem Fenster.«

Es war eine Spiegelung auf der Scheibe, aber der Mann in dem schwarzen Overall war gut zu erkennen. Er stand vor dem Laden auf dem Bürgersteig, zwischen einem geparkten Wagen und dem Container. Der Rücken war zur Kamera gewandt, und er hatte eine Hand auf den Container gelegt. Es sah aus, als spähe er zur Bank hinüber, während er das Teilchen aß. Die Tasche hatte er auf den Asphalt gestellt.

»Das ist sein Aussichtsposten«, sagte Beate. »Er bestellte den Container und bekam ihn genau dorthin geliefert. Das ist genial einfach. Von dort kann er genau sehen, wann der Geldtransporter kommt, ohne von den Überwachungskameras der Bank eingefangen zu werden. Und achte auf die Art, wie er steht. Die Hälfte der Passanten sieht ihn allein schon wegen des Containers nicht. Und diejenigen, die ihn sehen, sehen einen Mann mit Overall und Mütze neben einem Container, einen städtischen Arbeiter, einen Angestellten eines Umzugsunternehmens, jemanden, der irgendwo eine Renovierung macht. Kurz gesagt, niemand, der einem im Gedächtnis bleibt. Kein Wunder, dass wir keine Zeugen gefunden haben.«

»Er macht ein paar fette Fingerabdrücke auf den Container«, sagte Harry. »Blöd, dass es die ganze letzte Woche geregnet hat.«

»Aber das Vanilleteilchen ...«

»Da isst er seine Fingerabdrücke auf«, seufzte Harry.

»... macht ihn durstig. Jetzt pass auf.«

Der Mann beugte sich hinunter, öffnete den Reißverschluss seiner Tasche und zog eine weiße Plastiktüte heraus, aus der er eine Flasche holte.

»Coca-Cola«, flüsterte Beate. »Ich habe das in einem Standbild hochgezoomt, bevor du gekommen bist. Es ist eine Glasflasche mit einem Weinkorken.«

Der Mann in dem Overall packte die Flasche oben am Hals und zog den Korken heraus. Dann legte er den Kopf in den Nacken und setzte die Flasche an die Lippen. Sie konnten sehen, wie die Flüssigkeit aus dem Flaschenhals rann, doch die Mütze verdeckte Mund und Gesicht. Dann steckte er die Flasche zurück in die Tüte, verknotete sie und wollte sie wieder in seine Tasche schieben, als er plötzlich innehielt.

»Pass auf, jetzt denkt er nach«, flüsterte Beate und sagte leise: »Wie viel Platz braucht das Geld, wie viel Platz braucht das Geld?«

Die Hauptperson starrte in die Tasche. Dann auf den Container. Dann fasste er einen Entschluss, und in einem hohen Bogen segelte die Tüte mit der Flasche in den offenen Container.

»Dreipunktewurf!«, brüllte Harry.

»Heimsieg!«, heulte Beate.

»Scheiße!«, rief Harry.

»O nein«, stöhnte Beate und stieß verzweifelt mit der Stirn gegen das Lenkrad.

»Die müssen gerade hier gewesen sein«, sagte Harry. »Warte!«

Er stieß die Autotür unmittelbar vor einem Fahrradfahrer auf, der nur mit Mühe ausweichen konnte, rannte über die Straße und stürzte in den 7-Eleven und an die Kasse.

»Wann haben die den Container geholt?«, fragte er den Jungen, der gerade zwei Big-Size-Würstchen für zwei ebensolche Mädchen fertig machte.

»Warten Sie, bis Sie an der Reihe sind«, sagte der Junge, ohne aufzublicken.

Einem der Mädchen entwich ein beleidigtes Seufzen, als Harry sich vorbeugte, den Zugang zur Ketchupflasche versperrte und den Jungen am grünen Kragen packte.

»Hi, ich bin's wieder«, sagte Harry. »Pass jetzt gut auf, sonst hau ich dir diese Würstchen …«

Das entsetzte Gesicht des Jungen half Harry, sich zu besinnen. Er ließ ihn los und deutete zum Fenster, wo man plötzlich die Nordea-Bank auf der anderen Seite der Straße erkennen konnte. An Stelle des grünen Containers klaffte ein großes Loch. »Wann haben die den Container geholt? Schnell!«

Der Junge schluckte und starrte Harry an. »Jetzt, gerade jetzt.«

»Was heißt ›jetzt‹?«

»Vor … zwei Minuten.« Ein dünner Film glitzerte auf den Augen des Jungen.

»Wohin wollten sie?«

»Das weiß ich doch nicht! Woher soll ich mich denn mit diesen Containersachen auskönnen?«

»Kennen!«

»Häh?« Doch Harry war bereits wieder durch die Tür verschwunden.

Harry presste Beates rotes Handy ans Ohr.

»Städtische Betriebe Oslo? Hier ist die Polizei, Harry Hole. Wo werden die Container geleert? Die privaten, ja. Methodica,

144

wo ist … Verkseier Furulands Vei in Alnabru? Danke. Was? Oder Grønmo? Woher soll ich wissen, welche …«

»Guck«, sagte Beate. »Stau!«

Die Autos bildeten eine schier undurchdringliche Wand bis zur Kreuzung vor dem Lorry im Hegdehaugsvei.

»Wir hätten den Uranienborgvei nehmen sollen«, sagte Harry. »Oder den Kirkevei.«

»Schade, dass nicht du fährst«, sagte Beate, fuhr mit den rechten Vorderrädern auf den Bürgersteig, legte sich auf die Hupe und gab Gas. Die Menschen sprangen zur Seite.

»Hallo?«, brüllte Harry ins Telefon. »Sie haben gerade einen grünen Container abgeholt, der am Bogstadvei, Ecke Industrigata gestanden hat. Wohin wird der gebracht? Ja, ich warte.«

»Wir setzen auf Alnabru«, sagte Beate und schleuderte vor der Straßenbahn auf die Kreuzung. Die Räder drehten auf den stählernen Schienen durch, ehe sie auf dem Asphalt wieder Halt fanden. Harry kam es immer mehr so vor, als hätte er das Ganze schon einmal erlebt.

Sie hatten die Pilestrede erreicht, als der Mann der städtischen Betriebe wieder ans Telefon kam und Harry mitteilte, dass sie den Fahrer nicht erreichen könnten, dass er aber *vermutlich* auf dem Weg nach Alnabru sei.

»Gut, können Sie bei Methodica anrufen und darum bitten, den Inhalt des Containers noch nicht in die Verbrennungsanlage zu entleeren, ehe wir … Was, die Zentrale ist dort zwischen 11.30 Uhr und 12.00 Uhr geschlossen? Pass auf! Nein, ich habe mit dem Fahrer gesprochen. Nein, *meinem* Fahrer.«

Im Ibsentunnel rief Harry die Polizeizentrale Grønland an und bat darum, einen Streifenwagen zu Methodica zu schicken, doch der nächste Wagen war mindestens fünfzehn Minuten entfernt.

»Scheiße!« Harry warf das Mobiltelefon über die Schulter nach hinten und hämmerte mit den Fäusten auf das Armaturenbrett.

Im Kreisverkehr zwischen Byporten und Plaza drückte sich

Beate auf dem weißen Streifen zwischen einem roten Bus und einem Chevy Van hindurch, und als sie mit mehr als 110 Sachen aus dem Hauptkreisel herauskamen und kontrolliert auf kreischenden Reifen in die Haarnadelkurve auf der Seeseite von Oslo S schleuderten, begriff Harry, dass es doch noch Hoffnung gab.

»Welcher Teufel hat dir denn das Fahren beigebracht?«, fragte er und hielt sich fest, während der Wagen auf der dreispurigen Straße in Richtung Ekeberg zwischen den Autos hin und her hüpfte.

»Ich mir selbst«, sagte Beate.

Mitten im Vålerengtunnel tauchte ein großer, Diesel spuckender Lastwagen vor ihnen auf. Er schlich auf der rechten Spur vorwärts, und auf der Ladefläche stand, gehalten von zwei gelben Hebearmen, ein grüner Container mit der Aufschrift *Städtische Werke Oslo*.

»Jawoll«, sagte Harry.

Beate hängte sich vor den Lastwagen, bremste und blinkte rechts. Harry kurbelte das Fenster nach unten, streckte seine Hand mit der Polizeimarke heraus und deutete gleichzeitig mit der anderen Hand auf den Randstreifen der Straße.

Der Fahrer hatte nichts dagegen, dass Harry einen Blick in den Container warf, fragte sich aber, ob sie nicht warten könnten, bis sie bei Methodica wären, wo sie den Inhalt auf den Boden kippen konnten.

»Ich will nicht, dass die Flasche kaputtgeht!«, rief Harry von der Ladefläche durch das Rauschen der vorbeifahrenden Autos.

»Äh, also, ich dachte nur wegen Ihrem feinen Anzug!«, sagte der Fahrer, doch da hatte sich Harry bereits in den Container geschwungen. Im nächsten Augenblick dröhnte es im Innern der Mulde wie von einem Donnerschlag, und der Fahrer und Beate hörten Harry laut fluchen. Dann war lange Zeit ein hektisches Kramen zu hören und schließlich ein neuerliches

»Jawoll!«, ehe er wieder am Rand des Containers auftauchte und die weiße Plastiktüte wie eine Trophäe über den Kopf hielt.

»Bring Weber sofort die Flasche und sag ihm, dass es eilt«, sagte Harry, während Beate den Motor anließ. »Grüß ihn von mir.«

»Hilft das?«

Harry kratzte sich am Kopf. »Nein, sag ihm bloß, dass es eilt.«

Sie lachte. Kurz und wenig herzlich, aber Harry musste feststellen, dass sie gelacht hatte.

»Setzt du dich immer so ein?«, fragte sie.

»Ich? Und was ist mit dir? Du hättest uns mit diesem Auto fast umgebracht, um die Beweise zu sichern, nicht wahr?«

Sie lächelte, gab aber keine Antwort. Dann blickte sie lange in den Rückspiegel, ehe sie in die Straße einbog.

Harry blickte unvermittelt auf die Uhr. »Verflucht!«

»Zu spät zu einer Verabredung?«

»Könntest du mich vielleicht zur Majorstua-Kirche fahren?«

»Natürlich. Ist das die Erklärung für deinen dunklen Anzug?«

»Ja, ein ... Freund von mir.«

»Dann solltest du vielleicht vorher sehen, dass du diesen braunen Fleck an deiner Schulter weg bekommst.«

Harry drehte den Kopf zur Seite. »Vom Container«, sagte er und begann zu bürsten. »Ist er jetzt weg?«

Beate reichte ihm ein Taschentuch. »Versuch es mit ein bisschen Spucke. Ein naher Freund?«

»Nein, oder doch ... Eine Zeitlang vielleicht. Aber man geht ja auf so Beerdigungen.«

»Tut man das?«

»Etwa nicht?«

»Ich war in meinem ganzen Leben bloß auf einer einzigen Beerdigung.«

Sie fuhren eine ganze Weile schweigend weiter.

»Dein Vater?«

Sie nickte.

Sie passierten das Sinsenkrysset. Am Muselund, der großen Grünfläche unterhalb von Haraldsheim, ließen ein Mann und zwei Jungs einen Drachen steigen. Alle drei blickten in den blauen Himmel, und Harry sah gerade noch, wie der Mann dem größeren der Jungen die Schnur in die Hand gab.

»Wir haben den Täter noch nicht gefunden«, sagte sie.

»Nein, das haben wir nicht«, erwiderte Harry, »noch nicht.«

»Gott gibt und Gott nimmt«, sagte der Pastor und ließ seinen Blick über die leeren Bankreihen und den großen, kurzhaarigen Mann schweifen, der sich soeben durch die Tür geschlichen hatte und jetzt auf der hintersten Bank einen Platz suchte. Er wartete, während das Echo eines hohen, herzzerreißenden Schluchzers unter der gewölbten Decke erstarb.

»Doch manchmal bekommt man den Eindruck, Er würde nur nehmen.«

Der Pastor betonte das letzte Wort, und es wurde von der Akustik ergriffen und nach hinten in die Kirche getragen. Das Schluchzen wurde wieder lauter. Harry blickte sich um. Er hatte geglaubt, dass Anna, die so extrovertiert und lebhaft gewesen war, viele Freunde hatte, doch Harry zählte nur acht Menschen, sechs in der ersten Reihe und zwei weiter hinten. Acht. Na ja. Wie viele würden zu seiner eigenen Beerdigung kommen? Acht war vielleicht gar nicht so schlecht.

Das Schluchzen kam aus der ersten Reihe, in der Harry drei Köpfe mit bunten Kopftüchern sah und drei kahlköpfige Männer. Bei den anderen zwei Anwesenden handelte es sich um einen Mann, der links saß, und eine Frau am Mittelgang. Er erkannte die globusförmige Afrofrisur von Astrid Monsen.

Orgelpedale knirschten, und dann begann die Musik. Ein Psalm. Gottes Gnade. Harry schloss die Augen und spürte, wie müde er war. Die Orgeltöne stiegen und sanken, und die hohen Töne rieselten wie Wasser von der Decke. Die dünnen Stimmen sangen von Vergebung und Erbarmen. Er wäre am liebsten in etwas versunken, in etwas, das ihn wärmen und verstecken konnte. Der Herr soll richten über die Lebenden und die Toten. Gottes Rache, Gott als Nemesis. Die Töne der unteren Register ließen die leeren Holzbänke vibrieren. Das Schwert in der einen, die Waage in der anderen Hand, Rache und Gerechtigkeit. Oder ungerächt und ungerecht. Harry öffnete die Augen.

Vier Männer trugen den Sarg. Harry erkannte den Polizeibeamten Ola Li hinter zwei dunklen Männern mit abgetragenen Armani-Anzügen und weißen Hemden, deren oberste Knöpfe offen standen. Die vierte Person war so groß, dass der Sarg schief stand. Der Anzug schlotterte ihm um den dürren Körper, doch dieser Mann schien der Einzige der vier zu sein, der nicht unter dem Gewicht des Sarges litt. Besonders das Gesicht des Mannes faszinierte Harry. Schmal, dezent geformt, mit großen, braunen, leidenden Augen in tiefliegenden Augenhöhlen. Die schwarzen Haare waren zu einem langen Pferdeschwanz zusammengefasst, so dass die hohe, blanke Stirn bloßlag. Der gefühlvolle, herzförmige Mund war von einem langen, aber gepflegten Bart umrahmt. Beinahe schien es, als sei die Christusgestalt selbst vom Altar hinter dem Pastor herabgestiegen. Und noch etwas fiel auf, etwas, das man nur in wenigen Fällen sagen kann: Sein Gesicht *strahlte*. Während die vier Männer durch den Mittelgang auf Harry zukamen, versuchte er zu erkennen, *was* dieses Strahlen ausmachte. War es die Trauer? Sicher keine Freude. Güte? Bosheit?

Ihre Blicke begegneten sich für einen kurzen Moment, als sie vorbeigingen. Hinter ihnen folgte Astrid Monsen mit niedergeschlagenen Augen, dann ein Mann mittleren Alters mit Buchhaltergesicht und drei Frauen, zwei ältere und eine jüngere mit bunten Kleidern. Sie schluchzten und klagten laut, verdrehten die Augen und schlugen die Hände zusammen.

Harry blieb stehen, während das kleine Gefolge die Kirche verließ.

»Komisch, diese Zigeuner, nicht wahr, Hole?«

Die Worte hallten durch die Kirche. Harry drehte sich um. Es war Ivarsson, der lächelnd in einem schwarzen Anzug und mit einem Schlips um den Hals hinter ihm stand.

»Als ich klein war, hatten wir einen Gärtner, der Zigeuner war. Ursarier, die sind mit tanzenden Bären herumgereist, wissen Sie. Er hieß Josef. Immer nur Musik und Possen. Aber beim Tod, sehen Sie … Diese Menschen haben ein noch komplizierteres Verhältnis zum Tod als wir. Sie haben eine Sterbensangst vor den *Mulen* – den Toten. Sie glauben, dass sie zu Geistern werden. Josef ist immer zu einer Frau gegangen, die sie verjagen sollte, das können wohl nur Frauen. Kommen Sie.«

Ivarsson ergriff Harrys Arm, der sich zusammenreißen musste, um nicht dem Impuls zu folgen, ihn abzuschütteln. Sie traten auf die Kirchentreppe. Der Straßenlärm vom Kirkevei übertönte die Glocken. Ein schwarzer Cadillac mit offener Heckklappe erwartete das Gefolge in der Schønings Gate.

»Sie bringen den Sarg nach oben ins Vestre-Krematorium«, sagte Ivarsson. »Das Verbrennen ist einer dieser Hindubräuche, die sie aus Indien mitgebracht haben. In England verbrennen sie auch den Wohnwagen des Toten, nur die Witwe dürfen sie jetzt nicht mehr mit verbrennen.« Er lachte. »Aber wichtige Besitztümer dürfen sie mitnehmen. Josef erzählte einmal, dass die Zigeunerfamilie eines Sprengmeisters in Ungarn das restliche Dynamit mit in den Sarg gepackt und so das ganze Krematorium mit in die Luft gejagt habe.«

Harry holte sein Camel-Päckchen heraus.

»Ich weiß, warum Sie hier sind, Hole«, sagte Ivarsson immer noch lächelnd. »Sie wollten sehen, ob sich nicht eine Gelegenheit finden würde, ein paar Worte mit ihm zu sprechen, nicht wahr?« Ivarsson nickte in Richtung der Sargträger und der großen, dünnen Gestalt, die langsam voranschritt, während die anderen trippelnd Schritt zu halten versuchten.

»Ist das dieser Raskol?«, fragte Harry und steckte sich eine Zigarette zwischen die Lippen.

Ivarsson nickte. »Er ist ihr Onkel.«

»Und die anderen?«

»Angeblich Bekannte.«

»Und die Familie?«

»Sie bekennen sich nicht zu der Toten.«

»Was?«

»Das ist Raskols Version. Zigeuner sind notorische Lügner, doch was er sagt, stimmt gut mit den Geschichten überein, die Josef über ihre Art zu denken erzählt hat.«

»Und das wäre?«

»Dass die Ehre der Familie über alles geht. Deshalb wurde sie ausgestoßen. Raskol sagte, sie sei mit vierzehn an einen dieser griechischsprachigen *Gringo*-Zigeuner in Spanien verheiratet worden, sei dann aber noch vor Vollzug der Ehe mit einem *Gadzo* abgehauen.«

»*Gadzo?*«

»Einem Nicht-Zigeuner. Einem dänischen Seemann. Das Schlimmste, was man tun kann. Schande für die ganze Familie.«

»Hm.« Die unangezündete Zigarette wippte beim Sprechen an Harrys Lippen. »Sie haben diesen Raskol wohl schon gut kennengelernt?«

Ivarsson wedelte imaginären Tabaksqualm weg. »Wir haben miteinander gesprochen. Vorpostengefechte würde ich das nennen. Die substanziellen Gespräche folgen, nachdem wir unseren Teil des Abkommens eingehalten haben, also nachdem er an dieser Beerdigung teilnehmen durfte.«

»Bis jetzt hat er also nicht viel gesagt?«

»Nichts, was für die Ermittlungen von Bedeutung wäre, nein. Aber die Stimmung war gut.«

»So gut, dass die Polizei mithilft, seine Verwandten ins Grab zu tragen?«

»Der Pastor hat darum gebeten, dass einer von uns, Li oder ich, mithilft, den Sarg zu tragen, damit es genug Leute sind. Ist schon o. k., wir sind ja ohnehin nur hier, um auf ihn aufzupassen. Und das werden wir auch weiterhin machen. Auf ihn aufpassen.«

Harry kniff in der scharfen Herbstsonne die Augen zusammen.

Ivarsson wandte sich ihm zu. »Um direkt zu sein, Hole. Niemand darf mit Raskol sprechen, ehe wir mit ihm fertig sind, niemand. Seit drei Jahren versuche ich, mit dem Mann, der alles weiß, ins Gespräch zu kommen. Und jetzt ist es mir gelungen. Das wird mir keiner kaputtmachen, verstehen Sie?«

»Sagen Sie, Ivarsson, wo wir hier schon zu zweit zusammenstehen«, sagte Harry und fischte sich eine Tabakfaser aus dem Mund. »Ist dieser Fall plötzlich zu einem Wettkampf zwischen Ihnen und mir geworden?«

Ivarsson wandte sein Gesicht zur Sonne und lachte glucksend. »Wissen Sie, was ich tun würde, wenn ich Sie wäre?«, sagte er mit geschlossenen Augen.

»Was denn?«, fragte Harry, als die Pause unerträglich lang wurde.

»Ich würde diesen Anzug, den Sie da tragen, in die Reinigung bringen. Sie sehen aus, als hätten Sie in einer Müllkippe gebadet.« Er legte zwei Finger an die Stirn. »Einen schönen Tag noch.«

Harry blieb allein auf der Treppe stehen und rauchte, während er den Zickzackkurs des weißen Sarges über den Bürgersteig verfolgte.

Halvorsen schwang auf seinem Bürostuhl herum, als Harry hereinkam.

»Gut, dass du kommst. Ich habe gute Neuigkeiten. Ich … mein Gott stinkt das!« Halvorsen hielt sich die Nase zu und fragte mit quäkender Stimme: »Was ist denn mit deinem Anzug passiert?«

»Bin in einem Müllcontainer ausgerutscht. Was für Neuigkeiten?«

»Äh … ja, ich dachte mir, dass dieses Bild vielleicht von einer Sommerfrische im Sørland stammen könnte, und habe es deshalb an alle Gemeinden in Aust Agder geschickt. Und ganz richtig, kurz darauf rief mich ein Gemeindemitarbeiter aus Risør an und sagte, er kenne diesen Strand gut. Aber weißt du was?«

»Eigentlich nicht.«

»Der liegt nicht im Sørland, sondern in Larkollen!«

Halvorsen sah Harry mit erwartungsvollem Grinsen an und fügte dann, als Harry nicht reagierte, hinzu: »In Østfold also. Vor Moss.«

»Ich weiß, wo Larkollen ist, Halvorsen.«

»Ja, aber dieser Mitarbeiter kam aus …«

»Auch Sørländer fahren mal in Urlaub. Hast du in Larkollen angerufen?«

Halvorsen verdrehte entnervt die Augen. »Na klar, ich hab beim Campingplatz angerufen und bei zwei Stellen, wo sie Hütten vermieten. Und dann noch bei den beiden Geschäften, die es dort gibt.«

»Treffer?«

»Yes.« Halvorsen strahlte wieder. »Ich habe das Bild gefaxt, und einer der Einzelhändler wusste genau, wer sie war. Sie haben eine der größten Hütten in der Gegend, er liefert ihnen manchmal Waren.«

»Und die Frau heißt?«

»Vigdis Albu.«

»Komischer Name …«

»Genau, es gibt auch nur zwei in Norwegen, und eine der beiden wurde 1909 geboren. Die andere ist 43 Jahre alt und wohnt zusammen mit Arne Albu im Bjørnetråkket 12 in Slemdal. Und – Simsalabim – hier ist ihre Telefonnummer, Chef.«

»Nenn mich nicht so«, sagte Harry und griff zum Telefon.

Halvorsen stöhnte: »Was ist los, bist du sauer, oder was?«

»Ja, aber ich sage das nicht deshalb. Møller ist der Chef. Nicht ich, o. k.?«

Halvorsen wollte etwas erwidern, doch Harry streckte abwehrend die Hand in die Höhe: »Frau Albu?«

Es hatte viel Geld, viel Zeit und viel Platz gekostet, um das Haus der Albus zu bauen. Und viel Geschmack. Nach Harrys Ansicht: viel schlechten Geschmack. Es sah aus, als hätte der Architekt, wenn es denn einen solchen gegeben hatte, versucht, norwegische Hüttenromantik mit Südstaatenplantagenstil und einem rosa Entenhausenvorstadtidyll zu vereinen. Harry spürte seine Füße tief im Kies der Auffahrt versinken, die durch einen gepflegten Garten führte, vorbei an Prachtbüschen und einem kleinen Bronzehirsch, der aus einem Springbrunnen trank. Am Giebel über der Doppelgarage hing ein kleines ovales Kupferschild mit einer Flagge, blau mit einem gelben Dreieck.

Hinter dem Haus war wütendes Hundegebell zu hören. Harry stieg die breite Treppe zwischen den Säulen empor, klingelte und erwartete beinahe, dass ihm eine schwarze Mammy mit weißer Schürze öffnete.

»Hi«, zwitscherte es beinahe sofort, nachdem sich die Tür geöffnet hatte. Vigdis Albu sah aus wie einer Fitness-Reklame entsprungen, die Harry manchmal im Fernsehen sah, wenn er nachts spät nach Hause kam. Sie hatte dieses weiße Lächeln, die gebleichten Barbiepuppenhaare und den guttrainierten Oberklassekörper in Leggings und kurzem Top. Und wenn ihre Brüste gekauft waren, war sie auf jeden Fall klug genug gewesen, nicht mit der Größe zu übertreiben.

»Harry Hole …«

»Kommen Sie herein!«, sagte sie lächelnd und präsentierte nur eine vage Andeutung von Falten an den diskret geschminkten, großen blauen Augen.

Harry trat in eine geräumige Eingangshalle, bevölkert von großen, hässlichen Holztrollen, die ihm bis an die Hüfte reichten.

»Ich bin gerade am Waschen«, erklärte Vigdis Albu, zeigte ihr weißes Lächeln und wischte sich vorsichtig mit einem Finger den Schweiß von den Augen, um nicht ihre Wimperntusche zu verschmieren.

»Dann werde ich meine Schuhe ausziehen«, sagte Harry und dachte noch im gleichen Moment an das Loch am rechten Zeh.

»Nein, Gott bewahre, nicht das Haus. Da kümmern sich zum Glück andere drum«, lachte sie. »Aber meine Kleider wasche ich gerne selbst. Es gibt doch Grenzen, wie weit man Fremden Zutritt zu seinem Leben gewährt, finden Sie nicht auch?«

»Da sagen Sie etwas«, erwiderte Harry und musste sich Mühe geben, um auf der Treppe nicht den Anschluss zu verlieren. Sie gingen an einer gediegenen Küche vorbei und kamen ins Wohnzimmer. Hinter zwei großen Glasschiebetüren lag eine riesige Terrasse. An der Längsseite des Hauses befand sich eine große Backsteinkonstruktion, die wie ein Mittelding zwischen dem Rathaus von Oslo und einem Grabmonument aussah.

»Entworfen von Per Hummel für Arnes 40. Geburtstag«, sagte Vigdis. »Per ist ein Freund von uns.«

»Ja, das ist wirklich ein … ganz besonderer Kamin.«

»Sie kennen doch Per Hummel, den Architekten? Die neue Kapelle am Holmenkollen, wissen Sie?«

»Tut mir leid«, sagte Harry und reichte ihr die Fotografie. »Ich möchte, dass Sie einen Blick auf dieses Bild werfen.«

Er studierte die zunehmende Überraschung auf ihrem Gesicht.

»Aber das Foto hat doch Arne im vorletzten Jahr gemacht. Wie sind Sie denn daran gekommen?«

Harry wartete mit der Antwort, um zu überprüfen, ob sie diesen aufrichtig fragenden Gesichtsausdruck behalten würde. Sie tat es.

»Wir haben es im Schuh einer Frau namens Anna Bethsen gefunden«, sagte er.

Harry wurde Zeuge einer Kettenreaktion von Gedanken, Schlussfolgerungen und Gefühlen, die sich wie eine Seifenoper im schnellen Vorlauf auf Vigdis Albus Gesicht abzeichneten. Erst Überraschung, dann Verwunderung und schließlich Verärgerung. Dann eine plötzliche Idee, die erst mit einem ungläubigen Lachen abgetan wurde, die ihr aber dennoch nicht aus dem Kopf ging und die schließlich zu einer erschreckenden Erkenntnis heranzureifen schien. Und ganz zum Schluss das plötzlich verschlossene Gesicht mit der Aufschrift: ›Es gibt doch Grenzen, wie weit man Fremden Zutritt zu seinem Leben gewährt, finden Sie nicht auch?‹

Harry fingerte an dem Zigarettenpäckchen herum, das er hervorgeholt hatte.

Ein großer Kristallaschenbecher thronte in der Mitte des Tisches.

»Kennen Sie Anna Bethsen, Frau Albu?«

»Ganz und gar nicht. Sollte ich?«

»Ich weiß nicht«, sagte Harry aufrichtig. »Sie ist tot. Ich frage mich nur, was eine solche Fotografie in ihrem Schuh zu suchen hatte. Irgendeine Idee?«

Vigdis Albu versuchte sich an einem nachsichtigen Lächeln, doch ihr Mund schien ihr nicht gehorchen zu wollen. Schließlich begnügte sie sich damit, energisch den Kopf zu schütteln.

Harry wartete. Ruhig und entspannt. Wie er noch vor kurzem das Versinken der Schuhe im Kies verspürt hatte, spürte er jetzt, wie sein Körper in dem tiefen weißen Sofa versank. Seine Erfahrung hatte ihn gelehrt, dass es kein besseres Mittel gab, Menschen zum Sprechen zu bringen, als selber stumm zu bleiben. Wenn sich zwei fremde Menschen gegenübersaßen, wirkte die Stille wie eine Art Vakuum, das die Worte heraussaugte. Zehn unendliche Sekunden saßen sie so da. Vigdis Albu schluckte. »Vielleicht hat es die Putzfrau irgendwo herumliegen sehen und es mitgenommen. Um es dann dieser – Anna hieß sie doch, oder? – zu geben.«

»Hm. Was dagegen, dass ich hier rauche, Frau Albu?«

»Wir möchten nicht, dass hier geraucht wird, weder mein Mann noch ich sind ...« Sie fuhr sich mit der Hand durch die Haare. »Und Alexander, unser Jüngster, hat Asthma.«

»Das tut mir leid. Was macht Ihr Mann?«

Sie starrte ihn an, während ihre großen blauen Augen noch größer wurden.

»Was er arbeitet, meine ich.« Harry steckte das Päckchen Zigaretten wieder ein.

»Er ist Investor. Er hat die Firma vor drei Jahren verkauft.«

»Welche Firma?«

»Albu AS. Importierte Handtücher und Duschmatten für Hotels und Großhaushalte.«

»Scheinen ganz schön viele Handtücher gewesen zu sein. Und Duschmatten.«

»Wir hatten die Agentur für ganz Skandinavien.«

»Gratuliere. Die Flagge da an der Garage, ist das nicht eine Konsulatsflagge?«

Vigdis Albu hatte sich wieder gefasst und löste ihre Haare. Harry fiel auf, dass sie etwas mit ihrem Gesicht gemacht haben musste. Die Proportionen stimmten irgendwie nicht. Das heißt, sie stimmten *zu* gut, ihr Gesicht war beinahe künstlich symmetrisch.

»Saint Lucia. Mein Mann war dort elf Jahre lang norwegischer Konsul. Es gibt dort eine Fabrik, die Duschmatten herstellt. Und wir haben dort auch ein kleines Häuschen. Sind Sie schon einmal ...?«

»Nein.«

»Eine fantastisch schöne, süße Insel. Es gibt immer noch ein paar alte Ureinwohner, die Französisch sprechen. Beinahe unverständlich, aber das ist unglaublich charmant.«

»Kreolisch.«

»Was?«

»Ach, das hab ich nur gelesen. Glauben Sie, dass Ihr Mann erklären kann, wie das Bild bei der Toten gelandet sein kann?«

»Kann ich mir nicht vorstellen. Wie sollte er das?«

157

»Nun.« Harry lächelte. »Die Frage ist vermutlich genauso schwer zu beantworten wie diejenige, warum jemand ein Bild von fremden Menschen in seinem Schuh trägt.« Er erhob sich. »Wie kann ich ihn erreichen, Frau Albu?«

Während Harry sich die Telefonnummer und Adresse von Arne Albus Büro notierte, fiel sein Blick auf das Sofa, auf dem er gesessen hatte.

»Äh …«, sagte er, als er sah, dass Vigdis Albu seinem Blick gefolgt war. »Ich bin in einem Abfallcontainer ausgerutscht. Ich komme natürlich für die …«

»Das macht nichts«, unterbrach sie ihn. »Der Bezug soll ohnehin nächste Woche zur Reinigung.«

Draußen auf der Treppe fragte sie, ob Harry bis nach 17 Uhr warten könne, ihren Mann anzurufen.

»Dann ist er wieder zu Hause und hat nicht so viel um die Ohren.«

Harry antwortete nicht und wartete, während Vigdis' Mundwinkel auf und ab zuckten.

»Dann können er und ich darüber reden und sehen, ob wir Ihnen helfen können.«

»Danke, das ist nett, aber ich bin mit dem Auto hier, und es liegt auf dem Weg. Ich fahre bei ihm vorbei und schau mal, ob ich ihn finden kann.«

»Ja, ja«, sagte sie und lächelte tapfer.

Das Hundegebell begleitete Harry die lange Einfahrt hinunter. Am Tor drehte er sich noch einmal um. Vigdis Albu stand noch immer auf der Treppe des rosa Plantagengebäudes. Sie hatte den Kopf gesenkt, und die Sonne schien auf ihre Haare und den glänzenden Fitnessanzug.

Harry fand weder einen legalen Parkplatz noch Arne Albu an der Adresse im Vika Atrium. Nur eine Empfangsdame, die ihn informierte, dass Albu dort gemeinsam mit drei anderen Investoren ein Büro hatte. Und dass er bei einem Geschäftsessen sei.

Als Harry nach draußen kam, war es den Vertretern des Ordnungsamtes bereits gelungen, einen Strafzettel unter seinem Scheibenwischer zu platzieren, und Harry nahm ihn schlecht gelaunt mit in das Restaurant MS Louise in Aker Brygge. Im Gegensatz zu Schrøder servierte man hier essbare Gerichte für zahlungsfähige Kunden mit Büroanschriften in dem Viertel, das man mit etwas Wohlwollen als die Wall Street Oslos bezeichnen konnte. Harry hatte sich in Aker Brygge nie recht zu Hause gefühlt, doch das lag vielleicht daran, dass er in Oslo aufgewachsen war und nicht zu den Touristen zählte. Er wechselte ein paar Worte mit einem Kellner, der auf einen Tisch am Fenster deutete.

»Meine Herren, entschuldigen Sie die Störung«, sagte Harry.

»Ah, endlich«, rief einer der drei am Tisch aus und warf seine Haartolle mit einer Kopfbewegung nach hinten. »Nennen Sie das hier einen temperierten Wein, Herr Oberkellner?«

»Ich nenne das einen norwegischen Rotwein, abgefüllt in eine Clos-de-Papes-Flasche«, sagte Harry.

Die Haartolle musterte Harry und dessen dunklen Anzug verblüfft von Kopf bis Fuß.

»Ein Spaß«, erwiderte Harry lächelnd. »Ich komme von der Polizei.«

Die Verblüffung wandelte sich in Entsetzen.

»Nicht vom Dezernat für Wirtschaftskriminalität.«

Die Erleichterung wich bald einem allgemeinen Fragezeichen. Harry hörte ein jungenhaftes Lachen und atmete ein. Er hatte sich für eine bestimmte Vorgehensweise entschlossen, wusste aber nicht, wie es ausgehen würde. »Arne Albu?«

»Das bin ich«, antwortete der Mann, der gelacht hatte. Ein schlanker Mann mit kurzen, dunklen Locken und Lachfältchen an den Augen, die Harry verrieten, dass er gerne lachte, aber auch sicher älter war als die fünfunddreißig Jahre, auf die Harry ihn geschätzt hätte. »Entschuldigen Sie das Missverständnis«, fuhr er fort, noch immer mit einem Lachen in der Stimme. »Kann ich Ihnen helfen, Wachtmeister?«

Harry sah ihn an und versuchte sich ein rasches Bild zu machen, ehe er fortfuhr. Seine Stimme war voll. Der Blick fest. Der Hemdkragen lag blitzblank hinter dem straffen, aber nicht zu eng gezogenen Schlipsknoten. Die Tatsache, dass er sich nicht einfach nur mit dem Satz »Das bin ich« begnügt hatte, sondern sich entschuldigt und dann noch leicht ironisch, mit unverkennbarer Betonung auf dem »Wachtmeister«, seine Hilfe angeboten hatte, deutete darauf hin, dass Arne Albu entweder sehr selbstbewusst war oder sich perfekt darauf verstand, so zu tun, als ob.

Harry konzentrierte sich. Nicht auf das, was er sagen wollte, sondern auf Albus Reaktion.

»Ja, das können Sie, Albu. Kennen Sie Anna Bethsen?«

Albu sah Harry mit einem ebenso unschuldigen Blick an wie zuvor seine Frau und antwortete nach einer Sekunde Bedenkzeit laut und deutlich: »Nein.«

Albus Gesicht gab kein Indiz für etwas anderes als das, was sein Mund sagte. Wobei Harry auch nicht damit gerechnet hatte. Er hatte den Glauben an den Mythos verloren, dass Menschen in Berufsgruppen, in denen sie tagtäglich von Lügen umgeben waren, diese mit der Zeit erkennen könnten. In einem Verfahren, in dem ein Polizist behauptet hatte, mit seiner Erfahrung erkannt zu haben, dass der Angeklagte log, war Aune wieder einmal zum Werkzeug der Verteidigung geworden, als er auf eine Frage hin die Antwort gab, dass keine Berufsgruppe besser Lügen entlarven könne als eine andere, eine Putzfrau sei ebenso begabt wie ein Psychologe oder ein Polizist. Das heißt: ebenso unbegabt. Die Einzigen, die besser abgeschnitten hätten als der Durchschnitt, waren die Agenten vom Secret Service. Doch Harry war kein Agent im Secret Service. Er war ein Kerl aus Oppsal mit wenig Zeit, schlechter Laune und in diesem Moment wenig Fingerspitzengefühl. Einen unverdächtigen Mann in Gegenwart anderer mit möglicherweise kompromittierenden Fakten zu konfrontieren, war zum einen nicht sonderlich effektiv. Zum anderen alles andere als sauber. Deshalb wusste Harry, dass er nicht tun sollte, was er jetzt tat: »Haben Sie eine Ahnung, wer ihr dieses Bild gegeben haben könnte?«

Alle drei Männer betrachteten die Fotografie, die Harry auf den Tisch gelegt hatte.

»Keine Ahnung«, sagte Albu. »Meine Frau vielleicht, oder die Kinder?«

»Hm.« Harry suchte nach Änderungen in den Pupillen oder nach Anzeichen eines erhöhten Pulsschlages, wie Erröten oder Schwitzen.

»Ich weiß nicht, worum es hier geht, Wachtmeister, aber da Sie es schon auf sich genommen haben, mich hier zu suchen, wird es sich wohl kaum um eine Bagatelle handeln. Und dann sollten wir vielleicht unter vier Augen darüber sprechen, nachdem mein Gespräch mit der Handelsbank hier abgeschlossen ist. Wenn Sie warten wollen, kann ich den Kellner bitten, Ihnen einen Tisch im Raucherflügel zu geben.«

Es gelang Harry nicht, einzuschätzen, ob Albus Blick höhnisch oder bloß entgegenkommend war. Nicht einmal das.

»Dafür habe ich keine Zeit«, sagte Harry. »Wenn wir uns also setzen könnt…«

»Es tut mir leid, aber ich habe jetzt auch keine Zeit«, unterbrach ihn Albu mit ruhiger, aber entschlossener Stimme. »Dies hier ist ein Geschäftstermin, vielleicht sollten wir also heute Nachmittag sprechen. Wenn Sie dann noch immer mit mir sprechen wollen.«

Harry schluckte. Er war machtlos, und er erkannte, dass Albu das wusste.

»Gut, dann machen wir das so«, sagte Harry und hörte, wie schwach sich das anhörte.

»Danke, Wachtmeister.« Albu nickte Harry lächelnd zu. »Und Sie haben vermutlich recht, was den Wein angeht.« Er wandte sich der Handelsbank zu. »Sie sprachen von Opticom, Stein.«

Harry nahm das Bild wieder an sich und spürte das

schlecht kaschierte Grinsen der Haartolle in seinem Rücken, als er das Restaurant verließ.

An der Kaimauer zündete sich Harry eine Zigarette an, doch sie schmeckte nicht, so dass er sie verärgert fortwarf. Die Sonne spiegelte sich auf einer Scheibe der Festung Akershus, und das Meer lag so spiegelblank da, dass man meinen konnte, es sei von einer dünnen Schicht Eis bedeckt. Klarem Eis. Warum hatte er das getan? Warum hatte er in dieser Kamikaze-manier versucht, einen Mann zu demütigen, den er noch nicht einmal kannte? Nur um selbst mit Samthandschuhen emporgehoben und sanft durch die Tür befördert zu werden?

Er wandte sein Gesicht zur Sonne, schloss die Augen und dachte, dass er an diesem Tag vielleicht zur Abwechslung einmal etwas Sinnvolles tun könnte. Wie das Ganze ruhen zu lassen. Denn auch wenn nichts zusammenpasste, das alles war bloß das ganz normale Chaos und die Unverständlichkeit der Dinge. Das Glockenspiel am Rathaus begann.

Harry wusste noch nicht, dass Møller recht bekommen sollte, es war der letzte warme Tag des Jahres.

Kapitel 16

Namco G-Con 45

Mutiger Oleg.

»Es geht sicher gut«, hatte er am Telefon gesagt. Jedes Mal, als hätte er einen heimlichen Plan. »Mama und ich kommen bald zurück.«

Harry stand am Wohnzimmerfenster und blickte in den Himmel über dem Dach des Nachbarhauses. Die Abendsonne färbte die Unterseite der dünnen Wolkenschicht rotorange. Auf dem Weg nach Hause war die Temperatur plötzlich und unerklärlich rapide gesunken, als hätte jemand eine unsichtbare Tür geöffnet, durch die die gesamte Wärme entwichen war. Auch in der Wohnung kroch die Kälte zwischen den Bodendielen empor. Wo hatte er nur die Filzpantoffeln? Im Kellerverschlag oder auf dem Dachboden? Hatte er Filzpantoffeln? Er erinnerte sich an nichts mehr. Zum Glück hatte er den Namen dieser Sachen für die Playstation, die er Oleg versprochen hatte, wenn er Harrys Tetris-Rekord im Gameboy brach, auf einem Zettel notiert. Namco G-Con 45.

Hinter ihm surrten die Nachrichten über den 14-Zoll-Bildschirm. Eine neue Artistengala für die Hinterbliebenen der Opfer. Julia Roberts zeigte ihr Mitgefühl, und Sylvester Stallone nahm die Anrufe der Spender entgegen. Und die Stunde der Vergeltung war gekommen. Die Bilder zeigten Gebirgsflanken, die unter Dauerbeschuss lagen. Schwarze Rauchsäulen aus Stein in einer kargen, vegetationslosen Landschaft. Das Telefon klingelte.

Es war Weber. Im Präsidium hieß es, Weber sei ein starrköpfiger Griesgram, mit dem man nur schwer arbeiten konnte. Harry war vollkommen anderer Meinung. Man musste sich nur bewusst sein, dass er schnell dichtmachte, wenn man unbedacht vorging oder ihn unter Druck setzte.

»Ich weiß, dass du auf eine Nachricht wartest«, sagte Weber. »Wir haben auf der Flasche nichts gefunden, was für einen DNA-Test reichen würde, aber ein paar gute Fingerabdrücke.«

»Gut. Ich hatte schon Sorge, die könnten verwischt worden sein, obgleich die Flasche ja in einer Tüte war.«

»Zum Glück war es eine Glasflasche. Auf einer Plastikflasche wäre das Fett nach so vielen Tagen aufgesogen worden.«

Harry konnte das Klick-Klack des Brutschranks im Hintergrund hören. »Bist du noch in der Arbeit, Weber?«

»Ja.«

»Wann könnt ihr die Fingerabdrücke mit der Datenbank abgleichen?«

»Willst du mich unter Druck setzen?«, brummte der alte Beamte misstrauisch.

»Aber nein, ich habe alle Zeit der Welt, Weber.«

»Morgen. Ich kenn mich mit diesen Computersachen nicht so gut aus, und die jungen Kerle sind alle schon nach Hause gegangen.«

»Und du?«

»Ich werd die Abdrücke noch auf die herkömmliche Weise mit ein paar unserer Stammkunden vergleichen. Schlaf gut, Hole, der Onkel von der Polizei passt auf.«

Harry legte auf, ging ins Schlafzimmer und schaltete den PC ein. Das optimistische Microsoftdingdong übertönte für einen Moment die amerikanische Vergeltungsrhetorik im Wohnzimmer. Er klickte sich bis zum Video des Überfalls im Kirkevei. Ließ den abgehackten Filmstreifen wieder und wieder laufen, ohne dadurch klüger oder dümmer zu werden. Dann klickte er auf das E-Mail-Symbol. Die Sanduhr und die Meldung »Nachricht 1 von 1 wird abgerufen« erschienen auf dem Bildschirm. Da klingelte das Telefon erneut. Harry warf einen Blick auf die Uhr, ehe er den Hörer abnahm und sich mit der weichen Stimme meldete, die für Rakel reserviert war: »Hi.«

»Arne Albu. Entschuldigen Sie, dass ich Sie so spät noch privat anrufe, aber meine Frau hat mir Ihren Namen gegeben, und ich möchte die Sache am liebsten sofort aus der Welt schaffen. Passt es Ihnen?«

»Geht schon in Ordnung«, sagte Harry etwas verlegen mit seiner normalen Stimme.

»Ich habe also mit meiner Frau gesprochen, und keiner von uns kennt diese Frau oder hat eine Ahnung, wie sie in den Besitz dieses Bildes gekommen sein kann. Aber das Bild ist ja bei einem Fotografen entwickelt worden, und vielleicht hat jemand, der dort arbeitet, eine Kopie gemacht. Außerdem gehen viele Menschen in unserem Haus ein und aus. Es gibt also viele, sehr viele mögliche Erklärungen.«

»Hm.« Harry hörte, dass Arne Albus Stimme nicht die gleiche, selbstsichere Ruhe hatte wie noch am Mittag. Und nach ein paar Sekunden knisternder Stille fuhr Albu fort: »Wenn Sie noch Fragen zu diesem Thema haben, nehmen Sie bitte im Büro Kontakt mit mir auf. Soweit ich weiß, hat Ihnen meine Frau meine Büronummer gegeben.«

»Und soweit ich weiß, wollen Sie nicht zu Geschäftszeiten gestört werden, nicht wahr, Herr Albu?«

»Ich möchte bloß … meine Frau gerät so schnell in Stress. Eine tote Frau mit einem Bild im Schuh, mein Gott! Besprechen Sie das bitte direkt mit mir.«

»Ich verstehe. Aber das Bild zeigt Ihre Frau mit den Kindern.«

»Sie hat keine Ahnung davon, das sagte ich doch schon!« Und dann fügte er hinzu, als bereue er seinen hitzigen Tonfall:

»Ich verspreche Ihnen, dass ich alle Möglichkeiten überprüfen werde, wie es dazu gekommen sein kann.«

»Danke für das Angebot, aber ich muss mir trotzdem das Recht vorbehalten, mit demjenigen zu sprechen, den ich für den richtigen Ansprechpartner halte.« Harry konzentrierte sich auf Albus Atem, ehe er hinzufügte: »Ich hoffe, Sie verstehen das.«

»Hören Sie …«

»Es tut mir leid, aber darüber gibt es nichts zu diskutieren, Albu. Ich werde mit Ihnen oder Ihrer Frau Kontakt aufnehmen, wenn ich etwas wissen muss.«

»Warten Sie! Sie verstehen nicht. Meine Frau verliert schnell … die Fassung.«

»Sie haben recht, ich verstehe das nicht. Ist sie krank?«

»Krank?«, fragte Albu verblüfft. »Nein, aber …«

»Dann, denke ich, sollten wir dieses Gespräch beenden.« Harry betrachtete sich selbst im Spiegel. »Ich bin jetzt nicht im Dienst. Guten Abend, Herr Albu.«

Er legte auf und warf noch einmal einen Blick in den Spiegel. Jetzt war es verschwunden, dieses kleine Lächeln, die Schadenfreude. Das Schulmeisterhafte. Die Selbstgerechtigkeit. Der Sadismus. Die vier »S« der Rache. Aber da war noch mehr. Etwas, das nicht stimmte, das fehlte. Er studierte sein Spiegelbild. Vielleicht war es nur das Licht.

Harry setzte sich vor den PC, während er daran dachte, dass er sich das mit den vier »S« merken sollte, um mit Aune darüber zu sprechen. Der sammelte so etwas. Die Mail, die er bekommen hatte, stammte von einer Adresse, die er nicht kannte: *furie@bolde.com*. Er klickte sie an.

Und während er vor dem Bildschirm saß, nistete sich die Kälte für das ganze restliche Jahr erst richtig in Harry Holes Körper ein.

Es geschah, während er die Nachricht las, während sich seine Nackenhaare aufstellten und sich seine Haut wie zu klein gewordene Kleider um seinen Körper spannte:

166

Machen wir ein Spielchen? Stellen wir uns doch einmal vor,
du wärst zum Abendessen bei einer Frau gewesen und am
nächsten Tag wird sie tot aufgefunden. Was tust du?
C#MN

Das Telefon klingelte klagend. Harry wusste, dass es Rakel war.
Er ließ es klingeln.

Kapitel 17

Arabias Tränen

Halvorsen war schwer überrascht, Harry zu sehen, als er die Tür öffnete.

»Du bist schon da? Bist du dir im Klaren, dass es erst …«

»Konnte nicht schlafen«, murmelte Harry, der mit verschränkten Armen vor dem PC hockte. »Verflucht, wie langsam diese Maschinen arbeiten.«

Halvorsen blickte ihm über die Schulter. »Es kommt auf die Übertragungsgeschwindigkeit an, wenn du im Internet recherchierst. Jetzt bist du auf einer normalen ISDN-Linie, aber freu dich, bald haben wir einen besseren Anschluss. Du suchst Artikel im Wirtschaftsblatt *Dagens Næringsliv*?«

»Äh, ja.«

»Arne Albu? Hast du mit Vigdis Albu gesprochen?«

»Ja doch.«

»Was haben die eigentlich mit diesem Banküberfall zu tun?«

Harry blickte nicht auf. Er hatte nicht gesagt, dass das mit dem Überfall zu tun hatte, doch er hatte es auch nicht bestritten, weshalb sein Kollege natürlich davon ausgehen musste, dass es damit zu tun hatte. Harry antwortete nicht, denn im gleichen Moment erfüllte das Gesicht von Arne Albu den gesamten Bildschirm. Über dem straffen Schlipsknoten thronte das breiteste Grinsen, das Harry an diesem Tag gesehen hatte. Halvorsen schmatzte laut und las vor:

»Dreißig Millionen für einen Familienbetrieb. Arne Albu kann ab heute über dreißig Millionen auf seinem Privatkonto verfügen, nachdem die Hotelkette Choice gestern alle Aktien der Albu AS übernommen hat. Arne Albu sagt, es sei der Wunsch nach mehr Zeit für seine Familie, der ihn bewogen habe, das erfolgreiche Unternehmen zu verkaufen. ›Ich möchte dabei sein, wenn meine Kinder heranwachsen‹, sagte Albu in einem Kommentar. ›Die Familie ist meine wichtigste Investition.‹«

Harry klickte auf »Print«.

»Willst du nicht auch den Rest des Artikels bestellen?«

»Nein, ich brauche bloß das Bild«, sagte Harry.

»Dreißig Millionen auf der Bank, und jetzt überfällt er sie auch noch?«

»Ich werde dir das später erklären«, sagte Harry und stand auf. »In der Zwischenzeit kannst du mir vielleicht erklären, wie man den Absender einer E-Mail aufspüren kann.«

»Die Absenderadresse steht auf der Mail, die du bekommst.«

»Und die finde ich dann im Telefonbuch, oder?«

»Nein, aber du kannst herausfinden, über welchen Server sie verschickt worden ist, das geht aus der Adresse hervor. Und die Besitzer der Server haben die Übersicht darüber, welche Abonnenten über welche Adressen verfügen. Ganz einfach. Hast du eine interessante Mail bekommen?«

Harry schüttelte den Kopf.

»Gib mir die Adresse. Ich finde das für dich in null Komma nichts heraus«, sagte Halvorsen.

»Gut, hast du schon mal von einem Server gehört, der bolde dot com heißt?«

»Nein, aber das werde ich herausfinden. Wie lautet der Rest der Adresse?«

Harry zögerte. »Weiß nicht mehr«, sagte er.

Harry requirierte einen Wagen in der Garage und fuhr langsam durch Grønland. Ein fieser Wind wirbelte das Laub auf, das im gestrigen Sonnenschein am Rand der Bürgersteige getrocknet war. Die Menschen hatten ihre Hände in den Manteltaschen vergraben und die Köpfe zwischen die Schultern gezogen.

In der Pilestrede hängte sich Harry hinter eine Straßenbahn und suchte den ständigen NRK-Nachrichtensender im Radio. Sie sagten nichts über den Stine-Fall. Aber es wurden Befürchtungen geäußert, dass Hunderttausende von Flüchtlingskindern im harten afghanischen Winter ihr Leben lassen könnten. Ein amerikanischer Soldat war getötet worden. Seine Familie wurde interviewt. Sie wollten Rache. In Bislett war die Straße wegen einer Umleitung gesperrt.

»Ja?« Eine Silbe durch die Türsprechanlage reichte schon, um zu erkennen, dass Astrid Monsen kräftig erkältet war.

»Harry Hole. Danke für Ihr bisheriges Mitwirken. Ich hätte trotzdem noch einmal ein paar Fragen. Hätten Sie einen Moment Zeit?«

Sie schniefte zweimal, ehe sie antwortete: »Worum geht es?«

»Ich möchte das eigentlich nicht hier draußen auf der Straße kundtun.«

Sie schniefte erneut zweimal.

»Passt es jetzt nicht?«, fragte Harry.

Dann summte der Öffner, und Harry drückte die Tür auf.

Astrid Monsen stand auf dem Flur, sie hatte sich einen Schal um die Schultern geschlungen und die Arme verschränkt, als Harry die Treppe hinaufkam.

»Ich habe Sie auf der Beerdigung gesehen«, sagte Harry.

»Ich fand, dass wenigstens einer der Nachbarn kommen sollte.« Es klang beinahe so, als würde sie durch ein Megaphon sprechen.

»Ich frage mich, ob Sie eine dieser Personen wiedererkennen?«

Zögernd nahm sie die zerknitterte Fotografie entgegen. »Welche von denen?«

»Eigentlich egal.« Harrys Stimme hallte durch das Treppenhaus.

Astrid Monsen starrte auf das Bild. Lange.

»Nun?«

Sie schüttelte den Kopf.

»Sicher?«

Sie nickte.

»Hm. Wissen Sie, ob Anna einen Liebhaber hatte?«

»Einen?«

Harry holte tief Luft. »Wollen Sie damit andeuten, dass es mehrere gab?«

Sie zuckte mit den Schultern. »Das Haus ist hellhörig. Manchmal habe ich die Treppe gehört, um es mal so auszudrücken.«

»Etwas Ernstes?«

»Das weiß ich doch nicht.«

Harry wartete. »Im Sommer hing ein Zettel neben dem ihren auf dem Briefkasten, aber ich weiß natürlich nicht, ob das etwas Ernstes war ...«

»Nein?«

»Es sah wie ihre Schrift aus. ›Eriksen‹ stand da bloß.« Ihre schmalen Lippen deuteten ein Lächeln an. »Vielleicht hat er vergessen, ihr seinen Vornamen zu sagen. Auf jeden Fall war der Zettel nach einer Woche wieder weg.«

Harry warf einen Blick über das Geländer. Es war eine steile Treppe. »Eine Woche kann besser sein als gar keine Woche. Nicht wahr?«

»Für manche vielleicht«, sagte sie und legte ihre Hand auf die Türklinke. »Ich muss jetzt gehen, ich habe gehört, dass ich eine E-Mail bekommen habe.«

»Die läuft Ihnen doch nicht davon.«

Sie wurde von einem Niesanfall gepackt. »Ich muss antworten, das ist ein Autor, wir diskutieren die Übersetzung.«

»Dann werde ich mich kurzfassen«, sagte Harry. »Ich möchte nur, dass Sie sich auch noch dies hier anschauen.«

Er reichte ihr einen Zettel. Sie nahm ihn entgegen, warf einen Blick darauf und blickte Harry misstrauisch an.

»Sehen Sie sich das Bild nur gut an«, sagte Harry. »Nehmen Sie sich Zeit.«

»Das brauche ich nicht«, sagte sie und gab ihm den Zettel zurück.

Harry brauchte zehn Minuten, um vom Polizeipräsidium hinauf zur Kjølberggate 21 a zu gehen. Der heruntergekommene Backsteinbau hatte mit der Zeit schon vieles beherbergt: Gerberei, Druckerei, Schmiede und sicher noch Verschiedenes mehr. Eine Erinnerung daran, dass es in Oslo einmal eine Industrie gegeben hatte. Jetzt war hier der Sitz der Kriminaltechnik. Trotz der modernen Beleuchtung und Einrichtung hatte der Bau seinen industriellen Touch bewahrt. Harry fand Weber in einem der kalten, großen Räume.

»Verflucht!«, sagte Harry. »Bist du ganz sicher?«

Weber lächelte müde. »Die Fingerabdrücke auf der Flasche sind so gut, dass die Computer sie gefunden hätten, wenn sie in unserer Datenbank wären. Wir könnten natürlich noch manuell suchen, um hundertundzehnprozentig sicher zu sein, aber das würde Wochen dauern und wir würden doch nichts finden. Garantiert.«

»Sorry«, sagte Harry. »Ich war mir nur so sicher, dass wir ihn hätten. Ich halte die Wahrscheinlichkeit, dass so ein Typ noch niemals wegen irgendetwas aufgefallen ist, einfach für verschwindend gering.«

»Dass wir den Typ nicht in unserem Archiv haben, heißt bloß, dass wir woanders suchen müssen. Aber jetzt haben wir jedenfalls eine konkrete Spur. Diesen Fingerabdruck und die Gewebefasern aus dem Kirkevei. Wenn ihr nur den Mann findet, haben wir einen niet- und nagelfesten Beweis. Helgesen!«

172

Ein junger Mann, der gerade an ihnen vorbeiging, blieb wie angewurzelt stehen.

»Ich hab diese Mütze vom Akerselva in einer unversiegelten Tüte bekommen«, brummte Weber. »Wir sind hier nicht in einem Schweinestall, verstanden?«

Helgesen nickte und warf Harry einen vielsagenden Blick zu.

»Nimm es wie ein Mann«, sagte Weber und richtete sich wieder an Harry. »Dir ist jedenfalls erspart geblieben, was Ivarsson heute durchmachen musste.«

»Ivarsson?«

»Weißt du wirklich noch nicht, was heute im Kulvert geschehen ist?«

Harry schüttelte den Kopf, und Weber rieb sich amüsiert die Hände. »Dann kannst du auf jeden Fall noch eine gute Geschichte mitnehmen, Hole.«

Webers Darstellung ähnelte den Polizeiberichten, die er verfasste. Kurze, grobgemeißelte Sätze, die den Handlungsverlauf ohne malerische Gefühlsbeschreibungen, Stimmungen und Gesichtsausdrücke schilderten. Doch Harry hatte keine Schwierigkeiten, die Zwischenräume auszufüllen. Er sah vor sich, wie Dezernatsleiter Rune Ivarsson und Weber in einen der zwei Besuchsräume der Abteilung A traten, und hörte, wie die Tür verriegelt wurde. Beide Räume lagen am Empfang und waren für Familienbesuche gedacht. Hier konnte der Inhaftierte eine knappe Stunde mit seinen Nächsten in einem Raum zusammensitzen, bei dem man sich um eine freundliche Gestaltung bemüht hatte – mit einfachen Möbeln, Plastikblumen und ein paar blassen Aquarellen an den Wänden.

Raskol stand, als sie eintraten. Er hatte ein dickes Buch unter dem Arm, und auf dem niedrigen Tischchen vor ihm stand ein Schachbrett, auf dem er die Figuren bereits aufgestellt hatte. Er sagte kein Wort und sah die zwei bloß mit braunen, leidenden Augen an. Er trug ein weißes, kuttenartiges Hemd, das ihm fast bis an die Knie reichte. Ivarsson fühlte sich unwohl und forderte den dünnen, großen Zigeuner mit barscher Stimme auf, sich zu setzen. Raskol folgte der Anweisung mit der Andeutung eines Lächelns.

Ivarsson hatte sich statt einem der jüngeren Mitarbeiter der Sonderkommission für Weber als Begleitung entschieden, denn er meinte, dass dieser als alter Polizei-Fuchs am besten in der Lage sei, Raskol »richtig anzupacken«, wie er sich ausgedrückt hatte. Weber schob einen Stuhl an die Tür und nahm einen Notizblock heraus, während Ivarsson direkt vor dem berüchtigten Gefangenen Platz nahm.

»Bitte sehr, Dezernatsleiter Ivarsson«, sagte Raskol und deutete mit offener Handfläche an, dass der Polizist die Schachpartie eröffnen sollte.

»Wir sind gekommen, um Informationen zu erhalten, nicht um zu spielen«, sagte Ivarsson und breitete fünf Fotos der Überfälle nebeneinander auf dem Tisch aus. »Wir wollen wissen, wer das ist.«

Raskol nahm die Fotos, eines nach dem anderen, und studierte sie mit lautem »Hm«.

»Darf ich mir einen Stift ausleihen«, fragte er, nachdem er alle betrachtet hatte.

Weber und Ivarsson sahen sich an.

»Nehmen Sie meinen«, sagte Weber und reichte ihm seinen Füller.

»Ich habe lieber einen einfachen«, sagte Raskol, ohne den Blick von Ivarsson zu nehmen.

Der Dezernatsleiter zuckte mit den Schultern, nahm einen Stift aus der Innentasche und reichte ihn Raskol.

»Zuerst möchte ich Ihnen etwas über das Prinzip der Farbampullen erzählen«, sagte Raskol, während er begann, Ivarssons weißen Stift, der zufällig ein DnB-Logo trug, auseinanderzuschrauben. »Wie Sie wissen, versuchen die Bankangestellten immer, eine Farbampulle zu dem Geld zu packen, wenn sie überfallen werden. In den Geldkassetten der Bankautomaten sind diese Ampullen bereits fest montiert. Manche Farbampullen sind an Sender gekoppelt, die aktiviert werden, wenn sie bewegt oder zum Beispiel in eine Tasche gesteckt werden. Andere werden aktiviert, wenn sie unter einer Schranke hindurch getragen werden, zum Beispiel durch die Tür einer Bank. Farbampullen können einen Mikrosender beinhalten, der mit einem Empfänger in Verbindung steht, der die Ampulle zur Explosion bringt, wenn sie einen gewissen Abstand zum Empfänger erreicht hat, zum Beispiel hundert Meter. Andere explodieren nach einer bestimmten Zeit, nachdem sie aktiviert worden sind. Die Ampulle selbst kann sehr unterschiedlich aussehen, sie sollte aber so klein sein, dass man sie zwischen den Geldscheinen verstecken kann. Manche sind so klein.« Raskol hielt Daumen und Zeigefinger etwa zwei Zentimeter voneinander entfernt. »Die Explosion ist für den Täter ungefährlich, die Farbe, die Tinte, ist das Problem.«

Er hielt die Tintenpatrone des Stiftes in die Höhe.

»Mein Großvater war Tintenmacher. Er hat mir beigebracht, dass man früher Gummi arabicum verwendete, um Eisen-Gallus-Tinte herzustellen. Das Gummi stammte von Akazienbäumen und wurde Tränen Arabiens genannt, weil es in gelben Tropfen dieser Größe aus der Rinde sickerte.«

Er legte Daumen und Zeigefinger zu einem walnussgroßen Kreis zusammen.

»Der Sinn des Gummis ist es, die Dichte der Tinte zu erhöhen und dafür zu sorgen, dass die Tinte nicht vom Blatt fließt. Und es hält die Eisensalze flüssig. Des Weiteren braucht es aber auch noch ein Lösungsmittel. Früher empfahl man Regenwasser oder Weißwein. Oder Essig. Mein Großvater meinte, man solle Essig in die Tinte mischen, wenn man einem Feind schrieb, und Weißwein für einen Freund.«

Ivarsson räusperte sich, aber Raskol fuhr unbeeindruckt fort.

»Die Tinte war ursprünglich unsichtbar. Erst in Verbindung mit dem Papier wurde sie sichtbar. In den Farbampullen ist ein roter Tintenstaub, der chemisch reagiert, wenn er in Kontakt mit den Geldscheinen kommt, und der deshalb nicht mehr entfernt werden kann. Das Geld bleibt für immer und ewig geraubtes Geld.«

»Ich weiß, wie eine Farbampulle wirkt«, sagte Ivarsson. »Ich möchte lieber wissen …«

»Geduld, verehrter Polizeiabteilungschef. Das Faszinierende an dieser Technologie ist, dass sie so einfach ist. So einfach, dass ich selbst eine solche Ampulle herstellen könnte, sie wo auch immer platzieren und sie in einem bestimmten Abstand vom Empfänger zur Explosion bringen könnte. Das bisschen Material, das ich bräuchte, hätte in einer Butterdose Platz.«

Weber hatte aufgehört, Notizen zu machen.

»Doch das Entscheidende an den Farbampullen ist nicht die Technologie, Herr Polizeiabteilungschef Ivarsson. Das Entscheidende ist das Verräterische.« Raskols Gesicht leuchtete in einem breiten Lächeln auf. »Die Tinte heftet sich auch an die Kleider und die Haut des Täters. Und die Tinte ist so kräftig, dass sie sich nicht abwaschen lässt, wenn man sie erst einmal an den Händen hat. Pontius Pilatus und Judas, nicht wahr? Blut an den Händen. Blutgeld. Die Qual des Richters. Die Strafe der Spitzel.«

Raskol fiel die Tintenpatrone auf den Boden unter dem Tisch, und als er sich nach unten beugte, um sie aufzuheben, signalisierte Ivarsson Weber, dass er das Notizbuch wollte.

»Ich möchte, dass Sie den Namen der Person auf den Bildern aufschreiben«, sagte Ivarsson und legte den Block auf den Tisch. »Wir sind, wie gesagt, nicht zum Spielen hier.«

»Nicht spielen, nein«, Raskol schraubte den Stift langsam wieder zusammen. »Ich habe versprochen, Ihnen den Namen des Mannes zu geben, der das Geld genommen hat, nicht wahr?«

»Das war die Abmachung, ja«, sagte Ivarsson und beugte sich gespannt vor, als Raskol zu schreiben begann.

»Wir *Xoraxaner* wissen, was eine Abmachung ist«, sagte er.

»Ich schreibe hier nicht nur seinen Namen auf, sondern auch den Namen der Prostituierten, zu der er regelmäßig geht, und wen er kontaktiert hat, um das Knie eines jungen Mannes zu zertrümmern, der vor kurzem das Herz seiner Tochter gebrochen hat. Der Betreffende lehnte diesen Auftrag im Übrigen ab.«

»Ähh ... ausgezeichnet.« Ivarsson drehte sich um und grinste Weber zufrieden an.

»Hier.« Raskol reichte Ivarsson Block und Stift, der sofort zu lesen begann.

Das zufriedene Grinsen verschwand. »Aber ...«, stammelte er. »Helge Klementsen, das ist doch der Filialleiter.« Ein Licht schien ihm aufzugehen. »Hat er mit dem Überfall zu tun?«

»Im höchsten Grade«, sagte Raskol. »Er hat das Geld genommen, nicht wahr?«

»Und es in die Tasche des Räubers gesteckt«, brummte Weber leise von der Tür.

Ivarssons fragendes Gesicht verwandelte sich langsam zu einer wütenden Fratze. »Was ist das für ein Unsinn. Sie haben versprochen, mir zu helfen.«

Raskol studierte den langen, spitzen Fingernagel seiner rechten Hand. Dann nickte er ernsthaft, beugte sich über den Tisch und gab Ivarsson ein Zeichen, näher zu kommen. »Sie haben recht«, flüsterte er. »Hier kommt die Hilfe. Lernen Sie, worauf es im Leben ankommt. Setzen Sie sich hin und sehen Sie Ihren Kindern zu. Es ist nicht leicht, Verlorenes wiederzufinden, aber es ist möglich.« Er gab dem Dezernatsleiter einen Klaps auf die Schulter, lehnte sich zurück, verschränkte die Arme und nickte in Richtung des Schachbretts. »Sie sind am Zug, Herr Polizeiabteilungschef.«

Ivarsson schäumte vor Wut, während er und Weber durch den Kulvert, den dreihundert Meter langen unterirdischen Korridor gingen, der das Polizeipräsidium mit dem Gefängnis verband.

»Da hab ich einem vertraut, der doch das Lügen erfunden hat!«, fauchte Ivarsson. »Ich habe einem Scheißzigeuner geglaubt!« Das Echo ertönte zwischen den Wänden. Weber ging schnell, er wollte aus dem kalten, feuchten Tunnel heraus. Der Kulvert wurde benutzt, um Gefangene zum Verhör aus dem Gefängnis ins Präsidium zu bringen, und es kursierten zahlreiche Gerüchte über die wildesten Geschehnisse hier unten.

Ivarsson zog die Anzugjacke enger um sich und hastete weiter. »Versprechen Sie mir eins, Weber. Sprechen Sie mit niemandem darüber, ja?«

Er drehte sich mit hochgezogener Augenbraue zu Weber um. »Nun?«

Die Antwort auf die Frage des Dezernatsleiter war ein klares »ja«, da sie in diesem Moment den Punkt im Kulvert erreichten, ab dem die Mauern orange gestrichen waren. Weber hörte ein leises »poff«. Ivarsson stöhnte erschreckt auf, sackte in einer Pfütze in die Knie und griff sich an die Brust.

Weber wirbelte herum und suchte mit dem Blick den Tunnel ab. Niemand. Dann wandte er sich wieder Ivarsson zu und starrte entsetzt auf dessen rot gefärbte Hand.

»Ich blute«, stöhnte er. »Ich sterbe.«

Weber sah, wie die Augen fast aus dem Kopf des Dezernatsleiters quollen.

»Was ist los?«, fragte Ivarsson mit Angst in der Stimme, als er Webers staunenden Gesichtsausdruck bemerkte.

»Sie müssen in die Reinigung«, sagte Weber.

Ivarsson blickte an sich selbst herab. Die rote Farbe hatte sich über seine gesamte Brust und teilweise auch auf der limonenfarbenen Jacke ausgebreitet.

»Rote Tinte«, sagte Weber.

Ivarsson holte die Reste des DnB-Stiftes heraus. Die mikroskopische Explosion hatte ihn in der Mitte zerplatzen lassen. Er blieb mit geschlossenen Augen knien, bis er wieder richtig atmen konnte. Dann richtete er seinen Blick auf Weber.

»Wissen Sie, was Hitlers größte Sünde war?«, fragte er und

streckte seine saubere Hand aus. Weber ergriff sie und zog ihn hoch. Ivarsson schielte in der Richtung, aus der sie gekommen waren, den Tunnel hinunter. »Dass er bei den Zigeunern nicht gründlichere Arbeit geleistet hat.«

»Kein Wort darüber zu jemand anderem«, äffte Weber amüsiert nach. »Ivarsson ist direkt in die Garage gegangen und nach Hause gefahren. Die Tinte wird er noch mindestens drei Tage auf der Haut haben.«

Harry schüttelte ungläubig den Kopf. »Und was habt ihr mit Raskol gemacht?«

Weber zuckte mit den Schultern. »Ivarsson sagte, er würde schon dafür sorgen, dass er in Isolationshaft gebracht wird. Ich glaube allerdings nicht, dass das etwas nützen wird. Der Kerl ist … irgendwie anders. Apropos anders, wie läuft es mit dir und Beate? Habt ihr außer dem Fingerabdruck sonst noch etwas?«

Harry schüttelte den Kopf.

»Dieses Mädchen ist was Besonderes«, sagte Weber. »Ich erkenne ihren Vater in ihr. Die kann gut werden.«

»Das kann sie. Kanntest du ihren Vater?«

Weber nickte. »Ein guter Mann. Loyal. Schade, dass es so ein Ende nahm.«

»Erstaunlich, dass ein so erfahrener Polizist einen solchen Fehler begangen haben soll.«

»Ich glaube nicht, dass es ein Fehler war«, sagte Weber und spülte eine Kaffeetasse aus.

»Ach ja?«

Weber murmelte etwas.

»Was hast du gesagt, Weber?«

»Nichts«, brummte er. »Er muss einen Grund gehabt haben, das ist alles, was ich sage.«

»Es kann gut sein, dass bolde dot com ein Server ist«, sagte Halvorsen. »Ich sage ja bloß, dass er nirgendwo registriert ist.

Aber der kann zum Beispiel in Kiew in einem Keller stehen und ein paar Abonnenten haben, die sich ganz spezielle Pornos zuschicken, was weiß denn ich? Was in diesem Dschungel nicht gefunden werden will, können wir Normalsterbliche nicht finden. Da musst du einen Spürhund engagieren, einen richtigen Spezialisten.«

Das Klopfen war so federleicht, dass Harry es nicht hörte, aber Halvorsen rief: »Herein.«

Vorsichtig öffnete sich die Tür.

»Hi«, sagte Halvorsen lächelnd. »Beate, nicht wahr?«

Sie nickte und sah eilig zu Harry hinüber. »Ich habe versucht, dich zu erreichen. Die Handynummer, die auf der Liste steht …«

»Er hat sein Handy verloren«, sagte Halvorsen und stand auf. »Setz dich, dann mach ich dir einen Halvorsen-Espresso.«

Sie zögerte. »Danke, aber es gibt etwas, das ich dir im House of Pain zeigen möchte. Hast du einen Moment Zeit, Harry?«

»Alle Zeit der Welt«, sagte Harry und lehnte sich nach hinten. »Weber hatte nur schlechte Nachrichten. Keine passenden Fingerabdrücke. Und Raskol hat Ivarsson an der Nase herumgeführt.«

»Ist das eine schlechte Neuigkeit?«, entfuhr es Beate, die entsetzt die Hand vor den Mund schlug. Harry und Halvorsen lachten.

»Besuch uns gerne mal wieder, Beate«, sagte Halvorsen, ehe sie und Harry nach draußen gingen. Er bekam keine Antwort, nur einen musternden Blick von Harry, und blieb etwas verlegen in der Mitte des Büros stehen.

Harry erblickte eine Decke, die zusammengerollt auf dem IKEA-Zweisitzer in der Ecke des House of Pain lag. »Hast du heute Nacht hier geschlafen?«

»Nur ein bisschen«, sagte sie und schaltete den Videorekorder ein. »Sieh dir den Exekutor und Stine Grette auf diesem Bild an.«

Sie deutete auf die Leinwand, auf der das Standbild von Stine Grette zu sehen war, wie sie sich zum Räuber vorbeugte. Harry spürte, wie sich ihm die Nackenhaare aufstellten.

»Irgendwas stimmt doch mit diesem Bild nicht, oder?«, fragte sie.

Harry betrachtete den Bankräuber. Dann Stine. Und er wusste mit einem Mal, dass es dieses Bild gewesen war, das ihn bewogen hatte, sich das Video wieder und wieder anzuschauen, auf der Suche nach irgendetwas, das die ganze Zeit da war, sich aber doch versteckt hielt. Und sich noch immer versteckte.

»Was ist es?«, fragte er. »Was siehst du, was ich nicht sehe?«

»Versuch es.«

»Ich habe es schon versucht.«

»Hefte das Bild auf deine Netzhaut, schließ die Augen und horch in dich hinein.«

»Ehrlich gesagt, finde …«

»Los, Harry.« Sie lächelte. »Das ist es doch wohl, was eine echte Ermittlung ausmacht, oder?«

Er sah sie reichlich überrascht an. Dann zuckte er mit den Schultern und tat, was sie gesagt hatte.

»Was siehst du, Harry?«

»Die Innenseite meiner Augenlider.«

»Konzentrier dich. Wo hakt es hier?«

»Irgendwas mit ihm und ihr. Die Art … wie sie stehen.«

»Gut. Wie stehen sie?«

»Sie stehen … ich weiß nicht. Einfach irgendwie falsch.«

»Wie falsch?«

Harry bekam das gleiche Gefühl zu sinken, das er schon bei Vigdis Albu gespürt hatte. Er sah Stine Grette nach vorne gebeugt sitzen. Als wollte sie die Worte des Räubers besser verstehen. Und ihn, wie er aus den Löchern seiner Maske in das Gesicht des Menschen starrte, den er bald töten würde. Was dachte er? Und was dachte sie? Versuchte auch sie, in diesem eingefrorenen Augenblick herauszufinden, wer der Mann unter der Maske war?

181

»Wie falsch?«, wiederholte Beate.

»Sie … sie …«

Das Gewehr in der Hand, den Finger am Abzug. Alle Menschen ringsherum sind aus Marmor. Sie öffnet den Mund. Er sieht ihr Gesicht über dem Lauf, der auf ihre Zähne drückt.

»Wie falsch?«

»Sie … sie stehen zu nah beieinander.«

»Bravo, Harry!«

Er öffnete die Augen. Es funkelte, und amöbenartige Formen zogen über sein Blickfeld.

»Bravo?«, murmelte er. »Was meinst du?«

»Es ist dir gelungen, das auszudrücken, was wir die ganze Zeit gesehen haben. Das ist nämlich vollkommen richtig, Harry. Sie stehen zu nah beieinander.«

»Ja, ich hab gehört, was ich gesagt habe. Aber zu nah im Vergleich zu was?«

»Im Vergleich dazu, wie nah Menschen, die sich noch nie begegnet sind, beieinanderstehen.«

»Oh?«

»Hast du schon mal von Edward Hall gehört?«

»Nicht viel.«

»Ein Anthropologe. Er war der Erste, der den Zusammenhang aufzeigte zwischen der räumlichen Distanz, die zwei Menschen beim Sprechen wahren, und ihrem Verhältnis. Es gibt eine klare Beziehung.«

»Sag schon.«

»Bei Menschen, die sich nicht kennen, beträgt der Abstand ein bis dreieinhalb Meter. Das ist die Distanz. Diesen Abstand hält man ein, wenn die Situation es eben zulässt. Denk nur an die Warteschlange an Bushaltestellen oder vor einem Pissoir. In Tokyo ist man großzügig und steht etwas näher beieinander, aber die Variationen zwischen den unterschiedlichen Kulturen sind eigentlich ziemlich klein.«

»Er kann ihr doch nicht aus mehr als einem Meter zuflüstern.«

»Nein, aber er könnte das ohne Probleme im Rahmen der persönlichen Distanz, die sich auf 45 Zentimeter bis zu einem Meter bewegt. Diesen Abstand halten Menschen zu Freunden oder sogenannten Bekannten ein. Aber wie du siehst, unterschreiten der Exekutor und Stine Grette diese Grenze. Ich habe den Abstand vermessen, er beträgt nur zwanzig Zentimeter. Das heißt, sie bewegen sich im Bereich der Intimdistanz. Dann ist man so nah, dass man nicht mehr das ganze Gesicht seines Gegenübers fokussieren kann und die Körperwärme und den Geruch des anderen wahrnimmt. Das ist eine Distanz, die für Partner oder Familie reserviert ist.«

»Hm«, sagte Harry. »Dein Wissen beeindruckt mich, aber das sind zwei Menschen in einer äußerst dramatischen Situation.«

»Ja, aber das ist ja das Faszinierende!«, platzte Beate heraus und umklammerte die Armlehnen des Stuhles, um nicht davonzuschweben. »Wenn sie nicht müssen, würden Menschen niemals diese Grenzen unterschreiten, von denen Edward Hall spricht. Und Stine Grette und der Exekutor *müssen* nicht!«

Harry rieb sich das Kinn. »O.k., spinnen wir den Gedanken mal weiter.«

»Ich glaube, dass der Exekutor und Stine Grette sich kannten«, sagte Beate. »Gut.«

»Gut, gut.« Harry legte das Gesicht in seine Hände und sprach durch die Finger. »Stine kannte also einen professionellen Bankräuber, der einen perfekten Raub begeht, ehe er sie erschießt. Du weißt, wohin uns eine solche Schlussfolgerung führt, nicht wahr?«

Beate nickte. »Ich werde sofort überprüfen, was wir über Stine Grette herausfinden können.«

»Gut. Und anschließend unterhalten wir uns mal mit jemandem, der sich häufig innerhalb ihrer Intimdistanz aufgehalten hat.«

Kapitel 18

Ein schöner Tag

»Hier krieg ich das kalte Grausen«, sagte Beate.

»Die hatten hier mal einen bekannten Patienten namens Arnold Juklerød«, sagte Harry. »Er hat gesagt, dies hier sei der Kopf der Bestie Psychiatrie. Du hast also nichts über Stine Grette gefunden?«

»Nein. Blitzblanker Lebenslauf und auch ihre Bankkonten deuten nicht auf wirtschaftliche Probleme hin. Kein häufiger Kreditkartengebrauch in Boutiquen oder Restaurants. Keine Auszahlungen auf der Trabrennbahn oder andere Anzeichen von Spielsucht. Das Extravaganteste, was ich finden konnte, war eine Reise nach São Paulo im Sommer.«

»Und ihr Mann?«

»Genau das Gleiche. Solide und nüchtern.«

Sie traten unter das Portal der Gaustadklinik und kamen auf den Platz zwischen den großen, roten Backsteingebäuden.

»Erinnert an ein Gefängnis«, sagte Beate.

»Heinrich Schirmer«, sagte Harry. »Deutscher Architekt aus dem 19. Jahrhundert. Das ist der Gleiche, der das Botsen entworfen hat.«

Ein Pfleger holte sie an der Rezeption ab. Er hatte schwarz gefärbte Haare und hätte von seinem Äußeren her eher in einer Band spielen sollen oder etwas mit Design zu tun haben.

Was er de facto auch tat. »Grette sitzt die meiste Zeit über am Fenster und starrt nach draußen«, sagte er, während er über den Flur zur Abteilung G2 trabte.

»Ist er ansprechbar?«, wollte Harry wissen.

»Ja, sprechen kann er wohl …« Der Pfleger hatte sechshundert Kronen bezahlt, um den schwarzen Pony so strubbelig aussehen zu lassen, und jetzt schob er eine Strähne beiseite und blickte Harry durch die schwarze Hornbrille an, die ihn gerade so weit linkisch aussehen ließ, dass diejenigen, die es verstehen sollten, daran erkannten, dass er nicht linkisch war, sondern hip.

»Mein Kollege meint, ob er so weit bei sich ist, dass wir mit ihm über seine Frau sprechen können?«, sagte Beate.

»Probieren Sie es«, sagte der Pfleger und drapierte die Strähne wieder vor die Brillengläser. »Wenn er wieder psychotisch wird, ist er noch nicht so weit.«

Harry fragte nicht nach, woran man erkennt, ob jemand psychotisch wird. Sie kamen an das Ende des Flurs, und der Pfleger schloss eine Tür mit Guckloch auf.

»Muss er in der geschlossenen Abteilung sein?«, fragte Beate und sah sich in dem hellen Aufenthaltsraum um.

»Nein«, sagte der Pfleger, ohne eine weitere Erklärung zu geben, und deutete auf einen einsamen, weißen Morgenmantelrücken auf einem Stuhl am Fenster. »Ich bin im Stationszimmer, im Flur links, wenn Sie wieder gehen wollen.«

Sie gingen zu dem Mann auf dem Stuhl. Er starrte aus dem Fenster, und das Einzige, was sich bewegte, war seine rechte Hand, die einen Stift über einen Zeichenblock führte, ruckhaft und mechanisch wie die Klaue eines Roboters.

»Trond Grette?«, fragte Harry.

Er erkannte die Person wieder, die sich ihnen zuwandte. Grette hatte sich alle Haare abgeschnitten, sein Gesicht wirkte dünner, und der wilde Ausdruck, der am Abend auf dem Tennisplatz in seinen Augen gelegen hatte, war durch einen ruhigen, leeren Tausendmeterblick ersetzt worden, der durch sie hindurchging. Harry hatte das früher schon einmal gesehen. So sahen sie in den ersten Wochen hinter diesen Mauern aus, wenn sie zum ersten Mal büßten. Und Harry wusste instinktiv, dass es das war, was dieser Mann auf dem Stuhl tat. Er büßte.

»Wir sind von der Polizei«, sagte Harry.

Grette richtete seinen Blick auf sie.

»Es geht um den Bankraub und Ihre Frau.«

Grette kniff die Augen etwas zusammen, als konzentrierte er sich auf das, was Harry gesagt hatte.

»Können wir Ihnen ein paar Fragen stellen?«, fragte Beate laut.

Grette nickte langsam. Beate zog einen Stuhl heran und setzte sich.

»Können Sie uns etwas über sie erzählen?«

»Erzählen?« Seine Stimme knarzte wie eine schlecht geölte Tür.

»Ja«, sagte Beate und lächelte mild. »Wir wollen wissen, was für ein Mensch Stine war. Was sie machte. Was sie gern hatte. Welche Pläne Sie hatten. So etwas.«

»So etwas?« Grette blickte Beate an. Dann legte er den Stift hin. »Wir wollten Kinder. Das war der Plan. In vitro. Sie hoffte auf Zwillinge. Zwei plus zwei, sagte sie immer. Zwei plus zwei. Wir wollten es gerade angehen. Gerade jetzt.« Tränen standen in seinen Augen.

»Gerade jetzt?«

»Heute, glaube ich. Oder morgen. Was für ein Tag ist heute?«

»Der Siebzehnte«, sagte Harry. »Sie waren schon lange verheiratet, nicht wahr?«

»Zehn Jahre«, sagte Grette. »Wenn sie keine Lust auf Tennis gehabt hätten, wäre das für mich auch o.k. gewesen. Man kann Kinder nicht zwingen, das Gleiche zu mögen wie ihre Eltern. Oder? Vielleicht hätten sie lieber reiten wollen. Reiten ist schön.«

»Was für ein Mensch war sie?«

»Zehn Jahre«, wiederholte Grette und drehte sich wieder zum Fenster. »Wir haben uns 1988 getroffen. Ich hatte gerade im BI angefangen, und sie ging in die letzte Klasse des Gymnasiums. Sie war die Schönste, die ich jemals gesehen hatte. Eigentlich ist die Schönste immer eine, die man nicht bekommen und vielleicht vergessen hat. Aber bei Stine war es anders. Und ich habe niemals aufgehört, in ihr die Schönste zu sehen. Wir sind nach einem Monat zusammengezogen und waren drei Jahre lang Tag und Nacht zusammen. Trotzdem konnte ich es nicht glauben, als sie meinen Antrag, Stine Grette zu werden, annahm. Ist das nicht komisch? Wenn man jemanden so liebt, wird es beinahe unbegreiflich, dass einen dieser Mensch auch liebt. Es sollte doch umgekehrt sein, oder?«

Eine Träne zerplatzte auf der Armlehne.

»Sie war immer freundlich. Diese Eigenschaft weiß man heute kaum noch zu schätzen. Sie war zuverlässig, treu und immer lieb. Und mutig. Wenn ich schlief, stand sie selbst auf und ging nach unten, wenn sie etwas zu hören geglaubt hatte. Ich hatte ihr gesagt, sie sollte mich wecken, denn was, wenn wirklich einmal Einbrecher dort unten wären? Aber sie hat nur gelacht und gesagt: ›Dann lad ich sie zu ein paar Waffeln ein, und du wachst vom frischen Waffelduft auf, das tust du doch immer.‹ Ich sollte vom Duft aufwachen, wenn sie Waffeln machte … ja.«

Er atmete heftig durch die Nase. Die nackten Zweige der Birke vor dem Fenster winkten ihnen im Wind zu. »Du hättest Waffeln backen sollen«, flüsterte er. Dann versuchte er zu lachen, doch es hörte sich wie Schluchzen an.

»Was für Freunde hatte sie?«, fragte Beate.

Grette war noch nicht fertig mit Lachen, so dass Beate die Frage noch einmal stellen musste.

»Sie war gerne allein«, sagte er. »Vielleicht, weil sie Einzelkind war. Sie hatte guten Kontakt zu ihren Eltern. Und wir hatten ja einander. Mehr brauchten wir nicht.«

»Kann sie Kontakt zu anderen gehabt haben, ohne dass Sie das wussten?«, fragte Beate.

Grette blickte sie an. »Wie meinen Sie das?«

Beate bekam hektische, rote Flecken im Gesicht und lächelte schnell. »Ich meine, dass Ihre Frau Sie nicht über alle Gespräche, die sie mit irgendwem geführt hat, informiert haben muss ...«

»Warum nicht? Auf was wollen Sie hinaus?«

Beate schluckte und sah zu Harry hinüber. Er übernahm das Wort. »Es gibt ein paar Möglichkeiten, die wir bei jedem Bankraub überprüfen müssen, egal wie unwahrscheinlich sie wirken. Und eine davon ist, dass einer der Angestellten der Bank mit dem Täter verbündet gewesen sein kann. Es kommt vor, dass sich Bankräuber Insider als Komplizen suchen, um die Tat und die eigentliche Durchführung des Raubes zu planen. Es gibt zum Beispiel keinen Zweifel, dass der Räuber genau wusste, wann der Geldautomat aufgefüllt wurde.«

Harry studierte Grettes Gesicht, um einen Hinweis zu bekommen, wie er es auffasste. Doch sein Blick zeigte, dass er sie bereits wieder verlassen hatte. »Wir haben das auch bei allen anderen Angestellten überprüft«, log er.

Eine Elster schrie draußen im Baum. Klagend, einsam. Grette nickte. Erst langsam, dann schneller.

»Aha«, sagte er. »Ich verstehe. Ihr glaubt, Stine sei deshalb erschossen worden. Ihr glaubt, sie kannte den Täter. Und dass der, als er sie nicht mehr brauchte, sie erschossen hat, um eine mögliche Spur zu ihm zu verwischen. Nicht wahr?«

»Das ist auf jeden Fall eine theoretische Möglichkeit«, sagte Harry.

Grette schüttelte den Kopf und lachte wieder, ein hohles, trauriges Lachen. »Es ist ganz offensichtlich, dass ihr meine Stine nicht kanntet. Sie hätte so etwas niemals tun können. Und warum sollte sie auch? Wenn sie noch ein bisschen gelebt hätte, wäre sie Millionärin geworden.«

»Wie?«

»Walle Bødtker, ihr Großvater. Fünfundachtzig Jahre alt und Besitzer von drei großen Gebäuden im Stadtzentrum. Im Sommer hat man bei ihm Lungenkrebs diagnostiziert, und seither ist es mit ihm nur noch bergab gegangen. Seine Enkel sollten jeder ein Gebäude bekommen.«

Harrys Frage kam wie ein Reflex: »Und wer erbt jetzt Stines Haus?«

»Die anderen Enkel.« Dann fügte Grette mit Abscheu hinzu: »Und jetzt überprüfen Sie wohl, ob die anderen ein Alibi haben, oder?«

»Sollten wir das nicht, Grette?«, fragte Harry.

Grette wollte antworten, hielt aber inne, als er Harrys Blick wahrnahm. Er biss sich auf die Unterlippe.

»Tut mir leid«, sagte er und fuhr sich mit der Hand über die kurzgeschnittenen Haare. »Ich sollte wohl froh sein, dass Sie allen Möglichkeiten nachgehen. Das Ganze erscheint mir nur so hoffnungslos. Und sinnlos. Denn selbst wenn Sie ihn kriegen, kann das, was er mir angetan hat, niemals wieder gutgemacht werden. Nicht einmal eine Todesstrafe kann das. Denn das Leben zu verlieren, ist nicht das Schlimmste, was einem Menschen passieren kann.« Harry kannte die Fortsetzung schon. »Das Schlimmste ist, das zu verlieren, wofür man lebt.«

»Na dann«, sagte Harry und erhob sich. »Hier haben Sie meine Karte. Rufen Sie an, wenn Ihnen etwas einfällt. Sie können auch nach Beate Lønn fragen.«

Grette hatte sich wieder zum Fenster gewandt und sah die Karte nicht, die Harry ihm entgegenstreckte, so dass er sie schließlich auf das Tischchen legte. Draußen war es dunkler geworden, und im Glas des Fensters waren ihre halb durchsichtigen Spiegelbilder erschienen, wie Gespenster.

»Ich hab das Gefühl, dass ich ihn gesehen habe«, sagte Grette. »Freitags gehe ich nach der Arbeit immer direkt zum Squashspielen ins SATS-Center in der Sporveisgate. Ich hatte keinen Partner und war stattdessen im Fitnessraum. Hab ein paar Gewichte gehoben, Rad gefahren und so. Aber da ist es ja

189

so voll, dass man die meiste Zeit wartet.«

»Ich weiß«, sagte Harry.

»Ich war dort, als Stine getötet wurde. Dreihundert Meter von der Bank entfernt. Freute mich auf die Dusche und darauf, nach Hause zu fahren und mit dem Kochen anzufangen. Freitags habe immer ich gekocht. Es machte mir Spaß, auf sie zu warten. Spaß … zu warten. Nicht alle Männer empfinden das so.«

»Wie meinen Sie das, dass Sie glauben, ihn gesehen zu haben?«, fragte Beate.

»Ich habe eine Person vorbeigehen und in der Garderobe verschwinden sehen. Er trug weite, schwarze Kleider. Vielleicht einen Overall.«

»Und eine Sturmhaube?«

Grette schüttelte den Kopf.

»Eine Schirmmütze vielleicht?«, fragte Harry.

»Er hielt eine Mütze in der Hand. Das kann eine Haube gewesen sein oder eine Kappe.«

»Haben Sie sein Gesicht …«, begann Harry, wurde aber von Beate unterbrochen.

»Größe?«

»Keine Ahnung«, sagte Grette. »Normal groß. Was ist normal? 1,80 vielleicht.«

»Warum haben Sie das nicht früher gesagt?«, fragte Harry.

»Weil das«, sagte Grette und drückte mit dem Finger gegen die Scheibe, »wie gesagt nur ein Gefühl ist. Ich weiß, dass er es nicht war.«

»Wie können Sie sich da so sicher sein?«, fragte Harry.

»Weil vor ein paar Tagen zwei Kollegen von Ihnen hier waren. Die hießen beide Li.« Er wandte sich abrupt Harry zu. »Sind die verwandt?«

»Nein, was wollten sie?«

Grette zog die Hand zu sich. Um den fettigen Abdruck seines Fingers herum war die Scheibe beschlagen.

»Sie wollten überprüfen, ob Stine möglicherweise eine Komplizin des Täters war. Und sie haben mir Bilder vom

Überfall gezeigt.«

»Und?«

»Der Overall auf dem Bild war schwarz ohne irgendwelche Zeichen. Der, den ich im SATS gesehen habe, hatte große, weiße Buchstaben auf dem Rücken.«

»Was für Buchstaben«, fragte Beate.

»P-O-L-I-Z-E-I«, sagte Grette, während er den Fingerabdruck wegwischte. »Als ich nach draußen kam, konnte ich oben in Majorstua die Polizeisirenen hören. Das Erste, was ich dachte, war, dass es erstaunlich ist, dass Räuber bei so viel Polizei überall überhaupt entwischen können.«

»Aha, und warum haben Sie das gerade in diesem Moment gedacht?«

»Ich weiß nicht. Vielleicht weil mir jemand gerade den Squashschläger geklaut hatte, als ich im Fitnessraum war. Als Nächstes dachte ich, dass es womöglich Stines Bank war, die ausgeraubt wurde. Auf so etwas kommt man, wenn man seinem Hirn freien Lauf lässt, nicht wahr? Und dann bin ich nach Hause gefahren und habe Lasagne gemacht. Stine liebte Lasagne.« Grette versuchte zu lächeln. Dann begannen die Tränen zu fließen.

Harry blickte auf den Zettel, auf dem Grette herumgekritzelt hatte, um den erwachsenen Mann nicht weinen sehen zu müssen.

»Ich habe auf Ihrem Konto gesehen, dass Sie im letzten halben Jahr einen großen Betrag abgehoben haben.« Beates Stimme klang hart und metallisch. »Dreißigtausend Kronen in São Paulo. Wofür haben Sie die gebraucht?«

Harry blickte überrascht zu ihr auf. Sie schien von der Situation vollkommen unberührt zu sein.

Grette lächelte durch die Tränen. »Stine und ich haben dort unseren zehnten Hochzeitstag gefeiert. Sie hatte noch ein paar Ferientage und fuhr eine Woche vor mir. Das war die längste Zeit, die wir jemals getrennt waren.«

»Ich habe gefragt, wofür Sie die dreißigtausend Kronen in

brasilianischer Währung gebraucht haben«, sagte Beate.

Grette sah aus dem Fenster. »Das ist eine Privatsache.«

»Und wir ermitteln in einem Mordfall, Herr Grette.«

Grette wandte sich Beate zu und sah sie lange an. »Sie sind wohl noch nie von jemandem geliebt worden, oder?«

Beates Gesicht wurde dunkel.

»Die deutschen Juweliere in São Paulo gelten als die besten der Welt«, sagte Grette. »Ich habe ihr den Diamantring gekauft, den sie trug, als sie ermordet wurde.«

Zwei Pfleger kamen und holten Grette. Abendessen. Harry und Beate blieben am Fenster stehen und sahen ihm nach, während sie auf den Pfleger warteten, der sie hinausbegleiten sollte.

»Tut mir leid«, sagte Beate. »Ich hab mich lächerlich gemacht ... ich ...«

»Ist schon o. k.«, sagte Harry.

»Wir überprüfen immer die finanziellen Verhältnisse von Verdächtigen bei Überfällen, aber hier bin ich wohl ...«

»Ich habe gesagt, es ist o. k., Beate. Entschuldige dich nie für etwas, wonach du gefragt hast, entschuldige dich lieber für Fragen, die du nicht gestellt hast.«

Der Pfleger kam und ließ sie hinaus.

»Wie lange wird er hier bleiben?«, fragte Harry.

»Er wird Mittwoch nach Hause geschickt«, sagte der Pfleger.

Im Auto auf dem Weg zum Zentrum fragte Harry Beate, warum Pfleger ihre Patienten immer nach Hause schickten. Sie brächten sie doch, oder? Und schließlich seien es doch die Patienten selbst, die entschieden, ob sie nach Hause wollten oder an einen anderen Ort, nicht wahr? »Also warum können sie nicht sagen, dass sie gehen können, oder entlassen werden?«

Beate hatte dazu nichts zu sagen, und Harry starrte in das graue Wetter hinaus und dachte, dass er sich langsam wie ein alter, müder Mann anhörte. Früher hatte er bloß müde geklungen.

»Er hat seine Frisur verändert«, sagte Beate. »Und eine Brille bekommen.«

»Wer?«

»Der Pfleger.«

»Ach ja? Ich hatte nicht den Eindruck, dass ihr euch kennt.«

»Tun wir auch nicht. Ich hab ihn irgendwann mal in Huk am Strand gesehen. Und im Eldorado. Und in der Stortingsgata. Ich glaube, dass es in der Stortingsgata war ... das muss fünf Jahre her sein.«

Harry sah sie an. »Ich dachte, das wär nicht dein Typ.«

»Ist es auch nicht«, sagte sie.

»Oh«, grunzte Harry. »Ich vergaß, du hast ja diesen Hirnfehler.«

Sie lächelte. »Oslo ist eine kleine Stadt.«

»Findest du? Wie oft hast du mich gesehen, bevor du bei der Polizei angefangen hast?«

»Einmal. Vor sechs Jahren.«

»Wo da?«

»Im Fernsehen. Du hattest diesen Fall in Sydney gelöst.«

»Hm. Das muss ja Eindruck auf dich gemacht haben.«

»Ich erinnere mich nur noch daran, dass ich mich geärgert habe, dass du wie ein Held dargestellt wurdest, obwohl die Festnahme ja eigentlich missglückt war.«

»Ach?«

»Du konntest den Mörder nie vor Gericht stellen, du hast ihn ja erschossen.«

Harry schloss die Augen und dachte daran, wie gut ihm der erste Zug der nächsten Zigarette schmecken würde, und tastete prüfend die Innentasche seiner Jacke ab. Dann zog er einen zusammengefalteten Zettel heraus und zeigte ihn Beate.

»Was ist das?«, fragte sie.

»Das Blatt, auf dem Grette herumgekritzelt hat.«

»›Ein schöner Tag‹?«, las sie.

»Das hat er dreizehn Mal geschrieben. Wie in *Shining*, was?«

»*Shining*?«

»Dieser Horrorfilm, du weißt schon. Stanley Kubrick.« Er sah zu ihr hinüber. »Der, in dem Jack Nicholson in einem Hotel sitzt und immer und immer wieder den gleichen Satz schreibt.«

»Ich mag keine Horrorfilme«, sagte sie leise.

Harry sah sie an und wollte etwas sagen, hielt sich dann aber zurück.

»Wo wohnst du?«, fragte sie.

»Bislett.«

»Das liegt am Weg.«

»Hm. Am Weg wohin?«

»Oppsal.«

»Ach nee, und wo in Oppsal?«

»Vetlandsvei. Gleich beim Bahnhof. Weißt du, wo der Jørnsløkkvei ist?«

»Ja, an der Ecke ist doch so ein großes, gelbes Holzhaus.«

»Genau, darin wohne ich. Im ersten Stock. Meine Mutter wohnt unten. In dem Haus bin ich aufgewachsen.«

»Ich bin auch in Oppsal aufgewachsen«, sagte Harry. »Vielleicht haben wir gemeinsame Bekannte?«

»Vielleicht«, erwiderte Beate und sah aus dem Seitenfenster.

»Ist doch nicht ausgeschlossen«, sagte Harry.

Keiner von ihnen sagte noch etwas.

Der Abend kam, und der Wind frischte auf. Im Wetterbericht kündigten sie Sturm südlich von Stad an und im Norden zunehmende Böen. Harry hustete. Er nahm den Pullover heraus, den Mutter Vater gestrickt hatte und den dieser ihm ein paar Jahre nach ihrem Tod zu Weihnachten geschenkt hatte. Eine merkwürdige Entscheidung, dachte Harry. Er machte sich Pasta und Fleischbällchen und rief dann Rakel an und erzählte ihr von dem Haus, in dem er aufgewachsen war.

Sie sagte nicht viel, aber er konnte dennoch hören, dass es ihr gefiel, dass er von seinem Kinderzimmer sprach. Von den Spielen und der kleinen Kommode. Davon, wie er Geschichten zu den kleinen Mustern der Tapete erdichtet hatte, als wären es verschlüsselte Märchen. Und von der einen Schublade in der Kommode, die, wie sich Mutter und er geeinigt hatten, nur ihm gehörte und die sie nicht berühren durfte.

»Da hatte ich meine Fußballsammelkarten«, sagte Harry. »Das Autogramm von Tom Lund. Und einen Brief von Sølvi, einem Mädchen, das ich in den Sommerferien in Åndalsnes getroffen habe. Und später das erste Päckchen Zigaretten und Kondome, die dort aber ungeöffnet liegen blieben, bis das Verfallsdatum überschritten war. Sie waren so trocken, dass sie platzten, als meine Schwester und ich sie später aufbliesen.«

Rakel lachte, und Harry redete weiter, nur um sie lachen zu hören.

Später lief er ziellos in der Wohnung herum. Die Nachrichten hörten sich wie eine Wiederholung vom Vortag an. Zunehmende Böen über Jalalabad.

Er ging ins Schlafzimmer und schaltete den PC ein. Während die Maschine ratternd und knisternd arbeitete, sah er, dass er eine Mail bekommen hatte. Er spürte, wie sich sein Puls beschleunigte, als er den Absender sah. Er klickte sie an.

Hei Harry!
Das Spiel hat begonnen. Die Obduktion hat ergeben, dass du dort gewesen sein kannst, als sie starb. Behältst du das deshalb für dich? Sicher nicht dumm. Obgleich es wie ein Selbstmord aussieht. Denn es gibt ein paar Dinge, die nicht stimmen, nicht wahr? Du bist am Zug.
C#MN

Harry wurde von einem lauten Knall hochgeschreckt und erkannte erst dann, dass er mit voller Wucht mit der flachen Hand auf den Tisch geschlagen hatte. Er sah sich in dem dunklen Raum um. Er war wütend und verängstigt, aber das Frustrierendste war, dass sich der Absender so unglaublich … nah anfühlte. Harry streckte seinen Arm aus und legte die noch immer brennende Handfläche auf den Bildschirm. Das kalte Glas kühlte seine Haut, doch er spürte die Wärme wie in einen Körper, in die Maschine eindringen.

Kapitel 19

Schuhe am Drahtseil

Elmer hastete über den Grønlandsleiret, während er eilig lächelnd Kunden im Nachbarladen grüßte. Er war wütend über sich selbst, denn er hatte kein Wechselgeld mehr und hatte ein Schild mit der Aufschrift »Bin gleich wieder da!« an die Tür seines verschlossenen Kiosks hängen müssen, um in die Bank zu laufen.

Er riss die Tür auf, drängte in die Bankfiliale, trällerte sein gewohntes »Guten Morgen« und eilte zu dem Automaten mit den Wartenummern. Keiner antwortete ihm, doch das war nichts Ungewöhnliches, schließlich arbeiteten hier nur weiße Norweger. Ein Mann war dabei, den Geldautomaten zu reparieren, und die beiden einzigen Kunden, die er sehen konnte, standen am Fenster und blickten zur Straße. Es war ungewöhnlich still. Ging dort draußen etwas vor, das er nicht bemerkt hatte?

»Zwanzig«, rief eine Frauenstimme. Elmer sah auf seinen Zettel. Dort stand einundfünfzig, doch da alle Schalter frei waren, ging er zu der Frau, die gerufen hatte.

»Einen wunderschönen guten Tag, liebste Esther«, sagte er und blickte neugierig zum Fenster. »Fünf Rollen Fünfer und Ein-Kronen-Stücke.«

»Einundzwanzig.« Verdutzt wandte er sich zu Esther und

bemerkte erst jetzt den Mann, der neben ihr stand. Beim ersten Blick meinte er, es handele sich um einen Schwarzen, doch dann erkannte er, dass er eine schwarze Sturmhaube trug. Der Lauf des AG3-Gewehres, das er in den Händen hielt, schwang von ihr weg und stoppte vor Elmer.

»Zweiundzwanzig«, rief Esther mit blecherner Stimme.

»Warum hier?«, fragte Halvorsen und blinzelte zum unter ihnen liegenden Oslofjord. Der Wind blies ihm die Stirnlocke hin und her. Es hatte kaum fünf Minuten gedauert, vom abgasgeschwängerten Grønland hinauf nach Ekeberg zu fahren, das sich wie ein grüner Wachturm aus der südöstlichen Ecke der Stadt erhob. Sie hatten sich eine Bank unter Bäumen gesucht, von der aus sie eine schöne Aussicht auf das alte, schmucke Steingebäude hatten, das Harry noch immer »die Seemannsschule« nannte, obgleich daraus schon längst Firmenchefs hervorgingen.

»Erstens, weil es hier schön ist«, sagte Harry. »Und zweitens, um einem Zugereisten ein wenig Stadtgeschichte zu vermitteln. Das ›Os‹ in Oslo kommt von dem Wort ›Ås‹ und bedeutet Hügel, der Hügel, auf dem wir hier sitzen. Der Ekeberg. Und ›lo‹ ist die Bezeichnung für die Ebene, die wir dort unten sehen.« Er zeigte nach unten. »Drittens starren wir jeden Tag auf diesen Hügel, und dann ist es doch wichtig, einmal zu erfahren, was dahinter liegt, oder?«

Halvorsen antwortete nicht.

»Ich wollte darüber nicht im Büro sprechen«, sagte Harry, »oder bei Elmer. Es gibt etwas, das ich dir sagen muss.« Selbst so hoch über dem Fjord glaubte Harry, das Salz in den heftigen Windböen riechen zu können. »Ich kannte Anna Bethsen.«

Halvorsen nickte.

»Du siehst nicht gerade sonderlich überrascht aus«, bemerkte Harry.

»Ich dachte mir schon, dass es so etwas ist.«

198

»Aber es geht noch weiter.«

»O. k.?«

Harry steckte sich eine unangezündete Zigarette in den Mund. »Ehe ich weiterspreche, muss ich dich warnen. Was ich dir sage, muss zwischen dir und mir bleiben, und genau das kann zu einem Dilemma für dich werden. Verstehst du? Wenn du also nicht mit hineingezogen werden willst, rede ich nicht weiter, und wir brechen das Ganze hier ab. Soll ich weiterreden oder nicht?«

Halvorsen sah Harry an. Falls er es innerlich abwägte, brauchte er nicht lange. Er nickte.

»Jemand hat begonnen, mir E-Mails nach Hause zu schicken«, sagte Harry. »Wegen dieses Todesfalls.«

»Jemand, den du kennst?«

»Keine Ahnung. Die Adresse sagt mir nichts.«

»Deshalb hast du mich also gestern gebeten, diese E-Mail-Adresse herauszufinden?«

»Ich hab null Ahnung von so etwas. Aber du.« Harry unternahm einen missglückten Versuch, bei dem Wind die Zigarette anzustecken. »Ich brauche Hilfe. Ich glaube, Anna ist ermordet worden.«

Während der Nordwestwind die letzten Blätter von den Bäumen des Ekebergs riss, erzählte Harry von den merkwürdigen E-Mails dieser Person, die alles und noch mehr zu wissen schien. Er sagte nichts davon, dass diese Mails davon sprachen, dass er bei Annas Tod in ihrer Wohnung gewesen war. Aber er erwähnte die Pistole, die Anna in der rechten Hand hielt, obgleich die Palette bewies, dass sie Linkshänderin war. Das Bild im Schuh. Und das Gespräch mit Astrid Monsen.

»Astrid Monsen sagte, dass sie Vigdis Albu und die Kinder auf dem Bild nie gesehen hat«, sagte Harry. »Doch als ich ihr das Bild von Arne Albu aus der Zeitung zeigte, brauchte sie kaum einen Blick darauf zu werfen. Sie wusste nicht, wie er hieß, wohl aber, dass er regelmäßig bei Anna war. Sie hatte ihn mehrmals beim Postholen gesehen. Er kam am Nachmittag und ging abends wieder.«

»Das nennt man Überstunden.«

»Ich fragte sie, ob sich die beiden nur an Werktagen getroffen hätten, und da sagte sie mir, dass er sie auch schon mal am Wochenende mit dem Auto abgeholt habe.«

»Vielleicht hatten sie gerne Abwechslung und machten mal einen Trip ins Grüne?«

»Möglich, abgesehen von dem Grünen. Astrid Monsen ist nämlich eine gründliche, aufmerksame Beobachterin. Sie erzählte, dass er sie niemals im Sommer abgeholt habe. Das hat mich stutzig gemacht.«

»Stutzig, wieso? Hotel?«

»Möglich. Aber ins Hotel kann man auch im Sommer gehen. Denk nach, Halvorsen. Denk an das Naheliegendste.«

Halvorsen schob die Unterlippe vor und machte eine Grimasse, wie um zu zeigen, dass er keine Idee hatte. Harry lächelte und atmete den Rauch hart aus. »Aber du selbst hast doch diesen Ort gefunden.«

Halvorsen zog überrascht die Augenbrauen hoch. »Die Hütte! Natürlich!«

»Nicht wahr? Ein luxuriöses, diskretes Liebesnest, wenn die Familie wieder vom Sommer zu Hause ist und die neugierigen Hüttennachbarn die Fensterläden verriegelt haben. Und nur eine Stunde von Oslo entfernt.«

»Aber wenn schon«, sagte Halvorsen, »das bringt uns nicht weiter.«

»Sag das nicht. Wenn wir beweisen können, dass Anna in dieser Hütte war, muss uns Albu auf jeden Fall Rede und Antwort stehen. Wir brauchen nicht viel. Ein kleiner Fingerabdruck. Ein Haar. Ein aufmerksamer Ladenbesitzer, der manchmal Waren liefert.«

Halvorsen rieb sich den Nacken. »Und warum nicht gleich in die Vollen gehen und Albus Fingerabdruck in ihrer Wohnung suchen? Die muss ja voll davon sein.«

»Weil es die sicher nicht mehr gibt. Laut Astrid Monsen haben die Besuche vor etwa einem halben Jahr abrupt aufgehört. Bis zu einem Samstag im letzten Monat. Da kam er plötzlich und holte sie mit dem Auto ab. Monsen erinnert sich deutlich daran, denn Anna hatte sie angerufen und gebeten, wegen Einbrechern ein Auge auf die Wohnung zu haben.«

»Und du glaubst, sie sind zur Hütte gefahren?«

»Ich glaube …«, sagte Harry und warf die qualmende Kippe in eine Pfütze, in der sie zischend erstarb, »dass es einen Grund für diese Fotografie in Annas Schuh gibt. Weißt du noch, was du auf der Polizeischule über die Sicherung von technischen Spuren gelernt hast?«

»Ja, das bisschen, was wir darüber hatten. Und du?«

»Nein. In drei Dienstfahrzeugen liegt ein Koffer mit der Standardausrüstung. Pulver, Pinsel und Plastikfolie für die Fingerabdrücke. Maßband, Taschenlampe, Zange, so Zeugs. Ich will, dass du für morgen einen dieser Wagen reservierst.«

»Harry …«

»Und ruf den Gemischtwarenhändler vorher an, und lass dir eine genaue Wegbeschreibung geben. Frag aber so, dass er keinen Verdacht schöpft. Du kannst ja sagen, du baust gerade eine Hütte und dein Architekt hätte dir Albus Hütte als Referenz empfohlen. Dass du nur einen Blick darauf werfen willst.«

»Harry, wir können nicht einfach …«

»Bring auch ein Brecheisen mit.«

»Hör mir zu!«

Halvorsens Ausruf schreckte zwei Möwen auf, die unter heiserem Geschrei zum Fjord flogen. Er zählte an den Fingern ab: »Wir haben keinen Durchsuchungsbefehl, wir haben keine Beweise, für die wir einen bekommen würden, wir haben … nichts. Aber das Wichtigste – wir – genauer gesagt, *ich* habe nicht alle Fakten. Denn du hast mir nicht alles erzählt, oder, Harry?«

»Warum glaubst du, dass …«

»Ganz einfach. Dein Motiv ist nicht gut genug. Dass du die Frau gekannt hast, reicht als Motiv nicht aus, um plötzlich alle Spielregeln zu brechen, in eine Hütte einzusteigen und deinen Job aufs Spiel zu setzen. Und *meinen*. Ich weiß, dass du manchmal ein bisschen verrückt sein kannst, Harry, aber du bist kein Idiot.«

Harry betrachtete die nasse Kippe, die in der Pfütze herumdümpelte. »Wie lange kennen wir uns, Halvorsen?«

»Bald zwei Jahre.«

»Hab ich dich in dieser Zeit jemals angelogen?«

»Zwei Jahre ist nicht lang.«

»Habe ich jemals gelogen, frage ich.«

»Ganz sicher.«

»Habe ich jemals über etwas wirklich *Wichtiges* gelogen?«

»Nicht, dass ich wüsste.«

»O.k. Und ich hab auch jetzt nicht vor zu lügen. Du hast recht, ich habe dir nicht alles gesagt. Und ja – du setzt deinen Job aufs Spiel, wenn du mir hilfst. Alles, was ich dir sagen kann, ist, dass du in noch größeren Schwierigkeiten stecken würdest, wenn ich dir auch noch den Rest erzählt hätte. So, wie es aussieht, kannst du mir bloß vertrauen. Oder es sein lassen. Du kannst noch immer gehen.«

Sie blieben sitzen und blickten über den Fjord. Die Möwen waren zwei weiße Punkte in weiter Ferne.

»Was würdest du tun?«, fragte Halvorsen.

»Ich würde gehen.«

Die Punkte wurden wieder größer. Die Möwen hatten kehrtgemacht.

Als sie ins Präsidium zurückkamen, war eine Nachricht von Møller auf dem Anrufbeantworter.

»Lass uns einen kleinen Spaziergang machen«, sagte er, als Harry zurückrief.

»Egal wohin«, sagte Møller, als sie nach draußen kamen.

»Zu Elmer«, meinte Harry. »Ich brauch Zigaretten.«

Møller folgte Harry über den matschigen Pfad, der über die Wiese zwischen dem Präsidium und der gepflasterten Auffahrt des Botsen führte. Harry war aufgefallen, dass die Planer scheinbar nie begriffen, dass sich die Menschen immer den kürzesten Weg zwischen zwei Punkten suchten, egal, wo die Wege verliefen. Am Ende des Pfades stand ein halb zu Boden getretenes Schild mit der Aufschrift: *Rasenfläche nicht betreten.*

»Du bist informiert über den Überfall im Grønlandsleiret heute früh?«, fragte Møller.

Harry nickte. »Schon interessant, dass er sich einen Ort aussucht, der nur wenige hundert Meter vom Präsidium entfernt liegt.«

»Glück für ihn, dass das Alarmsystem der Bank gerade repariert wurde.«

»Ich glaube nicht an Glück.«

»Ach? Meinst du, er hatte Insiderinformationen von einem aus der Bank?«

Harry zuckte mit den Schultern. »Oder von jemand anderem, der über die Reparatur Bescheid wusste.«

»Nur die Bank und die Reparaturfirma wissen über so etwas Bescheid. Ja, und natürlich wir.«

»Aber du willst mit mir doch nicht über den Banküberfall sprechen, Chef?«

»Nein«, sagte Møller und trippelte um eine Pfütze herum. »Der Polizeipräsident hatte eine Besprechung mit dem Bürgermeister. All diese Überfälle machen ihm Sorgen.«

Auf dem Weg hielten sie für eine Frau, die drei Kinder im Schlepptau hatte. Sie schimpfte ihren Nachwuchs mit müder, wütender Stimme aus und vermied es, Harrys Blick zu begegnen. Im Botsen war Besuchszeit.

»Ivarsson ist tüchtig, das bezweifelt niemand«, sagte Møller. »Aber dieser Exekutor scheint von einem anderen Kaliber zu sein als unsere übliche Klientel. Der Polizeipräsident fragt sich, ob unsere konventionellen Methoden dieses Mal wirklich ausreichen.«

»Vielleicht nicht. Aber was sollen wir machen? Ein Auswärtssieg mehr oder weniger ist doch auch kein Skandal.«

»Auswärtssieg?«

»Ein unaufgeklärter Fall. Neuer Ermittlerjargon, Chef.«

»Es steht mehr als das auf dem Spiel, Harry. Die Journalisten haben uns den ganzen Tag belagert, es ist wie verrückt, Harry. Sie nennen ihn den neuen Martin Pedersen. Und die Internetredaktion der Zeitschrift *VG* hat mitbekommen, dass wir ihn ›den Exekutor‹ nennen.«

»Also wieder die alten Geschichten«, sagte Harry und ging bei Rot über die Kreuzung, während Møller ihm zögernd folgte. »Die Journalisten bestimmen, was wir vordringlich behandeln müssen.«

»Na ja, er hat immerhin einen Menschen auf dem Gewissen.«

»Und Mordfälle, über die nicht mehr geschrieben wird, darf man zu den Akten legen.«

»Nein!«, platzte Møller heraus. »Damit fangen wir jetzt nicht wieder an.«

Harry zuckte mit den Schultern und stieg über einen Zeitungsständer, der vom Wind umgeweht worden war. Auf der Straße lag eine Zeitung, die sich selbst in rasendem Tempo durchblätterte.

»Also, was willst du?«, fragte Harry.

»Der Polizeipräsident denkt natürlich vor allem an das Prestigeträchtige dieser Sache. Ein einzelner Postraub wird vergessen, noch ehe die Sache abgeschlossen wird. Doch in diesem Fall stehen wir im Blickpunkt der Öffentlichkeit. Und je mehr über Banküberfälle gesprochen wird, desto mehr wird die Neugier angestachelt. Martin Pedersen war ein ganz normaler Mann, der getan hat, wovon viele Menschen träumen. Ein moderner Jesse James auf der Flucht vor dem Gesetz. So etwas schafft Mythen, Heldenbilder, Identifikationen. Und damit neue Rekruten für andere Überfälle. Die Zahl der Banküberfälle schoss im ganzen Land in die Höhe, während die Presse über Martin Pedersen schrieb.«

»Ihr habt Angst vor dem Nachahmungseffekt? O. k. Was hat das mit mir zu tun?«

»Ivarsson ist, wie gesagt, tüchtig, das bezweifelt niemand. Er ist ein ordentlicher, traditioneller Polizist, der nie aus der Reihe tanzt. Aber der Exekutor ist kein traditioneller Bankräuber. Der Polizeipräsident ist unzufrieden mit den bisherigen Resultaten.« Møller nickte in Richtung Gefängnis. »Die Episode mit Raskol ist ihm zu Ohren gekommen.«

»Hm.«

»Ich war vor der Mittagspause im Büro des Polizeipräsidenten, und dein Name wurde genannt. Sogar mehrmals.«

»Ach du liebe Scheiße, sollte ich mich jetzt geehrt fühlen?«

»Du bist auf jeden Fall ein Ermittler, der bereits mit unkonventionellen Methoden Erfolge erzielt hat.«

Harry verzog seinen Mund zu einem schiefen Grinsen. »Eine nette Umschreibung eines Kamikazepiloten …«

»Kurz gesagt, die Devise lautet wie folgt, Harry. Leg alle anderen Sachen, an denen du arbeitest, beiseite, und sag Bescheid, wenn du mehr Leute brauchst. Ivarsson macht wie bisher mit seinem Team weiter. Aber du bist es, auf den wir bauen. Und noch was …« Møller stand jetzt dicht bei Harry. »Die Zügel werden gelockert. Wir sind bereit, etwas weitere Grenzen zu akzeptieren. Solange es nicht an die Öffentlichkeit gerät natürlich.«

»Hm. Ich verstehe. Und wenn es doch passiert?«

»Wir stärken dir den Rücken, solange es möglich ist. Aber natürlich gibt es gewisse Grenzen.«

Elmer drehte sich um, als die Glocke über der Tür klingelte, und zeigte mit einem Nicken des Kopfes auf sein kleines Kofferradio, das vor ihm stand: »Und ich dachte, Kandahar sei eine Skibindung. Ein Päckchen Camel?«

Harry nickte. Elmer stellte das Radio leiser, und die Stimme des Nachrichtensprechers verschwand im Wirrwarr der Geräusche, die von draußen hereindrangen – von den Autos, dem Wind, der die Markise knattern ließ, und dem Laub, das über den Asphalt raschelte.

»Und was möchte dein Kollege?« Elmer deutete zur Tür, wo Møller stand.

»Einen Kamikazepiloten«, sagte Harry und öffnete das Päckchen.

»Na dann.«

»Aber er hat vergessen, nach dem Preis zu fragen«, sagte Harry und brauchte sich nicht umzusehen, um Møllers süßsaures Lächeln zu sehen.

»Und was kosten Kamikazepiloten heutzutage?«, fragte der Kioskbesitzer und gab Harry das Wechselgeld zurück.

»Wenn er überlebt, muss man ihn tun lassen, was er für richtig hält«, sagte Harry. »Das ist die einzige Bedingung, die er stellt. Und die einzige, die er akzeptiert.«

»Hört sich vernünftig an«, sagte Elmer. »Einen schönen Tag noch, meine Herren.«

Auf dem Weg zurück sagte Møller, dass er mit dem Polizeichef über die Möglichkeit sprechen wolle, Harry noch einmal drei Monate am Fall »Ellen« arbeiten zu lassen. Vorausgesetzt natürlich, der Exekutor wird gefasst. Harry nickte. Møller zögerte vor dem *Rasenfläche nicht betreten*-Schild.

»Das ist der kürzeste Weg, Chef.«

»Ja«, sagte Møller, »aber die Schuhe werden dreckig.«

»Tu, was du willst«, sagte Harry und trat auf den Trampelpfad. »Meine sind schon dreckig.«

Der Stau löste sich kurz hinter der Abfahrt Ulvøya auf. Der Regen hatte aufgehört, und bereits bei Ljan war der Asphalt trocken. Kurz darauf wurde die Straße vierspurig, und wie auf einer Rampe beschleunigten die Autos und rasten weiter. Harry sah zu Halvorsen hinüber und fragte sich, wann auch er diese herzzerreißenden Schreie hören würde. Doch Halvorsen hörte nichts, da er Travis' Aufforderung im Radio scheinbar wörtlich genommen hatte.

»*Sing, sing, siiing!*«

»Halvorsen ...«

»*For the love you bring ...*«

Harry drehte das Radio leiser, und Halvorsen blickte ihn verständnislos an.

»Die Scheibenwischer«, sagte Harry. »Du kannst sie ausmachen.«

»Ach ja, sorry.«

Schweigend fuhren sie weiter. Vorbei an der Ausfahrt Drøbak.

»Was hast du diesem Ladenbesitzer gesagt?«, fragte Harry.

»Das willst du doch gar nicht wissen.«

»Aber er hat am Donnerstag vor fünf Wochen Lebensmittel in Albus Hütte geliefert?«

»Das hat er gesagt, ja.«

»Bevor Albu gekommen ist?«

»Er hat nur gesagt, dass er sich immer selbst die Tür aufschließt.«

»Dann hat er einen Schlüssel?«

»Harry, unter diesem superdünnen Vorwand konnte ich wohl schlecht weiterfragen.«

»Was für ein Vorwand?«

Halvorsen seufzte. »Landvermesser.«

»Landver...«

»...messer.«

»Was ist das?«

»Keine Ahnung.«

Larkollen lag an einer Abfahrt, dreizehn langsame Kilometer und vierzehn träge Kurven hinter der Autobahn.

»An dem roten Haus hinter der Tankstelle nach rechts«, memorierte Halvorsen und bog in einen Kiesweg ein.

»*Sehr* viele Duschmatten«, murmelte Harry fünf Minuten später, als Halvorsen den Wagen gestoppt hatte und auf ein gigantisches Blockhaus zwischen den Bäumen deutete. Es sah aus wie eine verwachsene Almhütte, die aufgrund irgendeines Missverständnisses am Meer gelandet war.

»Wirkt ziemlich menschenleer hier«, sagte Halvorsen und ließ seinen Blick über die Nachbarhütten schweifen. »Nur Möwen. Verflucht viele Möwen. Vielleicht gibt es irgendwo in der Nähe eine Müllkippe.«

»Hm.« Harry sah auf die Uhr. »Lass uns trotzdem etwas weiter oben parken.«

Der Weg endete an einem Wendeplatz. Halvorsen machte den Motor aus. Harry öffnete die Tür und stieg aus. Er streckte seinen Rücken und lauschte dem Geschrei der Möwen und dem fernen Klatschen der Wellen an den Ufersteinen.

»Ah«, sagte Halvorsen und füllte die Lungen. »Das ist schon was anderes als diese Osloluft, was?«

»Das kannst du laut sagen«, sagte Harry und fischte sein Zigarettenpäckchen aus der Tasche. »Nimmst du den Koffer?«

Auf dem Weg zur Hütte bemerkte Harry eine große, gelblich weiße Möwe auf einem Zaunpfosten. Sie drehte langsam ihren Kopf, als sie vorbeigingen. Harry meinte, den Blick des Vogels den ganzen Weg über im Rücken zu spüren.

»Das wird nicht leicht«, bemerkte Halvorsen, als sie das solide Schloss der Außentür näher unter die Lupe nahmen. Er hatte seine Mütze an die schmiedeeiserne Lampe über der schweren Eichentür gehängt.

»Hm. Fang schon mal an.« Harry zündete sich die Zigarette an. »Ich schau mich inzwischen ein bisschen um.«

»Wie kommt es«, fragte Halvorsen und öffnete den metallbeschlagenen Koffer, »dass du plötzlich viel mehr rauchst als früher?«

Harry blieb einen Augenblick stehen. Er sah zum Wald. »Um dir eine Chance zu geben, mich irgendwann einmal auf dem Trim-Bike zu schlagen.«

Kohlrabenschwarze Rundhölzer, solide Fenster. Die gesamte Hütte machte einen soliden, uneinnehmbaren Eindruck. Harry fragte sich, ob es möglich war, durch den beeindruckenden gemauerten Schornstein einzusteigen, verwarf den Gedanken dann aber wieder. Er ging den Pfad hinunter. Der Regen der letzten Tage hatte ihn braun und matschig werden lassen, aber dennoch konnte er sich gut vorstellen, wie hier kleine, nackte Kinderfüße im Sommer über den sonnengewärmten Pfad zum Strand hinter den runden Felsen hüpften. Er blieb stehen und schloss die Augen, bis die Geräusche kamen. Das Surren der Insekten, das Rauschen des hohen Grases im Wind, ein entferntes Radio, in dem ein Song lief, der mit dem Wind hin- und hergetragen wurde, und das freudige Kindergeschrei vom Strand. Er war zehn Jahre alt und schlich zum Laden, um Brot und Milch zu kaufen. Der Kies drückte sich in seine Fußsohlen. Aber er biss die Zähne zusammen, denn er hatte sich vorgenommen, in diesem Sommer seine Fußsohlen abzuhärten, damit er gemeinsam mit Øystein barfuß laufen konnte, wenn er nach Hause kam. Auf dem Rückweg hatte ihn die schwere Einkaufstasche förmlich in den Kies gedrückt, und fast glaubte er, über brennende Kohlen zu gehen. Doch da fiel sein Blick auf etwas vor ihm auf dem Weg – ein etwas größerer Stein oder ein Blatt –, und er stellte sich vor, dass das sein nächstes Ziel war, das er noch schaffen musste. Als er endlich nach anderthalb Stunden wieder zu Hause war, war die Milch in der Sonne geronnen und seine Mutter wütend. Harry öffnete die Augen. Graue Wolken hasteten über den Himmel.

In dem braunen Gras neben dem Weg entdeckte er die Spuren eines Autos. Die groben, tiefen Abdrücke deuteten darauf hin, dass es sich um einen schweren Wagen mit Geländereifen handeln musste, vielleicht einen Landrover oder etwas Ähnliches. Bei all dem Regen der letzten Zeit konnten die Spuren nicht alt sein. Vermutlich nur ein paar Tage.

Er sah sich um und dachte, dass es kaum etwas Verlasseneres gibt als eine Sommerfrische im Herbst. Auf dem Weg zurück zur Hütte nickte er der Möwe zu.

Halvorsen beugte sich mit einem elektrischen Dietrich über das Schloss und stöhnte.

»Wie läuft's?«

»Schlecht.« Halvorsen richtete sich auf und wischte sich den Schweiß ab. »Das ist kein Amateurschloss. Wenn du nicht zum Brecheisen greifen willst, können wir aufgeben.«

»Kein Brecheisen.« Harry kratzte sich am Nacken. »Hast du unter der Fußmatte nachgesehen?«

Halvorsen seufzte. »Nein, und das hab ich auch nicht vor.«

»Warum nicht?«

»Weil das ein neues Jahrtausend ist und man keine Schlüssel mehr unter Fußmatten legt. Ganz sicher nicht bei solchen Millionärshütten. Also, wenn du nicht mindestens einen Hunderter setzt, mache ich das nicht. O. k.?«

Harry nickte.

»Gut«, sagte Halvorsen und hockte sich hin, um sein Material wieder im Koffer zu verstauen.

»Ich meinte, dass das mit dem Hunderter in Ordnung geht«, sagte Harry.

Halvorsen blickte auf. »Du machst Witze.«

Harry schüttelte den Kopf.

Halvorsen griff an den Rand der grünen Kunststoffmatte.

»Come seven«, murmelte er und zog sie zur Seite. Drei Ameisen, zwei Asseln und ein Ohrenkneifer erwachten und flohen über die graue Mauer. Aber kein Schlüssel.

»Manchmal bist du unglaublich naiv, Harry«, sagte Halvorsen und streckte die Hand in seine Richtung aus. »Warum sollte er den Schlüssel da hintun?«

»Weil …«, sagte Harry, der die Hand nicht sah, weil sein Blick die schmiedeeiserne Lampe schräg über der Tür fixierte, »Milch sauer wird, wenn sie in der Sonne steht.« Er trat an die Lampe und begann die Deckelschrauben zu lösen.

»Wie meinst du das?«

»Die Lebensmittel wurden am Tag vor Albus Ankunft geliefert, nicht wahr? Sie wurden ins Haus gebracht, das heißt doch
was.«

»Was denn? Vielleicht haben sie im Laden einen Zweit-
schlüssel.«

»Das glaube ich nicht. Ich glaube, Albu wollte sicher sein,
dass nicht plötzlich jemand in die Hütte platzte, wenn er mit
Anna hier war.« Er schob den Deckel beiseite und blickte in
die Lampe. »Und jetzt glaube ich nicht nur bloß.«

Halvorsen zog murmelnd seine Hand zurück.

»Riech doch mal«, sagte Harry, als sie in die Hütte kamen.

»Neutralseife«, sagte Halvorsen. »Hier hat gerade erst jemand geputzt.«

Die schweren Landhaus-Möbel und der große Speckstein-
kamin verstärkten den Eindruck klassischer Osterferien. Harry ging zu einer Regalwand aus Kiefernholz am anderen Ende
des Wohnzimmers hinüber. In den Fächern standen alte Bücher. Harry warf einen Blick auf die abgenutzten Rücken, hatte aber dennoch das Gefühl, dass sie niemals gelesen worden
waren. Vielleicht hatte er sie en bloc in einem Antiquariat in
Majorstua gekauft. Alte Alben. In den Schubladen lagen Zigar-
renkisten aus Cohibar und Bolivar. Eine der Schubladen war
verschlossen.

»Das war's dann mit der Sauberkeit«, sagte Halvorsen. Harry drehte sich um und bemerkte die nassen, braunen Fußspuren, die quer durch den Raum führten.

Sie zogen im Flur die Schuhe aus, holten einen Feudel aus
der Küche und teilten sich auf, nachdem sie den Boden ge-
wischt hatten. Halvorsen übernahm das Wohnzimmer, Harry
die Schlafzimmer und das Bad.

Was Harry über das Durchsuchen wusste, hatte er an einem
Freitagnachmittag in einem warmen Klassenzimmer der Polizeischule gelernt, als sie alle nur noch nach Hause wollten, um
zu duschen, ehe sie abends wieder in die Stadt gingen. Es gab
kein Lehrbuch, sondern einen Kommissar namens Røkke.

Und der hatte Harry an jenem Freitag den Tipp gegeben, an den der sich seither als einzige Richtschnur hielt, wenn er einen Raum durchsuchte. »Frag dich nicht, was du suchst. Frag dich, was du findest. Warum es da ist. Sollte so etwas an dem Ort sein? Was bedeutet es? Es ist wie Lesen – wenn du an ein ›l‹ denkst, während du auf ein ›k‹ blickst, bekommst du die Worte nicht mit.«

Das Erste, was Harry auffiel, als er in das vordere Schlafzimmer kam, war das große Doppelbett und das Bild von Herrn und Frau Albu auf dem Nachttischchen. Die Fotografie war nicht groß, fiel aber ins Auge, da sie das einzige Bild war und überdies zur Tür zeigte.

Harry öffnete die Tür eines Schrankes. Der Geruch fremder Kleider schlug ihm entgegen. Es waren aber keine Freizeitkleider, sondern Abendkleider, Hemden und ein paar Anzüge, sowie ein Paar Golfschuhe mit Spikes.

Harry durchsuchte systematisch alle drei Schränke. Er arbeitete schon zu lange als Ermittler, als dass es ihn verlegen gemacht hätte, das Eigentum fremder Menschen anzufassen.

Er setzte sich auf das Bett und betrachtete das Bild auf dem Nachtschränkchen. Im Hintergrund waren Himmel und Meer, doch die Art, wie das Licht auf das Paar fiel, ließ Harry an südlichere Gefilde denken. Arne Albu war braun gebrannt, und sein Blick hatte den gleichen jugendlichen Schalk, den er im Restaurant in Aker Brygge erlebt hatte. Er hatte den Arm fest um die Hüfte seiner Frau gelegt. So fest, dass sich der Oberkörper von Vigdis Albu fast von dem seinen fortzubeugen schien.

Harry schlug die Tagesdecke und die Bettdecke zur Seite. Wenn Anna in diesem Bettzeug gelegen hatte, würden sie ohne Zweifel Haare, Hautreste, Speichel oder Scheidensekret finden. Vermutlich von allem etwas. Doch es war, wie befürchtet. Er fuhr mit der Hand über die steifen Laken, drückte das Gesicht in das Kissen und atmete ein. Frisch gewaschen. Scheiße.

Er öffnete die Schublade des Nachtschränkchens. Ein Päckchen Wrigleys-Extra-Kaugummis, eine ungeöffnete Schachtel Gelonida, ein Schlüsselring mit einem Schlüssel samt einer Messingplatte mit den Initialen A. A., das Bild eines nackten, wie eine Larve zusammengerollten Babys und ein Schweizer Armeemesser.

Er wollte gerade das Messer herausnehmen, als er einen einzelnen, kalten Möwenschrei hörte. Unwillkürlich schaudernd blickte er aus dem Fenster. Die Möwe war verschwunden. Als er weitersuchen wollte, hörte er das scharfe Bellen eines Hundes.

Im gleichen Moment stand Halvorsen in der Tür. »Da kommen Leute.«

Das Herz schien wie ein Turbo zu schlagen.

»Ich nehme die Schuhe«, sagte Harry. »Nimm du den Koffer und das Material mit hier hinein.«

»Aber …«

»Wir springen aus dem Fenster, wenn sie drinnen sind. Schnell!«

Das Bellen draußen wurde lauter und hitziger. Harry hastete zum Eingang, während Halvorsen vor der Regalwand niederkniete und Pulver, Bürste und Kontaktpapier in den Koffer warf. Das Gekläff war bereits so nah, dass er das tiefe Knurren zwischen dem Bellen hören konnte. Schritte auf der Treppe. Die Tür war unverschlossen, und es war zu spät, noch etwas zu tun, er würde auf frischer Tat ertappt werden! Harry holte tief Luft und blieb stehen. Dann konnte er der Konfrontation auch gleich hier ins Auge blicken, vielleicht gelang es dann wenigstens Halvorsen, zu entkommen. Dann bliebe Harrys Gewissen wenigstens dessen Kündigung erspart.

»Gregor!«, rief eine Männerstimme von der anderen Seite der Tür. »Komm zurück!«

Das Hundegebell entfernte sich, und er hörte den Mann die Treppe wieder nach unten steigen.

»Gregor! Lass die Rehe in Frieden!«

Harry trat zwei Schritte vor und drehte den Schlüssel herum. Dann nahm er die zwei Paar Schuhe und schlich sich ins Zimmer, während er den Schlüssel in der Tür hörte. Als er die Tür des Schlafzimmers hinter sich schloss, hörte er, wie sich die Eingangstür öffnete.

Halvorsen hockte auf dem Boden unter dem Fenster und sah Harry mit weit aufgerissenen Augen an.

»Was ist los?«, flüsterte Harry.

»Ich wollte gerade aus dem Fenster klettern, als dieser verrückte Hund kam«, flüsterte Halvorsen. »Das ist ein Riesen-Rottweiler.«

Harry blickte aus dem Fenster in einen geifernden Rachen, der sich mit beiden Vorderbeinen an der Hüttenwand hochstemmte.

Beim Anblick von Harry begann er an der Wand der Hütte emporzuspringen und wie besessen zu bellen. Geifer troff zwischen seinen weißen Eckzähnen hervor. Aus dem Wohnzimmer waren schwere Schritte zu hören. Harry sank neben Halvorsen zu Boden.

»Höchstens siebzig Kilo«, flüsterte er ihm zu. »Keine Sache.«

»Na dann bitte. Ich habe bei den Hundeführern einmal einen Rottweiler angreifen sehen.«

»Hm.«

»Die haben da im Training die Kontrolle über das Vieh verloren. Dem Beamten, der den Banditen mimte, mussten sie hinterher im Reichshospital wieder die Hand annähen.«

»Ich dachte, die seien gut gepolstert.«

»Das sind sie auch.«

Sie blieben sitzen und lauschten dem Bellen vor dem Fenster. Die Schritte im Wohnzimmer waren verstummt.

»Sollen wir hineingehen und ihn begrüßen?«, flüsterte Halvorsen. »Es ist nur eine Frage der Zeit, bis …«

»Psst!«

Erneut hörten sie die Schritte. Sie näherten sich der Schlafzimmertür. »Gregor, komm! Wir müssen nach Hause!«

Der Hund bellte noch ein paar Mal, ehe es plötzlich still wurde. Das Einzige, was Harry hörte, war ein pfeifender, hektischer Atem, doch er wusste nicht, ob der von Halvorsen oder von ihm selbst kam.

»Verdammt gehorsam, diese Rottweiler«, flüsterte Halvorsen.

Sie warteten, bis sie den Wagen unten auf dem Weg starten hörten. Dann stürzten sie ins Wohnzimmer, und Harry sah durch das Fenster gerade noch das Heck eines marineblauen Jeep Cherokee über den Weg verschwinden. Halvorsen ließ sich aufs Sofa fallen und legte den Kopf in den Nacken.

»Mein Gott«, stöhnte er. »Einen Moment lang habe ich schon meinen unehrenhaften Rückzug nach Steinkjer vor mir gesehen. Was, zum Teufel, wollte der hier? Der war doch höchstens zwei Minuten hier.« Dann sprang er wieder von dem Sofa auf. »Glaubst du, er kommt zurück? Vielleicht wollen sie nur in den Laden?«

Harry schüttelte den Kopf. »Die wollten nach Hause. Solche Menschen lügen ihre Hunde nicht an.«

»Bist du sicher?«

»Ja klar. Eines Tages wird er rufen: ›Komm her, Gregor, wir müssen zum Doktor, dich einschläfern.‹« Harry sah sich im Zimmer um. Dann ging er zum Wandregal und fuhr mit dem Finger über die Buchrücken vor sich, vom obersten bis zum untersten Regalbrett.

Halvorsen nickte düster und starrte vor sich hin: »Und Gregor kommt angelaufen. Hunde sind schon komische Viecher.«

Harry blieb grinsend stehen. »Bereust du's, Halvorsen?«

»Tja. Nicht mehr als gewisse andere Sachen auch.«

»Du hörst dich schon an wie ich.«

»Das warst du wortwörtlich. Du hast das gesagt, als wir die Espressomaschine gekauft haben. Nach was suchst du?«

»Keine Ahnung«, sagte Harry und zog ein dickes, großes Buch heraus, das er aufschlug. »Sieh an, ein Fotoalbum, interessant.«

»Ja und? Jetzt bist du mir schon wieder einen Schritt voraus.«

Harry deutete hinter sich und blätterte weiter. Halvorsen stand auf und sah sich um. Und verstand. Nasse Fußspuren führten von der Türschwelle durch den Flur bis zum Regal, an dem Harry stand.

Harry stellte das Album zurück, zog ein anderes heraus und begann zu blättern.

»Exakt«, sagte er nach einer Weile. Er presste das Album gegen sein Gesicht. »Genau.«

»Was denn?«

Harry legte das Album vor Halvorsen auf den Tisch und deutete auf eine der sechs Fotografien auf der schwarzen Seite. Eine Frau und drei Kinder lächelten sie von einem Badestrand aus an.

»Das ist das gleiche Bild, das ich in Annas Schuh gefunden habe«, sagte Harry. »Riech mal dran.«

»Brauch ich nicht, das riecht bis hierhin nach Kleber.«

»Richtig. Er hat das Bild gerade erst eingeklebt. Wenn du es berührst, spürst du, dass der Kleber noch feucht ist. Aber riech mal an der Fotografie.«

»O.k.« Halvorsen drückte die Nase auf das Lächeln. »Es riecht nach … Chemikalien.«

»Was für Chemikalien?«

»So riechen Bilder, die gerade erst entwickelt worden sind.«

»Wieder richtig. Und was schließen wir daraus?«

»Dass er … gerne Bilder einklebt?«

Harry sah auf die Uhr. Wenn Albu direkt nach Hause fuhr, war er in einer Stunde dort.

»Das erkläre ich dir im Auto«, sagte er. »Wir haben den Beweis, den wir brauchen.«

Es begann zu regnen, als sie auf die E6 kamen. Die Lichter der entgegenkommenden Autos spiegelten sich auf dem nassen Asphalt.

»Jetzt wissen wir, woher das Bild stammte, das Anna im Schuh hatte«, sagte Harry. »Ich nehme an, dass Anna die Gelegenheit nutzte und es aus dem Album riss, als sie in der Hütte waren.«

»Aber was wollte sie mit dem Bild?«

»Das wissen die Götter. Vielleicht damit sie sehen konnte, was zwischen ihr und Arne Albu stand. Um es besser zu verstehen. Oder um etwas zu haben, durch das sie Nadeln stechen konnte.«

»Und als du ihm das Bild gezeigt hast, hat er begriffen, woher sie es hatte?«

»Natürlich. Die Reifenspuren dieses Cherokee an der Hütte sind die gleichen wie vorher. Sie beweisen, dass er noch vor ein paar Tagen, vielleicht sogar gestern in der Hütte gewesen ist.«

»Um die Hütte sauberzumachen und alle Fingerabdrücke zu beseitigen?«

»Und um seinen Verdacht zu überprüfen – dass ein Bild im Album fehlt. Und als er wieder zu Hause war, hat er das Negativ des Bildes herausgesucht und ist in einen Fotoladen gegangen.«

»Sicher so ein Ort, wo du die Fotos in einer Stunde abholen kannst. Und dann ist er heute zurück zur Hütte, um es an den alten Ort zu kleben.«

»Hm.«

Die Hinterräder des Lastwagens vor ihnen warfen einen Film öligen Spritzwassers auf die Windschutzscheibe, und die Scheibenwischer arbeiteten frenetisch.

»Albu geht verflucht weit, um seine Eskapaden zu vertuschen«, sagte Halvorsen. »Aber glaubst du wirklich, dass er Anna umgebracht hat?«

Harry starrte auf die Aufschrift des Lastwagens vor ihnen. »AMOROMA – für immer dein.«

»Warum nicht?«

»Er kommt mir nicht gerade wie ein Mörder vor. Ein gebildeter Streber, ein solider Familienvater mit weißer Weste, der sich einen eigenen Betrieb aufgebaut hat.«

»Er ist untreu gewesen.«

»Wer ist das nicht?«

»Ja, wer ist das nicht«, wiederholte Harry langsam, ehe er plötzlich ärgerlich aufschnaubte: »Sollen wir eigentlich bis Oslo die Scheiße von diesem Lastwagen einsammeln?«

Halvorsen blickte in den Außenspiegel und fuhr auf die Überholspur. »Und was sollte sein Motiv sein?«

»Fragen wir doch mal«, sagte Harry.

»Wie meinst du das? Sollen wir zu ihm nach Hause fahren und fragen? Einräumen, dass wir uns auf unerlaubte Weise Beweise verschafft haben, und uns im gleichen Aufwasch auch noch die Kündigung einfangen?«

»Dir bleibt das erspart, ich mach das schon.«

»Und was willst du damit erreichen? Wenn herauskommt, dass wir ohne Durchsuchungsbefehl in die Hütte eingedrungen sind, wird es nicht einen Richter in diesem Land geben, der die Sache nicht gleich wieder fallen lässt.«

»Genau deshalb.«

»Deshalb ... sorry, Harry, aber deine Rätsel fangen langsam an zu nerven.«

»Weil wir nichts haben, was wir vor Gericht verwenden können, müssen wir etwas provozieren, was wir gebrauchen können.«

»Dann sollten wir ihn lieber zum Verhör bitten, ihm einen Stuhl anbieten, einen Espresso kochen und das Tonband starten.«

»Nein, wir brauchen keine aufgezeichneten Lügengeschichten, solange wir das, was wir wissen, nicht als Beweise für diese Lügen verwenden können. Was wir brauchen, ist eine Alliierte. Eine, die ihn für uns entlarven kann.«

»Und das wäre?«

»Vigdis Albu.«

»Aha, und wieso ...«

»Wenn Arne Albu untreu war, stehen die Chancen gut, dass sie die Informationen hat, die wir brauchen. Und wir wissen ein paar Sachen, die ihr behilflich sein könnten, noch mehr herauszufinden.«

Halvorsen klappte den Spiegel nach unten, um nicht von den Lampen des Lastwagens geblendet zu werden, der ihnen jetzt an der hinteren Stoßstange hing. »Bist du sicher, dass das klug ist, Harry?«

»Nein. Weißt du, was ein Anagramm ist?«

»Keine Ahnung.«

»Ein Buchstabenrätsel. Wörter, die man sowohl vorwärts als auch rückwärts lesen kann. Sieh dir mal im Spiegel den Lastwagen an. AMOROMA. Du bekommst das gleiche Resultat, egal wo du beginnst.«

Halvorsen wollte etwas sagen, ließ es aber sein und schüttelte bloß resignierend den Kopf.

»Fahr mich ins Schrøder«, sagte Harry.

Die Luft stand vor Schweiß, Zigarettenqualm, dem Dunst nasser Regenklamotten und den lauten Bierbestellungen.

Beate Lønn saß an dem gleichen Tisch, an dem auch Aune gesessen hatte. Sie fiel auf wie ein Zebra in einem Kuhstall.

»Wartest du schon lange?«, fragte Harry.

»Nein«, log sie.

Vor ihr stand ein unberührtes und schon schal gewordenes Bier. Sie folgte seinem Blick und hob pflichtbewusst ihr Glas.

»Hier gibt es keine Verzehrpflicht«, sagte Harry und bekam Augenkontakt mit Maja. »Das scheint nur so.«

»Es schmeckt aber gar nicht schlecht.« Beate nahm einen winzigen Schluck. »Mein Vater sagte immer, trau niemandem, der kein Bier trinkt.«

Kaffeekanne und Tasse landeten vor Harry auf dem Tisch. Beate wurde tiefrot.

»Für gewöhnlich habe ich Bier getrunken«, sagte Harry. »Aber ich musste aufhören.«

Beate starrte aufs Tischtuch.

»Aber das ist auch das einzige Laster, das ich abgelegt habe«, sagte Harry. »Ich rauche, lüge und bin rachsüchtig.« Er hob die Tasse an und prostete ihr zu. »Und an was leidest du, Lønn? Abgesehen davon, dass du ein Videojunkie bist und dich an alle Gesichter erinnerst, die du mal gesehen hast?«

»Das ist beinahe alles.« Sie hob das Bierglas an. »Abgesehen vom Setesdalzucken.«

»Ist das was Ernstes?«

»Ziemlich. Eigentlich heißt das Huntington-Krankheit. Die ist erblich und ziemlich häufig im Setesdal.«

»Warum gerade dort?«

»Das ... ist ein enges Tal mit hohen Bergen. Und ziemlich weit bis zu anderen Menschen.«

»Verstehe.«

»Sowohl meine Mutter als auch mein Vater kamen aus dem Setesdal, und anfänglich wollte meine Mutter ihn auch gar nicht, weil sie glaubte, dass er eine Tante mit diesem Zucken hatte. Die bewegte immer wieder unkontrolliert die Arme, so dass die Menschen immer einen gewissen Abstand zu ihr hielten.«

»Und wann hast du das?«

Beate lächelte. »Als ich klein war, hat mein Vater mit meiner Mutter darüber immer gescherzt. Denn wenn er und ich Abklatschen gespielt haben, habe ich immer so schnell und hart geschlagen, dass er meinte, ich müsste das Setesdalzucken haben. Ich fand das damals bloß lustig, ja ich – wünschte mir fast, das zu haben. Aber eines Tages hat mir meine Mutter erzählt, dass man an der Huntington-Krankheit stirbt.« Sie blieb sitzen und fingerte an ihrem Glas herum.

»Und im gleichen Sommer lernte ich, was es heißt, wenn jemand stirbt.«

Harry nickte einem alten Marinesoldaten zu, der am Nebentisch saß, sein Nicken aber nicht erwiderte. Er räusperte sich: »Und wie sieht es mit der Rachlust aus? Hast du dieses Leiden auch?«

Sie blickte zu ihm auf. »Wie meinst du das?«

Harry zuckte mit den Schultern. »Sieh dich um. Die Menschheit scheint ohne sie nicht zu funktionieren. Rache und Vergeltung sind die Antriebskraft für den kleinen Knirps, der in der Schule immer gehänselt wurde und es schließlich zum Multimillionär schaffte, wie auch für den Bankräuber, der der Meinung ist, die Gesellschaft gehe ungerecht mit ihm um. Und sieh doch uns an. Die glühende Rache der Gesellschaft verkleidet als kalte, rationale Vergeltung – das ist unsere Profession.«

»Ohne das geht es wohl nicht«, sagte sie, ohne seinen Blick zu erwidern. »Ohne Strafen würde die Gesellschaft nicht funktionieren.«

»Ja, aber das ist noch nicht alles, oder? Katharsis. In der Rache liegt Reinigung, Erlösung. Aristoteles schrieb, dass die Seele des Menschen durch die Furcht und das Mitleid, das die Tragödie in ihm weckt, gereinigt wird. Das ist ein erschreckender Gedanke, nicht wahr? Dass wir die innersten Wünsche unserer Seele durch die Tragödie der Rache erfüllen?«

»Ich kenn mich mit Philosophie nicht so gut aus.« Sie hob ihr Glas und nahm einen kräftigen Schluck.

Harry senkte den Kopf. »Ich auch nicht. Ich geb nur wieder, was ich mal gehört habe. Zur Sache?«

»Zuerst eine schlechte Neuigkeit«, sagte sie. »Die Rekonstruktion des Gesichtes hinter der Maske ging ziemlich in die Hose. Nur eine Nase und der Umriss des Kopfes.«

»Und die gute?«

»Die Frau, die bei dem Überfall im Grønlandsleiret als Geisel genommen wurde, meint, dass sie die Stimme des Täters wiedererkennen würde. Sie sagte, sie sei ungewöhnlich hoch gewesen und dass sie fast gemeint hätte, es sei eine Frau gewesen.«

»Hm. Sonst noch was?«

»Ja. Ich habe mit dem Angestellten im SATS gesprochen und mich da ein bisschen umgesehen. Trond Grette kam da um halb drei an und ging gegen vier.«

»Wie kannst du dir da so sicher sein?«

»Weil er beim Kommen die Squashstunde mit der Kreditkarte bezahlt hat. Die BBS hat den Eingang um 14.34 Uhr registriert. Und erinnerst du dich an den gestohlenen Squashschläger? Das hat er natürlich gemeldet. Im Tagesrapport hat eine Angestellte Grettes Anwesenheit am Freitagnachmittag festgehalten. Er verließ das Trainingscenter um 16.02 Uhr.«

»Und das war die gute Neuigkeit?«

»Nein, dazu komme ich jetzt. Erinnerst du dich, dass Grette etwas von einem Overall gesagt hat, den der andere getragen haben soll?«

»Der mit ›Polizei‹ auf dem Rücken?«

»Ich habe mir das Video angesehen. Es könnte sein, dass Klettband auf dem Overall des Exekutors war, auf Brust und Rücken.«

»Und?«

»Wenn das der Exekutor war, kann er die Aufschrift Polizei einfach angeheftet haben, sobald er außer Sichtweite der Kamera war.«

»Hm.« Harry schlürfte laut.

»Das könnte erklären, warum niemand eine Person mit schwarzem Overall in der Nähe gesehen hat. Gleich nach dem Überfall wimmelte es da ja nur so von schwarzgekleideten Polizisten.«

»Was haben sie im SATS gesagt?«

»Das ist ja das Interessante. Die, die da gearbeitet hat, erinnert sich tatsächlich an einen Mann mit einem Overall, den sie für einen Polizisten gehalten hat. Er hastete bloß vorbei, und so dachte sie, er müsse zu einer Squashstunde oder so.«

»Sie haben also keinen Namen von dem Typ?«

»Nein.«

»Das ist nicht gerade sexy …«

»Nein, aber das Beste kommt noch. Sie erinnerte sich nur deshalb an ihn, weil er so seltsam aussah, dass sie ihn für jemanden aus einem Sondereinsatzkommando hielt. Er trug eine halb hochgerollte Sturmhaube, eine schwarze Sonnenbrille und verbarg den Rest seines Gesichts. Und sie sagte, dass er eine schwarze Tasche dabeihatte, die sehr schwer zu sein schien.«

Harry verschluckte sich.

Ein paar alte Schuhe hingen an den Schnürsenkeln von dem Drahtseil herab, das zwischen den Häusern in der Dovregata gespannt war. Die Lampen daran taten ihr Bestes, um den gepflasterten Bürgersteig zu erleuchten, doch das herbstliche Dunkel schien alles Licht aus der Stadt zu saugen. Harry war das egal, er kannte den Weg von der Sofies Gate zu Schrøder auch in völliger Finsternis. Das hatte er mehrmals überprüft.

Beate hatte eine Liste mit Namen bekommen, die zu der Zeit Squash- oder Aerobicstunden hatten, als der Mann mit dem Overall im SATS war, und sie sollte am nächsten Tag mit den Befragungen beginnen. Wenn sie auch den Mann nicht finden würden, so war es doch möglich, dass jemand in der Garderobe war, als er sich umzog, und ihn beschreiben konnte.

Harry ging unter den Schuhen hindurch. Sie hingen seit Jahren dort, und er hatte sich damit abgefunden, wohl niemals zu erfahren, wie sie dort gelandet waren.

Ali wischte die Treppe, als Harry zum Hauseingang kam.

»Du musst diesen norwegischen Herbst doch hassen«, sagte Harry und trat sich die Schuhe ab. »Bloß Dreck und Matschwasser.«

»In meiner Heimatstadt in Pakistan konntest du immer nur fünfzig Meter weit sehen, wegen der Luftverschmutzung«, sagte Ali lächelnd. »Das ganze Jahr über.«

Harry hörte ein entferntes, aber wohlbekanntes Geräusch. Irgendwie schienen Telefone immer dann zu klingeln, wenn man sie gerade hören, aber sicher nicht mehr rechtzeitig erreichen konnte. Er sah auf die Uhr. Zehn. Rakel hatte gesagt, sie wolle ihn um neun anrufen.

»Übrigens, dein Kellerraum ...«, begann Ali, während Harry bereits die Treppe emporhastete und jede vierte Stufe mit dem Muster seiner Doc Martens verzierte.

Das Telefon verstummte, als Harry die Tür aufgeschlossen hatte.

Er streifte die Schuhe ab und fuhr sich mit den Händen über das Gesicht. Dann trat er ans Telefon und nahm den Hörer ab. Die Telefonnummer des Hotels stand auf einem gelben Zettel, der am Spiegel hing. Er machte ihn ab, wobei sein Blick auf das Spiegelbild der ersten Mail von C#MN fiel. Er hatte sie ausgedruckt und an die Wand gehängt. Eine alte Gewohnheit aus dem Dezernat, wo sie die Wände immer mit Bildern, Briefen und anderen Anhaltspunkten dekorierten, die ihnen vielleicht helfen konnten, den Zusammenhang zu verstehen oder das Unterbewusstsein irgendwie zu schärfen. Harry konnte den spiegelverkehrten Brief nicht lesen, doch das war auch nicht nötig:

Stellen wir uns doch einmal vor, du wärst zum Abendessen bei einer Frau gewesen, und am nächsten Tag wird sie tot aufgefunden. Was tust du?
C#MN

Er fasste einen Entschluss, ging ins Wohnzimmer, schaltete den Fernseher ein und versank in seinem Ohrensessel. Dann stand er mit einem Ruck wieder auf, ging in den Flur und wählte die Nummer.

Rakel hörte sich müde an.

»Bei Schrøder«, sagte Harry. »Bin gerade erst wiedergekommen.«

»Ich habe bestimmt zehnmal angerufen.«

»Stimmt etwas nicht?«

»Ich habe Angst, Harry.«

»Hm. Viel Angst?«

Harry stellte sich in die Tür des Wohnzimmers und klemmte den Hörer zwischen Schulter und Ohr ein, während er mit der Fernbedienung den Fernseher leiser stellte.

»Nicht so viel«, sagte sie. »Aber ein bisschen.«

»Ein bisschen Angst ist nicht so schlimm. Man wird stark, wenn man ein bisschen Angst hat.«

»Aber was, wenn es schlimmer wird?«

»Du weißt, dass ich sofort komme. Du musst es nur sagen.«

»Ich habe doch schon gesagt, dass du das nicht kannst, Harry.«

»Es sei dir hiermit gestattet, dich anders zu entscheiden.«

Harry sah den Mann mit Turban und Tarnjacke im Fernsehen. Sein Gesicht erschien ihm seltsam bekannt. Er ähnelte jemandem.

»Die Welt bricht um mich herum zusammen«, sagte sie. »Ich musste nur sicher sein, dass es irgendwo jemanden gibt.«

»Es gibt jemanden hier.«

»Aber du klingst so weit entfernt.«

Harry wandte sich vom Fernseher ab und lehnte sich an den Türrahmen. »Tut mir leid. Aber ich bin hier, und ich denke an dich. Auch wenn ich mich weit entfernt anhöre.«

Sie begann zu weinen. »Entschuldige, Harry. Du musst mich für eine schreckliche Heulsuse halten. Ich weiß ja, dass du da bist.« Sie flüsterte: »Ich weiß, dass ich dir vertrauen kann.«

Harry hielt die Luft an. Die Kopfschmerzen kamen langsam, aber sie kamen. Wie ein eisernes Band, das sich langsam um seine Stirn schnürte. Als sie auflegten, spürte er bereits jeden Herzschlag in der Schläfe.

Er machte den Fernseher aus und legte eine Radiohead-Platte auf, hielt die Stimme von Thom Yorke dann aber nicht aus. Stattdessen ging er ins Bad und wusch sich das Gesicht. Dann stand er in der Küche und starrte ziellos in den Kühlschrank. Zum Schluss konnte er nicht länger warten. Er ging ins Schlafzimmer. Der Computerbildschirm erwachte zu neuem Leben und warf sein kaltes, blaues Licht in den Raum. Er bekam Kontakt zur Außenwelt, die ihm mitteilte, dass er eine Mail erhalten hatte. Er spürte ihn jetzt deutlich. Den Durst. Wie ein wütender Köter zerrte er an den Ketten. Er klickte das Symbol des Mailprogramms an.

Ich hätte ihre Schuhe überprüfen sollen. Das Bild muss auf dem Nachtschränkchen gelegen haben, so dass sie es packen konnte, als ich die Waffe lud. Auf der anderen Seite wird das Spiel dadurch ein bisschen spannender. Ein bisschen.
C#MN

PS: Sie hatte Angst. Nur dass du das weißt.

Harry fuhr mit der Hand in seine Tasche und holte den Schlüsselring heraus. Er trug die Initialen A. A.

Teil 3

Kapitel 20

Die Landung

Was denken Menschen, wenn sie in die Mündung einer Waffe schauen? Manchmal glaube ich, dass sie überhaupt nicht denken. Wie die Frau heute. »Erschieß mich nicht«, sagte sie. Ob sie wirklich geglaubt hat, dass so ein Gejammer irgendeinen Effekt hat? Auf ihrem Namensschild stand DnB und Cathrine Schøyen, und als ich sie fragte, warum so viele »c« und »h« in ihrem Namen seien, sah sie mich bloß mit ihrem dummen Kuhgesicht an und wiederholte die Worte: »Erschieß mich nicht.« Fast hätte ich die Kontrolle verloren, wie ein Ochse gebrüllt und ihr zwischen die Hörner geschossen.

Der Verkehr vor mir steht still. Ich spüre den Sitz an meinem Rücken, klamm und verschwitzt. Das Radio läuft, die Dauernachrichtensendung von NRK, doch noch haben sie kein Sterbenswörtchen gesagt. Ich sehe auf die Uhr. Normalerweise müsste ich innerhalb einer halben Stunde in der Hütte in Sicherheit sein. Das Auto vor mir stinkt, und ich stelle das Gebläse ab. Die nachmittägliche Rushhour hat begonnen, aber heute fließt der Verkehr noch zäher als sonst. Ist da vorne ein Unfall passiert? Oder hat die Polizei schon Straßensperren aufgestellt? Unmöglich. Die Tasche mit dem Geld liegt unter einer Jacke auf dem Rücksitz. Ebenso die geladene AG3. Der Motor vor mir rußt kräftig, ehe der Fahrer die Kupplung kommen lässt und ein paar

Meter vorfährt. Dann stehen wir wieder still. Ich frage mich gerade, ob ich mich langweilen, ängstigen oder wütend werden soll, als ich sie erblicke. Zwei Personen überqueren den Streifen zwischen den zwei Spuren. Die eine ist eine uniformierte Frau, der andere ein großer Mann in einem grauen Mantel. Sie werfen wachsame Blicke in die Autos links und rechts. Einmal bleibt einer von ihnen stehen und wechselt ein paar freundliche Worte mit einem Fahrer, der offensichtlich nicht angeschnallt war. Vielleicht ist das nur eine Routinekontrolle. Sie kommen näher. Im Radio sagt eine nasale Stimme auf Englisch, dass die Bodentemperatur 40 Grad beträgt und dass man die Vorsichtsmaßregeln gegen Sonnenstich beachten müsse. Automatisch beginne ich zu schwitzen, obgleich ich weiß, dass es dort draußen fies und kalt ist. Sie sind unmittelbar vor meinem Wagen. Das ist der Polizist. Harry Hole. Die Frau sieht aus wie Stine. Als sie vorbeigeht, wirft sie einen Blick auf mich. Ich atme erleichtert aus. Will gerade laut lachen, als es an der Scheibe klopft. Langsam drehe ich mich um. Ungeheuer langsam. Sie lächelt, und ich bemerke, dass das Fenster bereits heruntergekurbelt ist. Merkwürdig. Sie sagt etwas, das aber vom Lärm des Motors vor mir übertönt wird.

»Was?«, frage ich und öffne die Augen erneut.

»Could you please put the back of your seat into an upright position?«

»Den Sitz?«, frage ich verwirrt.

»We'll be landing shortly, Sir.« Sie lächelt wieder und verschwindet.

Ich reibe mir den Schlaf aus den Augen, und alles kommt wieder. Der Überfall. Die Flucht. Der Koffer mit dem Flugticket, der in der Hütte bereitstand. Die Mail von Prinz, dass die Luft rein ist. Aber dennoch dieser Stich von Nervosität, als ich in Gardermoen eincheckte und meinen Pass zeigte. Die Abreise. Alles hatte wie am Schnürchen geklappt.

Ich blicke aus dem Fenster. Ganz offensichtlich träume ich immer noch ein bisschen, denn einen Moment lang glaube ich, dass wir über den Sternen fliegen. Dann begreife ich, dass das die

Lichter der Stadt sind, und beginne an den Leihwagen zu denken, den ich bestellt habe. Sollte ich vielleicht lieber in einem Hotel in dieser großen, dampfenden, stinkenden Stadt übernachten und erst morgen nach Süden fahren? Nein, morgen wäre ich wegen des Jetlags auch nicht wacher. Am besten direkt in den Hafen kommen. Der Ort, an den ich will, ist besser als sein Ruf. Dort wohnen sogar ein paar Norweger, mit denen man reden kann. Aufwachen und Sonne, Meer und ein besseres Leben um mich haben. Das ist der Plan. Mein Plan jedenfalls.

Ich halte mich an dem Drink fest, den ich retten konnte, als die Stewardess das Tischchen vor mir hochklappte. Aber warum glaube ich dann nicht an diesen Plan?

Der Motorenlärm wird lauter und dann wieder leiser. Ich spüre, dass ich auf dem Weg nach unten bin, schließe die Augen und hole automatisch tief Luft, in Gewissheit, was kommen wird. Sie. Sie trägt das gleiche Kleid wie bei unserer ersten Begegnung. Mein Gott, ich sehne mich bereits nach ihr. Dass das eine Sehnsucht ist, eine unmögliche, auch wenn sie leben würde, ändert nichts. Denn alles an ihr war unmöglich. Tugend und Wildheit. Haare, die das Licht einzufangen schienen, aber wie Gold glänzten. Das trotzige Lachen, während die Tränen über ihre Wangen liefen. Der hasserfüllte Blick, wenn ich in sie eindrang. Ihre falschen Liebeserklärungen und ihre echte Freude, wenn ich nach nicht eingehaltenen Verabredungen doch wieder zu ihr kam. Wieder und wieder, wenn ich neben ihr im Bett lag, den Kopf auf dem Abdruck, den ein anderer dort hinterlassen hatte. Aber das liegt lange zurück. Millionen von Jahren. Ich kneife die Augen zusammen, um die Fortsetzung nicht zu sehen. Den Schuss, den ich auf sie abfeuerte. Ihre Pupillen, die sich weiteten, langsam wie eine schwarze Rose, und das Blut, das hervorquoll, nach unten tropfte und mit einem matten Klatschen aufschlug. Das Knacken in ihrem Nacken, ihr nach hinten geworfener Kopf. Und jetzt ist die Frau, die ich liebe, tot. So einfach ist das. Aber es macht noch immer keinen Sinn. Das macht es so schön. So einfach und so schön, dass man kaum damit leben kann. Der Druck *in der Kabine fällt ab, und alles spannt sich. Von innen heraus. Eine unsichtbare Kraft, die sich gegen die Trommelfelle und das weiche Hirn presst. Und irgendetwas sagt mir, dass es auf diese Weise geschehen wird. Niemand wird mich finden, niemand wird mir mein Geheimnis entlocken. Mein Plan wird trotzdem zerplatzen. Von innen heraus.*

Kapitel 21

Monopoly

Harry wachte von den Nachrichten aus dem Radiowecker auf. Die Bombenangriffe waren intensiviert worden. Es hörte sich wie eine Wiederholung an.

Er versuchte, einen Grund zum Aufstehen zu finden.

Die Stimme im Radio berichtete, dass das Durchschnittsgewicht der Norweger seit 1975 deutlich gestiegen sei, bei Männern um dreizehn und bei Frauen um neun Kilo. Harry schloss die Augen und dachte an etwas, das Aune einmal gesagt hatte. Dass Eskapismus eigentlich zu Unrecht einen so schlechten Ruf habe. Der Schlaf kam. Das gleiche süße, warme Gefühl wie damals als Kind, wenn die Tür offen stand und er Vater durchs Haus gehen und die Lichter löschen hörte – eines nach dem anderen – und wie es mit jeder Lampe, die ausgemacht wurde, vor seiner Zimmertür dunkler wurde.

»Nach den gewalttätigen Banküberfällen in Oslo in den letzten Wochen verlangen die Bankangestellten jetzt bewaffneten Schutz in den exponiertesten Banken Oslos. Der gestrige Überfall reiht sich in eine Serie von Banküberfällen, hinter der nach Ansicht der Polizei der sogenannte ›Exekutor‹ stehen soll. Die gleiche Person scheint auch für den Mord an der Bankangestellten …«

Harry stellte die Füße auf das kalte Linoleum. Das Gesicht im Badezimmerspiegel imitierte einen späten Picasso.

Beate telefonierte. Sie schüttelte den Kopf, als sie Harry in der Tür erblickte. Er nickte und wollte wieder gehen, doch sie gab ihm ein Zeichen zu bleiben.

»Trotzdem danke für die Hilfe«, sagte sie und legte auf.

»Störe ich?«, fragte Harry und stellte eine Tasse Kaffee vor sie auf den Tisch.

»Nein, ich hab mit dem Kopf geschüttelt, um dir zu sagen, dass es ergebnislos ist. Gerade habe ich mit dem Letzten auf der Liste gesprochen. Von all den Männern, die zu dieser Zeit im SATS waren, erinnert sich nur einer vage an einen Mann in einem Overall. Und der war sich nicht einmal sicher, ob er ihn wirklich in der Garderobe gesehen hat.«

»Hm.« Harry setzte sich und sah sich um. Ihr Büro war genauso aufgeräumt, wie er es erwartet hatte. Abgesehen von einer wohlbekannten Topfpflanze auf der Fensterbank, deren Namen er nicht wusste, fanden sich hier ebenso wenig schmückende Gegenstände wie in seinem eigenen Büro. Auf ihrem Pult erblickte er einen Bilderrahmen. Er konnte sich denken, wer auf dem Foto war.

»Hast du nur mit Männern gesprochen?«, fragte er.

»Wir können doch wohl davon ausgehen, dass er in die Männerumkleide gegangen ist, um sich umzuziehen, oder?«

»Um dann wie ein ganz normaler Mann durch die Straßen Morristowns zu wandeln, ja. Etwas Neues vom gestrigen Überfall im Grønlandsleiret?«

»Neues? Das Ganze ist wie eine Wiederholung, würde ich sagen. Die gleichen Kleider und dasselbe Gewehr. Die Geisel als Sprachrohr. Er nahm das Geld aus dem Bankautomaten und brauchte eine Minute und fünfzig Sekunden. Keine Spur. Kurz gesagt …«

»Der Exekutor«, sagte Harry.

»Was ist das?« Beate hob die Tasse an und blickte hinein.

»Cappuccino. Mit einem Gruß von Halvorsen.«

»Kaffee mit Milch?« Sie rümpfte die Nase.

»Lass mich raten«, sagte Harry. »Dein Vater sagte immer, dass er niemandem vertraut, der Kaffee mit Milch trinkt?«

Er bereute es sofort, als er Beates überraschtes Gesicht sah. »Entschuldige«, murmelte er. »Ich wollte nicht … das war blöd.«

»Also, was machen wir jetzt?«, beeilte sich Beate zu fragen, während sie an dem Henkel der Kaffeetasse herumfingerte. »Wir sind wieder auf Los.«

Harry ließ sich auf einen Stuhl fallen und starrte auf die Spitzen seiner Stiefel. »Auf ins Gefängnis.«

»Was?«

»Ins Gefängnis.« Er richtete sich wieder auf. »Auch wenn du über Los gehst, die 4000 kriegst du nicht.«

»Wovon redest du?«

»Die Ereignis-Karten von Monopoly. Die bleiben uns noch. Wir können unser Glück versuchen. Im Gefängnis. Hast du die Telefonnummer vom Botsen?«

»Das ist rausgeschmissene Zeit«, sagte Beate.

Ihre Stimme hallte an den gemauerten Wänden des Kulvert wider, in dem sie mit Harry Schritt zu halten versuchte.

»Vielleicht«, erwiderte er. »Genau wie neunzig Prozent einer jeden Ermittlung.«

»Ich habe alle Berichte und Verhörprotokolle gelesen, die es über ihn gibt. Er sagt niemals etwas. Abgesehen von einer Masse philosophischem Geschwafel, das nichts mit der Sache zu tun hat.«

Harry drückte auf die Sprechanlage neben der grauen Eisentür am Ende des Tunnels. »Halten Sie Ihren Ausweis in die Kamera«, sagte eine Stimme durch die Sprechanlage.

»Warum soll ich mitkommen, wenn du mit ihm allein sprechen willst?«, fragte Beate und schlüpfte hinter Harry durch die Tür.

»Das ist eine Methode, die Ellen und ich immer angewendet haben, wenn wir Verdächtige verhört haben. Einer von uns hat immer das Verhör geleitet, während der andere bloß dasaß und zuhörte. Wenn das Verhör Gefahr lief, sich festzufahren, machten wir Pause. Wenn ich das Verhör geleitet hatte, ging ich nach draußen, während Ellen über ganz andere, alltägliche Dinge zu sprechen begann. Wie den Wunsch, mit dem Rauchen aufzuhören, oder das schlechte Fernsehprogramm. Oder dass sie jetzt, nachdem sie den Kerl rausgeschmissen hatte, die Miete deutlich spürte. Nach einer Weile mit solchem Geschwätz steckte ich den Kopf durch die Tür und gab vor, dass etwas geschehen sei und dass sie allein das Verhör fortsetzen müsse.«

»Und das hat funktioniert?«

»Jedes Mal.«

Sie gingen die Treppe hinauf und kamen in die Schleuse der Gefängnishalle. Der Wärter hinter dem dicken, kugelsicheren Glas nickte ihnen zu und drückte auf den Knopf. »Ein Wärter kommt gleich«, erklang es nasal.

Der Wärter war ein kleinwüchsiger Mann mit runden Muskeln und dem schaukelnden Gang eines Zwerges. Er führte sie in den Zellentrakt. Über drei Etagen erstreckte sich eine Galerie mit Reihen von hellblauen Zellentüren, die eine große, längliche Halle umrahmten. Ein Stahlnetz war zwischen jeder Etage aufgespannt. Es war niemand zu sehen, und die Stille wurde einzig durch das Echo einer Tür unterbrochen, die irgendwo in der Halle zugeschlagen worden war.

Harry war hier schon oft gewesen, doch es kam ihm jedes Mal gleich absurd vor, dass sich hinter diesen Türen Menschen befanden, die nach Meinung der Gesellschaft gegen ihren Willen eingesperrt werden mussten. Harry wusste nicht genau, warum er diesen Gedanken so ungeheuerlich fand. Es hatte aber sicher mit der physischen Manifestation der öffentlichen, institutionalisierten Sühne eines Verbrechens zu tun. Schwert und Waage.

Der Schlüsselbund des Wärters klirrte, als er die Tür mit der schwarzen Aufschrift BESUCHSZIMMER aufsperrte. »Bitte sehr, klopfen Sie einfach, wenn Sie wieder gehen wollen.«

Sie traten ein, und die Tür fiel hinter ihnen ins Schloss. In der Stille, die folgte, bemerkte Harry das schwache Surren einer Leuchtstoffröhre, das mal lauter, mal leiser wurde, und die Plastikblumen an den Wänden, die fahle Schatten auf die blassen Aquarelle warfen. Ein Mann saß aufrecht auf einem Stuhl an einem Tisch, der exakt in der Mitte der kürzeren, gelben Wand des Raumes stand. Seine Unterarme ruhten rechts und links von einem Schachbrett auf der Tischplatte. Die Haare waren glatt nach hinten über die eng anliegenden Ohren gekämmt. Er trug glatte, graue overallartige Kleidung. Die markanten Augenbrauen und der Schatten, der auf die Seite seiner geraden Nase fiel, zeichneten jedes Mal, wenn die Leuchtstoffröhre ausging, ein deutliches »T«. Doch das Bemerkenswerteste war der Blick, der Harry bereits bei der Beerdigung aufgefallen war, diese sich selbst widersprechende Mischung aus Leiden und Ausdruckslosigkeit, der ihn an jemand anderes denken ließ.

Harry gab Beate ein Zeichen, sich an der Tür hinzusetzen. Er selbst zog sich einen Stuhl an den Tisch und setzte sich gegenüber von Raskol hin. »Danke, dass Sie sich Zeit genommen haben, uns zu treffen.«

»Zeit«, antwortete Raskol mit einer überraschend hellen und weichen Stimme. »Zeit ist hier billig.« Er sprach mit dem typischen Akzent eines Osteuropäers, mit hartem »r« und deutlicher Betonung.

»Verstehe. Mein Name ist Harry Hole, und meine Kollegin heißt …«

»Beate Lønn. Sie ähneln Ihrem Vater, Beate.«

Harry hörte Beate nach Luft schnappen und drehte sich etwas um. Ihr Gesicht war nicht rot geworden, sondern ganz im Gegenteil schien ihre blasse Haut noch weißer geworden zu sein, während ihr Mund in einer Grimasse erstarrt war, als hätte ihr jemand ins Gesicht geschlagen.

Harry räusperte sich, starrte auf die Tischplatte und erkannte erst jetzt, dass die beinahe schon unangenehme Symmetrie rechts und links der Achse, die den Raum und Raskol teilte, durch ein winziges Detail gebrochen war: König und Dame auf dem Schachbrett.

»Und wo habe ich Sie schon gesehen, Hole?«

»Ich halte mich in der Regel in der Nähe von Toten auf«, sagte Harry.

»Ah ja, die Beerdigung. Sie waren einer der Wachhunde des Dezernatsleiters, nicht wahr?«

»Nein.«

»Das hat Ihnen also nicht gefallen, Wachhund genannt zu werden. Seid ihr nicht so gut aufeinander zu sprechen?«

»Nein.« Harry dachte nach. »Wir mögen uns ganz einfach nicht. Soweit ich weiß, Sie sich auch nicht.«

Raskol lächelte mild, während die Neonröhre erneut aufflackerte. »Ich hoffe, er hat das nicht persönlich genommen. Es sah aber nach einem sehr billigen Anzug aus.«

»Ich glaube nicht, dass es der Anzug war, der den größten Schaden hatte.«

»Er wollte, dass ich ihm etwas erzähle. Und dann hab ich ihm etwas erzählt.«

»Dass Spitzel für immer gebrandmarkt sind?«

»Nicht schlecht, Herr Hauptkommissar. Aber die Tinte verschwindet ja mit der Zeit. Spielen Sie Schach?«

Harry versuchte, sich nicht anmerken zu lassen, dass Raskol seinen Dienstgrad genannt hatte. Vielleicht hatte er bloß geraten.

»Ich habe mich gefragt, wie es Ihnen gelungen ist, den Sender zu verstecken«, sagte Harry. »Ich habe gehört, die haben die ganze Abteilung auf den Kopf gestellt.«

»Wer hat gesagt, dass ich etwas versteckt habe? Weiß oder Schwarz?«

»Es heißt, dass Sie immer noch der Kopf der meisten großen Überfälle in Norwegen sind, dass Sie hier Ihre Basis haben und dass Ihr Anteil auf ein Konto im Ausland geht. Haben Sie dafür gesorgt, in die Abteilung A im Botsen zu kommen, weil die meisten anderen hier nur kurze Strafen absitzen, so dass sie anschließend die Pläne ausführen können, die Sie hier schmieden? Haben Sie hier drinnen auch Handys? Oder PCs?«

Raskol seufzte. »Sie haben so vielversprechend angefangen, Hauptkommissar, aber jetzt beginnen Sie bereits, mich zu langweilen. Spielen wir jetzt oder nicht?«

»Spielen ist langweilig«, sagte Harry. »Wenn es keinen Einsatz gibt.«

»Meinetwegen gerne. Um was spielen wir?«

»Um den hier.« Harry hielt einen Schlüsselring mit einem einzelnen Schlüssel und einem Messingschild hoch.

»Und was ist das?«, fragte Raskol.

»Das weiß niemand. Manchmal muss man einfach das Risiko eingehen und hoffen, dass der Einsatz auch etwas wert ist.«

»Warum sollte ich das?«

Harry beugte sich vor. »Weil Sie mir vertrauen.«

Raskol lachte laut. »Nennen Sie mir einen Grund, warum ich Ihnen trauen sollte, *Spiuni*.«

»Beate«, sagte Harry, ohne den Blick von Raskol zu nehmen. »Lässt du uns bitte allein?«

Er hörte ein Klopfen an der Tür und das Klirren von Schlüsseln hinter sich. Die Tür wurde geöffnet, und ein glattes Klicken war zu hören, als sie wieder ins Schloss fiel.

»Schauen Sie sich ihn genauer an.« Harry legte den Schlüssel auf den Tisch.

Raskol fragte, ohne Harrys Blick auszuweichen: »A. A.?«

Harry nahm den weißen König vom Brett. Er war handgeschnitzt und auffallend schön. »Das sind die Initialen eines Mannes, der ein etwas delikates Problem hatte. Er war reich, hatte Frau und Kinder. Villa und Ferienhaus. Hund und Geliebte. Alles schien so perfekt.« Harry drehte die Figur um. »Doch mit der Zeit veränderte sich der reiche Mann. Gewisse

Geschehnisse brachten ihn eines Tages zu der Erkenntnis, dass die Familie das Wichtigste in seinem Leben war. Deshalb verkaufte er seine Firma, servierte seine Geliebte ab und versprach sich selbst und der Familie, dass sie von jetzt ab nur noch füreinander leben würden. Das Problem war, dass die Geliebte plötzlich anfing, ihr Verhältnis bekanntzumachen. Ja, sie erpresste ihn möglicherweise auch. Weniger aus Gier, sondern eher aus Armut. Und weil sie im Begriff war, ein Kunstwerk zu vollenden, von dem sie selbst meinte, dass es das Meisterwerk ihres Lebens werden würde, und das nicht ohne Geld der Öffentlichkeit bekanntzumachen war. Sie erpresste ihn mehr und mehr, und eines Abends entschloss er sich, sie aufzusuchen. Nicht einfach irgendeines Abends, sondern gerade an dem Abend, an dem sie, wie sie selbst erzählt hatte, Besuch von einem alten Freund bekommen sollte. Warum hatte sie das erzählt? Womöglich, um ihn eifersüchtig zu machen? Oder um zu zeigen, dass es durchaus andere Männer gab, die sie wollten? Er wurde nicht eifersüchtig. Es kam ihm gelegen. Das war die glänzende Gelegenheit.« Harry sah zu Raskol hinüber. Er betrachtete Harry mit verschränkten Armen. »Er wartete draußen. Wartete und wartete, während er zu den Lichtern ihrer Wohnung emporblickte. Kurz vor Mitternacht verschwand der Besuch. Irgendein Mann, der – wenn es darauf ankommen sollte – kein Alibi haben würde. Denn man musste annehmen, irgendjemand würde bestätigen können, dass er den ganzen Abend bei Anna verbracht hatte. Wenigstens ihre neugierige Nachbarin Astrid Monsen würde gehört haben, wie dieser Mann an diesem Abend geklingelt hatte. Doch unser Mann klingelte nicht. Unser Mann hatte einen Schlüssel. Schlich sich die Treppe hoch und ging in die Wohnung.«

Harry nahm den schwarzen König und verglich ihn mit dem weißen. Wenn man nicht genau hinschaute, konnte man sie für identisch halten.

»Die Waffe ist nicht registriert. Vielleicht war es Annas, vielleicht seine eigene. Was genau in der Wohnung geschah, weiß ich nicht. Und das wird die Welt vermutlich nie erfahren, denn sie ist tot. Und aus Sicht der Polizei ist die Sache erledigt, Selbstmord.«

»*Ich? Aus Sicht der Polizei?*« Raskol fuhr sich mit der Hand durch seinen Ziegenbart. »Warum nicht ›wir‹ und ›unsere Sicht‹? Wollen Sie mir weismachen, dass Sie hier einen Solopart spielen, Herr Hauptkommissar?«

»Wie meinen Sie das?«

»Sie wissen gut, wie ich das meine. Ich verstehe das Manöver, Ihre Kollegin vor die Tür zu schicken, um mir den Eindruck zu vermitteln, dass diese Sache hier nur zwischen Ihnen und mir spielt. Aber …« Er drückte die Handflächen gegeneinander. »Aber das muss nicht so sein. Gibt es andere, die wissen, was Sie wissen?«

Harry schüttelte den Kopf.

»Also, was wollen Sie? Geld?«

»Nein.«

»Nicht so schnell, Herr Hauptkommissar. Ich bin ja noch gar nicht dazu gekommen, Ihnen zu sagen, was mir diese Information wert ist. Womöglich sprechen wir über hohe Beträge. Wenn Sie beweisen können, was Sie sagen. Und wenn die Bestrafung des Betroffenen in – sagen wir, in privater Regie erfolgen kann, ohne die unnötige Einmischung der Öffentlichkeit.«

»Darum geht es nicht«, sagte Harry und hoffte, dass der Schweiß auf seiner Stirn nicht zu sehen war. »Die Frage ist, was *mir Ihre* Information wert ist.«

»Was schlagen Sie vor, *Spiuni?*«

»Was ich vorschlage«, sagte Harry und hielt beide Könige mit einer Hand, »ist ein Remis. Sie sagen mir, wer der Exekutor ist, und ich besorge Ihnen Beweise gegen den Mann, der Anna umgebracht hat.«

Raskol lachte leise. »Das war's. Sie können gehen, *Spiuni.*«

»Denken Sie darüber nach, Raskol.«

»Brauche ich nicht. Ich vertraue Menschen, die es auf Geld abgesehen haben, nicht auf Kreuzritter.«

Sie sahen einander an. Die Neonröhre fauchte. Harry nickte, stellte die Figuren auf das Schachbrett, stand auf, ging zur Tür und klopfte. »Sie müssen sie gerngehabt haben«, sagte er, wobei er Raskol den Rücken zuwandte. »Die Wohnung in der Sorgenfrigata ist im Grundbuch auf Ihren Namen eingetragen, und ich weiß, wie schlecht es Anna finanziell ging.«

»Ach ja?«

»Da es Ihre Wohnung ist, habe ich der Verwaltung Bescheid gegeben, Ihnen die Schlüssel zu schicken. Sie kommen im Laufe des Tages per Boten. Ich schlage vor, dass Sie die Schlüssel mit dem vergleichen, den Sie von mir bekommen haben.«

»Warum das?«

»Es gab drei Schlüssel für Annas Wohnung. Einen hatte Anna, den anderen der Elektriker. Und den hier habe ich im Nachtschränkchen der Hütte des Mannes gefunden, von dem wir hier reden. Es ist der dritte und letzte Schlüssel. Der einzige, der benutzt worden sein kann, wenn Anna wirklich ermordet wurde.«

Sie hörten Schritte von draußen.

»Und falls das zu meiner Glaubwürdigkeit beitragen sollte«, sagte Harry. »Mir geht es nur darum, meine eigene Haut zu retten.«

Kapitel 22

Amerika

Durstige Menschen trinken überall. Nehmen wir zum Beispiel das Maliks in der Thereses Gate. Das war eine Hamburger-Bar, die nichts von dem Charme hatte, der dem Schrøder immerhin einen letzten Rest von Würde bewahrte. Zwar eilte den Hamburgern, mit denen sie bei Maliks ihr Geld machten, der Ruf voraus, sie seien besser als bei der Konkurrenz, und mit etwas Wohlwollen konnte man auch dem indisch inspirierten Interieur mit dem Bild der norwegischen Königsfamilie etwas, wenn auch etwas Schräges, abgewinnen. Doch es war und blieb ein Fastfoodladen, in dem Menschen, die bereit waren, sich die Glaubwürdigkeit ihres verzehrten Alkohols etwas kosten zu lassen, niemals ihre Bierchen kippen würden.

Harry hatte nie zu dieser Sorte Mensch gehört.

Es war viel Zeit vergangen, seit er zuletzt im Maliks gewesen war, doch als er sich umsah, musste er feststellen, dass noch immer alles unverändert war. Øystein saß zusammen mit seinen Saufkumpanen und einer Frau am Rauchertisch. Ihr munteres Gespräch über Lottogewinne, Lokalpolitik und die moralische Unterbelichtung eines nicht anwesenden Freundes kämpfte gegen den Geräuschpegel aus veralteten Pop-Hits, Eurosport und zischendem Öl an.

»He, Harry!« Øysteins heisere Stimme schnitt durch den

Lärm. Er warf die langen, fettigen Haare nach hinten und wischte sich die Hand an der Hose ab, ehe er sie Harry entgegenstreckte.

»Das ist der Bulle, von dem ich euch erzählt habe. Der da diesen Typ in Australien abgeschossen hat. Mitten in die Birne, oder?«

»Sauber«, sagte einer der anderen Gäste, dessen Gesicht Harry nicht sehen konnte, weil er vornübergebeugt über den Tisch hing, während seine langen Haare wie ein Vorhang um das Bierglas hingen. »Weg mit dem Scheiß!«

Harry deutete auf einen freien Tisch, und Øystein nickte, drückte die Zigarette aus, steckte das Päckchen Petterøes in die Brusttasche seines Jeanshemds und konzentrierte sich darauf, seinen vollen Bierkrug ohne zu schlabbern zum anderen Tisch zu bugsieren.

»Lange her«, sagte Øystein und begann sich eine neue Zigarette zu drehen. »Auch bei den anderen. Seh sie fast nie. Sind alle umgezogen, verheiratet oder haben Kinder.« Øystein lachte. Ein hartes, bitteres Lachen. »Wollen jetzt doch alle was aus ihrem Leben machen, wer hätte das gedacht?«

»Hm.«

»Und du? Bist du manchmal noch in Oppsal, he? Dein Alter wohnt doch noch immer da in dem Haus, oder?«

»Ja, aber ich bin nur selten da. Wir telefonieren manchmal.«

»Und deine Schwester? Geht's ihr besser?«

Harry lächelte. »Das Down-Syndrom wird nicht besser, Øystein. Aber sie kommt gut zurecht. Hat in Sogn eine eigene Wohnung. Und einen Lover.«

»Aber hallo. Das ist mehr, als ich hab.«

»Wie läuft es mit dem Fahren?«

»Tja, hab gerade die Taxifirma gewechselt. Der Letzte meinte, ich riech nicht gut. Arschloch.«

»Und noch immer keine Lust, wieder mit Computern zu arbeiten?«

»Bist du verrückt?« Øystein schüttelte sich. Er schien innerlich zu lachen, als er mit dünner Zungenspitze das Blättchen befeuchtete. »Eine Million pro Jahr und ein eigenes Büro, das könnte ich mir schon vorstellen. Aber der Zug ist abgefahren, Harry. Die Zeit für Rock 'n' Roller wie mich ist in der Computerbranche vorbei.«

»Ich habe mit einem Typ gesprochen, der die Datensicherung für die DnB macht. Er meinte, du hättest immer noch den Ruf eines Pioniers, wenn es darum ging, einen Code zu knacken.«

»Pionier bedeutet alt, Harry. Wer braucht schon einen abgedankten Hacker, der zehn Jahre Entwicklung verschlafen hat? Das verstehst du doch wohl auch, oder? Und dann all dieser Aufstand.«

»Hm, was ist damals eigentlich passiert?«

»Tja, was wohl?« Øystein verdrehte die Augen. »Du kennst mich. Einmal Hippie, immer Hippie. Brauchte Kohle und hab mich an einem Code versucht, von dem ich besser die Finger gelassen hätte.« Er zündete sich die Zigarette an und sah sich vergebens nach einem Aschenbecher um. »Und du? Die Flasche für immer zugedreht?«

»Ich versuch's.« Harry streckte sich nach dem Aschenbecher auf dem anderen Tisch aus. »Bin mit einer Frau zusammen.«

Er berichtete von Rakel, Oleg und dem Gerichtsverfahren in Moskau. Und von dem Leben sonst, womit er schnell fertig war.

Øystein erzählte von den anderen der Clique damals in Oppsal. Über Siggen, der mit einer Frau, die Øystein als viel zu gut für ihn betrachtete, nach Harestua gezogen war, und von Kristian, der nördlich von Minnesund von einem Motorrad überfahren worden war und jetzt im Rollstuhl saß, obgleich die Ärzte meinten, es gebe noch Hoffnung.

»Hoffnung für was?«, fragte Harry.

»Dass er irgendwann wieder ficken kann«, sagte Øystein und nahm einen Schluck aus seinem Bierkrug.

Tore war noch immer Lehrer, inzwischen aber von Silje geschieden.

»Seine Chancen stehen jetzt schlecht«, sagte Øystein. »Er hat dreißig Kilo zugenommen. Deshalb ist sie abgehauen. Echt wahr! Torkild hat sie in der Stadt getroffen, und da hat sie ihm erzählt, dass sie all dieses schwabbelige Fett nicht mehr sehen konnte.« Er stellte das Glas ab. »Aber deshalb hast du mich wohl kaum angerufen?«

»Nein, ich brauche Hilfe. Ich bin an einer Sache dran.«

»Böse Buben fangen? Und damit kommst du zu mir, also wirklich.« Øysteins Lachen ging in Husten über.

»Das ist eine Sache, in die ich persönlich verstrickt bin«, sagte Harry. »Das alles ist ein bisschen schwer zu erklären, aber es geht darum, jemanden aufzuspüren, der mir E-Mails nach Hause schickt. Ich glaube, er sendet sie von einem ausländischen Server mit anonymen Abonnenten.«

Øystein nickte nachdenklich. »Du steckst also in Schwierigkeiten?«

»Vielleicht. Warum glaubst du das?«

»Ich bin ein etwas zu durstiger Taxifahrer, der null Ahnung von den neuesten Trends der Datenkommunikation hat. Und alle, die mich kennen, wissen, dass man sich in puncto Arbeit nicht auf mich verlassen kann. Kurz gesagt – der einzige Grund, zu mir zu kommen, ist, dass ich ein alter Freund bin. Loyalität. Weil ich das Maul halte, nicht wahr?« Er nahm einen großen Schluck. »Ich trinke vielleicht, aber ich bin nicht blöd, Harry.« Er zog kräftig an seiner Zigarette. »Also, wann fangen wir an?«

Das Dunkel der Nacht hatte sich über Slemdal gesenkt. Die Tür ging auf, und ein Mann und eine Frau traten auf die Treppe. Sie verabschiedeten sich gut gelaunt vom Gastgeber, gingen mit ihren schwarzen, glänzenden Schuhen über den knirschenden Kies der Auffahrt und kommentierten das Essen, den Gastgeber und die anderen Gäste. Als sie durch das Tor auf

246

den Bjørnetråkk traten, bemerkten sie deshalb das Taxi nicht, das etwas weiter entfernt am Straßenrand stand. Harry drückte die Zigarette aus, drehte das Autoradio lauter und hörte Elvis Costello *Watching The Detectives* blöken. Auf dem Sender P4. Er hatte bemerkt, dass seine wütenden Lieblingssongs, wenn sie nur alt genug waren, bei nicht wütenden Radiosendern landeten. Natürlich war er sich im Klaren darüber, dass das nur eins bedeuten konnte – dass auch er alt geworden war. Gestern hatten sie zur besten Sendezeit Nick Cave gespielt.

Eine einschmeichelnde Stimme kündigte *Another Day In Paradise* an, und Harry stellte das Radio aus. Er kurbelte die Scheibe hinunter und lauschte dem gedämpften Puls des Basses aus dem Haus der Albus, der als Einziges die Stille durchbrach. Ein gepflegtes Fest. Geschäftsverbindungen, Nachbarn und frühere Studienkollegen. Weder Ententanz noch Raveparty, sondern Gin Tonics, Abba und Rolling Stones. Menschen weit über dreißig mit hohem Bildungsniveau. Mit anderen Worten, rasch zurück zum Kindermädchen. Harry sah auf die Uhr. Er dachte an die neue Mail, die sie entdeckt hatten, als Øystein und er seinen Computer eingeschaltet hatten:

Ich langweile mich. Hast du Angst, oder bist du bloß dumm?
C#MN

Er hatte Øystein den PC überlassen und sich sein Taxi geliehen, einen altersschwachen Mercedes aus den Siebzigern, der bei den Straßenschwellen am Anfang des Villenviertels wie eine alte Federmatratze geschwungen hatte, trotzdem aber traumhaft zu fahren war. Aber er hatte sich entschlossen zu warten, als er die festlich gekleideten Menschen aus dem Hause der Albus kommen sah. Es gab keinen Grund, einen Skandal vom Zaun zu brechen. Und er sollte sich wohl auch ein bisschen Zeit nehmen und nachdenken, ehe er etwas Dummes tat. Harry hatte versucht, einen kühlen Kopf zu behalten, aber dieses *Ich langweile mich* lag ihm quer im Magen.

»Jetzt hast du genug nachgedacht«, murmelte Harry sich selbst im Rückspiegel zu. »*Jetzt* darfst du eine Dummheit machen.«

Es war Vigdis Albu, die die Tür öffnete. Sie hatte dieses magische Zauberkunststückchen vollbracht, auf das sich nur geübte weibliche Zauberer verstanden und das Männer wie Harry niemals durchschauen würden: Sie war schön geworden. Die einzige konkrete Veränderung, die Harry erkennen konnte, war, dass sie ein türkisfarbenes Abendkleid trug, das gut zu ihren großen – und jetzt überrascht aufgerissenen – blauen Augen passte.

»Entschuldigen Sie, dass ich so spät noch störe, Frau Albu. Ich würde gerne mit Ihrem Mann sprechen.«

»Wir haben Gäste«, sagte sie. »Kann das nicht bis morgen warten?« Sie lächelte ihn bittend an, doch Harry sah deutlich, dass sie die Tür am liebsten einfach zugeknallt hätte.

»Tut mir leid«, sagte er. »Ihr Mann hat mich angelogen, als er gesagt hat, dass er Anna Bethsen nicht kennt. Und ich glaube, Sie auch.«

Vigdis Albus Mund verformte sich zu einem stummen O.

»Ich habe einen Zeugen, der sie zusammen gesehen hat«, sagte Harry. »Und ich weiß, woher das Bild kommt.«

Sie blinzelte zweimal.

»Warum …«, stotterte sie. »Warum …«

»Weil sie ein Verhältnis hatten, Frau Albu.«

»Nein, ich meine – warum *erzählen* Sie mir das? Wer hat Ihnen dazu das Recht gegeben?«

Harry öffnete den Mund und wollte antworten. Er wollte sagen, dass er der Meinung sei, sie habe das Recht, das alles zu erfahren, und dass es ohnehin irgendwann herauskommen würde, doch stattdessen blieb er stehen und sah sie bloß an. Denn sie wusste, warum er ihr das sagte, worüber er selbst sich nicht im Klaren war – bis jetzt. Er schluckte.

»Das Recht wozu, Liebes?«

Harry erblickte Arne Albu, der die Treppe herunterkam.

Schweiß glänzte auf seiner Stirn, und die Smokingschleife hing lose auf seinem Hemdkragen. Oben im Wohnzimmer hörte Harry David Bowie irrtümlicherweise kundtun *This Is Not America*.

»Psst, Arne, du weckst noch die Kinder«, sagte Vigdis, ohne den bittenden Blick von Harry zu wenden.

»Ach, die würden nicht mal wach, wenn hier jemand eine Atombombe zünden würde«, schnaubte ihr Ehemann.

»Ich glaube, das ist es, was Herr Hole hier gerade getan hat«, sagte sie leise. »Anscheinend mit dem Wunsch, größtmöglichen Schaden anzurichten.«

Harry begegnete ihrem Blick.

»Ja?«, sagte Arne Albu grinsend und legte den Arm um die Schultern seiner Frau. »Darf ich mitspielen?« Sein Lächeln war voller Ironie, doch gleichzeitig offen und beinahe unschuldig. Wie die verantwortungslose Freude eines Jungen, der sich still und heimlich das Auto seines Vaters ausgeliehen hat.

»Tut mir leid«, sagte Harry. »Aber das Spiel ist vorbei. Wir haben die nötigen Beweise. Und in diesem Moment beschäftigt sich ein Computerexperte damit, die Adresse aufzuspüren, von der aus Sie die E-Mails verschicken.«

»Von was redet der?«, lachte Arne. »Beweise? E-Mails?«

Harry sah ihn an. »Das Bild im Schuh von Anna hat sie aus einem Fotoalbum genommen, als sie mit Ihnen vor ein paar Wochen in der Hütte in Larkollen war.«

»Wochen?«, fragte Vigdis und sah ihren Ehemann an.

»Er hat das verstanden, als ich ihm das Bild gezeigt habe«, sagte Harry. »Er war gestern in Larkollen und hat es durch eine Kopie ersetzt.«

Arne Albu legte die Stirn in Falten, lächelte aber noch immer. »Haben Sie getrunken, Wachtmeister?«

»Sie hätten ihr nicht sagen müssen, dass sie stirbt«, fuhr Harry fort und spürte, dass er langsam die Kontrolle verlor. »Und sie dann aus den Augen lassen, so dass sie das Bild in ihrem Schuh verstecken konnte. Das hat Sie verraten, Albu.«

Harry hörte, wie Frau Albu Luft holte.

»Schuh hin oder her«, sagte Albu, während er seine Frau im Nacken kraulte. »Wissen Sie, warum es norwegischen Geschäftsleuten nicht gelingt, im Ausland Geschäfte zu machen? Sie denken nicht an ihre Schuhe. Sie tragen Schlussverkaufsschuhe zu einem 15 000-Kronen-Anzug von Prada. Ausländer finden so etwas verdächtig.« Albu deutete zu Boden. »Sehen Sie, italienische, handgenähte Schuhe. Achtzehnhundert Kronen. Es ist nicht teuer, sich Vertrauen zu erkaufen.«

»Was mich interessiert, ist die Frage, warum es Ihnen so wichtig war, mich wissen zu lassen, dass es Sie dort draußen gab«, sagte Harry. »Eifersucht?«

Arne schüttelte lachend den Kopf, während sich Frau Albu aus seinem Arm frei machte.

»Dachten Sie, ich wäre ihr neuer Lover?«, fuhr Harry fort. »Und weil Sie dachten, ich würde es nicht wagen, eine Sache zu verfolgen, in die ich selber verwickelt bin, haben Sie dieses Spielchen begonnen, wollten Sie mich quälen, damit ich in die Luft gehe. War es so?«

»Komm, Arne! Christian will eine Rede halten!« Ein Mann mit einem Glas und einer Zigarre stand schwankend oben an der Treppe.

»Fangt schon mal an«, sagte Arne. »Ich muss erst noch diesen freundlichen Herrn nach draußen bringen.«

Der Mann runzelte die Stirn. »Ärger?«

»Nein, nein«, beeilte sich Vigdis Albu zu sagen. »Geh nur wieder zu den anderen, Thomas.«

Der Mann zuckte mit den Schultern und verschwand.

»Das andere, was mich wundert, ist die Tatsache, dass Sie so arrogant waren und mir weitere Mails schickten, obgleich ich Sie mit dem Bild konfrontiert hatte«, sagte Harry.

»Es tut mir leid, mich wiederholen zu müssen, Wachtmeister«, schnaubte Albu. »Aber was hat es mit diesen Mails auf sich, von denen Sie da schwafeln?«

»Nun. Viele mögen glauben, dass man Mails anonym verschicken kann, wenn man nur einen Server nutzt, bei dem man seinen Namen nicht angeben muss. Aber das ist ein Fehler. Ein befreundeter Hacker hat mir das gerade erklärt – alles, absolut alles, was man im Netz macht, hinterlässt elektronische Spuren, die bis zu dem PC zurückverfolgt werden können – und in diesem Fall werden sie das gewiss –, von dem die ursprüngliche Nachricht stammt. Es geht nur darum, zu wissen, wie man suchen muss.« Harry zog ein Päckchen Zigaretten aus der Innentasche.

»Lieber ni…«, begann Vigdis Albu, hielt aber abrupt inne.

»Sagen Sie mir, Herr Albu«, sagte Harry und zündete sich die Zigarette an. »Wo waren Sie letzte Woche am Dienstagabend zwischen elf und eins?«

Arne und Vigdis Albu sahen sich an.

»Wir können das hier oder im Polizeipräsidium klären«, sagte Harry.

»Er war hier«, sagte Vigdis.

»Wie gesagt«, Harry atmete den Rauch durch die Nase aus. Er wusste, dass er die Rolle überzog, aber ein halbherziger Bluff war ein missglückter Bluff, und jetzt gab es keinen Weg mehr zurück. »Wir können das hier oder im Präsidium klären. Soll ich den Gästen mitteilen, dass das Fest vorüber ist?«

Vigdis biss sich auf die Unterlippe. »Aber ich sage doch, dass er …«, begann sie. Jetzt war sie nicht mehr schön.

»Ist schon o. k., Vigdis«, sagte Albu und klopfte ihr auf die Schulter. »Geh und kümmere dich um die Gäste, ich begleite Hole hinaus.«

Harry spürte kaum einen Windhauch, doch weiter oben musste es kräftig wehen, denn die Wolken hasteten über den Himmel und schoben sich immer wieder vor den Mond. Sie gingen langsam.

»Warum hier?«, fragte Albu.

»Das haben Sie selbst zu verantworten.«

Albu nickte. »Mag sein. Aber warum musste sie das auf diese Weise erfahren?«

Harry zuckte mit den Schultern. »Wie hätten Sie's denn gern gehabt?«

Die Musik war verstummt, und aus dem Haus war in regelmäßigen Abständen Lachen zu hören. Christian hatte angefangen.

»Geben Sie mir eine Zigarette?«, fragte Albu. »Eigentlich habe ich ja aufgehört.«

Harry reichte ihm das Päckchen.

»Danke.« Albu steckte sich eine Zigarette zwischen die Lippen und beugte sich zum Feuerzeug hinunter, das Harry ihm entgegenstreckte. »Was wollen Sie? Geld?«

»Warum fragen mich das alle?«, murmelte Harry.

»Sie sind allein. Sie haben keinen Haftbefehl und versuchen mich damit zu bluffen, dass Sie mich mit ins Präsidium nehmen wollen. Und wenn Sie wirklich in meiner Hütte in Larkollen waren, stecken Sie in mindestens ebenso großen Schwierigkeiten wie ich.«

Harry schüttelte den Kopf.

»Kein Geld?« Albu legte den Kopf in den Nacken. Ein paar wenige Sterne funkelten dort oben. »Etwas Persönliches also. Hatten Sie ein Verhältnis?«

»Ich dachte, Sie wüssten alles über mich«, sagte Harry.

»Anna nahm Liebe sehr ernst. Sie liebte die Liebe. Nein, sie *vergötterte* sie, das trifft die Sache. Sie *vergötterte* die Liebe. Das war das Einzige, was wirklich Platz in ihrem Leben hatte. Das, und der Hass.« Er nickte zum Himmel. »Diese zwei Gefühle waren die Neutronensterne ihres Lebens. Wissen Sie, was Neutronensterne sind?«

Harry schüttelte den Kopf. Albu hielt die Zigarette hoch. »Das sind Planeten mit einer so hohen Dichte und Gravitation, dass diese Zigarette, wenn ich sie jetzt fallen ließe, mit der Kraft einer Atombombe darauf einschlagen würde. So war das auch mit Anna. Die Schwerkraft der Liebe – und des Hasses –

war so groß, dass nichts in dem Raum dazwischen existieren konnte. Jede noch so kleine Bagatelle verursachte eine Atombombenexplosion. Verstehen Sie? Aber es dauerte, bis ich das verstand. Sie war wie der Jupiter – ständig hinter einer Wolke aus Schwefel versteckt. Und aus Humor. Und Sexualität.«

»Venus.«

»Was?«

»Ach egal.«

Der Mond kam zwischen den Wolken zum Vorschein, und wie ein Fabeltier trat der Bronzehirsch aus den Schatten des Gartens.

»Anna und ich hatten uns für Mitternacht verabredet«, sagte Albu. »Sie sagte, sie hätte noch ein paar private Sachen von mir, die sie mir zurückgeben wollte. Ich hatte zwischen zwölf und Viertel nach zwölf in der Sorgenfrigata geparkt. Wir hatten abgemacht, dass ich sie vom Auto aus anrufen sollte, statt bei ihr zu klingeln. Wegen einer neugierigen Nachbarin, sagte sie. Aber wie auch immer. Sie nahm nicht ab. Dann fuhr ich nach Hause.«

»Ihre Frau hat also gelogen?«

»Natürlich. An dem Tag, an dem Sie mit dem Bild aufgetaucht sind, haben wir abgesprochen, dass sie mir ein Alibi gibt.«

»Und warum geben Sie dieses Alibi jetzt auf?«

Albu lachte. »Bedeutet das denn etwas? Wir sind zwei Menschen, die sich unterhalten, der Mond ist unser stummer Zeuge. Ich kann das später alles leugnen. Ehrlich gesagt zweifle ich ohnehin daran, dass Sie überhaupt etwas gegen mich in der Hand haben, was Sie wirklich nutzen können.«

»Warum erzählen Sie mir dann nicht auch den Rest der Geschichte?«

»Dass ich sie getötet habe, meinen Sie?« Er lachte, dieses Mal lauter. »Es ist doch wohl Ihr Job, das herauszufinden, oder?«

Sie hatten das Tor erreicht.

»Sie wollten nur wissen, wie wir reagieren, nicht wahr?«
Albu drückte die Zigarette gegen den Marmorpfosten. »Und
rächen wollten Sie sich, deshalb haben Sie ihr alles gesagt. Das
war böse von Ihnen. Ein böser, kleiner Junge, der auf alles ein-
schlägt, was ihm in die Quere kommt. Sind Sie jetzt zufrieden?«

»Wenn ich die E-Mail-Adresse finde, habe ich Sie«, sagte
Harry. Er war nicht mehr böse, nur noch müde.

»Sie werden keine E-Mail-Adresse finden«, sagte Albu. »Tut
mir leid, mein Freund. Wir können dieses Spielchen fortsetzen, aber Sie können nicht gewinnen.«

Harry schlug zu. Das Geräusch von Knochen auf Fleisch
war dumpf und kurz. Albu taumelte einen Schritt zurück und
fasste sich an die Augenbraue.

Harry sah seinen eigenen, grauen Atem im Dunkel der
Nacht. »Das muss genäht werden«, sagte er.

Albu betrachtete seine blutige Hand und lachte laut auf.
»Mein Gott, was für ein jämmerlicher Verlierer du bist, Harry.
Ist es o. k., wenn ich dich duze? Ich hab das Gefühl, dass uns
das hier einander ein bisschen näher gebracht hat, oder?«

Harry antwortete nicht, und Albu lachte noch lauter.

»Was hat sie nur in dir gesehen, Harry? Anna mochte doch
keine Verlierer. Jedenfalls ließ sie sich nicht von ihnen ficken.«

Das wiehernde Lachen folgte Harry, als er zum Taxi ging,
und der Bart der Autoschlüssel biss ihm in die Haut, als er sie
mit seiner Hand härter und härter umklammerte.

Kapitel 23

Pferdekopfnebel

Harry erwachte vom Klingeln des Telefons und warf einen Blick auf die Uhr. 7.30 Uhr. Es war Øystein. Er hatte Harrys Wohnung erst vor drei Stunden verlassen. Da war es ihm gelungen, den Server in Ägypten zu lokalisieren, und jetzt war er einen weiteren Schritt vorangekommen.

»Ich habe einem alten Kumpel gemailt. Der sitzt in Malaysia und hackt noch immer manchmal rum. Der Server liegt in El-Tor, auf der Halbinsel Sinai. Die haben da mehrere Server, das scheint so eine Art Zentrum zu sein. Schläfst du?«

»Irgendwie schon. Wie findest du unseren Abonnenten?«

»Da gibt es, wie ich fürchte, nur eine Möglichkeit. Man muss da runter mit einem dicken Bündel grüner Amerikaner.«

»Wie viel?«

»Genug, damit man erfährt, mit wem man reden muss. Und dass der, mit dem man reden muss, einem sagt, wer wirklich zuständig ist. Und dass der Zuständige bereit ist …«

»Verstehe. Wie viel?«

»Tausend Dollar sollten eigentlich eine Zeitlang reichen.«

»Ach ja?«

»Glaube ich. Aber ich weiß es ja auch nicht.«

»O. k. Nimmst du den Auftrag an?«

255

»Gute Frage.«

»Ich zahl das. Du suchst dir den billigsten Flug raus und wohnst in einem Dreckshotel.«

»Abgemacht.«

Es war Mittag und die Kantine des Präsidiums knallvoll. Harry biss die Zähne zusammen und trat ein. Er mochte seine Kollegen nicht aus Prinzip nicht, das war wie ein Instinkt, wurde aber mit den Jahren immer schlimmer.

»Ganz normale Paranoia«, hatte Aune das genannt. »Die habe ich auch. Ich glaube, alle Psychologen haben es auf mich abgesehen, wobei es in Wirklichkeit allenfalls jeder zweite ist.«

Harry spähte durch den Raum und erblickte endlich Beate mit ihrem Butterbrotpaket und einem Rücken, der ihr Gesellschaft leistete. Harry versuchte die Blicke der Menschen zu ignorieren, an denen er vorbeiging. Einige murmelten eine Begrüßung, doch Harry ging davon aus, dass das ironisch gemeint war, und antwortete nicht.

»Störe ich?«

Beate blickte mit einem Gesichtsausdruck zu Harry auf, als habe dieser sie auf frischer Tat ertappt.

»Überhaupt nicht«, sagte eine wohlbekannte Stimme und erhob sich. »Ich wollte ohnehin gerade gehen.«

Harrys Nackenhaare stellten sich auf – nicht aus Prinzip, sondern instinktiv.

»Dann sehen wir uns heute Abend«, sagte Tom Waaler lächelnd in Beates krebsrotes Gesicht. Er nahm sein Tablett, nickte Harry zu und verschwand. Beate starrte auf ihren braunen Käse und legte alles daran, wieder ein vertrauenswürdiges Gesicht aufzusetzen, als Harry sich setzte.

»Nun?«

»Was?«, zwitscherte sie und stellte sich dumm.

»Ich hatte eine Nachricht auf dem Anrufbeantworter, dass du etwas Neues hast«, sagte Harry. »Ich dachte, es sei dringend.«

»Ich habe das schon überprüft.« Beate nahm einen Schluck aus ihrem Milchglas. »Es ging um die Zeichnungen, die dieses Programm vom Gesicht des Exekutors gemacht hat. Es hat mich die ganze Zeit über gequält, dass die irgendjemandem ähnlich sehen.«

»Du meinst diese Ausdrucke, die du mir gezeigt hast? Da kann man doch beim besten Willen nichts erkennen, das wie ein Gesicht aussieht. Das sind doch bloß irgendwelche zufälligen Striche auf einem Zettel.«

»Trotzdem.«

Harry zuckte mit den Schultern. »Du bist es, die diesen Gyrus fusiforme hat, sag schon.«

»Heute Nacht bin ich darauf gekommen, wer es ist.« Sie nahm noch einen Schluck und wischte sich den Milchbart mit der Serviette weg.

»Ja?«

»Trond Grette.«

Harry blickte sie lange an. »Du machst Witze.«

»Nein«, sagte sie. »Ich hab ja nur gesagt, dass es eine gewisse Ähnlichkeit gibt. Und Grette befand sich schließlich zum Tatzeitpunkt in der Nähe des Bogstadvei. Aber wie gesagt, ich hab das schon überprüft.«

»Und wie ...«

»Ich habe das in Gaustad abgecheckt. Wenn es der gleiche Täter war, der die DnB-Filiale im Kirkeveien überfallen hat, kann es nicht Grette sein. Er saß zu dem Zeitpunkt gemeinsam mit mindestens drei Pflegern im Fernsehraum, und ich habe ein paar Männer von der Spurensicherung in Grettes Wohnung geschickt, um seine Fingerabdrücke zu bekommen. Weber hat sie gerade mit denen auf der Colaflasche verglichen. Es sind definitiv nicht seine Abdrücke.«

»Du hast dich also einmal getäuscht?«

Beate schüttelte den Kopf. »Wir suchen nach einer Person, deren gesichtsmäßige Charakteristik Grette in etwa entspricht.«

»Tut mir leid, das zu sagen, Beate, aber Grette hat weder eine gesichtsmäßige noch sonst irgendeine Charakteristik. Er ist ein Buchhalter, der wie ein Buchhalter aussieht. Ich habe sein Gesicht schon wieder vergessen.«

»Ah ja«, sagte Beate und zog das Butterbrotpapier von einer weiteren Scheibe. »Ich nicht. Das ist ein Anhaltspunkt.«

»Hm. Möglicherweise habe ich eine gute Neuigkeit.«

»Ja?«

»Ich bin auf dem Weg hinüber ins Botsen. Raskol will mit mir sprechen.«

»Uii, na dann viel Glück.«

»Danke.« Harry stand auf. Zögerte, nahm Anlauf. »Ich weiß, dass ich nicht dein Vater bin, aber darf ich dir etwas sagen?«

»Bitte.«

Er blickte sich um, um sich zu vergewissern, dass ihn niemand hören konnte.

»An deiner Stelle wäre ich vorsichtig mit Waaler.«

»Danke.« Beate biss in ihr Brot. »Und übrigens, was du über dich und meinen Vater gesagt hast, stimmt.«

»Ich habe mein ganzes Leben in Norwegen gelebt«, sagte Harry. »Bin in Oppsal aufgewachsen. Meine Eltern waren Lehrer. Mein Vater ist Rentner, seit dem Tod meiner Mutter lebt er irgendwie wie ein Schlafwandler, der nur ganz selten einmal seine wachen Mitmenschen besucht. Meine kleine Schwester vermisst ihn. Ich auch, glaube ich. Ich vermisse sie beide. Sie dachte, auch ich würde Lehrer werden. Ich vermutlich auch. Doch daraus wurde dann die Polizeischule. Und ein bisschen Jura. Wenn Sie mich fragen, warum ich mich für die Polizei entschieden habe, kann ich Ihnen zehn gute Gründe geben, aber keinen einzigen, an den ich wirklich glaube. Aber daran denke ich jetzt nicht mehr oft. Das ist ein Job, sie bezahlen mich, und manchmal habe ich das Gefühl, etwas Gutes zu tun – davon zehre ich dann lange. Schon mit Ende zwanzig war ich Alkoholiker, vielleicht war es auch schon Anfang zwanzig, kommt darauf an, wie man das sieht. Es heißt, das liegt in den Genen. Möglich. Als Erwachsener erfuhr ich, dass mein Großvater in Åndalsnes fünfzig Jahre lang jeden Tag voll war. Bis ich fünfzehn war, haben wir dort alle Sommerferien verbracht, ohne dass ich jemals etwas bemerkt hätte. Das Talent habe ich aber leider nicht geerbt. Ich habe Sachen gemacht, die nicht gerade unauffällig waren. Kurz gesagt, ist es ein Wunder, dass ich noch bei der Polizei bin.«

Harry blinzelte zum *Bitte nicht rauchen*-Schild empor und zündete sich eine Zigarette an.

»Anna und ich waren sechs Wochen lang zusammen. Sie liebte mich nicht und ich sie auch nicht. Als ich sie nicht mehr anrief, tat ich ihr einen größeren Dienst als mir selbst, was sie allerdings nicht so sah.«

Der andere Mann im Raum nickte.

»Ich habe in meinem Leben drei Frauen geliebt«, fuhr Harry fort. »Die erste war eine Jugendliebe, die ich fast geheiratet hätte, doch dann ging die Sache plötzlich auseinander. Sie hat sich lange nach unserer Trennung das Leben genommen, aber das hatte nichts mehr mit mir zu tun. Die andere wurde von einem Mann ermordet, dem ich auf der anderen Seite der Erde auf den Fersen war. Das Gleiche geschah mit meiner Kollegin Ellen. Ich weiß nicht, woran das liegt, aber die Frauen in meinem Umfeld sterben. Vielleicht sind das die Gene.«

»Und was ist mit der dritten Frau, die Sie geliebt haben?«

Die dritte Frau. Der dritte Schlüssel. Harry fuhr mit den Fingern über die Initialen A. A. und die Zacken des Schlüssels, den Raskol ihm über den Tisch geschoben hatte, als Harry hereingelassen worden war. Raskol hatte genickt, als Harry ihn gefragt hatte, ob es der gleiche sei wie der, den er mit der Post bekommen habe.

Dann hatte er Harry gebeten, von sich zu erzählen.

Jetzt hatte Raskol die Ellbogen auf den Tisch gestützt und die langen, schlanken Finger wie zum Gebet verflochten. Die kaputte Neonröhre war ausgewechselt worden, und das Licht lag wie blauweißer Puder auf seinem Gesicht.

»Die dritte Frau ist in Moskau«, sagte Harry. »Ich glaube, sie ist lebensfähig.«

»Ist sie die deine?«

»Ich würde das nicht so ausdrücken.«

»Aber ihr seid zusammen?«

»Ja.«

»Und ihr wollt den Rest eures Lebens miteinander verbringen?«

»Nun. Wir planen das nicht. Dafür ist es noch etwas zu früh.«

Raskol lächelte traurig. »Sie planen das nicht, meinen Sie. Aber Frauen planen. Frauen planen immer.«

»Genau wie Sie?«

Raskol schüttelte den Kopf. »Ich weiß nur, wie man Raubüberfälle plant. Wenn es um den Raub eines Herzens geht, sind alle Männer Amateure. Wir mögen glauben, dass wir sie erobert haben, wie ein Feldherr, der eine Festung eingenommen hat, und bemerken zu spät – wenn überhaupt –, dass wir in eine Falle gelockt worden sind. Haben Sie von Sun Tzu gehört?«

Harry nickte. »Chinesischer General und Kriegstaktiker. Er hat *Die Kunst des Krieges* geschrieben.«

»Es heißt, er habe *Die Kunst des Krieges* geschrieben. Ich persönlich glaube, dass das eine Frau verfasst hat. *Die Kunst des Krieges* ist angeblich ein Handbuch über die Taktik auf dem Schlachtfeld, doch zwischen den Zeilen geht es darum, wie man Konflikte meistert. Oder präziser: die Kunst, das, was man will, zu einem möglichst niedrigen Preis zu bekommen. Der Gewinner eines Krieges ist nicht notwendigerweise auch der Sieger. Viele haben die Krone gewonnen, aber so viele Krieger verloren, dass sie nur mit dem Segen ihrer angeblich besiegten Feinde regieren können. Frauen haben nicht diese Eitelkeit, was Macht angeht. Sie brauchen nicht die sichtbare

Macht, sie brauchen nur so viel Macht, um zu bekommen, was sie wollen. Sicherheit. Nahrung. Genuss. Rache. Frieden. Sie sind die rationalen, planenden Machtmenschen, die nicht nur bis zur nächsten Schlacht oder Siegesfeier denken. Und weil sie überdies die angeborene Fähigkeit haben, die Schwächen ihrer Opfer zu erkennen, wissen sie instinktiv, wann und wo sie zuschlagen und wann sie loslassen müssen. So etwas kann man nicht lernen, *Spiuni*.«

»Sitzen Sie deshalb im Gefängnis?«

Raskol schloss die Augen und lachte lautlos. »Ich gebe Ihnen gerne eine Antwort, aber Sie sollten kein Wort von dem, was ich sage, glauben. Sun Tzus erstes Prinzip im Krieg ist die *Tromperie* – der Betrug. Glauben Sie mir – alle Zigeuner lügen.«

»Hm. Ihnen glauben – ein Paradoxon, wie in der griechischen Mythologie?«

»Sieh an, ein Polizist, der sich auf mehr versteht als bloß den Buchstaben des Gesetzes. Wenn alle Zigeuner lügen und ich ein Zigeuner bin, stimmt es also nicht, dass alle Zigeuner lügen. Also ist das, was ich sage, wahr, was wiederum bedeutet, dass es stimmt, dass alle Zigeuner lügen. Also lüge ich. Ein logisch geschlossener Kreis, aus dem man unmöglich ausbrechen kann. So ist mein Leben, und das ist das einzig Wahre.« Er lachte weich, fast feminin.

»Nun, jetzt kennen Sie meine Eröffnung. Sie sind am Zug.«

Raskol sah Harry an. Dann nickte er.

»Ich heiße Raskol Baxhet. Das ist ein albanischer Name, doch mein Vater bestand darauf, dass wir keine Albaner sind, denn Albanien war, seiner Meinung nach, die Analöffnung Europas. Deshalb wurde mir und allen meinen Geschwistern erzählt, wir stammten aus Rumänien, wir seien in Bulgarien getauft und in Ungarn beschnitten worden.«

Raskol erzählte, dass die Familie vermutlich zu den *Meckariern* gehöre, der größten albanischen Zigeunergruppe. Die Familie entkam der Zigeunerverfolgung durch Enver

Hoxha und floh durch die Berge nach Montenegro, von wo aus sie sich nach Osten vorarbeiteten.

»Wohin wir auch kamen, wurden wir verjagt. Immer hieß es, wir würden stehlen. Das taten wir natürlich auch, doch sie kümmerten sich nicht einmal darum, Beweise zu liefern, es reichte, dass wir Zigeuner waren. Ich erzähle das, weil man, wenn man Zigeuner verstehen will, wissen muss, dass sie mit dem Stempel einer unteren Kaste auf der Stirn geboren werden. Wir sind von allen Regimes Europas verfolgt worden, egal ob Faschisten, Kommunisten oder Demokraten. Die Faschisten waren bloß etwas effektiver. Die Zigeuner haben keine spezielle Beziehung zum Holocaust, weil der Unterschied zu der Art Verfolgung, die man ohnehin schon gewohnt war, nicht so groß war. Sie sehen aus, als würden Sie mir nicht glauben?«

Harry zuckte mit den Schultern. Raskol verschränkte die Arme.

»1589 wurde in Dänemark die Todesstrafe für die Anführer von Zigeunersippen eingeführt«, sagte er. »Fünfzig Jahre später entschloss man sich in Schweden dafür, alle männlichen Zigeuner zu hängen. In Mähren schnitt man den Frauen der Zigeuner das linke Ohr ab, in Böhmen das rechte. Der Erzbischof von Mainz verkündete, dass alle Zigeuner ohne Urteil hingerichtet werden dürften, da die Art, wie sie lebten, verboten sei. 1725 erging in Preußen der Erlass, alle Zigeuner über 18 Jahre ohne Gerichtsverfahren hinzurichten, doch später änderte man dieses Gesetz – man senkte die Altersgrenze auf vierzehn Jahre. Vier von Vaters fünf Brüdern starben in Gefangenschaft. Nur einer von ihnen im Krieg. Soll ich weitermachen?«

Harry schüttelte den Kopf.

»Aber auch das ist ein logisch geschlossener Kreis«, sagte Raskol. »Der Grund, weshalb wir verfolgt werden, ist der gleiche, weshalb wir überlebt haben. Wir sind – und wollen – anders sein. Genauso selten, wie wir ins Warme gelassen werden, gelangen *Gadzoes* in unsere Gemeinschaft. Die Zigeuner sind die mystischen, bedrohlichen Fremden, von denen du nichts weißt, über die es aber alle möglichen Gerüchte gibt. Über viele Generationen glaubten die Menschen, die Zigeuner seien Kannibalen. Dort, wo ich aufwuchs – in Balteni vor den Toren von Bukarest –, hieß es, wir seien die Nachkommen von Kain und damit zu ewiger Verdammnis verurteilt. Unsere *Gadzoe*-Nachbarn gaben uns Geld, damit wir uns von ihnen fernhielten.«

Raskols Blick huschte über die fensterlosen Wände.

»Mein Vater war Schmied, aber nach Ceaușescus Sturz gab es in Rumänien keine Arbeit für Schmiede. Wir mussten auf den Müllplatz am Rand der Stadt ziehen, wo die Kalderas-Zigeuner wohnten. In Albanien war Vater ein *bulibas* gewesen, ein lokaler Zigeunerführer und Schlichter, doch hier bei den Kalderas war er bloß ein arbeitsloser Schmied.«

Raskol seufzte tief.

»Ich werde nie den Ausdruck in seinen Augen vergessen, als er mit einem kleinen braunen, zahmen Bären nach Hause kam, den er an einer Kette hinter sich herzog. Er hatte ihn für sein letztes Geld einer Gruppe Ursarier abgekauft. ›Er kann tanzen‹, sagte Vater. Die Kommunisten bezahlten dafür, tanzende Tiere zu sehen. Sie fühlten sich dann besser. Stefan, mein Bruder, versuchte den Bären zu füttern, doch er wollte nicht essen, und Mutter fragte Vater, ob das Tier vielleicht krank sei. Er antwortete, sie seien den ganzen Weg von Bukarest gelaufen und er brauche nur Ruhe. Der Bär starb vier Tage später.«

Raskol schloss die Augen und lächelte sein trauriges Lächeln. »Im gleichen Herbst liefen Stefan und ich davon. Zwei Münder weniger zu stopfen. Wir gingen nach Norden.«

»Wie alt wart ihr?«

»Ich war acht, er zwölf. Unser Plan war es, nach West-Deutschland zu kommen. Damals nahmen die da Flüchtlinge aus aller Welt auf und gaben ihnen zu essen, das war wohl ihre Art, Reue zu zeigen. Stefan meinte, unsere Chancen, ins Land gelassen zu werden, seien umso besser, je jünger wir waren. Doch an der polnischen Grenze wurden wir gestoppt. Wir gingen dann nach Warschau, wo wir mit unseren Wolldecken unter einer Brücke in der Nähe des eingezäunten Areals Wschodnia am Ostbahnhof übernachteten.

Wir wussten, dass wir dort einen Schlepper finden konnten – einen Menschenschmuggler. Nach mehreren Tagen Suche trafen wir einen Mann, der Romani sprach und sich Grenzguide nannte. Er versprach, uns nach West-Deutschland zu bringen. Wir hatten kein Geld, ihn zu bezahlen, aber er sagte, er wisse sich schon Rat, denn er würde ein paar Männer kennen, die gut für junge, hübsche Zigeunerjungen bezahlten. Ich begriff nicht, wovon er sprach, doch Stefan schien ihn zu verstehen. Er zog den Guide zur Seite, und die zwei diskutierten lauthals, während der Guide immer wieder auf mich zeigte. Stefan schüttelte wiederholt den Kopf, und schließlich breitete der Guide resignierend die Arme aus und gab es auf. Stefan bat mich zu warten, bis er zurück sei, und verschwand in einem Auto. Ich tat, was er gesagt hatte, doch die Stunden vergingen. Es wurde Nacht, und ich legte mich hin. In den ersten beiden Nächten war ich von dem Quietschen der Bremsen aufgewacht, wenn die Güterzüge kamen, doch meine jungen Ohren hatten schnell begriffen, dass es nicht diese Laute waren, vor denen ich mich hüten musste. Also schlief ich ein und wachte erst wieder auf, als ich hörte, wie sich jemand mitten in der Nacht leise näherte. Es war Stefan. Er kroch unter die Decke und presste sich an die nasse Wand. Ich konnte ihn weinen hören, doch ich tat so, als hätte ich nichts bemerkt, und kniff die Augen zusammen. Und bald hörte ich wieder nur noch die Züge.« Raskol hob den Kopf. »Fahren Sie gern Zug, *Spiuni?*«

Harry nickte.

»Der Guide kam am nächsten Tag zurück. Er brauche mehr Geld. Stefan fuhr wieder mit dem Auto mit. Vier Tage später wachte ich im Morgengrauen auf und betrachtete Stefan. Er war die ganze Nacht weg gewesen. Er schlief wie immer mit halb offenen Augen, und ich sah seinen Atem grauweiß in der kalten Morgenluft. In seinen Haaren war Blut, und seine Lippe war geschwollen. Ich nahm meine Wolldecke mit und ging zum Hauptbahnhof, wo eine Familie Kalderas-Zigeuner vor den Toiletten ihr Lager aufgeschlagen hatte, während sie darauf warteten, nach Westen zu kommen. Ich sprach mit dem Ältesten der Jungen. Er erzählte mir, dass der Mann, den wir für einen Schlepper hielten, bloß ein normaler Junkie sei, der sich immer in der Nähe des Bahnhofs aufhielt. Er hatte seinem Vater dreißig Złoty angeboten, damit dieser ihm die beiden jüngsten Jungen mitgab. Ich zeigte dem Jungen meine Decke. Sie war dick und gut, ich hatte sie von einer Wäscheleine in Lubli gestohlen. Er mochte sie. Es war bald Dezember. Ich bat darum, sein Messer sehen zu dürfen. Er trug es unter dem Hemd.«

»Woher wussten Sie, dass er ein Messer hatte?«

»Alle Zigeuner haben ein Messer. Um damit zu essen. Nicht einmal Familienmitglieder teilen sich ihr Besteck, das könnte *mahrine* – ansteckend – sein. Aber er machte einen guten Tausch. Sein Messer war klein und stumpf. Zum Glück konnte ich es in der Schmiede der Eisenbahnwerkstatt schleifen.«

Raskol strich sich mit dem langen, spitzen Nagel seines rechten kleinen Fingers über den Nasenrücken.

»Als sich Stefan am gleichen Abend wieder ins Auto gesetzt hatte, fragte ich den Junkie, ob er auch für mich einen Kunden habe. Er grinste und sagte, ich solle einfach warten. Als er zurückkam, stand ich im Schatten unter der Brücke und beobachtete die Züge, die über das Bahnhofsgelände fuhren. ›Komm, *sinti*‹, rief er. ›Ich habe einen guten Kunden, einen reichen Parteifunktionär. Komm jetzt, wir haben wenig Zeit!‹ Ich antwortete: ›Wir müssen noch auf den Zug aus Krakau warten.‹ Er kam zu mir herüber und ergriff meinen Arm. ›Du hast jetzt zu kommen, verstehst du?‹ Ich reichte ihm bis an die Brust. ›Da kommt er‹, sagte ich und zeigte nach vorn. Er ließ mich los und blickte auf. Es war eine schwarze Karawane stählerner Waggons, die an uns vorbeirollten und uns mit bleichen Gesichtern anstarrten. Dann kam das, auf das ich gewartet hatte. Das Kreischen von Stahl auf Stahl, als die Bremsen zu wirken begannen. Das übertönt alles.«

Harry kniff die Augen zusammen, als könne ihm das helfen, einzuschätzen, ob Raskol log.

»Als die letzten Waggons langsam vorbeirollten, sah ich das Gesicht einer Frau, die mich durch eines der Fenster anstarrte. Es sah aus wie ein Geistergesicht. Es ähnelte dem Gesicht meiner Mutter. Ich hob das blutige Messer hoch und zeigte es ihr. Und wissen Sie was, *Spiuni*? Das war der einzige Augenblick in meinem Leben, in dem ich vollkommen glücklich war.« Raskol schloss die Augen, wie um diesen Moment noch einmal zu erleben. »*Koke per Koke*, Kopf für Kopf. Das ist der albanische Ausdruck für Blutrache. Das ist der beste und gefährlichste Rausch, den Gott den Menschen gegeben hat.«

»Was ist danach geschehen?«

Raskol öffnete die Augen wieder. »Wissen Sie, was *baxt* ist, *Spiuni?*«

»Keine Ahnung.«

»Das Schicksal. Glück und Karma. Das ist es, was unsere Leben steuert. Als ich die Geldbörse des Junkies an mich nahm, waren da 3000 Złoty drin. Stefan kam zurück, und wir trugen die Leiche über die Schienen und warfen sie in einen der Güterwaggons, die Richtung Osten sollten. Dann gingen wir nach Norden. Zwei Wochen später schlichen wir uns in Danzig an Bord eines Schiffes, das uns nach Göteborg brachte. Von dort aus kamen wir nach Oslo. Wir kamen zu einer Wiese in Tøyen, auf der vier Wohnwagen standen. In dreien davon wohnten Zigeuner. Der vierte war alt, hatte eine kaputte Achse und war stehen gelassen worden. Über fünf Jahre wurde daraus Stefans und mein Heim. Dort feierten wir unter der einen Decke, die uns geblieben war, am Weihnachtsabend meinen neunten Geburtstag mit Keksen und einem Glas Milch. Am ersten Weihnachtstag begingen wir unseren ersten Einbruch in einem Kiosk und erkannten, dass wir an den richtigen Ort gelangt waren.« Raskol lächelte breit. »Das war wie Kindern ihre Süßigkeiten wegnehmen.«

Eine Weile blieben sie schweigend sitzen.

»Sie sehen immer noch aus, als glaubten Sie mir nicht recht«, sagte Raskol schließlich.

»Hat das etwas zu sagen?«, fragte Harry.

Raskol lächelte. »Woher wollen Sie wissen, dass Anna Sie nicht liebte?«, fragte er.

Harry zuckte mit den Schultern.

Mit Handschellen aneinandergekettet gingen sie durch den Kulvert.

»Seien Sie sich nicht so sicher, dass ich wirklich weiß, wer der Täter ist«, sagte Raskol. »Es kann ein Outsider sein.«

»Ich weiß«, sagte Harry.

»Gut.«

»Wenn Anna also die Tochter von Stefan ist und er in Norwegen lebt, warum ist er dann nicht zur Beerdigung gekommen?«

»Weil er tot ist. Er ist vor ein paar Jahren vom Dach eines Hauses gestürzt, das sie renoviert haben.«

»Und Annas Mutter?«

»Sie ging nach Stefans Tod mit Schwester und Bruder wieder nach Rumänien. Ich habe ihre Adresse nicht und bezweifle, dass sie überhaupt eine haben.«

»Sie haben Ivarsson gesagt, Annas Familie käme nicht, weil Anna Schande über sie gebracht hätte.«

»Hab ich das?« Harry konnte das Vergnügen in Raskols braunen Augen erkennen. »Glauben Sie mir, wenn ich sage, dass ich da gelogen habe?«

»Ja.«

»Aber ich habe nicht gelogen. Anna war von ihrer Familie verstoßen. Sie existierte für ihren Vater nicht mehr, und er verbot allen, ihren Namen zu nennen. Um *mahrine* zu verhindern. Verstehen Sie?«

»Vermutlich nicht.«

Sie gingen ins Präsidium und warteten vor dem Aufzug. Raskol murmelte vor sich hin, ehe er laut sagte: »Warum vertrauen Sie mir, *Spiuni?*«

»Habe ich eine Wahl?«

»Man hat immer eine Wahl.«

»Interessanter finde ich die Frage, warum Sie mir vertrauen. Auch wenn der Schlüssel, den Sie von mir bekommen haben, demjenigen von Annas Wohnung entspricht, brauche ich den ja nicht wirklich beim Mörder gefunden zu haben.«

Raskol schüttelte den Kopf. »Sie missverstehen mich. Ich vertraue niemandem. Ich vertraue nur auf meinen eigenen Instinkt. Und der sagt mir, dass Sie kein dummer Mann sind. Jeder hat etwas, wofür er lebt. Etwas, das man ihm nehmen kann. Sie auch. Das ist alles.«

Die Aufzugtüren öffneten sich, und sie gingen in den Fahrstuhl.

Harry studierte Raskol im Halbdunkel, während er sich das Video des Überfalls ansah. Er saß aufrecht da, hatte die Handflächen gegeneinandergedrückt und verzog nicht eine Miene. Nicht einmal, als der verzerrte Knall des Gewehrschusses durch das House of Pain hallte.

»Wollen Sie es noch einmal sehen?«, fragte Harry, als sie zu den letzten Bildern kamen und der Exekutor über die Industrigata verschwand.

»Nicht nötig«, sagte Raskol.

»Und?«, fragte Harry und versuchte, nicht zu angespannt zu wirken.

»Haben Sie noch mehr?«

Für Harrys Ohren klang das nicht gerade ermutigend.

»Nun, ich habe noch ein Video aus dem 7-Eleven schräg gegenüber, wo er vor dem Raub alles ausgekundschaftet hat.«

»Lassen Sie sehen.«

Harry ließ es zweimal laufen. »Nun?«, wiederholte er, als der Schneesturm wieder vor ihnen über den Bildschirm raste.

»Ich weiß ja, dass er mehrere Überfälle begangen hat und dass wir uns die auch noch angucken könnten«, sagte Raskol, »aber das wäre rausgeschmissene Zeit.«

»Hatten Sie nicht gesagt, Zeit sei das Einzige, wovon Sie genug hätten?«

»Eine offensichtliche Lüge«, sagte er, stand auf und streckte ihm die Hand entgegen. »Zeit ist das Einzige, was für mich wichtig ist. Sie können uns aneinanderketten, *Spiuni*.«

Harry fluchte innerlich. Er schloss Raskols Handschelle, und dann gingen sie seitlich zwischen Tisch und Wand zur Tür. Harry fasste an die Klinke.

»Die meisten Bankräuber sind einfache Seelen«, sagte Raskol. »Deshalb sind sie Bankräuber geworden.«

Harry blieb stehen.

»Einer der berühmtesten Bankräuber war Willie Sutton«, sagte Raskol. »Als er gefasst und vor Gericht gestellt wurde, fragte ihn der Richter, warum er Banken überfiel. Sutton antwortete: ›*Because that's where the money is.*‹ Das ist ein geflügeltes Wort in der amerikanischen Umgangssprache geworden und soll uns wohl zeigen, wie genial direkt und einfach die Dinge sein können. Für mich stehen sie nur für einen Idioten, der gefasst wurde. Die guten Bankräuber sind weder berühmt, noch werden sie zitiert. Von denen hat niemand gehört. Weil sie niemals gefasst worden sind. Weil sie *nicht* direkt und einfach sind. Der, nach dem Sie suchen, ist ein solcher.«

Harry wartete.

»Grette«, sagte Raskol.

»Grette?« Beate starrte Harry derart an, dass ihr beinahe die Augen aus ihrem kleinen Kopf zu quellen schienen. »Grette?« Die Pulsader an ihrem Hals trat deutlich zum Vorschein. »Grette hat ein Alibi! Trond Grette ist ein Buchhalter mit

schlechten Nerven, kein Bankräuber! Trond Grette ist ein …
ein …«

»Entschuldigung«, sagte Harry. »Ich weiß.« Er hatte ihre
Bürotür hinter sich geschlossen und war tief in dem Stuhl vor
dem Schreibtisch versunken. »Aber wir reden hier nicht von
Trond Grette.«

Beates Mund klappte mit einem hörbaren, nassen Klappen
zu.

»Hast du schon mal von Lev Grette gehört?«, fragte Harry.
»Raskol sagte, die ersten dreißig Sekunden hätten schon ge-
nügt, doch er habe auch noch den Rest sehen wollen, um sicher
zu sein. Weil Lev Grette seit vielen Jahren nicht mehr gesehen
worden ist. Von niemandem. Das Letzte, was Raskol gehört
hatte, war, dass Grette angeblich irgendwo im Ausland ist.«

»Lev Grette«, sagte Beate, und ihr Blick entfernte sich. »Das
war so ein Wonderboy, ich erinnere mich, dass Vater von ihm
erzählt hat. Ich habe Akten über Überfälle gelesen, an denen er
im Alter von gerade mal sechzehn Jahren beteiligt gewesen
sein soll. Er wurde zur Legende, weil die Polizei ihn nie geschnappt hat, und als er endgültig verschwand, hatten wir
nicht einmal seine Fingerabdrücke.« Sie sah Harry an. »Dass
ich so dumm sein konnte. Der gleiche Körperbau. Die ähnlichen Gesichtszüge. Das ist Trond Grettes Bruder, nicht wahr?«

Harry nickte.

Beate runzelte die Stirn. »Aber das heißt ja, dass Lev Grette
seine eigene Schwägerin erschossen hat.«

»Jetzt werden auch ein paar andere Dinge klar, oder?«

Sie nickte langsam. »Die zwanzig Zentimeter zwischen den
Gesichtern. Sie kannten sich.«

»Und als Lev Grette erkannte, dass Stine wusste, wer er
war …«

»Natürlich«, sagte Beate. »Sie war eine Zeugin, er konnte
nicht das Risiko eingehen, von ihr entlarvt zu werden.«

Harry stand auf: »Ich bitte Halvorsen, uns etwas richtig
Starkes zu brauen. Jetzt müssen wir Videos gucken.«

»Ich möchte wetten, dass Lev Grette nicht einmal wusste, dass Stine Grette da arbeitete«, sagte Harry, auf die Leinwand blickend. »Das Interessante ist, dass er sie vermutlich wiedererkannte und trotzdem als Geisel nahm. Er musste wissen, dass sie ihn aus der Nähe erkennen würde, oder an der Stimme.«

Beate schüttelte ratlos den Kopf, während sie die Bilder aus der Bank verfolgte. Noch war alles ruhig, und August Schultz hatte seinen Ausflug auf schlurfenden Sohlen bereits zur Hälfte hinter sich. »Also, warum hat er es dann gemacht?«

»Er ist professionell. Überlässt nichts dem Zufall. Stine Grette war von *diesem* Moment an zum Tode verurteilt.« Harry hielt das Bild an, als der Täter die Bank betrat und sich umsah. »Als Lev Grette sie sah und realisierte, dass man durch sie auf seine Spur kommen könnte, wusste er, dass sie sterben musste. Dann konnte er sie auch gleich als Geisel nehmen.«

»Eiskalt.«

»Minus vierzig. Das Einzige, was ich nicht ganz verstehe, ist, dass er einen Mord auf sich nimmt, um nicht erkannt zu werden, wenn er doch bereits wegen anderer Überfälle gesucht wird.«

Weber kam mit einem Tablett ins Wohnzimmer.

»Ja, aber Lev Grette wird nicht wegen anderer Überfälle gesucht«, sagte er und balancierte das Tablett auf den Sofatisch hinunter. Das Wohnzimmer sah aus, als sei es irgendwann einmal in den Fünfzigern eingerichtet und seither nicht mehr von Menschenhand berührt worden. Die Plüschsessel, das Piano und die verstaubten Pflanzen auf der Fensterbank strahlten eine seltsame Stille aus, und selbst das Pendel der Standuhr in der Ecke schlug lautlos. Die weißhaarige Frau mit den strahlenden Augen hinter Glas und Rahmen über dem Kamin lachte geräuschlos, und es schien fast so, als ob die Stille, die hereingebrochen war, als Weber vor acht Jahren Witwer geworden war, alles um ihn herum zum Verstummen gebracht hätte, ja dass es sogar unmöglich war, diesem Piano einen ein-

271

zigen Ton zu entlocken. Die Wohnung lag in der ersten Etage eines alten Mietshauses in Tøyen, doch das Brausen der Autos draußen unterstrich bloß die Stille im Innern. Weber setzte sich in einen der Ohrensessel, so vorsichtig, als handele es sich um ein Museumsstück.

»Wir haben nie auch nur einen konkreten Beweis dafür gefunden, dass Lev Grette an einem der Überfälle beteiligt war. Keine Täterbeschreibung von Zeugen, keine Aussagen von Spitzeln, keine Fingerabdrücke oder andere kriminaltechnische Beweise. Die Berichte bestätigen bloß, dass er verdächtigt wurde.«

»Hm. Solange Stine Grette ihn also nicht verraten konnte, war er damit ein Mann mit blitzsauberer Weste?«

»Genau. Einen Keks?«

Beate schüttelte den Kopf.

Es war Webers freier Tag, doch Harry hatte am Telefon darauf bestanden, sofort mit ihm zu sprechen. Er wusste, dass Weber ungern zu Hause Besuch empfing, aber das konnte er jetzt nicht ändern.

»Wir haben mit dem Wachhabenden der Kriminaltechnik gesprochen, um die Fingerabdrücke auf der Colaflasche mit den Fingerabdrücken der früheren Überfälle zu vergleichen, mit denen Lev Grette in Verbindung gebracht wird«, sagte Beate. »Aber er hat keine gefunden.«

»Wie gesagt«, erwiderte Weber und versicherte sich, dass der Deckel der Kaffeekanne in der richtigen Position war. »Lev Grette hat niemals irgendwelche Spuren am Tatort zurückgelassen.«

Beate blätterte durch ihre Notizen. »Sind Sie der gleichen Meinung wie Raskol? Dass Lev Grette unser Täter ist?«

»Tja. Warum nicht?« Weber begann Kaffee einzugießen.

»Weil bei den anderen Überfällen, derer er verdächtigt wird, nie Gewalt angewendet wurde. Und weil sie seine einzige Schwägerin war. Zu töten, weil man erkannt werden könnte – ist das nicht ein etwas schwaches Motiv?«

272

Weber hielt inne und sah sie an. Dann blickte er fragend zu Harry und zuckte mit den Schultern.

»Nein«, sagte er. Und goss weiter ein. Beate wurde tiefrot.

»Weber gehört zur klassischen Schule«, sagte Harry fast entschuldigend. »Er meint, dass es für Mord per Definition kein rationales Motiv gibt. Bloß eine Abstufung mehr oder weniger verwirrter Motive, die manchmal einer gewissen Vernunft ähneln können.«

»So ist es«, sagte Weber und stellte die Kanne ab.

»Was ich mich frage …«, fuhr Harry fort, »… ist, warum Lev Grette außer Landes floh, wenn die Polizei doch nichts gegen ihn in der Hand hatte?«

Weber wischte unsichtbaren Staub von der Armlehne. »Ich weiß es nicht sicher.«

»Sicher?«

Weber presste den dünnen feinen Porzellanhenkel der Kaffeetasse zwischen seinen dicken Daumen und den vom Nikotin gelben Zeigefinger. »Damals kursierte ein Gerücht. Wir schenkten dem seinerzeit keinen Glauben. Es wurde behauptet, dass er nicht vor der Polizei geflohen sei. Jemand hatte gehört, dass der letzte Bankraub nicht ganz nach Plan verlaufen sei. Dass Grette seinen Partner im Stich gelassen hätte.«

»Inwiefern?«, fragte Beate.

»Das wusste niemand. Jemand meinte, Grette sei der Fahrer gewesen und abgehauen, als die Polizei kam, während der andere noch in der Bank war. Andere behaupteten, der Überfall sei gelungen, doch Grette habe sich mit dem gesamten Geld ins Ausland abgesetzt.« Weber nahm einen Schluck und stellte die Tasse dann wieder vorsichtig ab. »Aber das Interessante an dieser Sache ist vielleicht weniger, wie das damals abgelaufen ist, sondern eher, wer die andere Person war.«

Harry sah Weber an. »Meinst du, das war …«

Der alte Polizeitechniker nickte. Beate und Harry sahen sich an.

»Scheiße«, sagte Harry.

Beate blinkte nach links und wartete auf eine Lücke im Strom des von rechts über die Tøyengata heranrollenden Verkehrs. Der Regen trommelte aufs Dach. Harry schloss die Augen. Er wusste, wenn er sich konzentrierte, konnte sich das Rauschen der Autos in das Branden der Wellen gegen den Bug der Fähre verwandeln, auf der er im Wind an Großvaters Hand stand und in die weiße Gischt hinunterstarrte. Doch er hatte keine Zeit.

»Raskol hat mit Lev Grette also noch eine Rechnung offen«, sagte Harry und öffnete die Augen. »Und identifiziert ihn als Täter. Ist das auf dem Video wirklich Grette, oder will Raskol sich bloß an ihm rächen? Oder ist das bloß wieder ein Kniff von Raskol, um uns in die Irre zu führen?«

»Oder – wie Weber sagte – bloß Gerüchte«, gab Beate zu bedenken. Noch immer rollten von rechts Autos heran, während Beate ungeduldig auf das Lenkrad trommelte.

»Vielleicht hast du recht«, sagte Harry. »Wenn sich Raskol an Grette rächen wollte, bräuchte er dazu nicht die Hilfe der Polizei. Doch wenn es nur Gerüchte sind, warum nennt er uns dann Grette, wenn es gar nicht Grette ist?«

»Bloß eine Idee?«

Harry schüttelte den Kopf. »Raskol ist ein Taktiker. Er setzt uns nicht auf die Fährte des falschen Mannes, ohne damit etwas zu bezwecken. Es ist nicht sicher, dass der Exekutor diese Sachen ganz allein durchzieht.«

»Wie meinst du das?«

»Vielleicht plant ein anderer diese Überfälle. Einer, der die Strippen zieht und die Waffen besorgt. Den Fluchtwagen. Die konspirative Wohnung. Ein *Cleaner*, der anschließend die Tatwaffe und die Kleider beseitigt. Und ein *Washer*, der das Geld wäscht.«

»Raskol?«

»Wenn Raskol die Schuld von dem eigentlichen Täter weglenken will, was läge dann näher, als uns auf die Suche nach einem Mann zu schicken, von dem niemand weiß, wo er ist oder ob er noch lebt? Einem, der vielleicht unter einem neuen Namen in einem fremden Land lebt und den wir als Verdächtigen niemals ausschließen können. Indem er uns ein solches Endlosprojekt aufhalst, kann er uns dazu bringen, unseren eigenen Schatten zu jagen statt seinen eigenen Mann.«

»Du glaubst also, dass er lügt?«

»Alle Zigeuner lügen.«

»Ach ja?«

»Zitat Raskol.«

»Dann hat er jedenfalls Sinn für Humor. Und warum sollte er dich nicht anlügen, wenn er alle anderen angelogen hat?«

Harry antwortete nicht.

»Endlich eine Lücke«, sagte Beate und trat aufs Gas.

»Warte!«, sagte Harry. »Fahr nach rechts. Richtung Finnmarkgata.«

»Wenn du willst«, sagte sie verwundert und bog vor dem Tøyenpark in die Straße ein. »Wohin fahren wir?«

»Wir statten Trond Grette einen Besuch zu Hause ab.«

Das Netz auf dem Tennisplatz war entfernt worden. Und in Grettes Haus brannte in keinem Fenster Licht.

»Er ist nicht zu Hause«, stellte Beate fest, nachdem sie zweimal geklingelt hatten.

Das Fenster des Nachbarn öffnete sich.

»Trond müsste eigentlich zu Hause sein«, krächzte das faltige Frauengesicht, das, nach Harrys Empfinden, noch brauner aussah als beim letzten Mal. »Er will nur nicht aufmachen. Klingeln Sie länger, dann kommt er.«

Beate hielt den Klingelknopf gedrückt, und sie konnten das aufdringliche Schellen im Inneren des Hauses hören. Das Fenster des Nachbarn schloss sich wieder, und kurz darauf blickten sie in ein bleiches Gesicht mit zwei blauschwarzen Ringen, die einen gleichgültigen Blick umrahmten. Trond Grette trug einen gelben Morgenmantel. Es sah aus, als sei er nach einer Woche Schlaf gerade erst aufgestanden. Und als sei

275

er noch immer nicht ausgeschlafen. Ohne ein Wort hob er die Hand und bedeutete ihnen, hereinzukommen. Es glitzerte, als das Sonnenlicht von dem Diamantring an seinem linken kleinen Finger reflektiert wurde.

»Lev war anders«, sagte Trond. »Mit fünfzehn hätte er beinahe einen Mann getötet.«

Er lächelte vor sich hin, als sei das eine schöne Erinnerung.

»Es war fast so, als hätten wir ein komplettes Gen-Set zwischen uns aufgeteilt. Was er nicht hatte, hatte ich – und umgekehrt. Wir sind hier in Disengrenda aufgewachsen, in diesem Haus. Lev war eine Legende in der Nachbarschaft, während ich immer nur der kleine Bruder von Lev war. Eine der ersten Sachen, an die ich mich erinnern kann, ist, dass Lev in der Schule in der Pause über die Dachrinne balanciert ist. Die war über der vierten Etage, und keiner der Lehrer wagte es, ihn herunterzuholen. Wir standen unten und feuerten ihn an, während er mit ausgestreckten Armen hoch dort oben herumtanzte. Ich sehe noch immer seine Gestalt vor dem blauen Himmel. Ich hatte keine Sekunde Angst, ich kam nicht einmal auf den Gedanken, dass mein großer Bruder herunterfallen könnte. Und ich glaube, so haben das damals alle empfunden. Lev war der Einzige, der die Gausten-Brüder oben aus den Blocks am Travervei verprügeln konnte, obwohl die zwei Jahre älter waren als er und schon in der Jugendstrafanstalt gewesen waren. Mit vierzehn stahl er Vaters Auto, fuhr nach Lillestrøm und kam mit einer Packung Twist zurück, die er am Bahnhofskiosk geklaut hatte. Vater merkte nichts. Die Packung Twist hat Lev mir geschenkt.«

Trond Grette sah aus, als versuche er zu lachen. Sie hatten sich an den Küchentisch gesetzt. Trond hatte Kakao gemacht. Das Kakaopulver hatte er aus einer Metalldose gelöffelt, die er vorher lange angestarrt hatte. »Kakao« hatte jemand mit einem Füller auf einen Zettel darauf geschrieben. Die Handschrift war zierlich und feminin.

276

»Das Schlimme ist, dass aus Lev wirklich etwas hätte werden können«, sagte Trond. »Das Problem war bloß, dass er die Dinge so schnell leid wurde. Alle sagten, dass er seit langem das größte Fußballtalent in Skeid war, doch als er zu einem Spiel der Jugendnationalmannschaft eingeladen wurde, ging er nicht einmal hin. Mit fünfzehn lieh er sich eine Gitarre, und zwei Monate später trat er in der Schule mit eigenen Songs auf. Anschließend wurde er von einem Typ namens Waaktar angesprochen, ob er nicht Lust hätte, in Grorud mit in einer Band zu spielen, doch Lev lehnte ab, weil er sie zu schlecht fand. Lev war so ein Mensch, der alles hinkriegt. Er hätte die Schule im Handumdrehen geschafft, wenn er nicht so viel geschwänzt und seine Hausaufgaben gemacht hätte.« Trond verzog seinen Mund zu einem schiefen Lächeln. »Er bezahlte mich mit geklauten Süßigkeiten, damit ich seine Handschrift lernte, so dass ich die Aufsätze für ihn schreiben konnte. Das rettete auf jeden Fall seine Norwegischnoten.« Trond lachte, wurde dann aber plötzlich wieder ernst. »Dann wurde er das Gitarrespielen leid und begann mit einer Gruppe Jungs aus Årvoll herumzuziehen. Lev fand es nie so schlimm, die Sachen aufzugeben, die er hatte. Es gab für ihn immer etwas anderes, Besseres, Spannenderes, das hinter der nächsten Wegbiegung auf ihn wartete.«

»Es ist vielleicht blöd, einen Bruder so was zu fragen«, meinte Harry, »aber glauben Sie, dass Sie ihn gut kennen?«

Trond dachte nach. »Nein, das ist keine dumme Frage. Ja, wir sind zusammen aufgewachsen. Und, ja, Lev war extrovertiert und lustig, und alle – Jungs wie Mädchen – wollten ihn gern kennenlernen. Doch eigentlich war Lev ein einsamer Wolf. Einmal hat er zu mir gesagt, dass er im Grunde nie richtige Freunde gehabt habe, bloß Liebschaften und Fans. Es gab so viel, was ich an Lev nicht verstanden habe. Wie zum Beispiel, wenn die Gausten-Brüder kamen und Stunk wollten. Sie waren zu dritt, und alle waren älter als Lev. Die anderen Jungs und ich hier im Viertel sind sofort abgehauen, wenn wir sie gesehen haben. Aber Lev blieb stehen. Fünf Jahre lang ließ er sich von ihnen verprügeln. Doch an einem Tag kam der Älteste von ihnen – Roger – alleine. Wir sind wie üblich abgehauen. Doch als ich wieder um die Hausecke guckte, sah ich Roger am Boden liegen und Lev auf ihm hocken. Lev hielt Rogers Arme mit den Beinen fest und hatte einen Stab in der Hand. Ich ging näher, um besser sehen zu können. Abgesehen von dem schweren Atmen gab keiner von beiden einen Laut von sich. Erst da entdeckte ich, dass Lev Roger den Stab ins Auge gestoßen hatte.«

Beate rutschte auf ihrem Stuhl herum.

»Lev war voll konzentriert, als tue er etwas, was seiner ganzen Aufmerksamkeit und Vorsicht bedurfte. Es sah aus, als versuche er, den Augapfel herauszuwippen. Und Roger heulte Blut, es rann aus seinem Auge ins Ohr und tropfte vom Ohrläppchen auf den Asphalt. Es war so still, dass man das Blut auf die Straße tropfen hörte. Tropf, tropf.«

»Was haben Sie gemacht?«, fragte Beate.

»Ich musste kotzen. Ich konnte noch nie Blut sehen, davon wird mir schwindelig und schlecht.« Trond schüttelte den Kopf. »Lev ließ Roger los und nahm mich mit nach Hause. Rogers Auge konnte gerettet werden, und wir haben die Gausten-Brüder danach nie wieder in unserem Viertel gesehen. Aber den Anblick von Lev mit diesem Stab habe ich nie vergessen können. In diesen Augenblicken dachte ich immer, dass mein großer Bruder manchmal ein anderer war, jemand, den ich nicht kannte und der hin und wieder unerwartet zu Besuch kam. Leider wurden diese Art Besuche später häufiger.«

»Sie sagten, er habe irgendwann versucht, einen Mann zu töten?«

»Das war an einem Sonntagmorgen. Lev nahm einen Schraubenzieher und einen Bleistift mit und fuhr mit dem Fahrrad über die Fußgängerbrücke an der Ringstraße. Sie sind doch auch schon einmal über die Übergänge gegangen, nicht wahr? Das ist ein bisschen unangenehm, wenn man über diese quadratischen Stahlwaben geht und sieben Meter unter sich die Straße sieht. Es war, wie gesagt, an einem Sonntagmorgen, so dass wenig Menschen unterwegs waren. Er löste die Schrauben an einer Metallwabe und ließ nur zwei Schrauben stehen und schob auf der anderen Seite den Bleistift darunter, so dass die Wabe darauf ruhte. Dann wartete er. Zuerst kam eine Frau, die, wie Lev meinte, frisch durchgefickt aussah. Rausgeputzt, aber mit zerzausten Haaren und laut fluchend, sei sie mit abgebrochenen Stilettos über die Brücke stolziert.« Trond lachte leise. »Lev hatte für einen Fünfzehnjährigen schon einiges mitbekommen.« Er führte die Tasse an den Mund und sah verwundert durch das Küchenfenster auf den Müllwagen, der hinter der Wäschespinne vor den Mülltonnen hielt. »Ist heute Montag?«

»Nein«, sagte Harry, der seine Tasse noch nicht angerührt hatte. »Wie ist es dem Mädchen ergangen?«

»Das sind zwei Reihen Metallwaben. Sie ging über die linke Reihe. Pech nannte Lev das später. Er hätte sie dem alten Mann vorgezogen. Dann kam der Alte. Er ging auf der rechten Reihe. Aufgrund des Bleistifts in der Ecke lag die lose Wabe ein wenig höher als die anderen, und Lev meinte, der Alte müsse die Gefahr gewittert haben, denn er wurde langsamer, je näher er kam. Als er den letzten Schritt machen sollte, schien er fast zu erstarren.«

Trond schüttelte langsam den Kopf, während er den Müllwagen beobachtete, der krachend den Abfall der Nachbarschaft in sich fraß.

»Als er den Fuß auf den Boden stellte, öffnete sich die Wabe wie eine Falltür. Sie wissen schon, wie wenn Leute erhängt werden. Der Alte brach sich beide Beine, als er auf der Straße aufschlug. Wenn es nicht Sonntagmorgen gewesen wäre, wäre er sofort überfahren worden. Pech nannte Lev das.«

»Hat er das auch der Polizei gesagt?«, fragte Harry.

»Die Polizei, ja«, sagte Trond und blickte in seine Tasse. »Die kam zwei Tage später. Ich war es, der die Tür öffnete. Sie fragten mich, ob das Fahrrad, das vor der Tür stand, jemand im Haus gehörte. Ich sagte ja. Es zeigte sich, dass ein Zeuge Lev von der Brücke hatte wegfahren sehen und das Fahrrad und einen Jungen mit roter Jacke beschrieben hatte. Also zeigte ich ihnen die rote Daunenjacke, die Lev getragen hatte.«

»Sie?«, fragte Harry. »Sie haben Ihren Bruder verraten?«

Trond seufzte. »Ich habe gesagt, dass es mein Fahrrad ist. Und meine Jacke. Und Lev und ich sehen uns ziemlich ähnlich.«

»Warum, zum Henker, haben Sie das getan?«

»Ich war erst vierzehn und zu jung, um verurteilt zu werden. Lev wäre in der Jugendstrafanstalt gelandet, in der auch Roger Gausten gewesen war.«

»Und was sagten Ihr Vater und Ihre Mutter?«

»Was sollten sie schon sagen? Jeder, der uns kannte, wusste doch, dass es Lev war, der das getan hatte. Er war der Verrückte, der Süßigkeiten klaute und Steine warf, während ich der strebsame, liebe Junge war, der seine Hausaufgaben machte und alten Damen über die Straße half. Wir haben nie mehr darüber gesprochen.«

Beate räusperte sich: »Wessen Idee war es, die Schuld auf sich zu nehmen?«

»Meine. Ich liebte Lev über alles. Aber jetzt, da die Sache verjährt ist, kann ich das sagen. Und Tatsache ist …« Trond lächelte sein abwesendes Lächeln. »Manchmal wünschte ich, dass ich es gewagt hätte, so etwas zu tun.«

Harry und Beate fingerten schweigend an ihren Tassen herum. Harry fragte sich, wer von ihnen die Frage stellen würde. Wenn er mit Ellen hier gewesen wäre, hätte er es gespürt.

»Wo …«, begannen sie gleichzeitig. Trond blinzelte sie an. Harry nickte Beate zu.

»Wo ist Ihr Bruder heute?«, fragte sie.

»Wo … Lev ist?« Trond sah sie verständnislos an.

»Ja«, sagte sie. »Wir wissen, dass er seit einer Weile verschwunden ist.«

Grette wandte sich an Harry. »Sie haben nichts davon gesagt, dass es um Lev geht.« Seine Stimme klang anklagend.

»Wir sagten, dass wir mit Ihnen über dieses und jenes sprechen wollten«, sagte Harry, »und jetzt sind wir mit ›dieses‹ fertig.«

Trond stand abrupt auf, nahm seine Tasse, ging zum Spülbecken und kippte den Kakao weg. »Aber Lev ... er ist doch ... was, zum Teufel, soll er damit zu tun haben?«

»Möglicherweise gar nichts«, sagte Harry. »In diesem Fall hätten wir gerne Ihre Hilfe, um ihn sicher ausschließen zu können.«

»Er wohnt doch nicht einmal hier im Land«, stöhnte Trond und wandte sich ihnen zu.

Beate und Harry wechselten Blicke.

»Und wo wohnt er?«, fragte Harry.

Trond zögerte genau eine Zehntelsekunde zu lange, ehe er antwortete: »Das weiß ich nicht.«

Harry sah zu dem gelben Müllwagen, der draußen vorbeifuhr. »Sie sind kein guter Lügner, oder?«

Trond sah ihn steif an, ohne zu antworten.

»Hm«, sagte Harry. »Vielleicht können wir nicht erwarten, dass Sie uns helfen, Ihren Bruder zu finden. Aber auf der anderen Seite ist es Ihre Frau, die getötet wurde. Und wir haben einen Zeugen, der Ihren Bruder als den Mörder identifiziert hat.« Bei den letzten Worten hob er seinen Blick und sah Trond an. Der Adamsapfel unter der blassen Haut des Halses bewegte sich auf und ab. In der Stille, die dann folgte, konnten sie ein Radio hören, das in der Nachbarwohnung lief.

Harry räusperte sich. »Wenn Sie uns also etwas sagen wollen – wir würden uns sehr freuen.«

Trond schüttelte den Kopf.

Sie blieben noch eine Weile sitzen, dann stand Harry auf. »Gut. Sie wissen, wo Sie uns finden, wenn Ihnen etwas einfällt.«

Als sie wieder auf der Treppe standen, sah Trond genauso

müde aus wie bei ihrem Eintreffen. Harry blinzelte mit roten Augen in die tiefstehende Sonne, die zwischen den Wolken zum Vorschein gekommen war. »Ich verstehe, dass das nicht leicht für Sie ist, Herr Grette«, sagte er. »Aber es ist jetzt vielleicht an der Zeit, die rote Daunenjacke auszuziehen.«

Grette antwortete nicht, und das Letzte, was sie sahen, als sie vom Parkplatz losfuhren, war Grette, der auf der Treppe stand und den Diamantring an seinem kleinen Finger drehte, und ein kleines Stück eines braunen, faltigen Gesichts hinter dem Fenster des Nachbarhauses.

Gegen Abend lösten sich die Wolken auf. Oben auf der Dovregata auf dem Rückweg von Schrøder blieb Harry stehen und starrte nach oben. Sterne funkelten am mondlosen Himmel. Eines der Lichter stammte von einem Flugzeug, das Richtung Norden nach Gardermoen flog. Der Pferdekopfnebel im Sternbild des Orion. Pferdekopfnebel. Orion. Wer hatte ihm davon erzählt? War das Anna gewesen?

Als er in die Wohnung kam, schaltete er den Fernseher ein und sah sich die Nachrichten im NRK an. Weitere Heldengeschichten über amerikanische Feuerwehrleute. Er schaltete ab. Unten auf der Straße schrie eine Männerstimme einen Frauennamen, die Stimme hörte sich betrunken an. Harry durchsuchte seine Taschen nach der neuen Nummer, die Rakel ihm gegeben hatte, und bemerkte, dass er noch immer den Schlüssel mit den Initialen A.A. in der Tasche hatte. Er schob ihn ganz hinten in die Schublade des Telefontischchens und wählte die Nummer. Niemand nahm ab. Als das Telefon klingelte, war er sich deshalb sicher, dass sie es war, doch stattdessen hatte er Øystein in der knisternden Leitung.

»Scheiße, wie die hier unten fahren!«

»Du brauchst nicht so zu schreien, Øystein!«

»Die machen hier auf den Straßen Jagd auf alles, was sich bewegt! Ich hab von Sharm el-Sheik aus ein Taxi genommen. Eine schöne Tour, dachte ich – direkt durch die Wüste. Wenig

Verkehr, gerade Strecke. Da hab ich mich verflucht geirrt. Ganz im Ernst, es ist ein Wunder, dass ich noch lebe! Und das ist heiß hier! Und hast du schon von diesen Heuschrecken gehört – Wüstengrillen? Das sind die lautesten Heuschrecken der Welt. Verflucht laut, wirklich. Das Gezirpe geht dir direkt ins Hirn, echt krass. Und das Wasser hier unten ist einfach eklig, eklig! Fast durchsichtig mit einer Spur Grün! In Körpertemperatur, so dass du es noch nicht einmal spürst. Gestern war ich im Meer, und als ich wieder herauskam, war ich mir nicht einmal sicher, ob ich wirklich drin gewesen war …«

»Vergiss die Wassertemperatur, Øystein. Hast du einen Server gefunden?«

»Ja und nein.«

»Was heißt das?«

Harry bekam keine Antwort. Ganz offensichtlich waren sie durch eine Diskussion am anderen Ende unterbrochen worden, und Harry hörte nur Gesprächsfetzen wie »the boss« und »money«.

»Harry? Sorry, die Jungs hier sind ziemlich paranoid. Und ich mittlerweile auch. Verflucht heiß hier. Aber ich glaube, ich habe jetzt das gefunden, das hier wirklich als Server dient. Für die Jungs hier ist das natürlich die Chance, mich ein wenig zu melken, doch morgen soll ich mir die Anlage angucken können und den Chef selbst sprechen. Drei Minuten an einer Tastatur, und ich weiß, ob es der richtige ist. Und dann ist der Rest nur eine Frage des Geldes. Hoffe ich. Ich ruf dich morgen wieder an. Du solltest die Messer sehen, die diese Beduinenjungs hier unten haben …«

Øysteins Lachen klang hohl.

Ehe Harry endgültig das Licht ausmachte, blätterte er noch in seinem Lexikon. Der Pferdekopfnebel war ein schwarzer Nebel, über den man nicht viel wusste. Auch nicht über den Orion, außer, dass er als eines der schönsten Sternbilder galt. Aber Orion war auch eine griechische Sagenfigur, ein Titan, ein großer Jäger, hieß es. Er wurde von Eos verführt, woraufhin er von Artemis voller Wut getötet wurde. Harry legte sich mit dem Gefühl hin, dass jemand an ihn dachte.

Als er am nächsten Morgen die Augen öffnete, schwirrten seine Gedanken hin und her. Es fühlte sich an, als hätte jemand sein Gehirn durchwühlt und den Inhalt, der in Schubladen und Schränken sortiert gewesen war, wild durcheinandergeschmissen. Er musste etwas geträumt haben. Das Telefon im Flur klingelte hartnäckig. Harry zwang sich, aufzustehen. Es war wieder Øystein, er saß in einem Büro in El-Tor.

»Und wir haben ein Problem«, sagte er.

Kapitel 24

São Paulo

Raskols Mund und Lippen waren wie zu einem milden Lächeln verzogen, weshalb unmöglich zu erkennen war, ob er wirklich lächelte oder nicht. Harry tippte auf das Letztere.

»Sie haben also einen Freund, der irgendwo in Ägypten ist und eine Telefonnummer herauszubekommen versucht«, sagte Raskol, ohne dass Harry heraushören konnte, ob der Tonfall nun spöttisch oder bloß konstatierend war.

»El-Tor«, sagte Harry und rieb die Handflächen über die Lehne des Stuhls. Er fühlte ein gewaltiges Unbehagen. Nicht nur, weil er schon wieder in diesem kahlen Besuchsraum saß, sondern wegen seines ganzen Anliegens. Er hatte alle anderen Möglichkeiten abgewogen. Einen persönlichen Kredit aufzunehmen. Bjarne Møller einzuweihen. Seinen Ford Escort an die Werkstatt zu verkaufen, in der er ohnehin schon stand. Doch was er jetzt tat, war die einzige realistische Möglichkeit, die einzige logische Vorgehensweise. Und es war Wahnsinn.

»Und die Telefonnummer ist nicht bloß eine Nummer«, sagte Harry. »Sie wird uns zu dem Abonnenten führen, der mir die Mails schickt. Mails, die beweisen, dass er die Details von Annas Tod kennt, Details, die er nicht wissen könnte, wenn er nicht unmittelbar vor Annas Tod dort war.«

285

»Und Ihr Freund sagt, dass die Besitzer des Servers 60 000 ägyptische Pfund verlangt haben? Und das sind?«

»Rund 100 000 Kronen.«

»Und die soll ich Ihnen geben?«

»Sie sollen gar nichts, ich sage Ihnen nur, wie die Sache steht. Sie wollen Geld, das ich nicht habe.«

Raskol fuhr sich mit dem Finger über die Oberlippe. »Warum sollte das mein Problem sein, Harry? Wir hatten eine Abmachung, und ich habe meinen Part eingehalten.«

»Ich werde meinen auch einhalten, aber ohne Geld wird das länger dauern.«

Raskol schüttelte den Kopf, breitete die Arme aus und murmelte etwas in einer fremden Sprache, die Harry für Romani hielt. Øystein hatte am Telefon verzweifelt geklungen. Es gebe keinen Zweifel, dass sie den richtigen Server gefunden hätten, hatte er gesagt. Doch er hatte sich eine rostige Antiquität in irgendeiner Scheune vorgestellt, bewacht von einem Pferdehändler mit Turban, der vielleicht drei Kamele und ein Päckchen amerikanische Zigaretten forderte, ehe er ihm die Liste aller Abonnenten aushändigte. Stattdessen war er in einem klimatisierten Büro gelandet. Ein junger Ägypter im Maßanzug hatte hinter dem Schreibtisch gesessen und ihn durch eine mit Silber eingefasste Brille gemustert. Der Preis sei »non-negotiable«, und das Geld müsse bar im Laufe von drei Tagen überbracht werden, damit es nicht über die Banken aufgespürt werden könne.

»Ich gehe davon aus, dass Sie sich über die Konsequenzen bewusst sind, falls herauskommt, dass Sie von einem wie mir Geld im Rahmen Ihres Dienstes erhalten haben?«

»Ich bin nicht im Dienst«, sagte Harry.

Raskol fuhr sich mit beiden Händen über die Ohren. »Sun Tzu sagt, dass man zum Spielball der Geschehnisse wird, wenn man die Kontrolle über sie verliert. Sie haben die Kontrolle verloren, *Spiuni*. Das heißt, Sie haben einen Fehler gemacht. Ich setze nicht auf Menschen, die Fehler machen. Deshalb habe ich einen Vorschlag. Dass wir das für beide Seiten einfach machen. Sie geben mir den Namen des Mannes, und ich kümmere mich um den Rest.«

»Nein!« Harry schlug mit der flachen Hand auf den Tisch. »Er soll nicht von einem Ihrer Gorillas drittklassig abgeschlachtet werden. Er soll hinter Schloss und Riegel.«

»Sie überraschen mich, *Spiuni*. Wenn ich Sie richtig verstanden habe, sind Sie schon jetzt in einer üblen Zwickmühle. Warum sollen wir nicht einfach der Gerechtigkeit so schmerzfrei wie möglich zum Ziel verhelfen?«

»Keine Vendetta! Das war die Abmachung.«

Raskol lächelte. »Sie sind schon ein harter Brocken, Hole. Das gefällt mir. Und ich respektiere Abmachungen. Aber wie soll ich sicher sein, dass es der richtige Mann ist, wenn Sie anfangen, Fehler zu machen?«

»Sie konnten selbst überprüfen, dass die Schlüssel, die ich in der Hütte gefunden habe, mit denen von Anna übereinstimmen.«

»Und jetzt wollen Sie schon wieder Hilfe von mir. Also müssen Sie mir auch ein bisschen entgegenkommen.«

Harry schluckte. »Als ich Anna gefunden habe, hatte sie eine Fotografie im Schuh.«

»Weiter.«

»Ich glaube, es ist ihr gelungen, sie da zu verstecken, ehe der Mörder sie erschoss. Es ist ein Familienfoto des Mörders.«

»Ist das alles?«

»Ja.«

Raskol schüttelte den Kopf. Sah Harry lange an und schüttelte noch einmal den Kopf. »Ich weiß nicht, wer hier der Dümmere ist. Sie, der Sie sich von Ihrem Freund verarschen lassen, oder Ihr Freund, der glaubt, sich vor mir verstecken zu können, nachdem er mir das Geld gestohlen hat.« Er seufzte schwer. »Oder ich, der ich Ihnen Geld gebe.«

Harry hatte geglaubt, er würde sich freuen oder wäre wenigstens erleichtert. Doch das Einzige, was er spürte, war, dass sich der Knoten in seinem Bauch noch fester zuzog. »Also, was müssen Sie wissen?«

»Nur den Namen Ihres Freundes und in welcher Bank in Ägypten er das Geld abholen will.«

»Ich sage es Ihnen in einer Stunde.« Harry stand auf.

Raskol rieb sich die Handgelenke, als seien ihm gerade die Handschellen abgenommen worden. »Ich hoffe, Sie glauben nicht, mich zu verstehen, *Spiuni*.« Er sagte das leise, ohne aufzublicken.

Harry hielt inne. »Wie meinen Sie das?«

»Ich bin Zigeuner. Meine Welt kann eine auf den Kopf gestellte Welt sein. Wissen Sie, was Gott auf Romani heißt?«

»Nein.«

»*Teufel*. Seltsam, nicht wahr? Wenn man schon seine Seele verkaufen muss, ist es gut zu wissen, an wen man sie verkauft, *Spiuni*.«

Halvorsen meinte, Harry sehe erschöpft aus.

»Definiere erschöpft«, bat Harry und legte den Kopf nach hinten. »Ach, nein, lass es.«

Als Halvorsen fragte, ob alles in Ordnung sei, und Harry ihn aufforderte, »in Ordnung« zu definieren, seufzte Halvorsen und verließ das Büro, um es bei Elmer zu versuchen.

Harry wählte die Nummer, die Rakel ihm gegeben hatte, bekam aber wieder nur die russische Stimme, die ihm, wie er annahm, mitteilte, dass er unter dieser Nummer generell neben der Spur war. Dann rief er Bjarne Møller an und versuchte, seinem Chef den Eindruck zu vermitteln, dass er auf der richtigen Spur war. Møller hörte sich nicht überzeugt an.

»Ich brauche gute Neuigkeiten, Harry. Erzähl mir nicht, womit du deine Zeit vergeudet hast.«

Beate kam herein und sagte ihm, dass sie sich das Video noch zehnmal angesehen habe und jetzt keinen Zweifel mehr habe, dass sich der Exekutor und Stine Grette kannten. »Ich glaube, das Letzte, was er ihr sagt, ist, dass sie sterben muss. Man kann das an ihrem Blick erkennen. Trotzig und doch voller Angst, ähnlich wie in den Kriegsfilmen die Widerstandskämpfer vor ihrer Hinrichtung.«

Pause.

»Hallo?« Sie wedelte mit der Hand vor seinem Gesicht herum. »Erschöpft?«

Er rief Aune an.

»Hier ist Harry. Wie reagieren Menschen, wenn sie hingerichtet werden sollen?«

Aune gluckste. »Sie werden sehr konzentriert«, sagte er. »Auf die Zeit.«

»Und Angst? Panik?«

»Das kommt darauf an. Von was für einer Hinrichtung sprechen wir?«

»Einer öffentlichen Hinrichtung. In einer Bankfiliale.«

»Verstehe, warte, ich ruf dich in zwei Minuten zurück.«

Harry sah beim Warten auf die Uhr. Es dauerte einhundertundzehn Sekunden.

»Der Prozess des Sterbens ist ähnlich wie die Geburt ein sehr intimer Prozess«, sagte Aune. »Der Grund dafür, dass sich Menschen in solchen Situationen instinktiv verstecken wollen, liegt nicht bloß daran, dass sie sich spürbar verwundbar fühlen. In Anwesenheit anderer zu sterben, wie bei einer öffentlichen Hinrichtung, ist eine doppelte Strafe, weil dadurch auf grausamste Weise die Keuschheit des Verurteilten zerstört wird. Das war einer der Gründe, weshalb man der Ansicht war, dass öffentliche Hinrichtungen eine bessere kriminelle Präventivwirkung hätten als Exekutionen in der Abgeschiedenheit einer Zelle. Aber man nahm gewisse Rücksichten, so trug der Henker zum Beispiel eine Maske. Das war nicht, wie viele glauben, um die Identität des Henkers zu verschleiern, denn beinahe alle wussten doch, dass es sich dabei um den lokalen Schlachter oder Riemenschläger handelte. Er trug die Maske aus Rücksicht auf den Verurteilten, damit er im Augenblick des Todes keinen Fremden in seiner unmittelbaren Nähe ertragen musste.«

»Hm. Der Bankräuber trug auch eine Maske.«

»Der Gebrauch von Masken ist ein sehr kleines Spezialgebiet für uns Psychologen. So kann die moderne Auffassung, dass uns der Gebrauch von Masken unfrei macht, zum Beispiel auf den Kopf gestellt werden. Masken können Menschen in einer Weise entpersonifizieren, die sie freier macht. Warum, glaubst du, waren die Maskenbälle in der viktorianischen Zeit so beliebt? Oder warum trägt man Masken bei manchen sexuellen Spielchen? Ein Bankräuber hingegen hat natürlich etwas prosaischere Gründe, eine Maske zu tragen.«

»Vielleicht.«

»Vielleicht?«

»Ich weiß nicht«, seufzte Harry.

»Du wirkst so …«

»Müde. Mach's gut.«

Harrys Position auf der Erde drehte sich immer mehr von der Sonne weg, so dass es immer früher am Nachmittag dunkel wurde. Die Zitronen vor Alis Laden leuchteten wie kleine, gelbe Sterne, und der feine Regen überzog die Straße mit einer lautlosen Dusche, als sich Harry über die Sofies Gate näherte. Der Nachmittag war mit der Organisation der Überweisung nach El-Tor verstrichen. Dabei war das keine große Aktion gewesen. Er hatte mit Øystein gesprochen, seine Passnummer und die Adresse der Bank erhalten, die neben seinem Hotel lag, und dann alles telefonisch an die Redaktion der Gefängniszeitung *Wiedergänger* übermittelt, in der Raskol gerade an einem Artikel über Sun Tzu schrieb. Jetzt hieß es nur noch warten.

Harry hatte die Haustür erreicht und wollte gerade seine Schlüssel heraussuchen, als er tapsende Schritte hinter sich hörte. Er drehte sich nicht um.

Bis er das leise Knurren hörte.

Eigentlich war er nicht überrascht. Macht man unter einem

290

Schnellkochtopf die Platte an, muss früher oder später etwas geschehen.

Die Hundeschnauze war schwarz wie die Nacht, was das Weiß der gefletschten Zähne noch hervorhob. Das schwache Licht der Lampe über der Tür funkelte in einem Tropfen Speichel, der von einem langen Reißzahn herabhing.

»Sitz«, befahl eine bekannte Stimme aus dem Schatten der Garageneinfahrt auf der anderen Seite der schmalen, stillen Straße. Widerwillig senkte der Rottweiler seine breite, muskulöse Hüfte auf den Asphalt, wobei er Harry aber nicht aus seinen braunen, blanken Augen ließ, die nicht im Geringsten an das erinnerten, was man gemeinhin unter einem Hundeblick verstand.

Der Schatten der Hutkrempe reichte über das Gesicht des Mannes herab, der sich näherte.

»Guten Abend, Harry, haben Sie Angst vor Hunden?«

Harry sah in die rote, aufgerissene Schnauze vor sich. Ein bisschen Allgemeinwissen quoll an die Oberfläche. Die Römer hatten die Vorväter der Rottweiler genutzt, um Europa zu erobern. »Nein, was wollen Sie?«

»Ihnen nur ein Angebot machen. Ein Angebot, das Sie nicht … wie heißt das noch?«

»O. k., o. k., was für ein Angebot, Albu?«

»Waffenstillstand.« Arne Albu drückte die Krempe des Hutes nach oben. Er versuchte sich an seinem jungenhaften Lächeln, doch es saß nicht so natürlich wie sonst. »Sie halten sich von mir fern und ich mich von Ihnen.«

»Interessant. Und was sollten Sie mir tun können, Albu?«

Albu nickte in Richtung des Rottweilers, der nur einen Sprung von Harry entfernt hockte. »Ich habe meine Methoden, und ich verfüge auch über gewisse Ressourcen.«

»Hm.« Harry führte seine Hand zur Zigarettenschachtel in seiner Manteltasche, hielt aber inne, als das Knurren gefährlich lauter wurde. »Sie sehen müde aus, Albu. Sind Sie erschöpft vom Weglaufen?«

Albu schüttelte den Kopf. »Nicht ich bin es, der wegläuft, sondern Sie.«

»Ach ja? Eine unspezifische Bedrohung eines Polizeibeamten auf offener Straße. Für mich ist das ein Zeichen der Erschöpfung. Warum wollen Sie nicht mehr spielen?«

»Spielen? Halten Sie das wirklich für ein Spiel? Eine Art Kniffel um das Schicksal der Menschen?«

Harry sah die Wut in Albus Augen. Doch auch noch etwas anderes. Seine Kiefer arbeiteten, und die Adern an Stirn und Schläfe traten hervor. Das war Verzweiflung.

»Sind Sie sich eigentlich bewusst, was Sie getan haben?« Er flüsterte fast und unternahm jetzt keinen Versuch mehr zu lächeln. »Sie hat mich verlassen. Sie hat die … Kinder genommen und ist verschwunden. Wegen einer Bagatelle. Anna bedeutete mir nichts mehr.« Arne Albu trat ganz dicht an Harry heran. »Anna und ich haben uns getroffen, als mir ein Freund seine Galerie zeigen wollte, in der Anna zufällig gerade eine Vernissage hatte. Ich habe zwei von ihren Bildern gekauft, ich weiß auch nicht, warum. Ich sagte ihr, die wären für mein Büro. Natürlich habe ich sie niemals irgendwo aufgehängt. Als ich am nächsten Tag kam, um die Bilder zu holen, kamen Anna und ich ins Gespräch, und plötzlich hatte ich sie zum Mittagessen eingeladen. Dann wurde daraus ein Abendessen und zwei Wochen später ein Wochenendtrip nach Berlin. Alles ging irgendwie holterdiepolter. Ich hing fest und versuchte nicht einmal, wieder loszukommen. Nicht bevor Vigdis bemerkte, was ablief, und mir androhte, mich zu verlassen.«

Ein leichtes Zittern war in seine Stimme gekommen.

»Ich habe Vigdis versprochen, dass das ein einmaliger Seitensprung war, eine idiotische Affäre, in die sich Männer meines Alters ab und zu verstricken, wenn sie eine junge Frau treffen, die sie daran erinnert, was sie einmal waren. Jung, stark und unabhängig. Aber das ist man ja nicht mehr. Am wenigsten unabhängig. Wenn Sie Kinder bekommen, werden Sie verstehen …«

292

Seine Stimme versagte, und er atmete schwer. Begrub die Hände in den Taschen seines Mantels und begann erneut.

»Annas Liebe war so unbändig stark. Das war fast unnormal. Sie konnte nie richtig loslassen. Ich musste mich buchstäblich losreißen, sie hat eine meiner Jacken zerrissen, als ich versuchte, durch ihre Tür zu kommen. Ich glaube, Sie verstehen, was ich meine, sie hat mir einmal erzählt, wie es war, als Sie sie verlassen haben. Dass sie fast zu Grunde gegangen wäre.«

Harry war zu verblüfft, um zu antworten.

»Aber ich hatte wohl Mitleid mit ihr«, fuhr Albu fort. »Sonst hätte ich gewiss nicht eingewilligt, sie noch einmal zu treffen. Ich hatte ihr klar zu verstehen gegeben, dass zwischen uns Schluss war, doch sie sagte, sie wolle mir nur ein paar Sachen zurückgeben. Und ich konnte ja nicht wissen, dass Sie auftauchen und daraus eine große Sache machen würden. Dass Sie es so aussehen lassen würden, dass wir ... dort wieder angefangen hätten, wo wir aufgehört hatten.« Er beugte den Kopf nach vorn. »Vigdis glaubt mir nicht. Sie sagt, sie könne mir nie mehr glauben. Nicht mal mehr ein einziges Mal.«

Er hob sein Gesicht, und Harry sah die Verzweiflung in seinen Augen. »Sie haben mir das Einzige genommen, was ich hatte, Hole. Meine Kinder sind das Einzige, was ich hatte. Ich weiß nicht, ob ich sie zurückbekommen kann.« Sein Gesicht verzog sich voller Schmerz.

Harry dachte an den Schnellkochtopf. Jetzt musste es gleich passieren.

»Die einzige Chance, die ich habe, ist, dass Sie ... dass Sie nicht ...«

Harry reagierte instinktiv, als sich Albus rechte Hand in der Manteltasche bewegte. Er trat aus und traf Albu an der Seite des Knies, so dass er auf dem Bürgersteig in die Knie sackte. Er schwang den Unterarm vor sein Gesicht, als der Rottweiler noch in der gleichen Sekunde angriff, hörte das Geräusch von zerreißendem Stoff und spürte, wie sich die Zähne in sein

Fleisch gruben. Er hoffte, er würde sich festbeißen, aber das schlaue Mistvieh ließ wieder von ihm ab. Harry trat in Richtung des schwarzen, nackten Muskelbündels, verfehlte aber sein Ziel. Er hörte die Krallen auf dem Asphalt, als der Hund absprang, und sah den aufgerissenen Rachen auf sich zukommen. Jemand hatte ihm erzählt, dass Rottweiler schon im Alter von drei Wochen wissen, dass es am effektivsten ist, ihren Opfern die Kehle aufzureißen, und jetzt flog die fünfzig Kilo schwere Muskelmaschine auf ihn zu. Er bekam die Arme nicht mehr hoch, nutzte aber den Schwung, den er durch den Tritt noch hatte, um sich herumzuschwingen, weshalb sich die Kiefer des Hundes nicht um seine Kehle, sondern um seinen Nacken schlossen, ohne dass Harrys Probleme damit aber gelöst gewesen wären. Er griff hinter sich, bekam Unter- und Oberkiefer mit je einer Hand zu fassen und zog mit all seiner Kraft. Doch der Biss lockerte sich nicht, stattdessen drangen die Zähne nur noch tiefer in seinen Nacken. Die Sehnen und Muskeln im Kiefer des Hundes schienen aus Stahl zu sein. Harry taumelte zurück, warf sich nach hinten an die Wand und hörte die Rippen im Körper des Hundes knacken. Doch die Kiefer rührten sich nicht. Er spürte die Panik kommen. Er hatte vom Festbeißen gehört, von Hyänen, die noch lange, nachdem sie von der Löwin totgebissen worden waren, an der Kehle des Tieres festhingen. Er spürte das Blut, das warm an der Innenseite seines T-Shirts herabrann, und bemerkte, dass er in die Knie gegangen war. Hatte er bereits das Gefühl verloren? Wohin waren all die Menschen verschwunden? Die Sofies Gate war zwar eine stille Straße, doch noch nie war sie Harry so menschenleer vorgekommen wie gerade jetzt. Ihm wurde bewusst, dass sich alles, was bisher geschehen war, in vollkommener Stille zugetragen hatte, kein Schreien, kein Bellen, nur das Geräusch von Fleisch auf Fleisch, reißendem Fleisch. Er versuchte zu schreien, bekam aber nicht einen Laut über die Lippen. Sein Gesichtsfeld begann sich einzuengen, und er begriff, dass seine Pulsader eingeklemmt sein musste und er einen Tunnelblick bekam, weil sein Hirn nicht mit genug Blut versorgt wurde. Die leuchtenden Zitronen vor Alis Laden verblassten langsam. Etwas Schwarzes, Flaches, Nasses und Schweres näherte sich und explodierte in seinem Gesicht. Dann schmeckte er den Asphalt der Straße, ehe er weit entfernt Arne Albus Stimme hörte: »Aus!«

Er spürte, dass sich der Druck an seinem Nacken lockerte. Doch Harrys Position auf der Erde drehte sich immer mehr von der Sonne weg, und es war vollständig dunkel, als er eine Stimme über sich sagen hörte: »Sind Sie am Leben? Hören Sie mich?«

Dann klickte dicht neben seinem Ohr Stahl. Waffenteile. Ein Ladegriff.

»Ver... Verf...« Er hörte ein leises Stöhnen und den klatschenden Laut von Erbrochenem, das auf die Straße klatschte. Dann wieder das metallische Klicken. Das Entsichern ... in wenigen Sekunden würde es vorüber sein. So fühlte sich das also an. Keine Verzweiflung – keine Furcht – nicht einmal Vorwürfe. Bloß Erleichterung. Er ließ nicht viel zurück. Albu ließ sich Zeit. So viel Zeit, dass Harry doch noch etwas in den Sinn kam. Es gab etwas, das er zurückließ. Er füllte seine Lungen mit Luft. Das Netz der Äderchen sog den Sauerstoff ein und verfrachtete ihn stoßweise in Richtung Hirn.

»So, jetzt ...«, begann die Stimme, verstummte aber abrupt, als Harrys geballte Faust den Kehlkopf traf.

Harry kam auf die Knie. Doch weiter aufrichten konnte er sich nicht. Er versuchte bei Bewusstsein zu bleiben, während er auf den abschließenden Angriff wartete. Eine Sekunde verging. Zwei. Drei. Der Geruch von Erbrochenem brannte in seiner Nase. Die Straßenlaternen über ihm kamen langsam in seinen Fokus. Die Straße war leer. Vollkommen leer. Abgesehen von einem Mann, der röchelnd neben ihm lag. Er trug eine blaue Daunenjacke über etwas, das am Kragen herausragte und wie ein Pyjamaoberteil aussah. Das Licht der Laternen blinkte auf dem Metall. Das war keine Pistole, sondern ein

Feuerzeug. Und erst jetzt erkannte Harry, dass der Mann nicht Arne Albu war. Es war Trond Grette.

Harry stellte die Tasse mit dem kochend heißen Tee vor Trond auf den Tisch, der noch immer japsend, mit rasselndem Atem und panisch aufgerissenen, schier aus dem Kopf quellenden Augen auf dem Stuhl hockte. Ihm selbst war schwindelig und übel, und die Schmerzen in seinem Nacken pochten wie eine Brandwunde.

»Trinken Sie«, sagte Harry. »Da ist viel Zitrone drin, das betäubt die Muskulatur, so dass sie sich entspannt und Sie leichter atmen können.«

Trond gehorchte. Und zu Harrys großer Verwunderung schien es auch zu wirken. Nach ein paar Schlucken und einigen weiteren Hustenattacken bekamen Tronds blasse Wangen eine Spur von Farbe.

»Ssehn schlmms«, wisperte er.

»Wie bitte?« Harry ließ sich auf den anderen der beiden Küchenstühle sinken.

»Sie sehen schlimm aus.«

Harry lächelte und betastete das Handtuch, das er sich um den Nacken gelegt hatte. Es war bereits vom Blut durchtränkt. »Haben Sie sich deshalb erbrochen?«

»Ich kann kein Blut sehen«, sagte Trond. »Davon wird mir ganz …« Er verdrehte die Augen.

»O. k., es hätte schlimmer kommen können. Sie haben mir das Leben gerettet.«

Trond schüttelte den Kopf. »Ich war noch ein gutes Stück entfernt, als ich Sie beide bemerkte, ich hab bloß gerufen. Ich bin nicht sicher, ob er wirklich deshalb seinen Köter zurückgerufen hat. Tut mir leid, dass ich die Autonummer nicht hab, aber der Wagen, mit dem sie abgehauen sind, war ganz sicher ein Jeep Cherokee.«

Harry winkte ab. »Ich weiß, wer das war.«

»Ja, wirklich?«

296

»Ein Typ, den ich unter Verdacht habe. Aber erzählen Sie mir lieber, was Sie hier machen, Grette?«

Trond drehte die Tasse in seinen Fingern. »Mit dieser Verletzung sollten Sie jetzt wirklich in die Ambulanz.«

»Ich denke darüber nach. Sie haben sich sicher ein paar Gedanken gemacht seit unserer letzten Begegnung.«

Trond nickte langsam.

»Und zu welchem Schluss sind Sie gekommen?«

»Dass ich ihm nicht mehr helfen kann.«

Harry konnte nicht recht beurteilen, ob es der wunde Kehlkopf war, der Trond diesen letzten Satz flüstern ließ. »Also, wo ist Ihr Bruder?«

»Ich will, dass Sie ihm sagen, dass ich es Ihnen gesagt habe. Er wird es verstehen.«

»Ja, dann.«

»Porto Seguro.«

»Ach ja.«

»Das ist eine Stadt in Brasilien.«

Harry rümpfte die Nase. »Gut. Wie finden wir ihn da?«

»Er hat mir nur erzählt, dass er dort ein Haus hat. Die Adresse wollte er mir nicht geben, bloß die Handynummer.«

»Warum nicht? Er wird nicht gesucht.«

»Ob das stimmt, weiß ich nicht.« Trond nahm einen weiteren Schluck. »Er sagte jedenfalls, dass es besser wäre für mich, wenn ich die Adresse nicht hätte.«

»Hm. Ist das eine große Stadt?«

»Lev meinte, eine knappe Million.«

»Ah ja. Sonst haben Sie nichts? Andere, die ihn kennen und die vielleicht seine Adresse haben könnten?«

Trond zögerte, ehe er den Kopf schüttelte.

»Los, raus damit«, sagte Harry.

»Lev und ich waren in Oslo zusammen Kaffee trinken, als er das letzte Mal hier war. Er sagte, der Kaffee schmecke noch schlimmer als sonst. Dass er sich daran gewöhnt habe, in einer lokalen *ahwa cafezinho* zu trinken.«

»*Ahwa*, aber sind das nicht diese arabischen Kaffeehäuser?«

»Stimmt. *Cafezinho* ist sicher so eine herbe brasilianische Espressovariante. Lev sagte, er gehe beinahe jeden Tag dorthin. Kaffee trinken, Wasserpfeife rauchen und mit dem syrischen Inhaber Domino spielen. Der Wirt ist wohl so eine Art Freund von ihm geworden. Ich erinnere mich auch an seinen Namen. Mohammed Ali. Genau wie der Boxer.«

»Und wie fünfzig Millionen andere Araber. Hat Ihr Bruder auch gesagt, wie dieses Kaffeehaus heißt?«

»Bestimmt, aber ich erinnere mich nicht mehr daran. Es gibt aber sicher nicht so viele *Ahwas* in einer brasilianischen Stadt, oder was meinen Sie?«

»Vielleicht nicht.« Harry dachte nach. Das war auf jeden Fall etwas Konkretes. Damit konnte er arbeiten. Er wollte sich die Hand auf die Stirn legen, doch ein Schmerz durchfuhr seinen Nacken, als er die Hand zu heben versuchte.

»Nur eine letzte Frage, Grette. Was hat Sie dazu gebracht, das zu erzählen?«

Tronds Tasse drehte sich unablässig im Kreis. »Ich wusste, dass er hier in Oslo war.«

Das Handtuch lag wie ein schwerer Riemen über Harrys Nacken. »Wie das?«

Trond kratzte sich lange unter dem Kinn, ehe er antwortete. »Wir hatten bald zwei Jahre nicht miteinander gesprochen. Und dann rief er mich plötzlich an und sagte, er sei in der Stadt. Wir haben uns in einem Café getroffen und lange miteinander geredet. Eben dieser Kaffee.«

»Wann war das?«

»Drei Tage vor dem Überfall.«

»Über was haben Sie gesprochen?«

»Über alles und nichts. Wenn man sich so lange kennt wie wir, sind die wichtigen Sachen oft so übermächtig geworden, dass man lieber über die kleinen Dinge redet. Über … Vaters Rosen … und so etwas.«

»Was für wichtige Sachen?«

»Sachen, die besser nicht geschehen wären, die man besser nicht gesagt hätte.«

»Und stattdessen haben Sie dann über Rosen geredet?«

»Ich kümmere mich um Vaters Rosen, seit Stine und ich das Reihenhaus übernommen haben. Dort sind Lev und ich aufgewachsen. Ich wollte, dass unsere Kinder dort aufwachsen.« Er biss sich auf die Unterlippe. Sein Blick war auf das braunweiße Wachstuch geheftet, das Einzige, was Harry von seiner Mutter übernommen hatte.

»Er hat nichts über den Überfall gesagt?«

Trond schüttelte den Kopf.

»Sind Sie sich im Klaren darüber, dass der Überfall da bereits geplant gewesen sein musste? Dass die Bank Ihrer Frau ausgeraubt werden sollte?«

Trond seufzte tief. »Wenn es wie früher gewesen wäre, hätte ich es vielleicht gewusst und verhindern können. Es machte Lev nämlich immer viel Spaß, über seine Überfälle zu reden. Er besorgte sich Kopien der Videoaufzeichnungen und bewahrte sie in Disengrenda auf dem Dachboden auf, und manchmal bestand er darauf, dass wir sie uns ansahen. Wohl damit ich sehen konnte, wie gut mein Bruder war. Als ich Stine heiratete und mit dem Job anfing, hab ich ihm klargemacht, dass ich nichts mehr über seine Pläne wissen wollte. Dass mich das in eine blöde Zwickmühle bringen könnte.«

»Hm. Er wusste also nicht, dass Stine in der Bank arbeitete?«

»Ich hatte ihm gesagt, dass Stine bei Nordea arbeitet, aber nicht, in welcher Filiale, glaube ich.«

»Aber die zwei kannten sich?«

»Sie haben sich ein paar Mal getroffen, ja. Bei so Familienzusammenkünften. Lev war aber nie ein großer Anhänger von so etwas.«

»Und wie sind die beiden miteinander ausgekommen?«

»Gut. Lev kann, wenn er will, sehr charmant sein.« Trond lächelte schief. »Wir teilen uns, wie gesagt, nur ein Set Gene.

Ich war froh darüber, dass er ihr seine gute Seite gezeigt hat. Und weil ich ihr erzählt hatte, wie er sich Menschen gegenüber verhalten konnte, die er nicht schätzte, fühlte sie sich geschmeichelt. Als sie zum ersten Mal bei uns zu Hause war, führte er sie in der ganzen Gegend herum und zeigte ihr, wo wir überall gespielt haben, als wir klein waren.«

»Auch den Fußgängerüberweg?«

»Nein, den nicht.« Trond hob nachdenklich seine Hände und blickte sie an.

»Aber glauben Sie nicht, dass er das aus Rücksicht auf sich selbst getan hat. Er erzählte mehr als gerne von all dem Unsinn, den er gemacht hatte. Aber er wusste, ich wollte nicht, dass sie erfuhr, was für einen Bruder ich habe.«

»Hm. Sind Sie sicher, dass Sie Ihrem Bruder gerade nicht eine edlere Gesinnung verpassen, als er wirklich hat?«

Trond schüttelte den Kopf. »Lev hat eine helle und eine dunkle Seite. Wie wir alle. Für die, die er mag, geht er durchs Feuer.«

»Aber nicht ins Gefängnis?«

Trond öffnete den Mund, aber es kam keine Antwort. Die Haut unter einem seiner Augen zuckte. Harry seufzte und stand mühsam auf. »Ich muss mir ein Taxi rufen, um zur Ambulanz zu kommen.«

»Ich bin mit dem Auto da«, sagte Trond.

Der Automotor brummte leise. Harry starrte auf die Lichter der Straße, die vor dem nachtschwarzen Himmel vorbeiglitten, das Armaturenbrett und das Lenkrad, auf dem der Diamant an Tronds kleinem Finger matt funkelte.

»Was den Ring angeht, den Sie tragen, haben Sie gelogen«, flüsterte Harry. »Der Diamant ist zu klein, um dreißigtausend gekostet zu haben. Ich denke, der hat etwa fünftausend gekostet und Sie haben ihn hier bei einem Juwelier gekauft. Richtig?«

Trond nickte.

»Sie haben Lev in São Paulo getroffen, nicht wahr? Das Geld war für ihn.«

Trond nickte erneut.

»Genug Geld für eine Weile«, sagte Harry. »Und genug für ein Flugticket, nachdem er sich entschlossen hatte, nach Oslo zu kommen und wieder zu arbeiten.«

Trond antwortete nicht.

»Lev ist noch immer in Oslo«, flüsterte Harry. »Ich will seine Handynummer.«

»Wissen Sie was?« Trond bog vorsichtig nach rechts auf den Alexander-Kielland-Platz ab. »Heute Nacht habe ich geträumt, dass Stine zu mir ins Schlafzimmer gekommen ist und mit mir gesprochen hat. Sie trug ein Engelskostüm. Nicht so wie wirkliche Engel, sondern so ein Narrenkostüm wie im Karneval. Sie hat mir gesagt, sie gehöre dort oben nicht hin. Und als ich aufwachte, musste ich an Lev denken. Ich dachte daran, wie er mit baumelnden Beinen auf der Kante des Schuldaches saß, während wir zurück in die Klassenzimmer gingen. Er sah wie ein winziger Punkt aus, aber ich weiß noch, was ich dachte. Dass er dort oben hingehört.«

Kapitel 25

Baksheesh

Drei Personen saßen in Ivarssons Büro. Ivarsson hinter seinem aufgeräumten Schreibtisch und Beate und Harry auf niedrigen Stühlen davor. Der Trick mit den niedrigeren Stühlen basiert auf einer Herrschertechnik, die so alt ist, dass man fast meinen könnte, sie würde nicht mehr funktionieren, aber Ivarsson wusste es besser. Seine Erfahrung bestätigte, dass grundlegende Techniken nie ihre Wirkung einbüßten.

Harry hatte seinen Stuhl schräg gestellt, so dass er aus dem Fenster sehen konnte. Er hatte Aussicht aufs Plaza Hotel. Runde Wolken kratzten über den Glasturm und die Stadt, ohne aber auch nur einen Tropfen Regen freizugeben. Harry hatte nicht geschlafen, obgleich er nach der Spritze gegen Wundstarrkrampf schmerzstillende Mittel bekommen hatte. Das, was er den Kollegen über den wütenden, herrenlosen Hund erzählt hatte, war originell genug, um glaubwürdig zu sein und nah genug an der Wahrheit, dass er es überzeugend genug hatte darlegen können. Sein Nacken war geschwollen, und der stramme Verband schnitt ihm in die Haut. Harry wusste ganz genau, wie weh es tun würde, wenn er versuchte, den Kopf zu Ivarsson zu drehen, der das Wort ergriffen hatte. Und er wusste, dass er es auch dann nicht getan hätte, wenn es nicht weh getan hätte.

»So, ihr wollt also Flugtickets nach Brasilien, um dort zu suchen?«, sagte Ivarsson, fuhr mit der Hand über die Tischplatte vor sich und tat so, als unterdrückte er ein Lächeln. »Während der Exekutor, wie alle Beweise zeigen, noch immer in Oslo ist und es auf weitere Banken abgesehen hat?«

»Wir wissen nicht, wo in Oslo er ist«, sagte Beate. »Oder ob er in Oslo ist. Aber wir hoffen, dass es uns gelingt, das Haus aufzuspüren, in dem er den Aussagen seines Bruders zufolge in Porto Seguro lebt. Finden wir es, haben wir auch seine Fingerabdrücke. Und wenn sie mit den Fingerabdrücken auf der Colaflasche übereinstimmen, haben wir entscheidende Indizien. Das sollte die Reise wert sein.«

»Ach ja? Und was sollen das für Fingerabdrücke sein, die ihr habt, aber niemand sonst?«

Beate versuchte vergebens Augenkontakt zu Harry zu bekommen. Sie schluckte. »Da wir diesen Fall ja prinzipiell unabhängig voneinander bearbeiten sollen, haben wir uns entschieden, das für uns zu behalten. Bis jetzt.«

»Liebe Beate«, begann Ivarsson, während er das rechte Auge zukniff. »Du sagst ›wir‹, aber ich höre da nur Harry Hole. Ich schätze es, dass Hole mit solchem Eifer meinen Methoden folgt, aber wir sollten uns nicht durch Prinzipien einengen, wenn es um mögliche gemeinsame Resultate geht. Also, ich wiederhole: Was für Fingerabdrücke?«

Beate blickte verzweifelt zu Harry.

»Hole?«, fragte Ivarsson.

»Lassen Sie uns so weiterarbeiten«, sagte Harry. »Bis auf weiteres.«

»Wie Sie wollen«, sagte Ivarsson. »Aber vergessen Sie diese Reise. Sie müssen mit der brasilianischen Polizei sprechen und Amtshilfe erbitten, um diese Fingerabdrücke zu bekommen.«

Beate räusperte sich. »Ich habe das überprüft. Wir müssen einen schriftlichen Antrag an den Polizeichef des Bundesstaates Bahia schicken. Dann muss ein brasilianischer Staatsanwalt sich der Sache annehmen, um dann eventuell einen Durchsuchungsbefehl zu erlassen. Derjenige, mit dem ich gesprochen habe, meinte, dass man ohne Verbindungen in der brasilianischen Bürokratie eine Zeit von zwei Monaten bis zwei Jahren einkalkulieren sollte.«

»Wir haben zwei Plätze für den Flug morgen Abend«, sagte Harry und studierte einen Fingernagel. »Wie ist Ihr Entschluss?«

Ivarsson lachte. »Was glauben Sie? Sie kommen zu mir mit der Bitte um Geld für ein Flugticket zur anderen Seite der Erde, ohne auch nur eine Spur Bereitschaft zu zeigen, mir die Notwendigkeit dafür darzulegen. Sie haben vor, eine nicht genehmigte Hausdurchsuchung vorzunehmen, so dass das Gericht, falls Sie wirklich technische Beweise finden sollten, diese notgedrungen nicht anerkennen könnte, da sie auf rechtswidrige Weise beschafft worden sind.«

»Der Trick mit dem Ziegelstein«, sagte Harry leise.

»Was bitte?«

»Eine unbekannte Person wirft einen Stein in die Fensterscheibe. Dann kommt die Polizei rein zufällig vorbei und kann ohne Durchsuchungsbefehl ins Haus. Sie sind der Meinung, dass es im Wohnzimmer nach Marihuana riecht, eine subjektive Wahrnehmung, aber ein berechtigter Grund für eine augenblickliche Durchsuchung. So sichert man sich technische Beweise wie Fingerabdrücke vor Ort. Das Ganze treu nach dem Gesetz.«

»Kurz gesagt – wir haben an das gedacht, was Sie gesagt haben«, beeilte sich Beate zu sagen. »Wenn wir das Haus finden, werden wir uns die Fingerabdrücke nicht auf rechtswidrige Weise beschaffen.«

»Ach ja?«

»Hoffentlich ohne Ziegelstein.«

Ivarsson schüttelte den Kopf. »Nicht gut genug. Die Antwort ist ein klares und deutliches NEIN.« Er sah auf die Uhr, wie um ein Zeichen zu geben, dass die Sitzung beendet war, und fügte dann mit einem dünnen Reptilienlächeln hinzu: »Bis auf weiteres.«

»Hättest du ihm nicht wenigstens ein bisschen geben können?«, fragte Beate auf dem Weg den Korridor hinunter, nachdem sie Ivarssons Büro verlassen hatten.

»Was denn?«, fragte Harry und bewegte vorsichtig den Kopf von rechts nach links. »Sein Entschluss stand doch schon fest.«

»Du hast ihm aber auch keine Chance gelassen, uns die Tickets zu geben.«

»Ich habe ihm die Chance gegeben, nicht überfahren zu werden.«

»Wie meinst du das denn?« Sie blieben vor dem Aufzug stehen.

»Ich habe dir doch erzählt, dass wir in dieser Sache gewisse Freiheiten genießen.«

Beate drehte sich um und sah ihn an. »Ich glaube, ich verstehe«, sagte sie langsam. »Also, was geschieht jetzt?«

»Überfahren. Und denk an die Sonnencreme.« Die Aufzugtüren öffneten sich.

Bjarne Møller berichtete Harry später am Tag, es sei Ivarsson sehr übel aufgestoßen, dass der Polizeipräsident persönlich den Befehl gegeben habe, Harry und Beate nach Brasilien zu schicken, und dass die Kosten der Reise und des Aufenthalts aus dem Budget des Raubdezernates gedeckt werden sollten.

»Bist du jetzt mit dir zufrieden?«, fragte Beate Harry, ehe er nach Hause ging.

Doch als Harry das Plaza passierte und die Wolken endlich ihre Schleusen öffneten, spürte er erstaunlicherweise keine Befriedigung. Nur ein flaues Gefühl, Schlafmangel und Nackenschmerzen.

»*Baksheesh?*«, schrie Harry in den Hörer. »Was, zum Teufel, ist *Baksheesh?*«

»Trinkgeld«, sagte Øystein. »Niemand macht in diesem verfluchten Land sonst auch nur einen Finger krumm.«

»Scheiße!« Harry trat gegen das Tischchen vor dem Spiegel. Der Apparat rutschte herunter, und der Hörer glitt ihm aus der Hand.

»Hallo? Bist du noch da, Harry?«, kam es knisternd aus dem Hörer am Boden. Harry hätte ihn am liebsten einfach liegen gelassen und wäre seines Weges gegangen. Oder hätte eine Metallica-Platte aufgelegt. Volle Lotte, eine von den alten.

»Harry, reiß dich jetzt zusammen!«, pfiff es.

Harry beugte sich mit geradem Nacken nach unten und nahm den Hörer auf. »Sorry, Øystein. Was sagtest du, wie viel brauchst du noch?«

»Zwanzigtausend Ägyptische. Vierzigtausend Norwegische. Dann kriege ich den Abonnenten, sagen sie.«

»Die melken uns, Øystein.«

»Klar, aber wollen wir den Abonnenten oder nicht?«

»Das Geld kommt, sorg du dafür, dass du eine Quittung kriegst, o. k.?«

Harry lag im Bett und starrte an die Decke, während er darauf wartete, dass die dreifache Dosis der Schmerztabletten endlich anschlug. Das Letzte, was er sah, ehe er ins Dunkel fiel, war ein Junge, der dort oben mit baumelnden Beinen saß und auf ihn herabstarrte.

Teil 4

Kapitel 26

D'Ajuda

Fred Baugestad hatte einen Kater. Er war 31 Jahre alt, geschieden und arbeitete auf Statfjord B als Roughneck. Die Arbeit war hart, und während der Schicht durfte er nicht einmal ein winziges Bierchen trinken, aber sie wurde gut bezahlt, auf dem Zimmer hatte er ein Fernsehen, und das Essen war der reinste Gourmetfraß. Das Beste von allem aber war, dass er nach drei Wochen Arbeit vier Wochen freihatte. Einige fuhren dann nach Hause zu ihren Frauen und starrten die Wände an, andere fuhren Taxi oder zimmerten an ihrem Haus herum, um nicht vor Langeweile einzugehen, und wieder andere machten es wie Fred: Sie reisten in ein warmes Land und versuchten, sich um den Verstand zu trinken. Manchmal schrieb er eine Postkarte nach Karmøy zu seiner Tochter, seinem Baby, wie er sie noch immer nannte, obwohl sie schon zehn war. Oder elf? Egal, das war jedenfalls der einzige Kontakt, den er noch mit dem Festland hatte, und das reichte ihm wirklich. Als er das letzte Mal mit Vater gesprochen hatte, hatte dieser sich wieder über Mutter beklagt, die im Supermarkt schon wieder beim Kekseklauen ertappt worden war. »Ich bete für sie«, hatte sein Vater gesagt und ihn dann gefragt, ob Fred denn eine norwegische Bibel dabeihabe, wenn er im Ausland unterwegs sei. »Das Buch ist für mich ebenso unentbehrlich wie das Frühstück, Vater«, hatte Fred geantwortet und damit die Wahrheit gesagt, denn er aß niemals vor der Mittagszeit, wenn er in D'Ajuda war. Außer man wertete einen Caipirinha als Essen. Was natürlich Definitionssache war, schließlich kippte er vier Esslöffel Zucker in jeden Drink. Fred Baugestad trank Caipirinha, weil dieses Gesöff von Grund auf schlecht war. In Europa hatte dieser Drink einen unverdient guten Ruf, weil man ihn mit Rum oder Wodka mixte statt mit Cachaca – diesem bitteren, herben brasilianischen Zuckerrohrschnaps, der das Trinken von Caipirinhas zu der Buße werden ließ, für die Fred sie hielt. Beide Großväter von Fred waren Alkoholiker gewesen, und mit einer solchen genetischen Veranlagung hielt er es für besser, auf Nummer sicher zu gehen und etwas derart Mieses zu trinken, dass er nie davon abhängig werden konnte.

Heute hatte er sich um zwölf zu Mohammed geschleppt und einen Espresso und einen Brandy zu sich genommen, ehe er langsam in der flimmernden Sommerhitze über den schmalen, holperigen Kiesweg zwischen den kleinen, mehr oder minder weißen Steinhäuschen zurückgeschlendert war. Das Haus, das er gemeinsam mit Roger gemietet hatte, gehörte zu den weniger weißen. Der Putz war abgeblättert, und innen waren die grauen unverputzten Mauern derart von der Feuchtigkeit durchzogen, die vom Atlantik herüberwehte, dass man den bitteren Geschmack der Steine schmecken konnte, wenn man bloß die Zunge herausstreckte. Aber warum sollte man das auch tun, dachte Fred. Das Haus war o. k. Drei Schlafzimmer, zwei Matratzen, ein Kühlschrank und ein Herd. Und ein Sofa und eine Tischplatte auf zwei Steinen im Wohnzimmer. So definierten sie jedenfalls diesen Raum, weil er ein fast viereckiges Loch in der Wand hatte, das sie Fenster nannten. Natürlich hätten sie öfter putzen sollen. In der Küche wimmelte es von gelben Feuerameisen. Sie hatten einen furchteinflößenden Biss, *lava pe*, wie die Brasilianer sie nannten, aber Fred war nicht mehr so oft dort gewesen, seit sie den Kühlschrank ins Wohnzimmer gestellt hatten.

Er lag auf dem Sofa und plante seinen nächsten Schritt an diesem Tag, als Roger hereinkam.

»Wo bist du gewesen?«, fragte Fred.

»In der Apotheke in Porto«, sagte Roger mit breitem Grinsen. »Du glaubst nicht, was sie da so einfach über den Tresen gehen lassen. Da kriegst du Sachen, die du in Norwegen noch nicht einmal auf Rezept bekommst.« Er leerte den Inhalt der Plastiktüte aus und begann die Etiketten vorzulesen.

»Drei Milligramm Benzodiazepin. Zwei Milligramm Flunitrazepam. Verflucht, Fred, das ist praktisch Rohypnol!«

Fred gab keine Antwort.

»Schlechte Laune?«, sprudelte Roger weiter. »Hast du noch nichts zu essen gekriegt?«

»*Não*. Nur einen Kaffee bei Mohammed. Da war übrigens ein komischer Kerl. Hat ihn nach Lev gefragt.«

Roger blickte abrupt von seinen Apothekensachen auf. »Nach Lev? Wie sah er aus?«

»Groß, blond und blaue Augen. Hörte sich wie ein Norweger an.«

»Scheiße, jag mir doch nicht so einen Schreck ein, Fred.« Roger konzentrierte sich wieder auf seine Waren.

»Wie meinst du das?«

»Lass es mich mal so ausdrücken: Wenn er groß, dunkel und dünn gewesen wäre, wäre es an der Zeit gewesen, aus D'Ajuda abzuhauen. Und überhaupt aus dem westlichen Teil der Erde. Sah er wie ein Bulle aus?«

»Wie sehen Bullen aus?«

»Sie ... ach vergiss es, Ölheini.«

»Er sah aus, als hätte er Durst. So was erkenne ich.«

»O. k. Vielleicht ein Kumpel von Lev. Sollen wir ihm helfen?«

Fred schüttelte den Kopf. »Lev hat gesagt, dass er hier vollkommen in ... in ... irgend so ein lateinisches Wort, das bedeutet, dass es geheim ist. Mohammed hat so getan, als hätte er noch nie von einem Lev gehört. Der Kerl wird Lev schon finden, wenn Lev das will.«

»Ich hab doch nur einen Witz gemacht. Wo ist Lev eigentlich? Ich hab ihn schon seit ein paar Wochen nicht mehr gesehen.«

»Ich hab nur gehört, dass er für eine Weile nach Norwegen wollte«, sagte Fred und versuchte vorsichtig, den Kopf zu heben.

»Vielleicht hat er sich eine Bank vorgeknöpft und ist geschnappt worden«, sagte Roger und musste bei dem Gedanken lächeln. Nicht weil er wollte, dass Lev geschnappt wurde, sondern weil ihm der Gedanke, eine Bank zu überfallen, immer irgendwie Spaß machte. Persönlich hatte er das dreimal getan, und es war jedes Mal der gleiche Kick gewesen. Bei den ersten beiden Versuchen waren sie zwar gefasst worden, doch beim dritten Mal hatte er alles richtig gemacht. Wenn er den Coup beschrieb, vergaß er in der Regel den glücklichen Umstand, dass die Überwachungskameras zufälligerweise gerade außer Funktion waren. Was aber auf jeden Fall dazu geführt hatte, dass er jetzt sein Otium – und manchmal auch Opium – in D'Ajuda genießen konnte. Das schöne, kleine Städtchen lag direkt südlich von Porto Seguro und hatte bis vor kurzem die größte Ansammlung gesuchter Individuen südlich von Bogotá beherbergt. Diese Tendenz hatte in den siebziger Jahren des letzten Jahrhunderts begonnen, als D'Ajuda zu einer Art Zentrum für Hippies und Reisende geworden war, die vom Spielen lebten und davon, im Sommer in Europa selbst gemachten Schmuck zu verkaufen. Sie brachten eine willkommene zusätzliche Einnahmequelle für den Ort und störten eigentlich niemanden, so dass die zwei brasilianischen Familien, denen im Grunde alles in D'Ajuda gehörte, ein Abkommen mit dem lokalen Polizeichef trafen, nicht so genau hinzusehen, wenn am Strand Marihuana geraucht wurde, oder in den Cafés, in den immer zahlreicheren Bars und schließlich auch auf offener Straße.

Aber das war ein Problem: Eine wichtige Einnahmequelle der Polizisten – die nur einen Hungerlohn vom Staat erhielten – waren hier wie auch an anderen Orten die »Geldbußen« für die Marihuana rauchenden Touristen sowie für Vergehen gegen weitere mehr oder weniger unbekannte Gesetze. Damit aber die Wohlstand bringenden Touristen und die Polizisten in friedlicher Koexistenz leben konnten, mussten die Familien dafür sorgen, dass es alternative Einnahmemöglichkeiten für die Polizei gab. So begannen der amerikanische Soziologe und sein argentinischer Lover, die die lokale Produktion und den Verkauf von Marihuana unter sich hatten, eine Art Provision an den Polizeichef zu zahlen, damit sich dieser für den Erhalt des Monopols starkmachte – was dazu führte, dass potenzielle Konkurrenten sofort festgenommen und mit Pauken und Trompeten an die Staatspolizei ausgeliefert wurden. Das Geld wanderte still und leise in die Taschen der wenigen lokalen Beamten, und alles war Friede, Freude, Eierkuchen, bis plötzlich drei Mexikaner auftauchten, die bereit waren, höhere Provisionen zu zahlen, woraufhin der Amerikaner und der Argentinier eines Sonntagmorgens auf dem Markt vor der Poststation mit allem Tamtam der staatlichen Polizei übergeben wurden. Das effektive, marktwirtschaftliche System von Schutzkauf und -verkauf entwickelte sich weiter, und bald füllte sich D'Ajuda mit gesuchten Verbrechern aus aller Herren Länder, die hier ein relativ sicheres Leben führen konnten, und das zu einem Preis, der weit unter dem in Pattaya oder vielen anderen Orten lag. In den achtziger Jahren aber wurde diese schmucke und bis dahin unberührte Perle der Natur mit ihren langen Stränden, den roten Sonnenuntergängen und dem ausgezeichneten Marihuana von den Geiern des Tourismus entdeckt – den Rucksacktouristen. Sie strömten in solchen Mengen und mit einem solchen Konsumwillen nach D'Ajuda, dass die zwei Familien die Wirtschaftlichkeit des Ortes als Flüchtlingslager für Gesetzlose überdenken mussten. Nachdem die angenehm dunklen Bars zu Geschäften umfunktioniert waren, in denen man Tauchausrüstung leihen konnte, und die alten Cafés, wo die lokale Bevölkerung ihren Lambada in herkömmlicher Weise getanzt hatte, Wild-Wild-

Moon-Partys zu organisieren begannen, geschah es immer öfter, dass die lokale Polizei plötzliche Razzien in den kleinen weißen Häuschen unternahm und einen wild protestierenden Gefangenen auf den Markt zerrte. Trotzdem war es für einen Gesetzesbrecher hier noch immer viel sicherer als in den meisten anderen Orten der Welt, wenn auch alle ein wenig paranoid geworden waren, nicht nur Roger.

Deshalb gab es auch Platz für einen Mann wie Mohammed Ali in der Nahrungskette von D'Ajuda. Seine Existenzberechtigung beruhte in erster Linie auf seiner strategischen Position auf dem Platz, an dem der Bus aus Porto Segura wendete. Von dem Tresen seiner offenen *ahwa* aus hatte Mohammed freien Blick auf alles, was sich auf D'Ajudas sonnenverwöhnter, gepflasterter und überdies einziger *plaza* tat. Wenn neue Busse kamen, hielt er im Servieren von Kaffee oder dem Stopfen der Wasserpfeifen inne, um die Neuankömmlinge zu scannen und eventuelle Polizisten oder Kopfgeldjäger zu entlarven. Wenn seine untrügliche Nase jemanden in diese Kategorien einordnete, schlug er sofort Alarm. Der Alarm war eine Art Abonnementleistung, durch die diejenigen, die ihren monatlichen Beitrag leisteten, einen Anruf oder eine persönliche Nachricht vom kleinen, wieselflinken Paulinho bekamen. Doch Mohammed hatte auch einen persönlichen Grund, die ankommenden Busse zu beobachten. Nachdem er mit Rosalita aus Rio vor ihrem Mann geflohen war, hatte er nicht eine Sekunde daran gezweifelt, was ihm blühen würde, wenn der Betrogene herausfand, wo sie waren. Es war ein Leichtes, für ein paar hundert Dollar einen Mord in Auftrag zu geben, wenn man in die Favelas von Rio oder São Paulo ging, doch auch ein Profi, ein mit allen Orden ausgezeichneter Killer, verlangte nicht mehr als zwei-, dreitausend Dollar plus Spesen für einen *Find and destroy*-Auftrag, schließlich gab es ein klares Überangebot auf dem Markt. Und für Paare bekam man fünfundzwanzig Prozent Rabatt.

Manchmal kam es vor, dass Menschen, die Mohammed als Jäger identifiziert hatte, direkt zu seiner *ahwa* kamen. Um den Schein zu wahren, bestellten sie dann gerne Kaffee, aber wenn sie die Tasse halb leer hatten, kam immer die unausweichliche Frage Wissen-Sie-wo-mein-Freund-xy-wohnt oder Kennen-Sie-den-Mann-auf-diesem-Bild-ich-schulde-ihm-noch-Geld. In diesen Fällen verlangte Mohammed ein Extrahonorar, wenn es ihm gelang, den Jäger durch seine Standardantwort »Er hat vor zwei Tagen mit einem dicken Koffer den Bus nach Porto Seguro bestiegen« dazu zu verleiten, mit dem nächsten Bus wieder zurückzufahren.

Als der große, hellhäutige Polizist mit dem verknitterten Leineanzug und dem weißen Verband im Nacken eine Tasche und eine Playstation-Tüte vor sich auf den Tisch stellte, sich den Schweiß von der Stirn wischte und auf Englisch einen Kaffee bestellte, sah Mohammed deshalb seine Chance für einen kleinen Extraverdienst kommen. Doch es war nicht der Mann, der seine Aufmerksamkeit geweckt hatte. Es war die Frau, die ihn begleitete. Sie hätte sich ebenso gut »Polizei« in Großbuchstaben quer auf die Brust schreiben können.

Harry sah sich um. Abgesehen von ihm selbst, Beate und dem Araber hinter dem Tresen waren nur drei Personen im Lokal. Zwei Rucksacktouristen und ein Traveller der etwas müderen Sorte, der einen hartnäckigen Kater zu pflegen schien. Der Nacken brachte Harry noch um. Er sah auf die Uhr. Vor zwanzig Stunden waren sie in Oslo aufgebrochen. Oleg hatte angerufen, der Tetris-Rekord war gebrochen, und Harry hatte es geschafft, im Computerspielladen in Heathrow vor ihrem Weiterflug nach Recife noch einen Namco G-Con 45 zu kaufen. Von Recife aus waren sie mit einer Propellermaschine nach Porto Seguro geflogen. Vor dem Flugplatz hatte er sich mit einem Taxifahrer auf einen vermutlich astronomischen Preis geeinigt, der sie zur Fähre gefahren hatte, die sie auf die Seite von D'Ajuda gebracht hatte. Von dort hatten sie das letzte, mit Schlaglöchern übersäte Stück mit dem Bus zurückgelegt.

Vierundzwanzig Stunden waren vergangen, seit er im Besuchszimmer gesessen und Raskol erklärt hatte, dass er vierzigtausend Kronen für die Ägypter brauchte. Und dass Raskol ihm gesagt hatte, dass Mohammeds *ahwa* nicht in Porto Seguro lag, sondern in dem kleinen Städtchen gleich nebenan.

»D'Ajuda«, hatte Raskol mit breitem Grinsen gesagt. »Ich kenne da ein paar Jungs.«

Der Araber sah Beate an, die den Kopf schüttelte, ehe er einen Kaffee vor Harry stellte. Er war bitter und stark.

»Mohammed«, sagte Harry und sah, wie der Mann hinter dem Tresen erstarrte. »*You are Mohammed, right?*«

Der Araber schluckte. »*Who's asking?*«

»*A friend.*« Harry schob die rechte Hand unter seine Jacke und bemerkte die Panik in dem dunklen Gesicht vor sich. »Levs kleiner Bruder möchte gerne mit ihm sprechen.« Harry zog eine der Fotografien hervor, die Beate von Trond bekommen hatte, und legte sie auf den Tisch.

Mohammed schloss einen Moment lang die Augen, während seine Lippen ein stummes Gebet zu sprechen schienen.

Das Bild zeigte zwei Jungs. Der größere der beiden trug eine rote Daunenjacke. Er lachte und hatte den Arm kameradschaftlich um die Schultern des anderen gelegt, der verlegen in die Kamera blickte.

»Ich weiß nicht, ob Lev schon einmal mit Ihnen über seinen Bruder gesprochen hat?«, fragte Harry. »Er heißt Trond.«

Mohammed nahm das Bild in die Hand und betrachtete es genau.

»Hm«, sagte er und kratzte sich am Bart. »Ich habe keinen davon jemals gesehen. Und ich weiß auch von niemandem hier in D'Ajuda, der Lev heißt. Und ich kenne die meisten.«

Er reichte Harry die Fotografie, der sie in die Innentasche seiner Jacke schob und seinen Kaffee austrank. »Wir müssen irgendwo übernachten, Mohammed. Dann kommen wir wieder. Bis dahin können Sie ja ein bisschen nachdenken.«

Mohammed schüttelte den Kopf, zog den Zwanzigdollarschein weg, den Harry unter die Tasse geschoben hatte, und gab ihn ihm zurück. »Ich nehme keine großen Scheine«, sagte er.

Harry zuckte mit den Schultern. »Wir kommen trotzdem zurück, Mohammed.«

In dem kleinen Hotel mit Namen Vittoria bekamen sie zwei große Einzelzimmer, da ja keine Saison war. Auf Harrys Zimmerschlüssel stand die Nummer 69, obgleich das Hotel nur zwei Etagen und etwa zwanzig Zimmer hatte. Er nahm an, die Hochzeitssuite bekommen zu haben, als er die Schublade des Nachtschränkchens neben dem herzförmigen roten Bett herauszog und zwei Kondome mit Grüßen der Hotelleitung fand. Die gesamte Badezimmertür war mit einem Spiegel verkleidet, in dem man sich vom Bett aus sehen konnte. In einem unverhältnismäßig großen, tiefen Schrank – neben dem Bett das einzige Möbelstück im Raum – hingen zwei etwas abgenutzte, knapp knielange Morgenmäntel mit orientalischen Ornamenten auf dem Rücken.

Die Frau am Empfang schüttelte bloß den Kopf, als sie ihr die Bilder von Lev Grette zeigten. Das Gleiche geschah im Restaurant nebenan und im Internet-Café etwas weiter entfernt auf der seltsam leeren Hauptstraße. Sie führte in traditioneller Weise von der Kirche zum Friedhof, hatte aber einen neuen Namen bekommen. Broadway. In dem kleinen Lebensmittelgeschäft, in dem sie Wasser und Weihnachtsschmuck verkauften und über dessen Tür SUPERMARKET stand, fanden sie schließlich eine Frau hinter der Kasse. Sie antwortete auf alles, was sie fragten, mit »yes« und sah sie mit einem derart leeren Blick an, dass sie schließlich aufgaben und gingen. Auf dem Weg zurück sahen sie bloß einen Menschen, einen jungen Polizisten, der mit verschränkten Armen und tiefhängendem Pistolengurt an seinen Jeep gelehnt dastand und sie gähnend beobachtete.

In Mohammeds *ahwa* erklärte der dürre Junge hinter dem Tresen, dass sich sein Chef überraschend freigenommen und einen Spaziergang unternommen habe. Beate fragte, wann er wieder zurück sei, doch der Junge schüttelte nur ratlos den Kopf, blickte in die Sonne und sagte »Trancoso«.

Im Hotel erzählte die Empfangsdame, dass die dreizehn Kilometer lange Strandwanderung nach Trancoso zu den Hauptattraktionen D'Ajudas zählte. Im Übrigen die einzige neben der katholischen Kirche am Platz.

»Hm. Wie kommt es, dass hier so wenig Menschen sind, Senhora?«, fragte Harry.

Sie lächelte und deutete zum Meer.

Und da waren sie. Auf dem glühend heißen Sand, der sich in der Hitze flimmernd so weit ausstreckte, wie der Blick nach rechts und nach links reichte. Sonnenanbeter aufgereiht wie an einer Kette. Dazwischen Strandverkäufer, die gebeugt unter dem Gewicht ihrer Kühltaschen und Fruchtsäcke durch den losen Sand stapften, Barkeeper, die grinsend an provisorischen Barständen warteten, während Sambamusik aus den Lautsprechern unter den Strohdächern hallte, und Surfer in gelben Anzügen und weißen, mit Zinkoxid eingeschmierten Lippen. Und zwei Menschen, die mit den Schuhen in der Hand Richtung Süden spazierten. Sie in Shorts, einem kleinen Top und einem Strohhut, den sie im Hotel aufgesetzt hatte, während er immer noch barhäuptig in einem zerknitterten Leinenanzug herumlief.

»Hat sie wirklich dreizehn Kilometer gesagt?«, fragte Harry und blies einen Schweißtropfen weg, der ihm an der Nasenspitze hing.

»Es ist dunkel, ehe wir zurück sind«, sagte Beate und zeigte nach vorn. »Sieh doch, alle anderen brechen auf.«

Ein schwarzer Streifen führte über den Strand, eine schier unendliche Karawane von Menschen auf dem Weg nach Hause, die Nachmittagssonne im Rücken.

»Das passt doch«, sagte Harry und schob sich die Sonnenbrille zurecht. »Ein Aufmarsch von ganz D'Ajuda. Wir müssen

318

die Augen benutzen. Wenn wir Mohammed schon nicht treffen, begegnet uns ja mit etwas Glück vielleicht Lev persönlich.«

Beate lächelte. »Ich wette einen Hunderter.«

Gesichter flimmerten in der Hitze vorbei. Schwarze, weiße, junge, alte, schöne, hässliche, zugedröhnte und nüchterne, lächelnde und musternde. Die Bars und Surfbrettverleihe verschwanden, und zur Linken sahen sie nur noch Sand und Meer, während rechter Hand dichte Dschungelvegetation wuchs. Hier und da saßen Menschen in Grüppchen zusammen, von denen ihnen der unverkennbare Geruch von Marihuana entgegenwehte.

»Ich habe mir noch einmal Gedanken über diese Sache mit der Intimzone und unserer Insidertheorie gemacht«, sagte Harry. »Glaubst du, dass sich Lev und Stine Grette besser gekannt haben, als es Schwager und Schwägerin normalerweise tun?«

»Dass sie an den Plänen beteiligt war und dass er sie dann erschossen hat, um keine Spuren zu hinterlassen?« Beate blinzelte in die Sonne. »Tja, warum nicht?«

Obgleich es schon nach vier Uhr war, nahm die Hitze nicht merklich ab. Sie zogen sich ihre Schuhe an, um eine steinige Zone zu überqueren, und auf der anderen Seite fand Harry einen dicken, trockenen Ast, der an Land geschwemmt worden war. Er bohrte den Ast in den Sand und nahm Portemonnaie und Pass aus seiner Jacke, ehe er diese auf die provisorische Kleiderstange hängte.

In der Ferne konnten sie Trancoso erkennen, als Beate sagte, dass sie gerade an einem Mann vorbeigegangen seien, den sie auf einem Video gesehen hatte. Harry glaubte zuerst, sie meinte irgendeinen Prominenten, ehe sie sagte, sein Name sei Roger Person und dass er neben ein paar Drogenvergehen zweimal verurteilt worden war für Überfälle auf die Postämter in Gamlebyen und Veitvet und überdies einer der Verdächtigen des Überfalls auf das Postamt Ullevål gewesen sei.

Fred hatte drei Caipirinhas in der Strandbar in Trancoso getrunken, hielt es aber noch immer für eine schwachsinnige Idee, die dreizehn Kilometer nach Trancoso gelaufen zu sein, bloß um – wie Roger es genannt hatte – »den Kopf ein wenig zu lüften, damit er nicht auch noch zu schimmeln beginnt«.

»Du kannst bloß wegen dieser neuen Pillen nicht mehr still sitzen«, brummte Fred seinem Kameraden hinterher, der etwas auf Zehenspitzen und mit hoch angehobenen Knien vor ihm hertrabte.

»Und wenn schon. Du musst doch noch ein paar Kalorien verbrennen, ehe du wieder auf deine kalte Platte in der Nordsee kannst. Sag mir lieber, was dir Mohammed am Telefon über diese zwei Bullen gesagt hat.«

Fred seufzte und versuchte widerwillig, sein Kurzzeitgedächtnis zu aktivieren. »Er hat etwas von einer kleinen Tussi gesagt, die so blass ist, dass man fast durch sie hindurchsehen kann, und von einem großen Deutschen mit Portweinnase.«

»Deutschen?«

»Mohammed geht davon aus. Kann auch ein Russe sein oder ein Inka oder …«

»Na klasse. War er sich sicher, dass es Bullen sind?«

»Wie meinst du das?« Fred wäre beinahe in Roger gerannt, der plötzlich stehen geblieben war.

»Das gefällt mir gar nicht, um es mal so auszudrücken«, sagte Roger. »Soweit ich weiß, hat Lev bloß in Norwegen Banken ausgeräumt. Und norwegische Bullen kommen doch ohnehin nicht nach Brasilien, um einfache Bankräuber auszuräuchern. Bestimmt Russen. Scheiße. Dann wissen wir, wer die geschickt hat. Und dann haben sie es nicht bloß auf Lev abgesehen.«

Fred stöhnte. »Fang jetzt bitte nicht wieder mit deiner Zigeunerscheiße an, ja?«

»Du magst ja vielleicht denken, dass ich paranoid bin, aber das ist der Teufel persönlich. Es kostet ihn nicht eine Kalorie, Leute auszulöschen, die ihn um eine Krone betrogen haben.

Ich hatte nicht damit gerechnet, dass er es überhaupt bemerken würde, ich hatte mir doch bloß ein paar Tausender als Handgeld aus der Tasche genommen, oder? Aber das ist irgend so ein Scheißprinzip. Wenn man der Chef im Milieu ist, muss man Respekt haben, und hat man den nicht ...«

»Roger! Ich leihe mir lieber ein Video aus, wenn ich mir so 'ne Mafiascheiße anhören will.«

Roger antwortete nicht.

»Hallo? Roger?«

»Halt dein Maul«, flüsterte Roger. »Dreh dich nicht um und geh weiter.«

»Häh?«

»Wenn du nicht so scheißvoll wärst, hätt'st du vielleicht gerade gemerkt, dass wir gerade an einer hässlichen Durchsichtigen und einer noch hässlicheren Portweinnase vorbeigekommen sind.«

»Ist das wahr?« Fred drehte sich um. »Roger ...«

»Ja?«

»Ich glaube, du hast recht. Die haben kehrtgemacht ...«

Roger ging weiter, ohne sich umzudrehen. »Scheißescheißescheiße!«

»Was machen wir jetzt?«

Fred drehte sich um, als er keine Antwort bekam, und bemerkte, dass Roger verschwunden war. Verwundert blickte er in den Sand und sah die tiefen Fußspuren, die plötzlich nach links abbogen. Er blickte wieder auf und erkannte Rogers fliegende Fußsohlen. Dann begann auch Fred, auf die dichte, grüne Vegetation zuzurennen.

Harry gab beinahe augenblicklich auf.

»Das nützt doch nichts«, rief er Beate nach, die zögernd stoppte.

Sie waren nur wenige Meter vom Strand entfernt, schienen aber dennoch in einer völlig anderen Welt zu sein. Eine dampfende, stehende Wärme hing zwischen den Stämmen, unter deren dichtem Laubdach es beinahe stockfinster war. Falls die zwei flüchtenden Männer Geräusche von sich gaben, wurden sie von dem Gekreische der Vögel und dem Rauschen des Meeres hinter ihnen übertönt.

»Der hintere sah nicht gerade aus wie ein Sprinter«, sagte Beate.

»Die kennen diese Trampelpfade aber besser als wir«, sagte Harry. »Und wir haben keine Waffen, die aber vielleicht schon.«

»Wenn Lev nicht bereits gewarnt worden ist, wird er es jetzt. Also, was machen wir jetzt?«

Harry fuhr sich mit der Hand über den durchnässten Verband. Den Moskitos waren bereits ein paar Stiche gelungen. »Wir wechseln zu Plan B.«

»Oh, und wie lautet der?«

Harry sah zu Beate hinüber und fragte sich, wie es sein konnte, dass auf ihrer Stirn nicht ein einziger Schweißtropfen zu sehen war, während er tropfte wie eine lecke Dachrinne.

»Wir gehen fischen«, sagte er.

Der Sonnenuntergang war ein kurzes, aber überwältigendes Schauspiel in allen Abtönungen von Rot. Und noch ein paar andere Farben, behauptete Mohammed und deutete auf die Sonne, die gerade wie ein Klumpen Butter in einer glühend heißen Pfanne dahinschmolz.

Doch der Deutsche vor dem Tresen interessierte sich nicht für den Sonnenuntergang, er hatte gerade gesagt, dass er demjenigen tausend Dollar zahlen würde, der ihm helfen könnte, Lev Grette oder Roger Person zu finden. Ob Mohammed so freundlich sein wolle, dieses Angebot weiterzuvermitteln? Interessenten sollten sich an den Gast im Zimmer 69 im Hotel Vittoria wenden, sagte der Deutsche, ehe er mit der blonden Frau die *ahwa* verließ.

Die Schwalben liefen Amok, als sich die Insekten zu ihrem kurzen Abendtänzchen versammelten. Die Sonne war jetzt nur noch ein brennender roter Rand auf der Meeresoberfläche, und zehn Minuten später war es dunkel.

Als Roger eine Stunde später fluchend auftauchte, war er unter seinem Sonnenbrand ganz blass.

»Zigeunerarsch!«, murmelte er zu Mohammed und erzählte ihm, dass er schon in Fredos Bar die Gerüchte über die fette Belohnung gehört hätte und dann gleich aufgebrochen sei. Auf dem Weg sei er noch bei Petra im Supermarkt vorbeigegangen, der Deutsche und die blonde Frau waren gleich zwei Mal bei ihr gewesen. Beim zweiten Mal hätten sie aber nichts gefragt, sondern nur eine Angelschnur gekauft.

»Was wollen die denn damit?«, fragte er und sah sich rasch um, während ihm Mohammed einen Kaffee eingoss. »Etwa fischen?«

»Bitte«, sagte Mohammed und nickte in Richtung Tasse. »Gut gegen Paranoia.«

»Paranoia?«, brüllte Roger. »Das ist reine Vernunft. Verfluchte tausend Dollar! Für ein Zehntel würden die Leute hier doch ohne zu zögern ihre Mutter verkaufen!«

»Also, was willst du machen?«

»Was ich machen muss. Dem Deutschen zuvorkommen.«

»Ach ja. Und wie?«

Roger nippte am Kaffee und zog dabei eine schwarze Pistole mit kurzem, braunem Schaft unter dem Hosenbund hervor. »Sag meiner Taurus PT92C aus São Paulo guten Tag.«

»Nein danke«, fauchte Mohammed. »Pack das Ding augenblicklich weg. Du bist ja verrückt. Willst du es allein mit dem Deutschen aufnehmen?«

Roger zuckte mit den Schultern und steckte die Pistole wieder weg. »Fred liegt zitternd zu Hause. Er sagt, er will nie wieder nüchtern werden.«

»Dieser Mann ist ein Profi, Roger.«

Roger schnaubte. »Und ich etwa nicht? Ich hab auch ein paar Banken ausgeräumt, oder? Und weißt du, was das Wichtigste ist, Mohammed? Das Überraschungsmoment. Darauf kommt es wirklich an.« Roger kippte den Rest des Kaffees hinunter. »So professionell ist der auch nicht, wenn er Gott und der Welt verrät, in welchem Zimmer er wohnt.«

Mohammed verdrehte die Augen und bekreuzigte sich.

»Allah sieht dich, Mohammed«, murmelte Roger trocken und stand auf.

Roger sah die blonde Frau sofort, als er in die Rezeption kam. Sie saß bei einer Gruppe Männer, die ein Fußballspiel im Fernseher über der Bar verfolgten. Richtig, heute Abend war ja das *flaflu*, das traditionelle Derby zwischen Flamengo und Fluminense in Rio, deshalb war es bei Fredo auch so voll gewesen.

Er ging rasch an ihnen vorbei und hoffte, von niemandem bemerkt worden zu sein. Dann hastete er die Treppe hinauf und verschwand auf dem Flur. Er wusste gut, wo das Zimmer lag. Wenn Petras Ehemann einmal die Stadt verlassen musste, hatte er Zimmer 69 auch schon mal im Voraus reserviert.

Roger legte das Ohr an die Tür, hörte aber nichts. Er blickte durch das Schlüsselloch, doch es war dunkel im Zimmer. Entweder war der Deutsche ausgegangen, oder er schlief. Roger schluckte. Sein Herz klopfte schnell, aber die halbe Pille, die er eingeworfen hatte, ließ ihn ruhig bleiben. Er versicherte sich, dass die Pistole geladen und entsichert war, ehe er vorsichtig die Klinke nach unten drückte. Die Tür war offen! Roger schlüpfte rasch ins Zimmer und schloss die Tür leise hinter sich. Dann blieb er im Dunkel stehen und hielt den Atem an. Er sah und hörte nichts. Keine Bewegung, kein Atmen. Nur das schwache Surren des Deckenventilators. Glücklicherweise kannte sich Roger im Zimmer aus. Er zielte mit der Pistole auf das herzförmige Bett, während sich seine Augen langsam an das Dunkel gewöhnten. Ein schmaler Streifen Mondlicht warf einen blassen Lichtschein auf das Bett. Die Decke war zurückgeschlagen. Das Bett war leer. Er dachte rasch nach. Konnte es sein, dass der Deutsche das Zimmer verlassen und abzuschließen vergessen hatte? Dann könnte sich Roger ja einfach hinsetzen und darauf warten, dass er zurückkam und dann wie eine Zielscheibe in der Tür stand. Aber das erschien ihm zu schön, um wahr zu sein, wie eine Bank mit offenem Tresor. So etwas gab es schlichtweg nicht. Das kam nicht vor. Der Deckenventilator.

Die Bestätigung erhielt er noch in der gleichen Sekunde.

Roger zuckte zusammen, als er plötzlich das Geräusch von rauschendem Wasser aus dem Badezimmer hörte. Der Kerl hatte auf dem Klo gesessen! Roger umklammerte die Pistole mit beiden Händen und richtete sie mit ausgestreckten Armen dorthin, wo er die Badezimmertür vermutete. Fünf Sekunden vergingen. Acht Sekunden. Roger konnte nicht mehr länger die Luft anhalten. Worauf zum Teufel wartete der Kerl? Er hatte doch abgezogen. Zwölf Sekunden. Vielleicht hatte er etwas gehört. Vielleicht versuchte er, das Weite zu suchen. Roger fiel ein, dass es dort drinnen oben an der Wand ein kleines Fenster gab. Scheiße! Das war jetzt seine Chance, er durfte den Kerl nicht einfach davonkommen lassen. Roger schlich sich an dem Schrank mit dem Morgenmantel vorbei, der Petra so gut stand, baute sich vor der Badezimmertür auf und legte eine Hand auf die Klinke. Er hielt die Luft an und wollte gerade die Tür öffnen, als er einen leichten Luftzug spürte. Nicht wie von einem Ventilator oder einem geöffneten Fenster. Das war etwas anderes.

»*Freeze*«, sagte eine Stimme unmittelbar hinter ihm. Und genau das tat Roger auch, nachdem er den Kopf gehoben und einen Blick in den Spiegel an der Tür geworfen hatte. Er fror derart, dass seine Zähne klapperten. Die Türen des Kleiderschranks waren aufgegangen, und darin konnte er zwischen den Morgenmänteln eine große Gestalt erahnen. Doch das war nicht der Grund für sein plötzliches Frieren. Der Psychoschock, den man bekommt, wenn man entdeckt, dass jemand eine Waffe auf einen richtet, die viel größer als die eigene ist, wird nicht gerade geringer, wenn man sich mit Waffen ein bisschen auskennt. Ganz im Gegenteil, schließlich weiß man dann, um wie viel effektiver großkalibrige Kugeln einen menschlichen Körper zerstören können. Und Rogers Taurus PT92C war eine Knallerbsenpistole im Vergleich zu dem gewaltigen, schwarzen Monster, das er im Mondlicht hinter sich ausmachte. Ein schwirrendes Geräusch ließ Roger aufblicken. Das wenige Licht spiegelte sich in etwas, das wie eine Angelschnur aussah und von dem Spalt über der Badezimmertür zum Schrank führte.

»*Guten Abend*«, flüsterte Roger.

Als der Zufall es wollte, dass sechs Jahre später ein Gast in einer Bar in Pattaya Roger zuwinkte und sich schließlich als Fred entpuppte, war er zuerst so überrascht, dass er nicht einmal reagierte, als Fred ihm einen Stuhl an den Tisch zog.

Fred bestellte Drinks für sie und erzählte ihm, dass er nicht mehr auf der Nordsee arbeitete. Berufsunfähigkeitsversicherung. Roger setzte sich zögernd hin und erklärte ihm, ohne ins Detail zu gehen, dass er in den letzten sechs Jahren als Kurier für Chang Rai gearbeitet habe. Erst nach zwei Drinks räusperte sich Fred und fragte, was eigentlich an diesem Abend geschehen war, an dem Roger D'Ajuda so plötzlich verlassen hatte.

Roger blickte in sein Glas, holte tief Luft und sagte, er habe keine andere Wahl gehabt. Der Deutsche, der übrigens gar kein Deutscher gewesen sei, habe ihn überlistet und beinahe an Ort und Stelle exekutiert. Im letzten Moment sei es ihm jedoch gelungen, einen Deal mit ihm zu machen. Dreißig Minuten Vorsprung für ihn, um aus D'Ajuda zu verschwinden, für die Adresse von Lev Grette.

»Was für eine Waffe, sagtest du, hatte der Kerl?«, fragte Fred.

»Es war zu dunkel, um das zu erkennen. Jedenfalls keine bekannte Marke. Aber eines sage ich dir, mit diesem Ding hätte der meinen Schädel bis zu Fredo's geblasen.«

Roger warf erneut einen raschen Blick in Richtung Eingangstür.

»Ich hab hier übrigens eine Bude gefunden«, sagte Fred.
»Hast du eine Wohnung, oder?«

Roger blickte Fred an, als wäre das eine Frage, an die er
noch nie gedacht hatte. Er rieb sich lange über die Bartstop-
peln, ehe er antwortete.

»Eigentlich nicht.«

Kapitel 27

Edvard Grieg

Levs Haus lag etwas abseits am Ende einer Sackgasse. Es war wie die meisten Häuser der Nachbarschaft ein einfacher Ziegelbau, mit dem einzigen Unterschied, dass dieses Haus tatsächlich Glas in den Fenstern hatte. Eine einsame Straßenlaterne erzeugte einen gelben Lichtkegel, in dem eine beeindruckend vielfältige Insektenfauna um die besten Plätze kämpfte, während Fledermäuse immer wieder gierig aus dem Dunkel ins Licht flatterten.

»Sieht nicht aus, als ob jemand zu Hause ist«, flüsterte Beate.

»Vielleicht spart er nur Strom«, sagte Harry.

Sie blieben vor einem niedrigen, rostigen Eisentörchen stehen.

»Also, wie gehen wir jetzt vor?«, fragte Beate. »Hingehen und anklopfen?«

»Nein, du schaltest das Handy ein und wartest hier. Wenn du siehst, dass ich da unter dem Fenster bin, rufst du diese Nummer an.« Er gab ihr die Seite, die er aus dem Notizbuch gerissen hatte.

»Warum das denn?«

»Wenn wir drinnen ein Handy klingeln hören, können wir wohl davon ausgehen, dass Lev zu Hause ist.«

»Gut. Und wie willst du ihn schnappen? Etwa damit?« Sie

deutete auf das klumpige, schwarze Etwas, das Harry in der rechten Hand hielt.

»Warum nicht? Bei Roger Person hat's gewirkt.«

»Er stand in einem halbdunklen Raum und hat es bloß in einem Jahrmarktsspiegel gesehen, Harry.«

»O. k. Aber wenn man keine Waffen mit nach Brasilien nehmen darf, muss man sich halt mit dem behelfen, was man hat.«

»Zum Beispiel einer Angelschnur an der Leine des Kloabzugs und einem Spielzeug?«

»Aber nicht irgendein Spielzeug, Beate. Ein Namco G-Con 45.« Er tätschelte die überdimensionale Plastikpistole.

»Mach doch wenigstens das Playstation-Logo ab«, sagte Beate und schüttelte den Kopf.

Harry zog sich die Schuhe aus und lief gebückt über die trockene rissige Erdfläche, aus der irgendwann einmal eine Wiese hätte werden sollen. Am Haus angekommen, hockte er sich unter dem Fenster mit dem Rücken an die Wand und gab Beate mit der Hand ein Zeichen. Er sah sie nicht, wusste aber, dass sie ihn vor der weißen Wand erkannte. Dann blickte er in den Himmel, eine Ausstellung des Universums. Sekunden später waren leise, aber entschiedene Töne eines Handys aus dem Innern des Hauses zu hören. In der Halle des Bergkönigs. Peer Gynt. Der Mann hatte, mit anderen Worten, Sinn für Humor.

Harry heftete seinen Blick auf einen der Sterne und versuchte seinen Kopf zu leeren und nur noch an das zu denken, was ihm jetzt bevorstand. Es gelang ihm nicht. Aune hatte einmal gefragt, warum wir uns wirklich fragen, ob es dort oben Leben gibt, wenn wir doch wissen, dass es allein in unserer Galaxie mehr Sonnen gibt als Sandkörner an einem durchschnittlichen Strand? Lieber sollten wir uns fragen, wie groß die Chancen stehen, dass sie uns alle friedlich gesonnen sind. Um sich dann Gedanken zu machen, ob das Risiko einer Kontaktaufnahme wirklich kalkulierbar ist. Harry umklammerte den Griff der Spielzeugpistole. Die gleiche Frage stellte er sich jetzt.

Das Telefon hatte aufgehört, Grieg zu spielen. Harry wartete. Dann holte er tief Luft, stand auf und schlich sich an die Tür. Er lauschte, hörte aber nur die Grillen. Er legte die Hand auf die Klinke und erwartete, dass die Tür verschlossen war.

Sie war es.

Er fluchte leise. Er hatte sich vorher bereits entschlossen, im Falle einer verschlossenen Tür und dem dadurch bedingten Wegfall des Überraschungsmomentes bis zum nächsten Tag zu warten und sicherheitshalber auch noch etwas Hardware zu kaufen, ehe sie wieder zurückkamen. Vermutlich war es ziemlich unproblematisch, sich in einem Ort wie diesem zwei hässliche Handfeuerwaffen zu beschaffen. Auf der anderen Seite war er sich aber auch ziemlich sicher, dass Lev bald über die Geschehnisse des Tages aufgeklärt werden würde, so dass ihnen nicht mehr viel Zeit blieb.

Harry machte einen kleinen Hüpfer, als er einen Stich in der rechten Fußsohle spürte. Er zog den Fuß automatisch zurück und blickte zu Boden. In dem spärlichen Licht der Sterne sah er einen schwarzen Streifen auf der weiß gekalkten Mauer. Der Streifen führte von der Tür über die Treppe, auf der sein Fuß gestanden hatte, und weiter über die Stufe nach unten, wo er ihn aus den Augen verlor. Er fischte die Mini-Maglite aus seiner Jackentasche und schaltete sie an. Es waren Ameisen. Große, gelbe, halb durchsichtige Ameisen, die in zwei Kolonnen marschierten – eine über die Treppe nach unten und eine andere durch den Türspalt nach drinnen. Das waren ganz offensichtlich andere Viecher als die heimischen Zuckerameisen. Es war nicht zu erkennen, was sie transportierten, doch so viel wusste Harry über Ameisen – gelb oder nicht –, irgendetwas schleppten sie weg.

Harry machte die Lampe aus und dachte nach. Dann ging er. Die Treppe hinunter in Richtung Gartentor. Auf halber Strecke blieb er stehen, drehte sich um und begann zu laufen.

Die einfache, bereits leicht morsche Tür flog auf beiden Seiten aus dem Rahmen, als sie von 95 Kilo Hole mit einer Geschwindigkeit von knapp 30 Stundenkilometern getroffen wurde. Er fiel auf seinen einen Ellbogen, als er und die Reste der Tür auf den Boden stürzten. Schmerzen schossen ihm durch Arm und Nacken. Im Dunkeln liegend wartete er auf das glatte Klicken einer Pistolensicherung. Als es ausblieb, richtete er sich auf und schaltete die Taschenlampe wieder an. Der kleine Lichtkegel fand zurück zu den Ameisen an der Wand. Harry spürte an der Wärme unter seinem Verband, dass er wieder zu bluten begonnen hatte. Er folgte den glänzenden Ameisenkörpern über einen schmutzigen Teppich ins Nebenzimmer. Dort bog die Kolonne abrupt nach links ab und lief an der Wand weiter. Der Lichtkegel fing auf dem Weg nach oben den Rand eines Kamasutra-Bildes ein. Die Ameisenkarawane bog erneut ab und lief nun unter der Zimmerdecke weiter. Harry legte den Kopf zurück. Sein Nacken schmerzte wie niemals zuvor. Jetzt waren sie direkt über ihm. Er musste sich umdrehen. Der Lichtkegel irrte etwas herum, ehe er zurück zu den Ameisen fand. War das wirklich der kürzeste Weg zu ihrem Bestimmungsort? Weiter kamen Harrys Gedanken nicht, ehe er in Lev Grettes Gesicht starrte. Sein Körper türmte sich vor Harry auf, der die Lampe fallen ließ und nach hinten taumelte. Und obgleich ihm sein Hirn verriet, dass es zu spät war, tasteten seine Hände wie in einer Mischung aus Schock und Dummheit nach einer Namco G-Con 45, an der er sich festhalten konnte.

Kapitel 28

Lava pe

Beate hielt den Gestank nur ein paar Minuten aus, dann musste sie nach draußen stürmen. Sie stand gebeugt im Dunkeln, als Harry ihr hinterhertaumelte, sich auf die Treppe setzte und eine Zigarette anzündete.

»Macht dir der Geruch denn nicht zu schaffen?«, stöhnte Beate, während ihr das Erbrochene aus Mund und Nase troff.

»Dysosmie.« Harry studierte die Glut seiner Zigarette. »Teilweiser Verlust des Geruchssinns. Es gibt bestimmte Sachen, die ich nicht mehr riechen kann. Aune meint, ich hätte zu viele Leichen gerochen. Emotionales Trauma und so.«

Beate erbrach sich erneut.

»Tut mir leid«, keuchte sie. »Das ist wegen der Ameisen. Ich meine, warum müssen diese ekligen Viecher auch gerade die Nasenlöcher als eine Art zweispurige Autobahn nutzen?«

»Tja. Wenn du es wirklich wissen willst, kann ich dir gerne sagen, wo sich die proteinreichsten Teile des menschlichen Körpers befinden. Entschuldigung.« Harry ließ die Zigarette auf den trockenen Boden fallen. »Du hast dich da drinnen tapfer geschlagen, Lønn. Das ist etwas anderes als auf einem Video.« Er stand auf und ging wieder hinein.

Lev Grette hing an einem kurzen Tau, das am Lampenhaken befestigt war. Er schwebte gut einen halben Meter über dem Boden, auf dem der umgestoßene Stuhl lag, was der Grund dafür war, dass neben den Ameisen bislang nur die Fliegen das Monopol auf den Leichnam hatten.

Beate hatte das Mobiltelefon samt Ladegerät auf dem Boden neben dem Sofa gefunden und gesagt, dass sie schnell herausfinden könne, wann er zuletzt mit jemandem gesprochen habe. Harry ging in die Küche und schaltete das Licht ein. Auf einem A4-Zettel auf dem Tisch hockte eine blau-metallische Kakerlake und wedelte mit den Fühlern, ehe sie schnell den Rückzug hinter den Schrank antrat. Harry nahm den Zettel. Er war handgeschrieben. Er hatte alle möglichen Abschiedsbriefe gelesen, und die wenigsten davon waren als große Literatur zu rechnen. Die berühmten letzten Worte waren in der Regel ein verwirrtes Geplapper, desperate Hilferufe oder ganz prosaische Instruktionen, wer den Toaster und den Rasenmäher erben sollte. Einen der aussagekräftigsten Texte hatte Harry bei einem Bauern im Maridal vorgefunden. Er hatte mit Kreide an die Scheunenwand geschrieben: *Hier drinnen hängt ein Toter. Bitte rufen Sie die Polizei. Es tut mir leid.* So gesehen war Lev Grettes Brief, wenn schon nicht einzigartig, so doch ungewöhnlich.

Lieber Trond,
ich habe mich immer gefragt, was er empfunden hat, als die Überführung plötzlich unter ihm nachgab. Als sich der Abgrund unter ihm öffnete und er begriff, dass ihm gerade etwas vollkommen Idiotisches geschah, dass er völlig sinnlos sterben sollte. Vielleicht gab es noch Sachen, die er hätte erledigen wollen. Vielleicht wartete an diesem Morgen irgendwo irgendjemand auf ihn. Vielleicht dachte er, dass genau dieser Tag der Anfang von etwas Neuem sein sollte. Was dann ja auch eintraf ...
Ich habe dir nie erzählt, dass ich ihn im Krankenhaus besucht habe. Ich habe einen großen Strauß Rosen mitgenommen und

ihm gesagt, dass ich das Ganze von meinem Fenster aus in einem der Hochhäuser beobachtet habe und dass ich den Krankenwagen gerufen und der Polizei die Beschreibung des Täters und des Fahrrads gegeben hätte. Und er lag da im Bett, so klein und grau und hat sich bei mir bedankt. Schließlich habe ich ihn wie so ein Sportreporter gefragt, was er gefühlt hat.

Er gab keine Antwort, sondern lag bloß mit all den Schläuchen und tropfenden Flaschen da und sah mich an. Dann dankte er mir noch einmal, und eine der Schwestern sagte, ich solle jetzt gehen.

Deshalb erfuhr ich nicht, wie sich das anfühlt. Bis sich eines Tages auch unter mir der Abgrund öffnete. Und zwar nicht, als ich nach dem Raub über die Industrigata floh. Auch nicht, als ich anschließend das Geld zählte oder mir die Nachrichten ansah. Es war genau wie bei dem alten Mann, es geschah an einem Morgen, an dem ich nicht die Spur Böses ahnte. Die Sonne schien, ich war sicher zurück in D'Ajuda, ich konnte mich entspannen und mir Zeit zum Nachdenken nehmen. Und ich dachte nach. Ich dachte, dass ich dem Menschen, den ich am meisten liebe, das genommen habe, was er am meisten liebte. Dass ich zwei Millionen Kronen zum Leben hatte, aber nichts, wofür es wert war zu leben. Das war heute Morgen.

Ich erwarte nicht, dass du verstehst, was ich getan habe, Trond. Dass ich eine Bank überfiel, dass sie mich erkannte und ich plötzlich in einem Spiel gefangen war, das seine eigenen Regeln hat, nichts davon hat Platz in deiner Welt. Und ich erwarte auch nicht, dass du verstehst, was ich jetzt tun werde. Aber ich glaube, dass du vielleicht verstehst, dass man es leid werden kann. Das Leben.

Lev

PS: Damals fiel es mir nicht auf, dass der Alte nicht lächelte, als er mir dankte. Aber heute musste ich daran denken, Trond. Dass er vielleicht doch nichts oder niemanden hatte, der auf ihn wartete. Dass er vielleicht einfach bloß erleichtert war, als *sich der Abgrund öffnete und er dachte, dass er es jetzt nicht mehr selbst zu tun brauchte.*

Beate stand auf einem Stuhl neben der Leiche von Lev, als Harry ins Zimmer kam. Sie kämpfte mit einem von Levs Fingern, dessen Kuppe sie gegen eine kleine, blanke Metallbox zu drücken versuchte.

»Mist«, sagte sie. »Die Tintenrolle hat im Hotelzimmer in der Sonne gelegen und ist trocken geworden.«

»Wenn du keine ordentlichen Abdrücke bekommst, müssen wir die Feuerwehrmethode nehmen«, sagte Harry.

»Und die wäre?«

»Menschen, die verbrennen, ballen automatisch die Fäuste. Selbst bei verkohlten Leichen ist deshalb manchmal die Haut der Fingerkuppen intakt, so dass man sie dadurch identifizieren kann. Manchmal muss die Feuerwehr deshalb einen Finger abtrennen und ihn mit in die Kriminaltechnik nehmen.«

»Das ist Leichenschändung.«

Harry zuckte mit den Schultern: »Sieh dir die andere Hand an, ihm fehlt schon ein Finger.«

»Das habe ich auch gesehen«, sagte sie. »Sieht aus, als wäre der glatt abgeschnitten worden. Was kann das bedeuten?«

Harry kam näher und leuchtete mit der Taschenlampe. »Die Wunde hat sich noch nicht geschlossen, trotzdem ist da wenig Blut. Das deutet darauf hin, dass der Finger abgeschnitten wurde, nachdem er sich erhängt hatte. Vielleicht ist hier jemand aufgetaucht und hat gesehen, dass ihm Lev die Arbeit schon abgenommen hat.«

»Und wer?«

»Tja, in manchen Ländern strafen Zigeuner Diebe dadurch, dass sie ihnen einen Finger abschneiden«, sagte Harry. »Wenn es denn Zigeuner waren, die sie bestohlen haben, wohlgemerkt.«

»Ich glaube, ich habe gute Abdrücke bekommen«, sagte

Beate und wischte sich den Schweiß von der Stirn. »Sollen wir ihn herunterlassen?«

»Nein«, sagte Harry. »Wenn wir alles untersucht haben, räumen wir hier auf und verschwinden. Ich habe auf der Hauptstraße eine Telefonzelle gesehen. Von dort können wir anonym die Polizei anrufen und Bescheid geben. Wenn wir wieder in Oslo sind, rufst du an und lässt dir den Obduktionsbericht schicken. Ich zweifle nicht daran, dass er erstickt ist, aber ich will den genauen Zeitpunkt seines Todes wissen.«

»Und was ist mit der Tür?«

»Da kann man wohl nichts machen.«

»Und mit deinem Nacken? Die Bandage ist ganz rot.«

»Vergiss den Nacken. Der Arm, auf den ich geflogen bin, nachdem ich durch die Tür gefallen bin, tut viel mehr weh.«

»Wie weh?«

Harry hob den Arm vorsichtig an und schnitt eine Grimasse. »Es geht, solange ich ihn nicht bewege.«

»Sei froh, dass du nicht das Setesdalzucken hast.«

Zwei der drei im Raum lachten, doch ihr Gelächter verstummte rasch.

Auf dem Weg zum Hotel fragte Beate, ob sich Harry jetzt auf alles einen Reim machen könne.

»Rein technisch gesehen, ja. Aber irgendwie passt für mich bei Selbstmord nie alles zusammen.« Er warf die Zigarette weg, die eine funkelnde Parabel in das fast greifbare Dunkel zeichnete. »Aber so bin ich.«

Kapitel 29

Zimmer 316

Das Fenster ging mit einem Knall auf.

»Trond ist nicht da«, krächzte es. Das blondierte Haar hatte seit dem letzten Mal ganz offensichtlich erneut Bekanntschaft mit Chemikalien gemacht, doch die Kopfhaut schimmerte durch die gequälte Haarpracht. »Waren Sie im Süden?«

Harry hob sein sonnengebräuntes Gesicht und blinzelte sie an.

»Irgendwie schon. Wissen Sie, wo er ist?«

»Er packt Sachen ins Auto«, sagte sie und deutete zur anderen Seite der Häuser. »Ich glaube, er will verreisen, der Arme.«

»Hm.«

Beate wollte gehen, doch Harry blieb stehen. »Sie wohnen hier doch sicher schon eine ganze Weile, oder?«, fragte er.

»O ja. Seit zweiunddreißig Jahren.«

»Dann erinnern Sie sich doch bestimmt noch an Lev und Trond, als sie klein waren?«

»Natürlich. Die haben ja das ganze Viertel geprägt.« Sie lächelte und beugte sich aus dem Fenster. »Besonders Lev. Ein richtiger Charmeur. Es war uns schon früh klar, dass der den Mädels gefährlich werden konnte.«

»Gefährlich, ja. Sie erinnern sich doch sicher an den alten Mann, der von der Fußgängerbrücke gefallen ist?«

Ihr Gesicht verfinsterte sich, und dann flüsterte sie mit unheilschwangerer Stimme: »O ja, eine schreckliche Sache. Ich habe gehört, dass er nie wieder richtig laufen konnte, der arme Alte. Seine Knie sind steif geworden. Können Sie sich vorstellen, dass ein Kind auf so boshafte Ideen kommen kann?«

»Hm, er war doch bestimmt so ein richtiger Wildfang.«

»Ein Wildfang?« Sie legte die Hand über die Augen. »Das würde ich eigentlich nicht sagen. Er war ein höflicher, wohlerzogener Junge. Das war ja das Schockierende.«

»Und alle in der Nachbarschaft wussten, dass er es war, der das getan hatte?«

»Alle. Ich habe selbst hier vom Fenster gesehen, wie er in seiner roten Jacke losgeradelt ist. Und ich hätte wissen müssen, dass etwas Schreckliches geschehen ist, als er zurückkam. Der Junge war ganz blass.« Sie schauderte wie von einem kalten Windhauch. Dann deutete sie in Richtung Straße.

Trond kam mit hängenden Armen auf sie zu. Er ging immer langsamer und blieb schließlich fast stehen.

»Es ist Lev, nicht wahr?«, sagte er, als er endlich vor ihnen stand.

»Ja«, entgegnete Harry.

»Ist er tot?«

Im Augenwinkel sah Harry das entgeisterte Gesicht im Fenster. »Ja, er ist tot.«

»Gut«, sagte Trond. Dann beugte er sich vor und verbarg sein Gesicht in den Händen.

Bjarne Møller stand am Fenster und starrte mit besorgter Miene nach draußen, als Harry durch die halboffene Tür schaute. Er klopfte vorsichtig an.

Møller drehte sich um, und sein Gesicht hellte sich auf. »Oh, hallo.«

»Hier ist der Bericht, Chef.« Harry warf einen grünen Umschlag auf den Schreibtisch.

338

Møller ließ sich auf seinen Stuhl fallen, verstaute mit etwas Mühe seine langen Beine unter dem Schreibtisch und setzte die Brille auf.

»Ah ja«, murmelte er, als er den Umschlag mit der Überschrift DOKUMENTENLISTE öffnete. Er enthielt nur einen einzigen DIN-A4-Zettel.

»Ich dachte mir, dass ihr nicht alle Einzelheiten wissen wollt«, sagte Harry.

»Wenn du das meinst, wird es schon stimmen«, sagte Møller und fuhr mit den Augen über die wenigen Zeilen.

Harry sah über die Schulter seines Chefs aus dem Fenster. Dort draußen gab es nichts zu sehen, nur dicken, nassen Nebel, der sich wie eine vollgepinkelte Windel über die Stadt gelegt hatte. Møller legte den Zettel zur Seite.

»Ihr seid also einfach da runtergefahren und habt von jemandem die Adresse erfahren, wo ihr den Exekutor dann erhängt vorgefunden habt?«

»In groben Zügen, ja.«

Møller zuckte mit den Schultern. »Das reicht mir voll und ganz, so lange wir nur hieb- und stichfeste Beweise haben, dass das wirklich unser Mann war.«

»Weber hat die Fingerabdrücke heute Morgen überprüft.«

»Und?«

Harry setzte sich auf den Stuhl. »Sie stimmen mit denen überein, die wir auf der Colaflasche gefunden haben, die der Täter vor dem Überfall in der Hand hatte.«

»Können wir sicher sein, dass es wirklich die gleiche Flasche ist …«

»Beruhig dich, Chef, wir haben die Flasche und den Mann auf Video. Und gerade hast du doch gelesen, dass wir einen handgeschriebenen Abschiedsbrief gefunden haben, in dem Lev Grette alles gesteht, nicht wahr? Wir waren heute Morgen in Disengrenda und haben Trond Grette Bescheid gegeben. Wir durften uns ein paar von Levs alten Schulbüchern ausleihen, die noch auf dem Dachboden lagen, und Beate hat sie

339

zum Graphologen des Sicherheitsdienstes gebracht. Für den gibt es keinen Zweifel, dass der Abschiedsbrief von der gleichen Person geschrieben worden ist.«

»Ist ja gut, ist ja gut, ich wollte nur ganz sicher sein, ehe wir damit an die Öffentlichkeit gehen, Harry. Damit kommen wir auf die Titelseiten, weißt du.«

»Du solltest lernen, dich ein bisschen mehr zu freuen, Chef.« Harry stand auf. »Wir haben gerade unseren größten Fall seit einer ganzen Weile gelöst, warum sind hier keine Luftschlangen oder Ballons?«

»Du hast sicher recht«, seufzte Møller und zögerte mit der Frage. »Und warum siehst du dann nicht glücklicher aus?«

»Ich werde nicht glücklich, ehe wir nicht auch den anderen Fall gelöst haben, du weißt schon.« Harry ging zur Tür. »Halvorsen und ich räumen heute unsere Schreibtische leer und setzen uns morgen wieder an den Fall ›Ellen‹.«

Er blieb in der Tür stehen, als Møller sich räusperte. »Ja, Chef?«

»Ich fragte mich bloß, wie du darauf gekommen bist, dass Lev Grette der Exekutor ist.«

»Nun, die offizielle Version lautet, dass Beate und ich ihn auf den Videos erkannt haben. Willst du die inoffizielle hören?«

Møller massierte ein steifes Knie. Er hatte wieder den besorgten Gesichtsausdruck. »Besser nicht.«

»Ja, ja«, sagte Harry, der sich im Eingang des House of Pain aufgebaut hatte.

»Ja, ja«, wiederholte Beate, drehte sich im Stuhl herum und verfolgte die Bilder auf der Leinwand.

»Ich sollte mich dann wohl für die Zusammenarbeit bedanken«, sagte Harry.

»Gleichfalls.«

Harry blieb stehen und fingerte an seinem Schlüsselbund herum. »Wie auch immer«, sagte er. »Ivarsson sollte nicht so lange sauer sein, er kriegt ja seinen Teil der Ehre, schließlich war es seine Idee, aus uns ein Team zu machen.«

Beate deutete ein Lächeln an. »So lange es dauerte.«

»Und denk dran, was ich dir über diesen anderen Typ gesagt habe, du weißt schon.«

»Nein.« Es blitzte in ihren Augen.

Harry zuckte mit den Schultern. »Er ist ein Schwein. Ich bringe es nicht übers Herz, dir das nicht zu sagen.«

»War nett, dich kennengelernt zu haben, Harry.«

Harry ließ die Tür hinter sich ins Schloss fallen.

Harry schloss die Wohnungstür auf, stellte die Tasche und die Tüte mit der Playstation mitten im Flur ab und ging ins Bett. Drei traumlose Stunden später wurde er vom Klingeln des Telefons geweckt. Er drehte sich um, sah, dass sein Wecker 19.03 Uhr anzeigte, schwang die Beine aus dem Bett, taumelte in den Flur, nahm den Hörer ab und sagte »Hei, Øystein«, ehe der andere sich vorstellen konnte.

»Hei, du Nuss, ich bin auf dem Flughafen in Kairo«, sagte Øystein. »Wir hatten abgemacht zu telefonieren, nicht wahr?«

»Du bist die Pünktlichkeit in Person«, sagte Harry gähnend. »Und besoffen.«

»Besoffen, nein«, schnaubte Øystein aufgebracht. »Ich habe bloß zwei Stella getrunken. Oder drei. Man muss hier in der Wüste auf seine Flüssigkeitsbilanz achten, weißt du. Dein Mitarbeiter ist klar und nüchtern.«

»Wunderbar, ich hoffe, du hast noch weitere gute Nachrichten.«

»Ich habe, wie die Ärzte sagen, eine gute und eine schlechte Neuigkeit. Die gute zuerst ...«

»Na dann.«

Eine lange Pause folgte, in der Harry nur ein Rauschen hörte, das tiefen Atemzügen ähnelte.

»Øystein?«

»Ja?«

»Ich stehe hier und freue mich wie ein Kind auf den Weihnachtsmann.«

»Häh?«

»Die gute Nachricht …?«

»Ach ja. Also … ich habe die Nummer des Abonnenten, Harry. No Problemo, wie sie hier sagen. Eine norwegische Handynummer.«

»Eine Handynummer? Geht denn das?«

»Du kannst drahtlose E-Mails aus der ganzen Welt schicken, du musst bloß einen PC an ein Handy koppeln, das den Server anruft. Das ist wirklich nichts Neues, Harry.«

»O. k., aber hat dieser Abonnent einen Namen?«

»Ähh … logisch. Aber den haben die Jungs in El-Tor nicht, die stellen bloß dem norwegischen Telefonbetreiber eine Rechnung, in diesem Fall also Telenor, der seinerseits dann die Rechnung an den Kunden weitergibt. Ich musste also bloß die Auskunft in Norwegen anrufen. Und habe den Namen bekommen.«

»Ja?« Harry war jetzt hellwach.

»Und jetzt sind wir bei der nicht ganz so guten Nachricht.«

»Wieso?«

»Hast du deine Telefonrechnung in den letzten Wochen mal überprüft, Harry?«

Es dauerte ein paar Sekunden, bis es Harry zu dämmern begann. »Mein Handy? Das Arschloch benutzt mein Handy?«

»Es ist nicht mehr in deinem Besitz, oder?«

»Nein, ich habe das an dem Abend bei … Anna verloren. Scheiße!«

»Und du bist nicht auf den Gedanken gekommen, dass es vielleicht klug wäre, die Nummer sperren zu lassen?«

»Gedanken?« Harry stöhnte. »Seit diese Scheiße läuft, habe ich keinen klaren Gedanken mehr fassen können, Øystein! Sorry, dass ich hier ausraste, aber das ist so verflucht einfach. Deshalb habe ich mein Handy bei Anna auch nicht wiedergefunden. Und deshalb ist der auch so siegessicher.«

»Tut mir leid, wenn ich dir den Tag versaut habe.«

»Moment mal«, sagte Harry plötzlich zufrieden. »Wenn wir beweisen können, dass er mein Handy hat, können wir auch beweisen, dass er bei Anna war, nachdem ich gegangen bin!«

»Jippi!«, krächzte es durch den Hörer zurück. Und dann etwas vorsichtiger: »Wenn das bedeutet, dass du also trotzdem happy bist? Hallo? Harry?«

»Ich bin hier, ich denke nach.«

»Nachdenken ist gut. Denk du weiter nach, ich habe eine Verabredung mit einer gewissen Stella. Mehrere eigentlich. Also, wenn ich das Flugzeug nach Oslo kriegen soll ...«

»Mach's gut, Øystein.«

Harry blieb mit dem Hörer in der Hand stehen und fragte sich, ob er ihn seinem Spiegelbild ins Gesicht schmeißen sollte. Als er am nächsten Tag aufwachte, hoffte er, das Gespräch mit Øystein nur geträumt zu haben. Das hatte er auch, mindestens sechs-, siebenmal.

Raskol saß, den Kopf auf die Hände gestützt, da, während Harry redete. Er rührte keinen Finger, als Harry erzählte, wie sie Lev Grette gefunden hatten und weshalb Harrys eigenes Handy daran schuld war, dass sie noch keine Beweise gegen Annas Mörder hatten. Als er fertig war, faltete Raskol die Hände und hob ganz langsam seinen Kopf: »Sie haben Ihren Fall also gelöst. Während der meine noch immer ungeklärt ist.«

»Ich sehe darin nicht meinen und Ihren Fall, Raskol. Ich bin dafür verantwortlich ...«

»Ich sehe das aber so, *Spiuni*«, unterbrach ihn Raskol. »Und ich betreibe Kriegsorganisation.«

»Hm. Und was genau meinen Sie damit?«

Raskol schloss die Augen. »Habe ich Ihnen erzählt, wie der König von Wu Sun Tzu eingeladen hat, die Hofkonkubinen in die Kunst der Kriegsführung einzuweisen, *Spiuni?*«

»Äh ... Nein.«

Raskol lächelte. »Sun Tzu war ein Intellektueller, und er erklärte den Frauen pädagogisch exakt die einzelnen Marsch-kommandos. Doch als die Trommeln begannen, marschierten sie nicht los, sondern kicherten und lachten bloß. ›Es ist die Schuld des Generals, wenn die Kommandos nicht verstanden werden‹, sagte Sun Tzu und begann erneut zu erklären. Doch das Gleiche wiederholte sich, als später erneut das Marsch-kommando gegeben wurde. ›Es ist die Schuld der Offiziere, wenn ein verstandenes Kommando nicht befolgt wird‹, sagte er dann und gab zweien seiner Leute den Befehl, die Anführe-rinnen der Konkubinen zu holen. Sie wurden vorgeführt und vor den Augen der anderen entsetzten Frauen geköpft. Als der König erfuhr, dass zwei seiner Lieblingskonkubinen hinge-richtet worden waren, wurde er krank und musste viele Tage das Bett hüten. Als er wieder aufstand, gab er Sun Tzu das Kommando über seine bewaffneten Kräfte.« Raskol öffnete wieder die Augen. »Was lehrt uns diese Geschichte, *Spiuni?*«

Harry antwortete nicht.

»Nun, sie lehrt uns, dass die Kriegsorganisation durch und durch logisch und konsequent sein muss. Wird man inkonse-quent, sitzt man mit einem Haufen kichernder Konkubinen da. Als Sie kamen und mich um weitere vierzigtausend Kro-nen baten, bekamen Sie sie, weil ich an die Geschichte mit dem Bild in Annas Schuh glaubte. Weil Anna Zigeunerin war. Wenn Zigeuner auf Reisen sind, machen sie an allen Weggabe-lungen ein *patrin.* Ein rotes Taschentuch an einem Zweig, eine Kerbe in einem Knochen, alles hat seine spezielle Bedeutung. Ein Bild bedeutet, dass jemand tot ist. Oder sterben wird. Da-von konnten Sie nichts wissen, und deshalb glaubte ich, dass Ihre Geschichte wahr war.« Raskol legte die Hände mit nach oben gedrehten Handflächen auf den Tisch. »Aber der Mann, der der Tochter meines Bruders das Leben genommen hat, ist frei, und wenn ich Sie jetzt ansehe, dann sehe ich eine kichern-de Konkubine, *Spiuni.* Absolute Konsequenz. Also, geben Sie mir seinen Namen, *Spiuni.*«

Harry holte tief Luft. Zwei Worte. Vier Silben. Wenn er Albu selbst entlarvte, welches Urteil würde gesprochen werden? Vorsätzlicher Mord aus Eifersucht? Neun Jahre, wovon er nur sechs absitzen musste? Und die Konsequenzen für Harry selbst? Die Ermittlungen würden ohne Zweifel ergeben, dass er als Polizist die Wahrheit verschwiegen hatte, um den Verdacht nicht auf sich selbst zu lenken. Ein Eigentor. Zwei Worte. Vier Silben. Und all seine Probleme wären gelöst. Dann war Albu derjenige, der die letzte Konsequenz tragen musste.

Harry antwortete mit einer Silbe.

Raskol nickte und sah Harry mit traurigen Augen an. »Das habe ich befürchtet. Dann lassen Sie mir keine andere Wahl, *Spiuni*. Erinnern Sie sich noch, was ich auf die Frage geantwortet habe, warum ich Ihnen vertraue?«

Harry nickte.

»Jeder hat etwas, wofür er lebt, nicht wahr, *Spiuni*? Etwas, das man ihm nehmen kann. Nun, sagt Ihnen die Zahl 316 etwas?«

Harry antwortete nicht.

»Dann lassen Sie mich Ihnen erklären, dass 316 eine Zimmernummer im Hotel International in Moskau ist. Das Zimmermädchen, auf deren Etage das Zimmer liegt, heißt Olga. Sie geht bald in Rente und wünscht sich einen ausgedehnten Urlaub am Schwarzen Meer. Es gibt zwei Treppen und einen Aufzug zur Etage. Und den Personalaufzug. Das Zimmer hat zwei separate Betten.«

Harry schluckte.

Raskol lehnte seine Stirn gegen die gefalteten Hände. »Der Kleine schläft dicht am Fenster.«

Harry stand auf, ging zur Tür und schlug hart dagegen. Er hörte das Echo draußen durch den Gang hallen. Er schlug immer wieder dagegen, bis er den Schlüssel im Schloss hörte.

Kapitel 30

Vibrationsmodus

»Sorry, aber ich bin so schnell wie möglich gekommen«, sagte Øystein und fuhr vom Straßenrand vor Elmers Frucht- und Tabakladen los.

»Willkommen zu Hause«, sagte Harry und fragte sich, ob der von rechts kommende Bus auch nur die geringste Ahnung hatte, dass Øystein nicht im Traum daran dachte, anzuhalten.

»Nach Slemdal wolltest du, oder?« Øystein überhörte das wütende Hupen des Busfahrers.

»Bjørnetråkk. Du weißt schon, dass du hier die Vorfahrt beachten musst?«

»Man kann nicht immer auf alles achten.«

Harry sah seinen Freund an. In zwei schmalen Schlitzen konnte er zwei blutunterlaufene Augen erkennen.

»Müde?«

»Jetlag.«

»Der Zeitunterschied zu Ägypten beträgt eine Stunde, Øystein.«

»Mindestens.«

Da weder die Stoßdämpfer noch die Federn im Sitz funktionierten, spürte Harry jeden einzelnen Pflasterstein, als sie zu Albus Villa hinaufkurvten, doch das scherte ihn im Augenblick nicht. Er lieh sich Øysteins Handy, wählte die Nummer

346

des Hotel International und ließ sich mit Raum Nummer 316 verbinden. Oleg nahm den Hörer ab. Harry konnte die Freude in Olegs Stimme erkennen, als er Harry fragte, wo er war.

»In einem Auto. Wo ist Mama?«

»Draußen.«

»Ich dachte, die nächste Verhandlung sei erst morgen.«

»Sie haben ein Treffen mit allen Anwälten im Kuznetski Most«, sagte er mit einem altklugen Tonfall. »Sie ist in einer Stunde wieder da.«

»Hör mal, Oleg, kannst du Mama nicht etwas ausrichten? Sag ihr, dass ihr das Hotel wechseln müsst, sofort.«

»Warum denn?«

»Weil … weil ich das gesagt habe. Sag es ihr einfach, ja? Ich ruf später noch mal an.«

»O. k.«

»Guter Junge, ich muss jetzt los.«

»Du …«

»Was?«

»Nichts.«

»O. k., und vergiss nicht, es Mama zu sagen.«

Øystein bremste und fuhr auf den Bürgersteig.

»Warte hier«, sagte Harry und sprang aus dem Auto. »Wenn ich in zwanzig Minuten nicht zurück bin, rufst du die Nummer der Einsatzzentrale an, ich hab sie dir eben gegeben, und dann sagst du, dass …«

»Hauptkommissar Harry Hole vom Dezernat für Gewaltverbrechen dringend um eine bewaffnete Streife gebeten hat. Das habe ich verstanden.«

»Gut. Und wenn du Schüsse hörst, rufst du sofort an.«

»Richtig. In welchem Film war das noch mal?«

Harry blickte zum Haus auf. Es war kein Hundegebell zu hören. Ein dunkelblauer BMW fuhr langsam vorbei und parkte etwas weiter unterhalb am Straßenrand, ansonsten war es vollkommen still.

»In den meisten«, sagte Harry leise.

Øystein grinste. »Cool.« Dann zeigte sich eine besorgte Falte zwischen seinen Augen. »Ist doch cool, oder? Und nicht bloß bekloppt gefährlich?«

Vigdis Albu öffnete die Tür. Sie trug eine frischgebügelte, weiße Bluse und einen kurzen Rock, doch ihr verschleierter Blick sah aus, als käme sie geradewegs aus dem Bett.

»Ich habe versucht, Ihren Mann in der Arbeit zu erreichen«, sagte Harry. »Dort sagte man mir, er sei heute zu Hause.«

»Schon möglich«, antwortete sie. »Aber er wohnt nicht mehr hier.« Sie begann plötzlich zu lachen. »Sehen Sie nicht so überrascht drein, Herr Hauptkommissar. Sie waren es doch, der uns die ganze Geschichte aufgetischt hat über diese … diese …« Sie gestikulierte, als suche sie nach einem anderen Wort, resignierte dann aber mit einem schiefen Grinsen, als gebe es nur diesen einen Ausdruck dafür: »Hure.«

»Darf ich hereinkommen, Frau Albu?«

Sie zog die Schultern hoch und schüttelte sie, als schaudere sie etwas. »Nennen Sie mich Vigdis, oder sonst irgendwie, aber nicht so.«

»Vigdis«, Harry nickte kurz. »Darf ich hereinkommen?«

Die schmalen gezupften Augenbrauen bekamen Winkel. Sie zögerte. Dann breitete sie den Arm aus. »Warum nicht?«

Harry meinte, einen schwachen Gingeruch wahrzunehmen, doch das konnte auch ihr Parfüm sein. Nichts im Hause deutete darauf hin, dass irgendetwas nicht stimmte – es war aufgeräumt, es duftete gut und sauber, und auf dem Barschrank standen frische Blumen. Harry bemerkte, dass der cremefarbene Sofabezug, auf dem er zuletzt gesessen hatte, seitdem ein wenig weißer geworden war. Leise, klassische Musik strömte aus den Lautsprechern, die er nicht sehen konnte.

»Mahler?«, fragte er.

»Greatest Hits«, erwiderte Vigdis, »Arne kaufte bloß Sammelalben. Alles außer dem Besten sei uninteressant, sagte er immer.«

»Nett von ihm, dass er dann nicht alle Sammelalben mitgenommen hat. Wo ist er eigentlich?«

»Erstens gehört nichts, was Sie hier sehen, ihm. Und wo er ist, weiß ich nicht, und ich will es auch nicht wissen. Haben Sie eine Zigarette, Herr Hauptkommissar?«

Harry reichte ihr das Päckchen und beobachtete sie, wie sie mit dem großen Tischfeuerzeug aus Teakholz und Silber herumfingerte. Dann beugte er sich mit seinem Einwegfeuerzeug über den Tisch.

»Danke, er ist im Ausland, nehme ich an. Irgendwo, wo es warm ist. Doch wohl nicht so heiß, wie ich es ihm wünschen würde.«

»Hm. Wie meinen Sie das, dass ihm nichts hier im Haus gehört?«

»Genau so, wie ich es sage. Das Haus, das Inventar, das Auto – das gehört alles mir.« Sie stieß den Rauch hart aus. »Fragen Sie nur meinen Anwalt.«

»Ich dachte eigentlich, es sei Ihr Mann, der das Geld hat, um ...«

»Nennen Sie ihn nie wieder so!« Vigdis Albu sah aus, als wolle sie den gesamten Tabak aus der Zigarette saugen. »Doch, doch, Arne hatte Geld. Er hatte Geld genug, um dieses Haus zu kaufen, diese Möbel, die Autos, die Kleider, die Hütte und all den Schmuck, den er mir bloß geschenkt hat, damit ich ihn unseren sogenannten Freunden zeigen konnte. Das Einzige, was für Arne etwas bedeutete, war nämlich, was die anderen dachten. Seine Verwandten, meine Verwandten, die Kollegen, Nachbarn, Studienkameraden.« Die Wut gab ihrer Stimme einen harten, metallischen Klang, als spreche sie in ein Megaphon. »Das alles waren nur die Zuschauer in Arne Albus prächtigem Leben, sie sollten applaudieren, wenn es gut lief. Wenn Arne genauso viel Energie in unsere Firma gesteckt hätte, wäre die Albu AS sicher nicht so in den Keller gegangen.«

»Hm, wenn man der Fachpresse glaubt, war Albu AS ein Erfolgsunternehmen.«

»Albu war ein Familienunternehmen, keine börsennotierte Gesellschaft, die ihre Rechenschaftsberichte öffentlich auflegen muss. Arne schaffte es, die Sache so aussehen zu lassen, als hätten wir den Betrieb mit Gewinn verkauft.« Sie drückte die erst halb gerauchte Zigarette im Aschenbecher aus. »Vor ein paar Jahren geriet die Firma in akute Liquiditätsprobleme, und da Arne persönlich für alle Schulden haftete, überschrieb er mir und den Kindern das Haus und alle Besitztümer.«

»Hm, aber die, die die Firma gekauft haben, haben doch gut bezahlt. Dreißig Millionen stand in der Zeitung.«

Vigdis lachte bitter. »Sie haben ihm also die Geschichte von dem erfolgreichen Geschäftsmann abgekauft, der kürzertreten wollte, um sich mehr um die Familie zu kümmern? Was das angeht, ist Arne gut, das muss man ihm lassen. Lassen Sie es mich so ausdrücken: Arne hatte die Wahl, die Firma freiwillig abzugeben oder Konkurs anzumelden. Er entschied sich natürlich für die erste Variante.«

»Und die dreißig Millionen?«

»Arne ist ein charmanter Teufel, wenn er will. Die Menschen schenken ihm gerne Glauben, wenn er diese Rolle spielt. Deshalb kann er auch gut verhandeln, besonders wenn er unter Druck ist. Deshalb haben die Banken und Lieferanten die Firma so lange am Leben gehalten. Die Verträge mit den Lieferanten, die die Firma übernommen haben, hätten eigentlich ein Eingeständnis seines Fiaskos werden sollen, doch es gelang ihm, zwei Sonderklauseln unterzubringen. Er durfte die Hütte behalten, die noch immer auf ihn eingetragen war. Und es gelang ihm, den Käufer breitzuschlagen, als Kaufsumme dreißig Millionen einzutragen. Letzteres hatte nur wenig Bedeutung, da er die gesamte Kaufsumme mit den Schulden der Albu AS verrechnen konnte, die diese bei ihm hatte. Doch für die Fassade des Arne Albu hatte das natürlich große Bedeutung. Es gelang ihm, einen Konkurs so aussehen zu lassen wie einen erfolgreichen Firmenverkauf. Und das ist doch was, oder?«

Sie warf lachend den Kopf nach hinten, so dass Harry die kleine Narbe an ihrem Kinn erkennen konnte.

»Was ist mit Anna Bethsen?«, fragte Harry.

»Seiner kleinen Schlampe?« Sie schlug ihre schlanken Beine übereinander, strich sich mit einem Finger die Haare aus dem Gesicht und blickte gleichgültig vor sich hin. »Sie war bloß ein Spielzeug. Sein Fehler war, dass er vor seinen Freunden ein wenig zu laut über seine Zigeunerliebschaft geprahlt hat. Und nicht alle, die Arne als Freunde bezeichnete, hatten das Gefühl, wirklich loyal sein zu müssen, um es mal so auszudrücken. Kurz gesagt – es ist mir zu Ohren gekommen.«

»Und?«

»Ich habe ihm eine neue Chance gegeben. Wegen der Kinder. Ich bin eine nette Frau.« Sie sah Harry unter schweren Augenlidern hinweg an. »Aber er hat diese Chance nicht genutzt.«

»Vielleicht hat er bemerkt, dass sie doch mehr als ein Spielzeug war?«

Sie antwortete nicht, doch ihre schmalen Lippen wurden noch schmaler.

»Hatte er ein Arbeitszimmer oder so etwas?«, fragte Harry.

Vigdis Albu nickte.

Sie ging ihm voraus die Treppe empor. »Manchmal hat er sich dort eingeschlossen und dann die halbe Nacht dort gesessen.« Sie öffnete die Tür zu einem Dachzimmer mit Aussicht über die Nachbardächer.

»Hat er dann gearbeitet?«

»Im Internet gesurft. Er war ganz süchtig danach. Behauptete, er habe sich Autos und so etwas angeguckt, aber das wissen die Götter.«

Harry ging zum Schreibtisch und zog eine Schublade heraus. »Hat er die geleert?«

»Er hat alles mitgenommen, was er hier oben hatte. Das ging alles in eine Plastiktüte.«

»Auch den PC?«

»Das war bloß ein Laptop.«

»An den er manchmal auch sein Handy angeschlossen hat?«

Sie zog eine Augenbraue hoch. »Davon weiß ich nichts.«

»Ich dachte nur.«

»Wollen Sie sonst noch etwas sehen?«

Harry drehte sich um. Vigdis Albu stand an den Türrahmen gelehnt, eine Hand über dem Kopf und die andere in die Hüfte gestemmt. Das Gefühl eines Déjà-vu war überwältigend.

»Ich habe eine letzte Frage, Frau … Vigdis.«

»Oh? Haben Sie es eilig, Herr Hauptkommissar?«

»Der Taxameter läuft. Die Frage ist ganz einfach. Glauben Sie, dass er sie getötet haben könnte?«

Sie sah Harry nachdenklich an, während sie mit dem Absatz ihres Schuhs an die Türschwelle klopfte. Harry wartete.

»Wissen Sie, was das Erste war, was er sagte, als ich ihn damit konfrontierte, dass ich von seiner Hure wusste? ›Du musst mir versprechen, dass du das niemandem sagst, Vigdis.‹ *Ich* sollte das niemandem sagen! Für Arne war die Vorstellung der anderen, dass wir glücklich sind, wichtiger als die Wirklichkeit. Meine Antwort, Herr Hauptkommissar, lautet, dass ich keine Ahnung habe, zu was er in der Lage ist. Ich kenne diesen Mann nicht.«

Harry fischte eine Visitenkarte aus seiner Innentasche. »Rufen Sie mich an, wenn er Kontakt mit Ihnen aufnimmt oder wenn Sie irgendwie erfahren sollten, wo er sich aufhält, sofort.«

Vigdis warf einen Blick auf seine Visitenkarte. Ein Anflug von Lächeln huschte über ihre blassrosa Lippen. »Nur dann, Herr Hauptkommissar?«

Harry antwortete nicht.

Auf der Außentreppe drehte er sich noch einmal zu ihr um. »Haben Sie es jemals jemandem erzählt?«

»Dass mein Mann untreu war? Was glauben Sie?«

»Nun, ich halte Sie für eine praktisch veranlagte Frau.«

Sie lächelte breit.

»Achtzehn Minuten«, sagte Øystein, »verflucht, ich bin langsam ins Schwitzen gekommen.«

»Hast du meine alte Handynummer angerufen, während ich drinnen war?«

»Ja doch, es klingelte die ganze Zeit.«

»Ich habe nichts gehört. Das ist also nicht mehr da.«

»Sorry, aber hast du schon mal was von Vibration gehört?«

»Wovon?«

Øystein simulierte einen Epilepsieanfall. »Davon. Vibrationsmodus. Silent phone.«

»Meins hat eine Krone gekostet und konnte bloß klingeln. Er hat es mitgenommen, Øystein. Wohin ist der blaue BMW da unten verschwunden?«

»Hä?«

Harry seufzte. »Lass uns fahren.«

Kapitel 31

Maglite

»Du willst also sagen, dass es irgend so ein Verrückter auf uns abgesehen hat, weil du nicht die Person finden kannst, die seine Verwandte umgebracht hat?« Rakels Stimme krächzte unangenehm durch den Telefonhörer.

Harry schloss die Augen. Halvorsen war zu Elmer gegangen, er hatte das Büro für sich. »Kurz gesagt, ja. Wir haben ein Abkommen. Er hat seinen Teil eingehalten.«

»Und das heißt, dass wir Freiwild sind? Dass ich mit meinem Sohn, der in ein paar Tagen erfahren wird, ob er weiter mit seiner Mutter zusammen sein darf oder nicht, aus dem Hotel fliehen muss? Dass … dass …« Ihre Stimme stieg an und wurde zu einem wütenden Stakkato. Er ließ sie ausreden, ohne sie zu unterbrechen. »Warum, Harry?«

»Der älteste Grund der Menschheit«, sagte er. »Blutrache, Vendetta.«

»Was hat das mit uns zu tun?«

»Wie ich gesagt habe, nichts. Du und Oleg, ihr seid nicht das Ziel, nur das Mittel. Dieser Mann erachtet es als seine Pflicht, den Mord zu rächen.«

»Pflicht?« Ihr Ruf stach ihm ins Trommelfell. »Rache ist so ein Scheißrevierverhalten von euch Männern, das hat nichts mit Pflicht zu tun, sondern mit Neandertalerniveau!«

Er wartete, bis er glaubte, dass sie fertig war. »Es tut mir leid. Aber ich kann im Augenblick nichts tun.«

Sie antwortete nicht.

»Rakel?«

»Ja.«

»Wo seid ihr?«

»Wenn es stimmt, was du sagst, dass sie uns so leicht finden können, möchte ich dir das eigentlich nicht am Telefon sagen.«

»O.k. Ist es ein sicherer Ort?«

»Ich glaube schon.«

»Hm.«

Im Hintergrund war immer wieder eine russische Stimme zu hören, wie bei einem Kurzwellensender.

»Warum kannst du mir nicht einfach sagen, dass wir in Sicherheit sind, Harry? Sag, dass es eine Einbildung ist, dass sie bluffen ...« Ihre Stimme wurde ein wenig zittrig. »Irgendetwas?«

Harry nahm sich Zeit, bis er langsam und deutlich sagte: »Weil es wichtig ist, dass du Angst hast, Rakel. Angst genug, um die richtigen Dinge zu tun.«

»Und das wäre?«

Harry atmete tief. »Ich räume hier auf, Rakel. Das verspreche ich dir. Ich räume hier auf.«

Gleich nachdem Rakel aufgelegt hatte, rief Harry Vigdis Albu an. Schon beim ersten Klingeln nahm sie ab.

»Hier ist Hole. Sitzen Sie am Telefon und warten auf etwas, Frau Albu?«

»Was glauben Sie?« An der Art, wie sie redete, erkannte Harry, dass sie seit seinem Fortgang noch ein paar Drinks genommen haben musste.

»Keine Ahnung. Aber ich möchte, dass Sie Ihren Mann als vermisst melden.«

»Warum das denn? Ich vermisse ihn nicht.« Sie lachte ein kurzes, trauriges Lachen.

»Nun, ich brauche einen Grund, um hier die Suchmaschinerie in Gang zu setzen. Sie können ihn selbst als vermisst melden, wenn nicht, lasse ich nach ihm fahnden. Wegen Mordes.«

Eine lange Stille folgte. »Ich verstehe nicht, Herr Hauptmann.«

»Da gibt es nicht so viel zu verstehen, Frau Albu. Soll ich bekanntgeben, dass Sie ihn als vermisst gemeldet haben?«

»Moment mal!«, rief sie. Harry hörte am anderen Ende ein Glas zersplittern. »Wovon reden Sie eigentlich? Nach Arne wird doch schon gesucht?«

»Von mir, ja. Aber bis jetzt habe ich noch niemand anderen informiert.«

»Ach? Und was ist mit den drei Beamten, die hier auftauchten, nachdem Sie weg waren?«

Ein kalter Finger schien Harry über das Rückgrat zu laufen. »Welche drei Beamten?«

»Sprechen Sie sich bei der Polizei denn überhaupt nicht ab? Die wollten ja gar nicht mehr gehen, ich hab fast Angst bekommen.«

Harry war von seinem Bürostuhl aufgestanden. »Sind die in einem blauen BMW gekommen, Frau Albu?«

»Wissen Sie noch, was ich über diese Frauensachen gesagt habe, Harry?«

»Was haben Sie ihnen gesagt?«

»Was soll ich schon gesagt haben? Nichts, was ich nicht auch Ihnen gesagt habe, glaube ich. Ich habe ihnen ein paar Bilder gezeigt und … Ja, eigentlich unhöflich waren sie nicht, aber …«

»Was haben sie gesagt, ehe sie dann schließlich gegangen sind?«

»Gegangen?«

»Sie wären nicht gegangen, wenn sie nicht bekommen hätten, wonach sie gesucht haben. Das können Sie mir glauben, Frau Albu.«

»Harry, so langsam fängt mir das an zu stinken …«

»Denken Sie nach, das ist wichtig …«

»Mein Gott. Ich habe nichts Besonderes gesagt, das sage ich doch. Ich … ja, ich habe ihnen eine Nachricht vorgespielt, die Arne vor zwei Tagen auf dem Anrufbeantworter hinterlassen hat. Danach sind sie gegangen.«

»Sie haben mir gesagt, Sie hätten nicht mit ihm gesprochen.«

»Das habe ich doch auch nicht. Er hat mir nur mitgeteilt, dass er Gregor mitgenommen hat. Und das stimmte auch, ich habe ihn im Hintergrund bellen hören.«

»Von wo aus hat er angerufen?«

»Woher soll ich das denn wissen?«

»Ihr Besuch hat das jedenfalls verstanden. Können Sie mir die Aufnahme vorspielen?«

»Aber er sagt doch nur …«

»Bitte, tun Sie, was ich sage. Es geht um …« Harry versuchte einen anderen Ausdruck zu finden, gab aber schließlich auf. »… Leben und Tod.«

Harry wusste nicht viel über Verkehr. Er wusste nicht, dass die Berechnungen ergeben hatten, dass der Bau zweier Tunnel bei Vinterbro und die Verlängerung der Autobahn die Staus auf der E6 südlich von Oslo beseitigt hätte. Er wusste nicht, dass das entscheidende Argument für diese Milliardeninvestition nicht die Stimmen der Wähler waren, die von Moss oder Drøbak nach Oslo pendelten, sondern die Verkehrssicherheit, und dass in der Formel, die die Verkehrsexperten nutzen, um die Wirtschaftlichkeit zu berechnen, der Wert eines Menschen mit 20,4 Millionen Kronen angesetzt war, einschließlich Rettungswagen, Verkehrsumleitung und möglicher zukünftiger Steuerausfälle. Denn als Harry sich mühsam in Øysteins altem Mercedes im Stau auf der E6 nach Süden schob, wusste er nicht einmal selbst, welchen Wert für ihn das Leben von Arne Albu hatte. Auf jeden Fall wusste er nicht, was er gewinnen konnte, wenn er sein Leben rettete. Er wusste nur, dass er das, was er aufs Spiel setzte, nicht verlieren durfte. Auf keinen Fall. Weshalb es vielleicht am besten war, nicht zu viel nachzudenken.

Die Aufnahme, die Vigdis Albu ihm am Telefon vorgespielt hatte, war nur fünf Sekunden lang gewesen und hatte bloß eine einzige wertvolle Information beinhaltet. Aber die reichte. Sie hatte nichts mit den neun kurzen Worten von Arne Albu zu tun, ehe er auflegte: »Ich habe Gregor mitgenommen. Nur dass du das weißt.«

Es war auch nicht Gregors frenetisches Bellen im Hintergrund.

Es waren die kalten Schreie. Die Schreie der Möwen.

Es war dunkel geworden, als das Schild auftauchte, auf dem die Ausfahrt Larkollen angekündigt wurde.

Vor der Hütte stand ein Jeep Cherokee, doch Harry fuhr weiter bis zum Wendeplatz. Auch dort kein blauer BMW. Er parkte gleich unterhalb der Hütte.

Es hatte keinen Sinn, sich an die Hütte heranzuschleichen, denn er hatte das Hundegebell bereits gehört, als er etwas weiter entfernt die Scheibe des Seitenfensters heruntergekurbelt hatte.

Harry war sich im Klaren darüber, dass er eine Waffe hätte mitnehmen sollen. Nicht weil es einen Grund gab, anzunehmen, dass Arne Albu bewaffnet war, er konnte ja nicht wissen, dass jemand seinen Tod wünschte. Doch sie waren längst nicht mehr die einzigen Akteure in diesem Spiel.

Harry stieg aus dem Wagen. Er sah und hörte nichts von Möwen, aber vielleicht machten die sich ja nur im Hellen bemerkbar, dachte er.

Gregor war am Treppengeländer vor der Hütte festgebunden. Seine Zähne glänzten im Mondlicht und jagten Harry kalte Schauer über seinen noch immer wunden Nacken. Doch er zwang sich, weiter mit ruhigen, langsamen Schritten auf den sich wild gebärdenden Hund zuzugehen.

»Erinnerst du dich an mich?«, flüsterte Harry, als er so nah war, dass er den grauen Atem des Tieres spürte. Gregors straff gespannte Kette zitterte. Harry hockte sich hin, und zu seiner Überraschung wurde das Bellen leiser. Das raspelnde Geräusch deutete darauf hin, dass der Hund schon eine ganze Weile gebellt hatte. Gregor schob die Vorderläufe vor, senkte den Kopf und hörte ganz zu bellen auf. Harry berührte die Tür. Sie war verschlossen. Er lauschte. Hörte er dort drinnen jemanden sprechen? Im Wohnzimmer war Licht.

»Arne Albu?«

Keine Antwort.

Harry wartete und versuchte es noch einmal.

Der Schlüssel lag nicht in der Lampe. Deshalb suchte er einen passenden Stein, kletterte über das Geländer der Veranda, warf eine der kleinen Scheiben der Verandatür ein, schob die Hand hinein und öffnete die Tür.

In der Stube deutete nichts auf einen Kampf hin. Nur auf eine hastige Abreise. Ein Buch lag aufgeschlagen auf dem Tisch. Harry nahm es in die Hand. Shakespeares *Macbeth*. Eine Zeile des Textes war mit einem blauen Stift umkreist worden. »Ich habe keine Worte, meine Stimme ist nur im Schwert.« Er sah sich um, konnte aber keinen Stift sehen.

Nur das Bett im kleinsten Schlafzimmer war benutzt worden. Auf dem Nachtschränkchen lag der »Playboy«.

In der Küche rauschte es leise aus einem kleinen Radio, das schwach den Sender P4 empfing. Harry machte es aus. Auf dem Küchentisch lagen ein aufgetautes Entrecote und ein noch in Plastik eingewickelter Brokkoli. Harry nahm das Entrecote und trat in den Windfang. Es kratzte an der Außentür, und Harry öffnete. Ein paar braune Hundeaugen starrten zu ihm hoch. Oder besser gesagt zum Entrecote, das, kaum war es auf der Treppe gelandet, in Stücke gerissen wurde.

Harry beobachtete den gierigen Hund, während er darüber nachdachte, was er tun sollte. Wenn er denn etwas tun konnte. Arne Albu las nicht William Shakespeare, darin war er sich sicher.

Als auch die letzte Faser des Fleischstückes verschwunden war, begann Gregor mit neuer Kraft in Richtung Weg zu bellen. Harry trat ans Geländer, löste die Kette des Hundes und konnte sich nur mit Mühe auf dem nassen Boden auf den Beinen halten, als Gregor sich losreißen wollte. Der Hund zog ihn hinunter zum Weg, überquerte diesen und hastete dann die steile Böschung hinunter, an deren Ende sich schwarze Wellen hell im Licht des Halbmondes brachen. Sie wateten durch hohes, nasses Gras, das sich an Harrys Beine klebte, als wolle es ihn festhalten. Doch erst als der Kies unter den Doc-Martens-Stiefeln knirschte, blieb Gregor stehen. Der kurze Schwanzstummel wies senkrecht nach oben. Sie standen am Strand. Es war Flut, und die Wellen erreichten beinahe das steife Gras. Das Wasser schäumte, und es zischte, als sei Kohlensäure in dem Schaum, der auf dem Sand zurückblieb, wenn sich das Wasser zurückzog. Gregor begann wieder zu bellen.

»Ist er von hier aus mit einem Boot weiter?«, fragte Harry, sich halb an Gregor wendend, halb an sich selbst. »Alleine oder in Begleitung?«

Er bekam von keinem der beiden eine Antwort. Eindeutig war jedoch, dass die Spuren hier endeten. Doch als Harry an der Leine zog, wollte sich der große Rottweiler nicht bewegen. Deshalb schaltete Harry seine Maglite-Taschenlampe an und leuchtete über das Wasser. Er sah nur weiße Reihen von Wellen, die sich wie Streifen von Kokain über einen schwarzen Spiegel zogen. Es war anscheinend ein flach abfallender Strand. Harry zog wieder an der Leine, doch da begann Gregor mit den Pfoten im Sand zu graben und verzweifelt zu heulen.

Harry seufzte, machte die Lampe aus und ging wieder zurück zur Hütte. In der Küche kochte er sich eine Tasse Kaffee und lauschte dem fernen Bellen. Nachdem er die Tasse gespült hatte, ging er wieder zum Strand hinunter und fand eine windgeschützte Senke zwischen den Ufersteinen, wo er sich hinhocken konnte. Er zündete sich eine Zigarette an und versuchte nachzudenken. Dann schlug er den Mantel um sich und schloss die Augen.

Eines Nachts, als sie in ihrem Bett gelegen hatten, hatte Anna etwas gesagt. Es war vermutlich gegen Ende der sechs Wochen – und er musste nüchterner als sonst gewesen sein, weil er sich daran erinnerte. Sie hatte gesagt, dass ihr Bett ein Schiff sei und sie und Harry zwei Schiffbrüchige, einsame Geschöpfe, die auf dem Meer herumtrieben und eine Todesangst davor hatten, irgendwo Land zu erblicken. War es das, was geschehen war, hatten sie Land gesichtet? In seiner Erinnerung war das nicht so, ihm kam es eher so vor, als hätte er abgemustert, als er von Bord ging. Aber vielleicht trog ihn seine Erinnerung.

Er schloss die Augen und versuchte, sich ihr Bild ins Gedächtnis zu rufen. Nicht aus der Zeit, als sie Schiffbrüchige gewesen waren, sondern von ihrer letzten Begegnung. Sie hatten gemeinsam gegessen. Allem Anschein nach. Sie hatte ihm eingeschenkt – Wein? Hatte er getrunken? Anscheinend. Sie hatte noch einmal eingeschenkt. Er hatte die Kontrolle verloren. Sich selbst nachgeschenkt. Sie hatte über ihn gelacht. Ihn geküsst. Für ihn getanzt. Ihm dieselben kleinen Sachen ins Ohr geflüstert wie früher. Dann waren sie ins Bett gefallen und hatten die Leinen gelöst. War es wirklich so leicht für sie gewesen? Und für ihn?

Nein, so konnte es nicht gewesen sein.

Aber Harry wusste es nicht, oder doch? Er konnte nicht mit Sicherheit ausschließen, mit einem seligen Lächeln auf den Lippen in einem Bett in der Sorgenfrigata mit ihr geschlafen zu haben, bloß weil er sie wieder getroffen hatte, während Rakel, aus Angst, ihren Sohn zu verlieren, schlaflos die Decke eines Moskauer Hotelzimmers anstarrte.

Harry kauerte sich zusammen. Der raue, kalte Wind blies

direkt durch ihn hindurch, als sei er ein Gespenst. Bislang war es ihm gelungen, diese Gedanken zu verdrängen, doch jetzt brachen sie mit Macht über ihn herein: Wenn er nicht wissen konnte, ob er den Menschen, den er über alles liebte, betrügen konnte, wie konnte er dann wissen, was er sonst noch alles getan haben konnte? Aune behauptete, dass der Rausch nur Eigenschaften oder Schwächen verstärke, die ein Mensch ohnehin schon in sich hat. Aber wer wusste schon, was er in sich hatte? Menschen sind keine Roboter, und die Chemie des Gehirns ändert sich mit der Zeit. Wer hatte schon so eine lückenlose Inventarliste, und auf welche Ideen konnte man – die richtigen Umstände und die falschen Medikamente vorausgesetzt – nicht doch kommen?

Harry zitterte und fluchte. Er wusste es jetzt. Wusste, warum er Arne Albu finden und ein Geständnis aus ihm herausbekommen musste, ehe ihn andere zum Schweigen brachten. Nicht weil er den Polizisten im Blut hatte oder weil ihm der Rechtsstaat ein persönliches Anliegen war. Weil er es wissen musste. Und Arne Albu war der Einzige, der ihm das sagen konnte.

Harry kniff die Augen zusammen, während das leise Pfeifen des Windes auf dem Granit den monotonen Rhythmus der Wellen übertönte.

Als er die Augen wieder öffnete, war es nicht mehr so dunkel. Der Wind hatte die Wolken weggefegt, und matte Sterne blinkten über ihm. Der Mond hatte sich bewegt. Harry sah auf die Uhr. Er hatte fast eine Stunde dort gesessen. Gregor bellte frenetisch über das Wasser. Steif rappelte er sich auf und stolperte zum Hund. Die Gravitationskraft des Mondes hatte ihren Wirkungskreis verlegt, und der Wasserstand war gesunken. Harry stapfte über den Ansatz eines langen Sandstrandes nach unten.

»Komm, Gregor, hier finden wir nichts.«

Der Köter knurrte, als er die Leine ergriff, und Harry wich automatisch einen Schritt zurück. Er blinzelte über das Wasser. Das Mondlicht blinkte auf dem Schwarz, doch er erblickte dort auch etwas, was er nicht gesehen hatte, als das Wasser höher stand. Es sah aus wie die Spitze zweier Vertäuungspfähle, die knapp über die Wasserfläche reichten. Harry ging bis zum Rand der Brandung hinunter und schaltete die Taschenlampe an.

»Mein Gott«, flüsterte er.

Gregor sprang ins Wasser, und er watete hinterher. Es waren zehn Meter bis dort, doch trotzdem reichte Harry das Wasser nur etwa bis zum Knie. Er starrte auf ein Paar Schuhe hinab. Handgenäht. Italienisch. Harry richtete den Strahl des Lichts etwas weiter vor sich ins Wasser, wo das Licht von blauweißen, nackten Beinen reflektiert wurde, die wie bleiche Grabsteine ins Meer ragten.

Harrys Schrei wurde vom Wind davongetragen und ertrank augenblicklich im Rauschen der Wellen. Doch die Lampe, die er fortwarf und die vom Wasser geschluckt wurde, blieb auf dem Sandboden liegen und leuchtete fast einen ganzen Tag. Und als der kleine Junge, der sie im nächsten Sommer fand, zu seinem Vater gerannt kam, hatte das Salzwasser den schwarzen Belag weggeätzt, und keiner von beiden brachte eine Mini-Maglite mit dem grotesken Leichenfund vom letzten Jahr in Verbindung, über den in den Zeitungen berichtet worden war, doch der seit dem Erscheinen der ersten warmen Sonnenstrahlen des neuen Sommers so unendlich weit entfernt schien.

Teil 5

Kapitel 32

David Hasselhoff

Wie eine weiße Säule fiel das Morgenlicht durch einen Riss in der Wolkendecke auf den Fjord. Tom Waaler nannte es das »Jesuslicht«. Er hatte einige solcher Bilder zu Hause an den Wänden hängen. Er stieg über das breite Plastikband, das den Tatort absperrte. Es lag in seiner Natur, solche Hindernisse zu überspringen, statt sich darunter hindurch zu bemühen, meinten diejenigen, die ihn zu kennen glaubten. Mit Punkt eins hatten sie recht, doch mit Punkt zwei nicht: Tom Waaler wusste niemanden, der ihn wirklich kannte. Und er legte alles daran, dass das auch so blieb.

Er hob eine kleine Digitalkamera an seine Police-Sonnenbrille mit den stahlblauen Gläsern, von der er noch ein gutes Dutzend zu Hause hatte. Ein Geschenk von einem zufriedenen Kunden. Die Kamera ebenso. Der Sucher fing das Loch im Boden und die Leiche daneben ein. Sie trug schwarze Hosen und ein Hemd, das einmal weiß gewesen sein musste, jetzt aber von Lehm und Sand ganz braun war.

»Ein neues Bild für die private Sammlung?« Das war Weber.

»Das ist wirklich neu«, sagte Waaler, ohne aufzublicken. »Ich mag phantasievolle Mörder. Habt ihr den Mann identifiziert?«

»Arne Albu. 42 Jahre. Verheiratet, drei Kinder. Scheint Geld zu haben. Er hat gleich hier in der Nähe eine Hütte.«

»Hat jemand etwas gehört oder gesehen?«

»Sie machen gerade die Runde in der Nachbarschaft. Aber du siehst ja selbst, wie verlassen das hier ist.«

»Vielleicht jemand da drüben im Hotel?« Waaler deutete auf einen großen, gelben Holzbau am Ende des Strandes.

»Das bezweifle ich«, sagte Weber. »Da wohnt in dieser Jahreszeit niemand.«

»Wer hat den Kerl gefunden?«

»Anonymer Anruf aus einer Telefonzelle in Moss. An die Polizei in Moss.«

»Der Mörder?«

»Das glaube ich nicht. Er hat gesagt, er habe zwei Beine aus dem Meer ragen sehen, als er abends mit seinem Hund noch eine Runde machte.«

»Haben die das Gespräch aufgenommen?«

Weber schüttelte den Kopf. »Er hat nicht die Notrufnummer benutzt.«

»Und was sagt euch das da?« Waaler nickte in Richtung Leiche.

»Die Ärzte müssen noch ihre Berichte machen, aber für mich sieht das aus wie lebendig begraben. Kein Zeichen äußerer Gewaltanwendung, aber Blut an Nase und Mund und geplatzte Adern in den Augen, was auf eine Blutansammlung im Kopf hindeutet. Außerdem haben wir bis tief im Rachen Sand gefunden. Er scheint noch geatmet zu haben, als man ihn begraben hat.«

»Verstehe. Sonst noch etwas?«

»Der Hund war vor seiner Hütte angebunden, die liegt gleich dort oben. Ein dicker, hässlicher Rottweiler. In überraschend guter Form. Die Außentür war unverschlossen. Auch in der Hütte kein Zeichen eines Kampfes.«

»Die sind also mit anderen Worten einfach hineinspaziert, haben ihn mit vorgehaltener Waffe aus der Hütte gescheucht, den Hund angebunden, ein Loch für ihn gegraben und ihn dann höflich gebeten, hineinzusteigen.«

»Wenn es denn mehrere waren.«

»Ein großer Rottweiler und ein anderthalb Meter tiefes Loch. Ich denke, davon können wir ausgehen, Weber.«

Weber antwortete nicht. Er hatte nichts dagegen, mit Waaler zu arbeiten, der Kerl war ein selten guter Ermittler, und seine Resultate sprachen für sich. Aber das bedeutete nicht, dass Weber ihn mochte. *Nicht mögen* war vielleicht nicht der richtige Ausdruck. Es war etwas anderes, etwas, das einen an diese Suchbilder mit versteckten Fehlern erinnerte, wo man auch ganz genau merkt, dass irgendetwas stört, ohne dass man wirklich den Finger darauf legen kann. Etwas *stört*, ja, das war das richtige Wort.

Waaler ging neben der Leiche in die Hocke. Er wusste, dass Weber ihn nicht mochte. Aber das war in Ordnung. Weber war ein alter Kriminaltechniker, der keine großen Ambitionen mehr hatte und der keinen Einfluss auf Waalers Karriere oder Leben haben konnte. Er war, kurz gesagt, jemand, bei dem es nicht darauf ankam, ob er ihn mochte oder nicht.

»Wer hat ihn identifiziert?«

»Ein paar Einheimische sind gekommen, um zu sehen, was hier los ist«, sagte Weber. »Der Besitzer des Lebensmittelladens hat ihn wiedererkannt. Wir haben Albus Frau in Oslo erreicht und hergeholt. Sie hat uns bestätigt, dass das Arne Albu ist.«

»Und wo ist sie jetzt?«

»In der Hütte.«

»Hat jemand mit ihr gesprochen?«

Weber zuckte mit den Schultern.

»Ich bin immer gern der Erste«, sagte Waaler, beugte sich vor und machte eine Nahaufnahme vom Gesicht der Leiche.

»Der Polizeidistrikt Moss ist für den Fall zuständig. Wir sind nur um Unterstützung gebeten worden.«

»Aber wir haben die Erfahrung«, sagte Waaler. »Hat das jemand diesen Landeiern höflich erklärt?«

»Einige von uns haben durchaus schon mit Ermittlungen

in Mordfällen zu tun gehabt«, sagte eine Stimme hinter ihm. Waaler blickte zu einem lächelnden Mann in einer schwarzen Polizeilederjacke auf. Die Schulterklappen hatten einen Stern und einen Goldrand.

»No hard feelings«, sagte der Hauptkommissar lachend. »Ich bin Paul Sørensen. Und Sie müssen Hauptkommissar Waaler sein.«

Waaler nickte kurz und übersah geflissentlich Sørensens ausgestreckte Hand. Er mochte keinen Körperkontakt mit Männern, die er nicht kannte. Im Übrigen auch nicht mit denen, die er kannte. Was Frauen anging, war das eine andere Sache. Auf jeden Fall, solange er selbst den Ton angab. Und das tat er.

»Einen Fall wie diesen habt ihr noch nicht gehabt, Sørensen«, sagte Waaler, zog ein Augenlid des Toten hoch und entblößte einen blutroten Augapfel. »Hier geht es nicht um eine Messerstecherei in einer Kneipe oder um einen Wadenschuss eines Besoffenen. Deshalb habt ihr uns doch auch angerufen, oder?«

»Es sieht nicht wie eine lokale Sache aus, nein«, sagte Sørensen.

»Also, dann schlage ich vor, dass Sie sich mit Ihren Jungs zurückziehen und Wache halten, während ich mit der Frau des Toten spreche.«

Sørensen lachte, als habe Waaler einen guten Witz erzählt, hielt aber inne, als er Waalers hochgezogene Augenbrauen bemerkte. Tom Waaler erhob sich und ging auf die Absperrung zu. Er zählte langsam bis drei, dann rief er, ohne sich umzudrehen: »Und fahren Sie den Polizeiwagen oben auf dem Wendeplatz weg, Sørensen. Unsere Techniker suchen nach den Reifenspuren des Mörders. Danke im Voraus.«

Er brauchte sich nicht umzudrehen, um zu wissen, dass das Lächeln auf Sørensens Gute-Laune-Gesicht eingefroren war. Und dass der Tatort soeben vom Polizeidistrikt Oslo übernommen worden war.

»Frau Albu?«, fragte Waaler, als er das Wohnzimmer betrat. Er hatte sich entschlossen, die Sache rasch hinter sich zu bringen, denn er hatte eine Verabredung mit einem vielversprechenden Mädchen, die er gerne einhalten wollte.

Vigdis Albu blickte von dem Fotoalbum auf, in dem sie blätterte. »Ja?«

Waaler gefiel, was er sah. Der sorgsam gepflegte Körper, ihre selbstbewusste Art, die gestylten Haare und der geöffnete Knopf der Bluse. Und ihm gefiel, was er hörte. Die weiche Stimme war wie geschaffen für die speziellen Worte, die er seine Gespielinnen so gerne sagen ließ. Und ihm gefiel der Mund, aus dem, wie er bereits hoffte, einmal diese Worte kommen würden.

»Hauptkommissar Tom Waaler«, sagte er und setzte sich ihr gegenüber hin. »Ich begreife, welch ein Schock das für Sie gewesen sein muss. Und auch wenn sich das jetzt wie ein Klischee anhört und sicher nichts für Sie bedeutet, so möchte ich Ihnen doch mein Beileid aussprechen. Ich habe nämlich selbst kürzlich eine Person verloren, die mir sehr nahe stand.«

Er wartete. Bis sie schließlich aufblicken musste, so dass er ihrem Blick begegnen konnte. Er war verschleiert, und Waaler glaubte zuerst, dass das Tränen waren. Erst als sie antwortete, erkannte er, dass sie betrunken war. »Haben Sie eine Zigarette, Herr Wachtmeister?«

»Nennen Sie mich Tom. Ich rauche nicht, tut mir leid.«

»Wie lange muss ich noch hier sein, Tom?«

»Ich werde dafür sorgen, dass Sie so schnell wie möglich wieder fahren können. Ich muss Ihnen nur erst ein paar Fragen stellen. Einverstanden?«

»Einverstanden.«

»Gut. Haben Sie irgendeine Idee, wer Ihrem Mann den Tod gewünscht haben könnte?«

Vigdis Albu legte das Kinn auf ihre Hand und starrte aus dem Fenster. »Wo ist der andere Wachtmeister, Tom?«

»Entschuldigung?«

»Sollte der nicht jetzt hier sein?«

»Welcher Wachtmeister, Frau Albu?«

»Harry. Der kümmert sich doch um diesen Fall, oder?«

Der wichtigste Grund dafür, dass Tom Waaler in der Polizei eine schnellere Karriere gemacht hatte als jeder andere seines Jahrgangs war, dass er eines begriffen hatte: Niemand, nicht einmal die Verteidiger der Täter fragten danach, wie Beweise beschafft worden waren, wenn diese nur eindeutig genug die Schuld der Täter bewiesen. Die zweitwichtigste Ursache waren seine empfindsamen Nackenhaare. Natürlich kam es vor, dass diese nicht reagierten, wenn sie hätten reagieren sollen. Doch niemals kam es vor, dass sie sich ohne Grund aufstellten. Und jetzt machten sie sich bemerkbar.

»Reden Sie von Harry Hole, Frau Albu?«

»Hier können Sie anhalten.«

Tom Waaler gefiel die Stimme noch immer. Er fuhr an den Rand des Bürgersteiges, beugte sich auf dem Sitz vor und sah zu dem rosa Haus hinauf, das auf der Spitze des Hügels thronte. Die Vormittagssonne glänzte auf etwas Tierähnlichem im Garten.

»Das war sehr nett von Ihnen«, sagte Vigdis Albu. »Dass Sie Sørensen dazu gebracht haben, mich gehen zu lassen, und dass Sie mich dann noch nach Hause gefahren haben.«

Waaler lächelte warm. Er wusste, dass es warm war. Schon oft hatte man ihm gesagt, dass er wie David Hasselhoff in *Baywatch* aussah, dass er das gleiche Kinn, den gleichen Körper und das gleiche Lächeln habe. Er hatte sich *Baywatch* angesehen und wusste, was sie meinten.

»Ich bin es, der sich bedanken sollte«, sagte er.

Das war wahr. Im Laufe der Fahrt von Larkollen hatte er einige interessante Informationen bekommen: Harry Hole hatte versucht, Beweise dafür zu finden, dass ihr Mann Anna Bethsen getötet hatte, bei der es sich – wenn sich Waaler nicht irrte – um die Frau handelte, die vor einiger Zeit in der Sorgenfrigata Selbstmord begangen hatte. Die Sache war längst zu den Akten gelegt worden, Waaler selbst hatte den Selbstmord festgestellt und den Bericht geschrieben. Auf was wollte dieser verrückte Hole also hinaus? War das der Versuch, sich für alte Auseinandersetzungen zu rächen? Versuchte Hole zu beweisen, dass Anna Bethsen Opfer eines Gewaltverbrechens geworden war, um ihn, Tom Waaler, zu kompromittieren? So etwas würde dem verrückten Alkoholiker schon ähnlich sehen. Waaler konnte jedoch nicht glauben, dass Hole so viel Energie in eine Sache investierte, bei der doch nur herauskommen konnte, dass Waaler seine Schlüsse etwas zu vorschnell gezogen hatte. Dass Harrys Motiv einfach nur der Wunsch war, die Sache aufzuklären, wies er sofort von sich, nur in Filmen verwendeten Polizisten ihre Freizeit für so etwas.

Die Tatsache, dass Harrys Verdächtiger nun selbst getötet worden war, eröffnete natürlich eine ganze Reihe weiterer Möglichkeiten. Waaler wusste nicht, welche. Weil aber seine Nackenhaare anzeigten, dass es etwas mit Harry Hole selbst zu tun hatte, war er sehr daran interessiert, der Sache auf den Grund zu gehen. Und als Vigdis Albu schließlich fragte, ob Tom Waaler nicht auf einen Kaffee mit hereinkommen wolle, war es nicht allein der Gedanke an die frischgebackene Witwe, der ihn ja sagen ließ, sondern auch die Aussicht auf eine Chance, den Mann abzuschütteln, der ihm schon so lange im Nacken saß. Wie lange war das nun schon her? Acht Monate?

Acht Monate waren vergangen, ja. Acht Monate, seit die Kommissarin Ellen Gjelten, aufgrund eines Fehlers von Sverre Olsen, Tom Waaler als Kopf des organisierten Waffenschmuggels in Oslo entlarvt hatte. Als er Olsen den Befehl gab, sie zu liquidieren, bevor sie ihr Wissen weitergeben konnte, hatte er natürlich gewusst, dass Hole niemals aufgeben würde, ehe nicht der Täter gefasst war. Deshalb hatte er selbst dafür gesorgt, dass die Mütze von Olsen am Tatort gefunden wurde, um den

Mordverdächtigen dann »in Notwehr« während der Festnahme zu erschießen. Es führte keine Spur zu ihm, aber dennoch hatte Waaler hin und wieder das unangenehme Gefühl, dass Hole auf seiner Fährte war. Und dass er ihm gefährlich werden konnte.

»Es ist so leer im Haus, wenn alle weg sind«, sagte Vigdis Albu, als sie aufschloss.

»Wie lange sind Sie … schon allein?«, fragte Waaler, während er ihr über die Treppe nach oben ins Wohnzimmer folgte. Ihm gefiel noch immer, was er sah.

»Die Kinder sind bei meinen Eltern in Nordby. Eigentlich sollten sie nur so lange dort sein, bis sich alles normalisiert hat.« Sie seufzte und ließ sich in einen der tiefen Lehnsessel fallen. »Ich brauche einen Drink. Dann muss ich sie anrufen.«

Tom Waaler blieb stehen und sah sie an. Mit den letzten Worten hatte sie alles zerstört. Die leise Vibration, die zu spüren gewesen war, war verschwunden, und plötzlich sah sie viel älter aus. Vielleicht lag es daran, dass sie langsam wieder nüchtern wurde. Der Rausch hatte ihre Falten geglättet und ihren Mund, der mit einem Mal zu einer schiefen, rosa bemalten Spalte erstarrt war, weich gemacht.

»Setzen Sie sich, Tom. Ich werde uns Kaffee kochen.«

Er ließ sich aufs Sofa fallen, während Vigdis in der Küche verschwand. Er machte die Beine breit und bemerkte einen bleichen Fleck auf dem Sofastoff. Er erinnerte ihn an den Flecken auf seinem eigenen Sofa. Menstruationsblut.

Er lächelte bei dem Gedanken.

Dem Gedanken an Beate Lønn.

An die süße, unschuldige Beate, die auf der anderen Seite des Kaffeetischchens gesessen und jedes seiner Worte geschluckt hatte, als wären sie Zuckerwürfel in ihrem Caffè Latte. Dem Kleinmädchendrink. *Ich finde, das Wichtigste ist doch, dass man es wagt, man selbst zu sein. Das Wichtigste in einer Beziehung ist doch die Ehrlichkeit, nicht wahr?* Bei jungen Mädchen war es manchmal nicht so leicht abzuschätzen, wie sehr man sich in altkluge Klischees verstricken sollte, doch bei Beate hatte er offensichtlich genau ins Schwarze getroffen. Sie war ihm willenlos nach Hause gefolgt, wo er ihr einen Drink gemischt hatte, der alles andere als ein Kleinmädchendrink war.

Er musste lachen. Sogar noch am Tag danach hatte Beate Lønn geglaubt, dass der Blackout auf ihre Müdigkeit zurückzuführen war, und dass der Drink nur ein wenig stärker gewesen sei, als sie es gewohnt war. Es kam eben auf die richtige Dosierung an.

Aber das Komischste war dann doch der Anblick am nächsten Morgen gewesen, wie sie dort am Sofa stand, als er ins Wohnzimmer kam, und mit einem nassen Lappen auf dem Sofa herumscheuerte, auf dem sie am Abend zuvor miteinander geschlafen hatten, ehe sie das Bewusstsein verloren und der richtige Spaß erst begonnen hatte.

»Tut mir leid«, sagte sie, den Tränen nahe. »Ich hab es erst jetzt bemerkt. Das ist mir so peinlich, ich dachte, ich würde sie erst nächste Woche bekommen.«

»Das macht doch nichts«, hatte er geantwortet und ihre Wange getätschelt. »Solange du dein Bestes gibst, um den Fleck wegzubekommen.«

Dann war er hastig in die Küche verschwunden und hatte den Wasserhahn angedreht und die Kühlschranktür auf und zu geknallt, um sein Lachen zu übertönen. Während Beate Lønn weiter an dem Menstruationsfleck von Linda herumscheuerte. Oder stammte er von Karen?

Vigdis rief aus der Küche. »Nehmen Sie Milch zum Kaffee, Tom?« Ihre Stimme klang hart, ein spitzer Westlanddialekt. Außerdem hatte er erfahren, was er wissen musste.

»Mir ist gerade in den Sinn gekommen, dass ich noch einen Termin in der Stadt habe«, sagte er. Er drehte sich um und sah sie mit zwei Kaffeetassen und großen, verwunderten Augen in der Tür der Küche stehen. Als hätte ihr jemand eine Ohrfeige gegeben. Er spielte mit dem Gedanken.

»Außerdem sollten Sie ein bisschen allein sein«, sagte er

und stand auf. »Ich weiß das, ich habe erst kürzlich eine nahe Freundin verloren.«

»Tut mir leid«, sagte Vigdis wie gelähmt. »Ich habe nicht einmal gefragt, wer das war.«

»Sie hieß Ellen. Eine Kollegin. Ich hatte sie sehr gern.« Tom Waaler neigte den Kopf etwas zur Seite und sah Vigdis an, die ihn unsicher anlächelte.

»An was denken Sie?«, fragte sie.

»Dass ich vielleicht einmal vorbeikommen sollte, um zu sehen, wie es Ihnen geht.« Er lächelte extra warm, sein bestes David-Hasselhoff-Lächeln, und dachte, wie chaotisch die Welt doch wäre, wenn Menschen Gedanken lesen könnten.

Kapitel 33

Dysosmie

Die nachmittägliche Rushhour hatte begonnen, und auf dem Grønlandsleiret defilierten Autos und Lohnsklaven langsam am Polizeipräsidium vorbei. Eine Heckenbraunelle saß auf einem Zweig, sah das letzte Blatt vom Baum fallen, flog auf und flatterte am Fenster des Sitzungszimmers in der vierten Etage vorbei.

»Ich bin kein Festredner«, begann Bjarne Møller, und die Anwesenden, die Bjarne Møller schon einmal reden gehört hatten, nickten zustimmend.

Alle Beteiligten der Sonderkommission »Exekutor«, eine Flasche Opéra-Sekt für 79 Kronen und vierzehn noch immer verpackte Plastikbecher warteten darauf, dass Møller fertig wurde.

»Als Erstes möchte ich Grüße von der Stadtverwaltung ausrichten, dem Bürgermeister und dem Polizeipräsidenten, und Ihnen allen für Ihre gute Arbeit danken. Wir waren ja – wie Sie wissen – ziemlich unter Druck, als sich herausstellte, dass wir es mit einem Serientäter zu tun hatten ...«

»Ich wusste nicht, dass es andere gibt!«, rief Ivarsson und erntete Gelächter. Er stand ganz hinten an der Tür, von wo aus er die stehende Versammlung überblicken konnte.

»Tja, das kann man wohl sagen«, erwiderte Møller lächelnd. »Was ich sagen wollte, war ... ja, Sie wissen ... wir sind froh, dass die ganze Sache ausgestanden ist. Und ehe wir ein Glas Champagner trinken und wieder nach Hause gehen, möchte ich einen speziellen Dank an die Person richten, der die Hauptehre gebührt …«

Harry spürte die Blicke der anderen auf sich. Er hasste diese Art von Auszeichnung. Die Reden der Chefs, Vorgesetztengeschwafel, der Dank an die Clowns, Trivialtheater.

»Rune Ivarsson, der diese Ermittlungen geleitet hat. Glückwunsch, Rune.«

Applaus.

»Vielleicht möchtest du ein paar Worte sagen, Rune?«

»Nein, danke«, zischte Harry durch die Zähne.

»Ja, gerne«, sagte Ivarsson. Die Versammlung wandte sich ihm zu. Er räusperte sich. »Ich habe leider nicht das Privileg wie du, Bjarne, sagen zu können, dass ich kein Festredner bin. Denn ich bin einer.« Erneutes Gelächter. »Und als erfahrener Redner nach anderen gelösten Fällen weiß ich, dass all diese Dankeshymnen ganz schön ermüdend sind. Polizeiarbeit ist, wie wir alle wissen, Teamarbeit. Beate und Harry hatten dieses Mal die Ehre, den Ball ins Tor zu schießen, doch das Team leistete die Vorarbeit.« Ungläubig sah Harry die Versammlung erneut nicken.

»Deshalb, danke euch allen.« Ivarsson ließ seinen Blick über sie schweifen, augenscheinlich, um jedem Einzelnen das Gefühl zu geben, gesehen und bedankt zu werden, ehe er mit lustiger Stimme rief: »Und jetzt lasst uns aber endlich diesen Champagner killen!«

Jemand schob die Flasche zu ihm hinüber, und nachdem er sie gründlich geschüttelt hatte, begann er den Korken herauszuziehen.

»Ich halt das nicht aus«, flüsterte Harry Beate zu. »Ich hau ab.«

Sie sah ihn mitleidig an.

»Und jetzt Achtung!« Der Korken knallte an die Decke. »Nehmt alle ein Glas!«

»Sorry«, sagte Harry. »Wir sehen uns morgen.«

Er ging in sein Büro und holte seine Jacke. Im Fahrstuhl nach unten lehnte er sich an die Wand. Er hatte in der letzten Nacht nur ein paar Stunden in Albus Hütte geschlafen. Morgens um sechs war er zum Bahnhof nach Moss gefahren, hatte eine Telefonzelle gesucht, die Nummer der örtlichen Polizei herausgefunden und den Leichenfund im Meer gemeldet. Er wusste, dass sie die Osloer Polizei um Hilfe bitten würden. Als er gegen acht in Oslo ankam, hatte er sich deshalb in die Kaffeebrennerei im Ullevålsvei gesetzt und Café Cortado getrunken, bis er sich sicher sein konnte, dass der Fall jemand anderem übertragen worden war und er unbehelligt in sein Büro kommen konnte.

Die Fahrstuhltüren öffneten sich, und Harry trat hinaus. Hinaus durch die Schwingtüren. Hinaus in die kalte, klare Herbstluft in Oslo, die angeblich verdreckter ist als die in Bangkok. Er mahnte sich selbst zur Ruhe und zwang sich, langsam zu gehen. Heute durfte er nicht denken, er musste bloß schlafen und hoffen, nicht zu träumen und morgen aufzuwachen und alle Türen hinter sich zugeschlagen zu finden.

Alle, außer einer. Diejenige, die sich nicht schließen ließ, und die er nicht schließen *wollte*. Doch auch daran wollte er erst morgen wieder denken. Morgen wollten er und Halvorsen einen Spaziergang am Akerselva machen und an dem Baum stehen bleiben, an dem sie sie gefunden hatten. Zum hundertsten Mal rekonstruieren. Nicht, weil sie etwas vergessen hatten, sondern um wieder das Gefühl zu bekommen, erneut die Witterung aufzunehmen. Ihm schauderte bereits jetzt.

Er wählte den Trampelpfad über die Wiese. Die Abkürzung. Er sah nicht zu dem grauen Gefängnisbau links von ihm hinüber. Wo Raskol sein Schachbrett wohl vorläufig wieder eingepackt hatte. Sie würden niemals etwas in Larkollen oder sonst wo finden, was auf den Zigeuner oder einen seiner Handlanger hindeutete, nicht einmal, wenn Harry selbst die Ermittlungen aufnehmen würde. Sollten sie so lange an der Sache dranbleiben, wie sie wollten. Der Exekutor war tot. Arne Albu war tot. *Die Gerechtigkeit ist wie Wasser*, hatte Ellen einmal gesagt. *Sie findet immer ihren Weg.* Sie wussten, dass das nicht stimmte, aber es war auf jeden Fall eine Lüge, in der man ab und zu Trost finden konnte.

Harry hörte die Sirenen. Er hatte sie schon lange gehört. Die weißen Autos rasten mit Blaulicht an ihm vorbei und verschwanden über den Grønlandsleiret. Er versuchte, sich nicht zu fragen, warum sie ausrückten. Vermutlich ging es ihn nichts an. Und wenn doch, musste es warten. Bis morgen.

Tom Waaler musste feststellen, dass er zu früh war. Die Bewohner des blassgelben Mietshauses schienen tagsüber anderes zu tun, als zu Hause zu sitzen. Er hatte soeben auf den untersten und damit letzten Klingelknopf gedrückt und sich zum Gehen gewandt, als er die bedrückte, metallisch klingende Stimme hörte: »Hallo?«

Waaler wirbelte herum. »Guten Tag, spreche ich mit ...«, er warf einen Blick auf das Namensschild neben der Klingel, »Astrid Monsen?«

Zwanzig Sekunden später stand er im Flur und sah ein verängstigtes, sommersprossiges Gesicht, das ihn durch den Türspalt ansah. Die Sicherheitskette war vorgelegt.

»Darf ich kurz reinkommen, Fräulein Monsen?«, fragte er und entblößte die Zähne zu seinem David-Hasselhoff-Spezial-Lächeln.

»Lieber nicht«, piepste sie. Vielleicht kannte sie *Baywatch* nicht.

Er gab ihr seinen Polizeiausweis.

»Ich bin gekommen, um Sie zu fragen, ob es etwas gibt, was wir über den Todesfall Anna Bethsen wissen sollten. Wir sind nicht mehr so sicher, ob es wirklich ein Selbstmord war. Ich weiß, dass ein Kollege von mir privat Nachforschungen angestellt hat, und habe mich gefragt, ob Sie vielleicht mit ihm gesprochen haben.«

Tom Waaler hatte gehört, dass Tiere, vor allem Raubtiere, Furcht riechen konnten. Das wunderte ihn nicht. Was ihn wunderte war, dass nicht jeder dazu in der Lage war. Furcht hatte den gleichen flüchtig bitteren Geruch wie Ochsenpisse.

»Vor was haben Sie Angst, Fräulein Monsen?«

Ihre Pupillen wurden noch größer. Waalers Nackenhaare standen jetzt senkrecht.

»Es ist sehr wichtig, dass Sie uns helfen«, sagte Waaler. »Das Wichtigste in der Beziehung Polizei/Bürger ist die Ehrlichkeit, nicht wahr, Fräulein Monsen?«

Ihr Blick flackerte, und er ging noch einen Schritt weiter. »Ich habe die Befürchtung, dass mein Kollege irgendwie in die Sache verstrickt sein könnte.«

Ihr Unterkiefer sackte nach unten, und sie sah ihn hilflos an. Bingo.

Sie saßen in der Küche. Die braunen Wände waren mit Kinderzeichnungen verziert, und Waaler nahm an, dass sie eine ganze Reihe Nichten und Neffen hatte. Er machte sich während ihrer Unterhaltung Notizen.

»Ich hörte auf der Treppe Krach, und als ich nach draußen kam, sah ich einen Mann zusammengekrümmt auf dem Treppenabsatz vor meiner Tür liegen. Er war offensichtlich gefallen, und ich fragte ihn, ob er Hilfe brauche, bekam aber keine ordentliche Antwort. Da bin ich nach oben gegangen und habe bei Anna Bethsen geklingelt, aber auch dort hat sich keiner gerührt. Als ich wieder nach unten kam, half ich ihm auf die Beine. Der ganze Inhalt seiner Manteltaschen lag verstreut herum, darunter auch eine Geldbörse und eine Scheckkarte mit Namen und Adresse. Ich stützte ihn bis nach unten auf die Straße, rief ein Taxi und gab dem Chauffeur die Adresse. Mehr weiß ich nicht.«

»Und Sie sind sich sicher, dass das der gleiche Mann war, der Sie später aufsuchte? Also Harry Hole?«

Sie schluckte. Und nickte.

»Keine Sorge, Astrid, alles wird gut. Woher wussten Sie, dass er bei Anna war?«

»Ich hörte ihn kommen.«

»Sie *hörten* ihn kommen und *hörten*, dass er zu Anna ging?«

»Mein Arbeitszimmer liegt direkt neben dem Flur. Es ist hellhörig. Außerdem ist es ein ruhiges Haus, in dem sonst nicht viel passiert.«

»Haben Sie jemand anderen zu Anna kommen hören oder von dort gehen?«

Sie zögerte. »Mir war so, als hörte ich, wie sich jemand zu Anna hochschlich, kurz nachdem der Polizist gegangen war. Aber das hörte sich an wie eine Frau. Hohe Absätze, verstehen Sie. Die machen andere Geräusche. Aber vielleicht war das auch nur Frau Andersen aus dem dritten Stock.«

»Ach ja?«

»Sie versucht sich oft hochzuschleichen, wenn sie im Gamle Major etwas trinken war.«

»Haben Sie Schüsse gehört?«

Astrid schüttelte den Kopf. »Die Wohnungen sind gut schallisoliert.«

»Erinnern Sie sich an die Nummer des Taxis?«

»Nein.«

»Wie viel Uhr war es, als Sie den Lärm im Treppenhaus hörten?«

»Viertel nach elf.«

»Sind Sie sich ganz sicher, Astrid?«

Sie nickte. Atmete tief ein.

Waaler war überrascht über die plötzliche Festigkeit in ihrer Stimme, als sie sagte: »Er war es, er hat sie getötet.«

Er spürte, wie sein Puls schneller wurde. Ohne zu rasen. »Was macht Sie da so sicher, Astrid?«

»Als ich hörte, dass Anna an diesem Abend Selbstmord begangen haben soll, war mir klar, dass etwas nicht mit rechten Dingen zuging. Dieser sturzbetrunkene Mann auf der Treppe und dann die Tatsache, dass sie die Tür nicht öffnete, als ich klingelte, nicht wahr? Ich fragte mich schon, ob ich mich bei der Polizei melden sollte, doch dann tauchte der hier plötzlich wieder auf …« Sie sah Tom Waaler wie eine Ertrinkende an, die ihren Retter gesichtet hat. »Das Erste, was er mich fragte, war, ob ich ihn wiedererkannte. Und da war mir doch klar, was er meinte.«

»Was meinte er, Astrid?«

Ihre Stimme stieg um eine halbe Oktave. »Ein Mörder, der die einzige Zeugin fragt, ob sie ihn wiedererkennt? Was glauben Sie denn? Natürlich ist der gekommen, um mich zu warnen, um mir klarzumachen, was mit mir geschehen würde, wenn ich den Mund aufmache. Ich tat, was er wollte, und sagte, dass ich ihn noch niemals zuvor gesehen hatte.«

»Aber Sie sagten, dass er später noch einmal gekommen sei, um Sie über Arne Albu auszufragen?«

»Er wollte meine Hilfe, um die Schuld auf einen anderen zu schieben. Sie müssen verstehen, was für eine Angst ich hatte. Ich habe mir nichts anmerken lassen und so gut wie möglich mitgespielt …« Er hörte, wie die Tränen an ihren Stimmbändern zerrten.

»Aber jetzt sind Sie bereit, alles zu erzählen? Auch in einem Gerichtssaal unter Eid?«

»Ja, wenn Sie … wenn ich weiß, dass ich sicher bin.«

Aus einem anderen Zimmer ertönte das leise Signal einer ankommenden Mail. Waaler blickte auf die Uhr. Halb fünf. Es musste schnell geschehen. Am besten noch heute Abend.

Fünf nach halb fünf schloss Harry die Wohnungstür auf, während ihm gleichzeitig einfiel, dass er sich mit Halvorsen zum Radfahren verabredet hatte. Er trat sich die Schuhe von den Füßen, ging ins Wohnzimmer und drückte auf die Play-Taste des blinkenden Anrufbeantworters. Es war Rakel.

»Mittwoch wird das Urteil bekanntgegeben. Für Donnerstag habe ich Flugtickets bestellt. Um elf Uhr sind wir in Gardermoen. Oleg hat gefragt, ob du uns abholen kannst.«

Uns. Sie hatte gesagt, dass das Urteil augenblicklich in Kraft treten würde. Wenn sie verloren, gab es kein uns, das er abholen konnte, sondern nur einen Menschen, der alles verloren hatte.

Sie hatte keine Nummer hinterlassen, so dass er nicht zurückrufen und ihr mitteilen konnte, dass alles ausgestanden war und sie sich keine Sorgen mehr machen musste. Er seufzte und ließ sich in den grünen Ohrensessel fallen. Er brauchte nur die Augen zu schließen, und schon war sie da. Rakel. Das weiße, vor Kälte auf der Haut brennende Laken und die im offenen Fenster flatternden Gardinen, die einen Streifen Mondlicht hereinließen, der über ihren nackten Arm fiel. Er fuhr mit seinen Fingerspitzen unendlich vorsichtig über ihre Augen, ihre Hände, die schmalen Schultern, den langen, schlanken Hals, die Beine, die mit den seinen verstrickt waren. Er spürte ihren ruhigen, warmen Atem an seinem Hals, den Atem einer Schlafenden, der fast unmerklich den Rhythmus wechselte, als er ihr behutsam über den Rücken streichelte. Und ihre Hüften, die sich beinahe unmerklich auf die seinen zubewegten, als habe sie im Schlaf nur gewartet.

Um fünf Uhr hob Rune Ivarsson das Telefon in seinem Haus in Østrås ab, um dem Anrufer mitzuteilen, dass sich die Familie gerade zu Tisch begeben habe und dass das gemeinsame Essen in diesem Hause heilig sei, weshalb er um einen späteren Rückruf bitte.

»Tut mir leid, dass ich störe, Ivarsson. Hier ist Tom Waaler.«

»Hei, Tom«, sagte Ivarsson mit einer halb gekauten Kartoffel im Mund. »Aber ich muss dir sagen …«

»Ich brauche einen Haftbefehl gegen Harry Hole. Und einen Durchsuchungsbefehl für seine Wohnung. Sowie fünf Personen, die die Sache durchführen. Ich habe Grund zur Annahme, dass Hole auf äußerst unglückliche Weise in einen Mordfall verstrickt ist.«

Ivarsson rutschte die Kartoffel in den Hals.

»Es eilt«, sagte Waaler. »Es besteht durchaus Gefahr, dass er Beweise verschwinden lässt.«

»Bjarne Møller«, war alles, was Ivarsson zwischen seinem Husten von sich geben konnte.

»Ja, doch, ich weiß, dass das streng genommen Bjarne Møllers Zuständigkeitsbereich ist«, sagte Waaler. »Aber ich denke, du bist wie ich der Meinung, dass er befangen ist. Er und Harry arbeiten seit zehn Jahren zusammen.«

»Da hast du allerdings recht. Aber wir haben gerade heute einen anderen Fall bekommen, so dass meine Leute gebunden sind.«

»Rune ...« Das war Ivarssons Frau. Er wollte sie nicht verärgern, schließlich war er schon zwanzig Minuten zu spät zum Essen gekommen, nachdem sie zuerst diesen Champagnerumtrunk gehabt hatten und dann noch der Notruf von der DnB-Filiale in Grensen eingegangen war.

»Ich ruf dich gleich zurück, Waaler. Ich werde den Staatsanwalt anrufen und sehen, was ich tun kann.« Er räusperte sich und fügte dann laut genug hinzu, dass seine Frau es sicher hörte: »Nach dem Essen.«

Harry wachte davon auf, dass es an seiner Tür laut klopfte. Sein Gehirn kam automatisch zu dem Schluss, dass das Klopfen von einer Person stammen musste, die schon eine ganze Weile klopfte und sich sicher war, dass Harry zu Hause war. Er sah auf die Uhr. Fünf vor sechs. Er hatte von Rakel geträumt. Er streckte sich und kämpfte sich aus dem Ohrensessel hoch.

Es klopfte wieder. Laut.

»Ja, ja«, rief Harry und ging zur Tür. Durch das Milchglas der Tür konnte er den Umriss einer Person erkennen. Er dachte, es sei vielleicht einer der Nachbarn, weil nicht unten geklingelt worden war.

Er hatte die Hand auf der Türklinke, als er plötzlich zögerte. Ein Kribbeln in seinem Nacken. Ein Fleck, der vor seinen

Augen hin und her schwamm. Ein etwas zu schneller Pulsschlag. Unsinn. Er drehte den Schlüssel herum und drückte die Klinke nach unten.

Es war Ali. Er hatte die Augenbrauen wie ein V zusammengezogen.

»Du hast mir versprochen, dein Kellerabteil bis heute leer zu räumen«, sagte er.

Harry schlug sich mit der flachen Hand gegen die Stirn.

»Scheiße! Sorry! Tut mir leid. Ich bin so ein Chaot.«

»Ist schon in Ordnung, Harry, ich kann dir helfen, wenn du heute Abend Zeit hast.«

Harry sah ihn erstaunt an. »Mir helfen? Das bisschen da unten habe ich in zehn Sekunden weggeräumt. Ehrlich gesagt weiß ich gar nicht, ob ich da unten überhaupt etwas habe, aber o. k.«

»Aber das sind doch wertvolle Sachen, Harry.« Ali schüttelte den Kopf. »Du bist verrückt, so etwas im Keller aufzubewahren.«

»Ich weiß nicht, wovon du sprichst. Ich geh jetzt zu Schrøder, was essen, und dann rufe ich dich an, Ali.«

Harry schloss die Tür, sank in den Ohrensessel und drückte auf die Fernbedienung. Nachrichten in Zeichensprache. Harry hatte einmal einen Fall bearbeitet, bei dem sie mehrere taube Personen verhören mussten, wobei er ein paar der Zeichen gelernt hatte, und jetzt versuchte er, die Gesten des Sprechers mit den Überschriften zu verknüpfen. Im Osten nichts Neues. Ein Amerikaner sollte vor das Kriegsgericht gestellt werden, weil er für die Taliban gekämpft hatte. Harry gab auf. Tagesmenü bei Schrøder, dachte er. Ein Kaffee, eine Zigarette. Und dann ein Schwenk durch den Keller, ehe er ins Bett ging. Er nahm die Fernbedienung und wollte ausschalten, als er sah, wie der Sprecher seine Hand mit ausgestrecktem Zeigefinger und nach oben gestrecktem Daumen auf ihn richtete. An das Zeichen erinnerte er sich. Jemand war erschossen worden. Harry dachte automatisch an Arne Albu, ehe ihm einfiel, dass der ja er stickt war. Er blickte auf die Untertitel und erstarrte im Sessel. Dann begann er frenetisch auf seiner Fernbedienung herumzudrücken. Das waren schlechte – vielleicht die schlechtestmöglichen – Nachrichten. Auch der Videotext verriet ihm nicht viel mehr als die Untertitel:

Bankangestellte während eines Überfalls niedergeschossen. Ein Bankräuber hat eine Angestellte während eines Überfalls auf die DnB-Filiale in Grensen heute Nachmittag in Oslo niedergeschossen. Der Zustand der Bankangestellten ist kritisch.

Harry ging ins Schlafzimmer und schaltete den PC ein. Der Überfall war auch die Hauptschlagzeile der Nachrichtenseite. Er klickte sie an:

Kurz vor Filialschluss betrat der maskierte Täter die Bank und zwang die Filialchefin mit Waffengewalt, den Geldautomaten zu leeren. Als ihr dies nicht in der Frist gelang, die ihr der Täter gesetzt hatte, schoss er eine andere 34-jährige Angestellte in den Kopf. Das Opfer schwebt noch in Lebensgefahr. Der zuständige Ermittlungsleiter Rune Ivarsson bestätigt, dass die Polizei bis jetzt noch keine Spur von dem Täter hat. Nicht kommentieren wollte er die Tatsache, dass dieser Überfall exakt dem Muster des sogenannten »Exekutors« zu folgen scheint, den die Polizei, nach eigenen Aussagen, Anfang dieser Woche tot in D'Ajuda in Brasilien aufgefunden haben will.

Es konnte ein Zufall sein. Natürlich war das möglich. Aber das war es nicht. Keine Chance. Harry fuhr sich mit der Hand über das Gesicht. So etwas hatte er die ganze Zeit über befürchtet. Lev Grette hatte nur einen Überfall begangen. Die folgenden waren von einem anderen Täter ausgeführt worden. Einem, der jetzt richtig in Fahrt war. So gut, dass er seine Ehre daransetzte, den eigentlichen Exekutor bis ins letzte, grausame Detail zu kopieren.

Harry versuchte, seine eigenen Gedanken abzuwehren. Er wollte jetzt nicht wieder über Banküberfälle nachdenken. Oder über niedergeschossene Bankangestellte. Oder die Konsequenzen, wenn sich wirklich herausstellte, dass es zwei Exekutoren waren. Dass es möglich war, dass er wieder unter Ivarsson im Raubdezernat arbeiten und der Fall Ellen erneut verschoben werden musste.

Stopp. Heute nicht mehr nachdenken. Morgen.

Aber seine Beine führten ihn trotzdem in den Flur, wo seine Finger ganz wie von selbst Webers Handynummer wählten.

»Hier ist Harry. Was habt ihr?«

»Wir haben Glück, das haben wir.« Weber hörte sich überraschend munter an. »Gute Jungs und Mädels haben zu guter Letzt doch immer Glück.«

»Das ist mir neu«, sagte Harry. »Lass hören.«

»Beate Lønn rief mich aus dem House of Pain an, während wir in der Filiale waren. Sie hatte gerade begonnen, das Video zu analysieren, als sie etwas Interessantes bemerkte. Der Täter hat sehr nah an der Plexiglasscheibe gestanden, als er gesprochen hat. Sie hat uns den Tipp gegeben, nach Spucke zu suchen. Es war erst eine halbe Stunde seit dem Überfall vergangen, so dass es durchaus noch realistisch war, etwas zu finden.«

»Und?«, fragte Harry ungeduldig.

»Keine Spucke am Glas.«

Harry stöhnte.

»Aber ein mikroskopisch kleiner Tropfen kondensierter Atem«, sagte Weber.

»Wirklich?«

»Yes.«

»Jemand muss in der letzten Zeit begonnen haben, Abendgebete zu sprechen. Gratuliere, Weber.«

»Ich rechne damit, dass wir in drei Tagen das DNA-Profil haben. Dann heißt es nur noch vergleichen. Ich tippe, dass wir ihn bis Ende der Woche haben.«

»Ich hoffe, du hast recht.«

»Das habe ich.«

»Wie auch immer, danke dass du mir ein bisschen von meinem Appetit gerettet hast.«

Harry legte auf und zog sich die Jacke an. Er wollte gerade die Wohnung verlassen, als ihm einfiel, dass er den PC noch nicht ausgeschaltet hatte, und ging zurück ins Schlafzimmer. Als er die Hand auf die Maus legte, sah er es. Seine Herzschläge schienen zu stocken und das Blut in seinen Adern zu gerinnen. Er hatte eine Mail. Natürlich hätte er trotzdem ausschalten können. Ausschalten sollen, schließlich deutete nichts darauf hin, dass es etwas Eiliges war. Es konnte von irgendwem sein. Eigentlich gab es nur einen, von dem diese Mail nicht sein konnte. Wie gern wäre Harry jetzt bereits auf dem Weg zu Schrøder gewesen. Langsamen Schrittes über die Dovregata, wo er sich Gedanken über das Paar Schuhe hätte machen können, die dort oben zwischen Himmel und Erde schwebten, oder von Rakel träumen. So etwas. Doch es war zu spät, seine Finger hatten längst das Kommando übernommen. Es ratterte im Inneren der Maschine. Dann erschien die Mail auf dem Bildschirm. Sie war lang.

Als Harry ausgelesen hatte, warf er einen Blick auf die Uhr. 18.04 Uhr. Das war wie ein eingebauter Reflex, den man nach Jahren des Berichteschreibens hatte. So konnte er auf die Minute genau angeben, wann die Welt für ihn unterging.

Hei Harry!
Warum so ein langes Gesicht? Hattest du vielleicht nicht mehr damit gerechnet, von mir zu hören? Nun, das Leben ist voller Überraschungen, Harry. Was inzwischen vermutlich auch Arne Albu zu spüren bekommen hat, wenn du diese Zeilen liest. Wir, das heißt du und ich, haben ihm ja das Leben ganz schön zur Hölle gemacht, nicht wahr? Ich irre mich doch wohl nicht, wenn ich annehme, dass seine Frau sich die Kinder geschnappt und ihn verlassen hat. Grausam, nicht wahr? Einem Mann die Familie zu nehmen, speziell wenn man weiß, dass

sie das Wichtigste im Leben dieses Menschen war. Aber das hat er sich selbst zuzuschreiben. Untreue kann nicht hart genug bestraft werden, da bist du doch meiner Meinung, Harry? Wie auch immer, meine kleine Racheaktion endet hier. Du wirst nie wieder von mir hören.

Aber da du ja eigentlich eine unschuldige Person bist, die in die Sache mit hineingezogen worden ist, schulde ich dir wohl eine Erklärung. Die Erklärung ist relativ einfach. Ich habe Anna geliebt. Das habe ich wirklich. Was sie war und was sie mir gegeben hat.

Sie aber hat nur geliebt, was ich ihr gegeben habe. Schnee. The Big Sleep. Du wusstest nicht, dass sie ein Vollblutjunkie war? Das Leben ist – wie gesagt – voller Überraschungen. Ich war es, der sie nach einer ihrer – blicken wir der Wahrheit ins Auge – missglückten Ausstellungen mit dem Stoff bekannt machte. Aber die beiden waren wie füreinander geschaffen. Es war Liebe auf den ersten Stich. Vier Jahre lang war Anna meine Kundin und heimliche Geliebte, die Rollen waren unmöglich zu trennen, um es mal so zu sagen.

Verwirrt, Harry? Weil ihr keine Einstichlöcher gefunden habt, als ihr sie ausgezogen habt? Ja, das mit »Liebe auf den ersten Stich« war nur so dahingesagt. Anna mochte nämlich keine Spritzen. Wir rauchten unser Heroin im Silberpapier kubanischer Schokoladen. Das ist natürlich teurer, als es direkt zu injizieren, doch auf der anderen Seite bekam Anna ihren Stoff zum Großhandelspreis, solange sie mit mir zusammen war. Wir waren – wie sagt man? – unzertrennlich. Meine Augen werden noch immer feucht, wenn ich an diese Zeit denke. Sie hat alles getan, was eine Frau für einen Mann tun kann: Sie hat mich gevögelt, gefüttert, beschenkt, vergnügt und getröstet. Und angefleht. Im Grunde war die Liebe das Einzige, was sie mir nicht gegeben hat. Woran kann es nur liegen, dass gerade das so verflucht schwierig ist, Harry? Schließlich hat sie dich geliebt, obwohl du nichts, aber auch gar nichts für sie getan hast.

Sogar Arne Albu konnte sie lieben. Dabei hatte ich gedacht, er wäre nur ein Trottel, dem sie Geld abzapfen konnte, damit sie sich den Stoff zum Normalpreis leisten und mich für eine Weile verlassen konnte.

Aber dann rief ich sie eines Abends im Mai an. Ich hatte gerade drei Monate für ein paar Kleinigkeiten abgesessen, und Anna und ich hatten lange nicht miteinander gesprochen. Ich sagte, wir müssten feiern, dass ich den saubersten Stoff der Welt bekommen hätte direkt aus der Fabrik in Chang Rai. Ich habe ihr sofort angehört, dass etwas nicht stimmte. Sie sagte, sie sei fertig damit. Ich fragte nach, ob sie den Stoff oder mich meinte, und sie antwortete »beides«. Sie habe nämlich mit diesem Kunstwerk begonnen, das ihr Durchbruch werden sollte, und das verlange ihre ganze Aufmerksamkeit. Wie du weißt, war Anna eine starrköpfige Zigeunerin, wenn sie sich erst etwas in den Kopf gesetzt hatte, weshalb ich mir auch verflucht sicher bin, dass ihr bei der Obduktion nicht die Spur von Dope in ihren Adern gefunden habt. Richtig?

Und dann hat sie mir von diesem Typ erzählt. Arne Albu. Dass sie schon eine ganze Weile zusammen seien und Pläne schmiedeten, zusammenzuziehen. Er müsse erst noch ein paar Sachen mit seiner Frau klären. Das hast du auch schon mal gehört, Harry, nicht wahr? Nun, ich auch.

Ist es nicht merkwürdig, wie klar man denken kann, wenn die Welt um einen herum zusammenbricht? Ich wusste schon, was ich tun musste, ehe ich den Hörer auflegte. Rache. Primitiv? Ganz und gar nicht. Rache ist der Reflex des denkenden Menschen, eine komplexe Symbiose aus Handlung und Konsequenz, zu der keine andere Tierart in der Lage ist. Rache hat sich evolutionsmäßig als so effektiv erwiesen, dass nur die Rachsüchtigsten von uns überlebt haben. Rache oder Tod. Das hört sich wie der Titel eines Western an, meinetwegen, aber vergiss nicht, dass es die Logik der Vergeltung ist, die dem Rechtsstaat zugrunde liegt. Das klare Versprechen, Auge um Auge, dass der Sünder in der Hölle schmoren muss oder min-

destens am Galgen baumeln wird. Die Rache ist der Grundpfeiler der Zivilisation, Harry.

Deshalb setzte ich mich noch am gleichen Abend hin und begann, meinen Plan auszuarbeiten.

Ich habe ihn einfach gestaltet.

Über Trioving bestellte ich einen Schlüssel für Annas Wohnung. Wie, werde ich dir nicht verraten. Nachdem du ihre Wohnung verlassen hattest, bin ich hineingegangen. Anna war bereits im Bett. Sie, ich und eine Beretta M92 hatten ein langes, informatives Gespräch. Ich bat sie, etwas herauszusuchen, das etwas mit Arne Albu zu tun hatte, eine Karte, ein Brief, eine Visitenkarte, egal was. Die Idee war, das neben sie zu legen, um euch zu helfen, den Mord mit Arne Albu in Verbindung zu bringen. Doch das Einzige, was sie hatte, war ein Bild von seiner Familie bei ihrer Hütte, das sie aus einem Fotoalbum genommen hatte. Mir war klar, dass das vielleicht zu rätselhaft wäre und dass ihr einen weiteren Fingerzeig brauchen würdet. So kam ich auf eine Idee. Frau Beretta überredete sie, mir zu erzählen, wie man in die Hütte kam, die Sache mit dem Schlüssel in der Lampe.

Nachdem ich sie erschossen hatte – etwas, das ich nicht im Detail schildern werde, da es eine Enttäuschung war (sie zeigte weder Furcht noch Reue) –, versteckte ich das Bild in ihrem Schuh und fuhr schnurstracks nach Larkollen. Dort legte ich – wie du inzwischen sicher vermutest – den Reserveschlüssel für Annas Wohnung in die Hütte. Erst hatte ich vor, ihn im Innern des Toilettenspülkastens festzukleben – das ist so etwas wie mein Lieblingsort, dort versteckte Michael die Pistole in ›Der Pate‹. Aber du hättest bestimmt nicht genug Fantasie gehabt, dort zu suchen, außerdem hätte es keinen Sinn gehabt. Also legte ich ihn in die Nachttischschublade. Einfach, nicht wahr?

Damit war die Bühne klar, und du und die anderen Marionetten konnten kommen. Ich hoffe übrigens, dass du nicht beleidigt bist, dass ich dir ein wenig den Weg gewiesen habe, das

*intellektuelle Niveau von euch Typen bei der Polizei ist nicht
gerade überwältigend. Hoch, meine ich.*

*Jetzt möchte ich mich verabschieden. Ich bedanke mich für die
Gesellschaft und die Hilfe, es war mir eine große Freude, mit
dir zusammenzuarbeiten, Harry.*

C#MN

Kapitel 34

Pluvianus aegyptius

Ein Polizeiwagen stand direkt vor dem Eingang des Hauses, und ein weiterer sperrte die Sofies Gate an der Einmündung in die Dovregata ab.

Tom Waaler hatte angeordnet, weder Blaulicht noch Sirenen zu nutzen.

Über seinen Sprechfunk überprüfte er, ob alle auf ihren Plätzen waren, und bekam kurze, knatternde Rückmeldungen. Die Nachricht von Ivarsson, dass der Haftbefehl und der Durchsuchungsbefehl unterwegs seien, war vor genau vierzig Minuten eingegangen. Waaler hatte deutlich gemacht, dass er kein Sondereinsatzkommando wollte, er zog es vor, die Verhaftung selbst zu leiten, und hatte sich bereits eine entsprechende Einsatztruppe gesichert. Ivarsson hatte keine Schwierigkeiten gemacht.

Tom Waaler rieb sich die Hände. Vielleicht wegen des kalten Windes, der vom Stadion Bislett aus die Straße hinabwehte, doch eher wohl, weil er sich freute. Festnahmen waren das Beste an diesem Job. Das hatte er schon erkannt, als er als kleiner Junge gemeinsam mit Joakim bei den Apfelbäumen seiner Eltern den Jungs aus den Hochhäusern aufgelauert hatte, die immer wieder kamen, um Äpfel zu stehlen. Und sie waren gekommen. Manchmal gleich acht bis zehn auf einmal. Doch so viele es auch waren, ihre Panik war immer komplett, wenn er und Joakim die Taschenlampen anmachten und durch ihre selbstgebauten Megaphone brüllten. Sie folgten dem Prinzip der Wölfe, die Rentiere jagen, und suchten sich den Kleinsten und Schwächsten aus. Während es die Festnahme war – das Zu-Boden-Werfen der Beute –, die Tom faszinierte, waren es die Strafmaßnahmen, die Joakim begeistert hatten. Seine Kreativität auf diesem Feld war manchmal derart ausufernd gewesen, dass Tom ihn in einzelnen Fällen sogar hatte stoppen müssen. Nicht weil Tom Mitleid mit den Dieben hatte, sondern weil es ihm im Gegensatz zu Joakim gelang, einen kühlen Kopf zu behalten und sich der Konsequenzen bewusst zu sein. Tom hatte oft gedacht, dass es kein Zufall war, was später aus Joakim geworden war. Er war Oberrichter am Osloer Tinghus, und ihm wurde eine glänzende Karriere vorausgesagt.

Aber es war eben die Aussicht auf Festnahmen gewesen, die Tom bewogen hatte, sich bei der Polizei zu bewerben. Sein Vater wollte, dass er Medizin oder Theologie studierte, wie er selbst es getan hatte. Schließlich hatte Tom das beste Zeugnis der Schule, warum also Polizist? Es sei für das Selbstwertgefühl wichtig, eine gute Ausbildung zu haben, hatte sein Vater gesagt und von seinem älteren Bruder erzählt, der als Schraubenverkäufer in einer Eisenwarenhandlung arbeitete und alle Menschen hasste, weil er sich ihnen unterlegen fühlte.

Tom hatte sich die Ermahnungen mit dem schiefen Lächeln angehört, das sein Vater, wie er wusste, so gar nicht mochte. Es war nicht Toms Selbstwertgefühl, um das sich sein Vater Sorgen machte, vielmehr waren es seine Befürchtungen, was die Nachbarn und die Verwandten sagen würden, wenn sein einziger Sohn »bloß« Polizist wurde. Sein Vater hatte nie verstanden, dass man Menschen hassen konnte, auch wenn man besser war als sie. *Weil* man besser war.

Er sah auf die Uhr. Dreizehn Minuten nach sechs. Er drückte auf einen der Klingelknöpfe in der ersten Etage.

»Hallo?«, antwortete eine Frauenstimme.

»Hier ist die Polizei«, sagte Waaler, »öffnen Sie bitte.«

»Wie kann ich wissen, dass Sie wirklich Polizist sind?«

Pakistani-Tusse, dachte Waaler und bat sie, einen Blick aus dem Fenster auf die Polizeiwagen zu werfen. Dann summte das Türschloss.

»Und bleiben Sie in Ihrer Wohnung«, sagte er durch die Türsprechanlage.

Waaler ging im Innenhof neben der Feuertreppe an einem Mann vorbei. Als er sich im Intranet die Zeichnung des Hauses angesehen und sich überlegt hatte, wo Harrys Wohnung lag, war er zu der Überzeugung gekommen, dass sie auf keine Hintertreppen achten mussten.

Jeder mit einer MP3 bewaffnet, schlichen sich Waaler und zwei Männer über die abgenutzten Stufen nach oben. In der zweiten Etage blieb Waaler stehen und deutete auf eine Tür, die kein Türschild hatte und auch nie eines gebraucht hatte. Er sah die zwei anderen an. Ihre Brustkörbe hoben und senkten sich unter ihren Uniformen, und der Grund dafür war nicht die Treppe.

Sie zogen sich die Sturmhauben über. Jetzt kam es auf Schnelligkeit, Effektivität und Entschlossenheit an. Letzteres bedeutete eigentlich bloß die Bereitschaft zur Brutalität – und wenn nötig zum Töten. Das war aber nur selten notwendig. Selbst abgebrühte Verbrecher waren in der Regel wie paralysiert, wenn bewaffnete, maskierte Männer ohne Vorwarnung in ihr Wohnzimmer stürmten. Sie wandten mit anderen Worten die gleiche Taktik an wie die Bankräuber in einer Bank.

Waaler machte sich fertig und nickte einem der anderen zu, der vorsichtig zwei Fingerknöchel an die Tür legte, damit sie später in ihrem Bericht schreiben konnten, sie hätten angeklopft. Dann schlug Waaler mit dem Kolben seiner Waffe das Glas der Tür ein, streckte die Hand hinein und öffnete die Tür. Er brüllte, als sie die Wohnung stürmten. Ein Vokal oder der Beginn eines Wortes, er war sich nicht sicher. Er wusste nur, dass es noch immer der gleiche Laut war wie damals, wenn er mit Joakim die Taschenlampen einschaltete. Das war das Beste von allem.

»Kartoffelklöße«, sagte Maja, hob den Teller und sah Harry mitleidig an. »Und du hast sie noch nicht einmal angerührt.«

»Tut mir leid«, erwiderte Harry. »Hab keinen Hunger. Sag dem Koch einen Gruß, es ist nicht seine Schuld. Dieses Mal.«

Maja lachte herzlich und verschwand in Richtung Küche.

»Maja …«

Sie drehte sich langsam um. Es lag etwas in Harrys Stimme, etwas in seinem Tonfall, das sie wissen ließ, was kommen würde.

»Und bring bitte auf dem Rückweg ein Bier mit, ja?«

Sie verschwand in die Küche. Das geht mich nichts an, dachte sie. Ich bin ja bloß die Bedienung, es geht mich nichts an.

»Was ist los, Maja?«, fragte der Koch, während er das Essen vom Teller in den Abfall gleiten ließ.

»Es ist nicht mein Leben«, sagte sie. »Sondern seines. Dieser Idiot.«

Das Telefon in Beates Büro klingelte dünn, und sie nahm den Hörer ab. Als Erstes hörte sie nur den Laut von Stimmen, Gelächter, klirrendes Glas. Dann kam die Stimme.

»Störe ich?«

Einen Moment lang war sie unsicher, es lag etwas Fremdes in seiner Stimme. Aber wer sonst sollte es sein? »Harry?«

»Was machst du gerade?«

»Ich … ich überprüfe im Internet, ob es nicht irgendeinen Tipp gibt. Harry …«

»Ihr habt also das Video vom Überfall in Grensen ins Internet gestellt?«

»Ja doch, aber du …«

»Es gibt ein paar Dinge, die ich dir sagen muss, Beate. Arne Albu …«

»O. k., o. k., aber hör mir erst einmal zu.«

»Du hörst dich gestresst an, Beate.«

»Das bin ich!« Ihr lauter Ruf knackte im Hörer. Dann – ruhiger: »Sie haben es auf dich abgesehen, Harry. Ich habe versucht, dich anzurufen und dich zu warnen, nachdem sie ausgerückt waren, aber es war niemand zu Hause.«

»Wovon redest du?«

»Tom Waaler. Er hat einen Haftbefehl gegen dich.«

»Was? Einen Haftbefehl?«

Jetzt erkannte Beate, was das Fremde in seiner Stimme war. Er hatte getrunken. Sie schluckte. »Sag mir, wo du bist, Harry, dann komme ich und hole dich. Dann können wir sagen, dass du dich selbst gestellt hast. Ich weiß nicht recht, worum es bei dem Ganzen geht, aber ich werde dir helfen, Harry. Das verspreche ich. Harry? Mach keine Dummheiten, hörst du? Harry?«

Sie blieb sitzen und lauschte den Stimmen, dem Gelächter und dem Klirren von Glas, bis sie Schritte und eine heisere Frauenstimme hörte: »Hier ist Maja bei Schrøder.«

»Wo …?«

»Er ist gegangen.«

Kapitel 35

SOS

Vigdis Albu wachte von Gregors Bellen im Garten auf. Der Regen trommelte auf das Dach. Sie warf einen Blick auf die Uhr. Halb acht. Sie musste eingeschlafen sein. Das Glas vor ihr war leer, das Haus war leer, alles war leer. So hatte sie sich das nicht vorgestellt.

Sie stand auf, ging zur Terrassentür und sah zu Gregor hinüber. Er stand mit dem Kopf zum Eingangstor, Ohren und Schwanz senkrecht aufgerichtet. Was sollte sie tun? Ihn weggeben? Einschläfern lassen? Nicht einmal die Kinder hatten eine Beziehung zu diesem hyperaktiven, nervösen Tier. Der Plan, ja. Sie sah zu der halbleeren Ginflasche auf dem Tisch hinüber. Es war an der Zeit, einen neuen zu machen.

Gregors Gebell schnitt sich durch die Luft. Wuff! Wuff! Arne hatte behauptet, dieses nervenaufreibende Geräusch beruhigend zu finden, es gebe ihm irgendwie das Gefühl, dass jemand Wache hielt. Er sagte, Hunde könnten Feinde riechen, weil diejenigen, die etwas Böses im Schilde führten, anders röchen als Freunde. Sie entschloss sich, am nächsten Tag einen Tierarzt anzurufen, sie war es leid, einen Hund zu füttern, der jedes Mal zu bellen begann, wenn sie den Raum betrat.

Sie öffnete die Terrassentür einen Spaltbreit und lauschte. Durch das Gebell und den Regen drang das Knirschen von

Kies an ihr Ohr. Es gelang ihr noch, sich rasch zu kämmen und den Mascarafleck unter dem linken Auge wegzuwischen, ehe die Klingel die drei Töne aus Händels *Messias* anstimmte, das Geschenk der Schwiegereltern zum Einzug. Sie hatte eine Ahnung, wer das sein konnte, und sollte recht behalten. Beinahe.

»Wachtmeister?«, sagte sie mit aufrichtiger Überraschung. »Das ist aber eine angenehme Überraschung.«

Der Mann auf der Treppe war durchnässt, Wassertropfen hingen an seinen Augenbrauen. Er lehnte sich mit einem Arm an den Türpfosten und sah sie an, ohne zu antworten. Vigdis Albu öffnete die Tür ganz und senkte die Lider ein wenig: »Wollen Sie nicht hereinkommen?«

Sie ging vor, während sie seine Schuhe hinter sich schmatzen hörte. Sie wusste, dass ihm gefiel, was er sah. Er setzte sich in den Lehnsessel, ohne seinen Mantel auszuziehen, und sie sah, wie der Bezug die Nässe aufsog und dunkler wurde.

»Gin, Herr Wachtmeister?«

»Haben Sie Jim Beam?«

»Nein.«

»Gin ist o. k.«

Sie holte die Kristallgläser – ein Hochzeitsgeschenk der Schwiegereltern – und goss für beide ein. »Mein Beileid«, sagte der Polizist und sah sie mit roten, glasigen Augen an, die ihr verrieten, dass das nicht sein erster Drink an diesem Tag war.

»Danke«, sagte sie. »Prost.«

Als sie das Glas wieder abstellte, bemerkte sie, dass der Mann sein Glas bereits halb geleert hatte. Er saß da und fingerte am Glas herum, als er plötzlich sagte: »Ich war es, der ihm das Leben genommen hat.«

Vigdis griff automatisch an die Perlenkette, die sie um den Hals trug. Sein Hochzeitsgeschenk.

»Ich wollte nicht, dass das so endet«, sagte er. »Aber ich war dumm und unvorsichtig. Ich habe seinen Mörder direkt zu ihm geführt.«

Vigdis beeilte sich, das Glas an die Lippen zu führen, damit er nicht sah, dass sie beinahe vor Lachen platzte.

»So, jetzt wissen Sie es«, sagte er.

»Ja, jetzt weiß ich es, Harry«, flüsterte sie. Sie glaubte, eine Spur von Verwunderung in seinem Blick zu erkennen.

»Sie haben mit Tom Waaler gesprochen.« Harrys Frage hörte sich eher wie eine Feststellung an.

»Sie meinen diesen Beamten, der sich wie Gottes Geschenk für die ... ach, lassen wir das. Ich habe mit ihm gesprochen, ja. Und ich habe ihm natürlich erzählt, was ich wusste. Hätte ich das nicht tun sollen, Harry?«

Er zuckte mit den Schultern.

»Habe ich Sie in eine Zwickmühle gebracht, Harry?« Sie hatte die Beine unter sich aufs Sofa gezogen und sah ihn durch das Glas mit besorgter Miene an.

Er antwortete nicht.

»Noch einen Drink?«

Er nickte. »Eine gute Neuigkeit habe ich aber für Sie.« Er sah genau zu, wie sie das Glas füllte. »Heute Abend habe ich eine Mail von einer Person bekommen, die darin den Mord an Anna Bethsen gesteht. Der Betreffende hat mich die ganze Zeit über glauben lassen, es sei Arne gewesen.«

»Wie schön«, sagte sie. »Oh, der ist wohl etwas trocken geworden.« Sie vergoss Gin auf die Tischplatte.

»Sie hören sich nicht gerade überrascht an.«

»Mich überrascht nichts mehr. Ehrlich gesagt habe ich nicht geglaubt, dass Arne die Nerven gehabt hätte, einen Menschen zu ermorden.«

Harry rieb sich den Nacken. »Wie auch immer. Jetzt habe ich den Beweis, dass Anna Bethsen getötet wurde. Ich habe dieses Geständnis an einen Kollegen von mir weitergeleitet, ehe ich das Haus verlassen habe. Zusammen mit all den anderen Mails, die ich bekommen habe. Das heißt, dass ich alle Karten auf den Tisch lege, was meine eigene Rolle in diesem Spiel angeht. Anna war eine frühere Freundin von mir. Mein

Problem ist, dass ich an dem Abend, an dem sie getötet wurde, in ihrer Wohnung war. Ich hätte das sofort sagen müssen, aber ich war dumm und unvorsichtig und glaubte, die Sache selbst aufklären zu können und gleichzeitig dafür zu sorgen, nicht selbst in die Sache hineingezogen zu werden. Ich war …«

»Dumm und unvorsichtig. Das sagten Sie bereits.« Sie sah ihn gedankenverloren an, während sie mit der Hand über ein Sofakissen strich. »Das erklärt natürlich eine ganze Menge. Aber ich kann trotzdem nicht verstehen, warum es ein Verbrechen sein soll, Zeit mit einer Frau zu verbringen, mit der man … seine Zeit verbringen will. Das hätten Sie doch erklären können, Harry.«

»Tja«, er kippte den puren Gin hinunter. »Ich bin am nächsten Tag aufgewacht, ohne mich an irgendetwas zu erinnern.«

»Verstehe«, sie stand vom Sofa auf und trat zu ihm. »Wissen Sie, wer der Täter ist?«

Er legte den Kopf nach hinten an die Lehne und sah zu ihr auf. »Wer sagt, dass es ein Mann ist?« Seine Worte kamen ein wenig genuschelt.

Sie streckte eine schlanke Hand aus. Er sah sie fragend an.

»Der Mantel«, sagte sie. »Und dann gehen Sie direkt ins Badezimmer und nehmen ein heißes Bad. Ich koche Kaffee und suche Ihnen inzwischen ein paar warme Kleider heraus. Ich glaube nicht, dass er etwas dagegen gehabt hätte. Er war in vielerlei Hinsicht ein brauchbarer Mann.«

»Ich …«

»Los jetzt …«

Die heiße Umarmung lief Harry wohlig den Rücken hinunter, und die liebkosenden Bisse kletterten über die Schenkel zu seinen Hüften empor und machten ihm Gänsehaut. Dann ließ er den Rest seines Körpers in das glühend heiße Wasser sinken und legte den Kopf nach hinten.

Draußen konnte er den Regen hören, und er lauschte, ob er

etwas von Vigdis Albu hörte, aber sie hatte eine Platte aufgelegt. *Police. Greatest Hits*, na dann. Er schloss die Augen.

»Sending out an SOS, sending out an SOS ...«, sang Sting. Dabei hatte Harry diesem Typ doch vertraut. Apropos. Er rechnete damit, dass Beate die Mail inzwischen gelesen hatte. Dass sie die Information weitergegeben hatte und die Fuchsjagd inzwischen abgeblasen war. Der Alkohol hatte seine Augenlider schwer gemacht. Doch jedes Mal, wenn er die Augen schloss, sah er zwei Beine mit handgenähten, italienischen Schuhen aus dem dampfenden Badewasser emporragen. Er tastete hinter seinem Kopf herum. Dort hatte er seinen Drink abgestellt. Bis zu Beates Anruf hatte er bei Schrøder bloß zwei große Bier geschafft, und das war noch lange nicht die Betäubung gewesen, die er brauchte. Wo war denn bloß dieses verfluchte Glas? Und wenn Tom Waaler ihn trotzdem zu finden versuchte? Harry wusste, dass er auf diese Festnahme brannte. Aber es kam für Harry nicht in Frage, sich in Untersuchungshaft nehmen zu lassen, ehe er alle Details dieser Geschichte kannte. Im Moment durfte er niemandem außer sich selbst trauen. Er musste das schaffen. Nur erst eine kleine Auszeit. Ein Drink noch. Und das Sofa für die kommende Nacht. Den Kopf klar kriegen. Es schaffen. Morgen.

Seine Hand traf das Glas, und das schwere Kristall schlug mit einem dumpfen Knirschen auf den Bodenfliesen auf.

Harry fluchte und richtete sich auf. Er wäre beinahe ausgerutscht, konnte sich aber im letzten Moment an der Wand abstützen. Er band sich ein dickes Frotteehandtuch um und ging ins Wohnzimmer. Die Ginflasche stand noch immer auf dem Wohnzimmertisch. Im Barschrank fand er ein Glas, das er sich randvoll goss. Er hörte die Kaffeemaschine arbeiten. Und Vigdis' Stimme unten aus der Halle. Er ging wieder ins Bad und stellte das Glas vorsichtig neben den Kleidern ab, die Vigdis ihm bereitgelegt hatte. Eine komplette Bjørn-Borg-Kollektion in Hellblau und Schwarz. Er fuhr mit dem Handtuch über den

403

Spiegel und begegnete in den beschlagenen Streifen seinem eigenen Blick.

»Du Idiot«, flüsterte er.

Dann sah er zu Boden. Ein roter Streifen kroch über die Fugen zwischen den Fliesen zum Ablaufrost. Er folgte dem Streifen zurück zu seinem rechten Fuß, wo das Blut zwischen seinen Zehen hervorsickerte. Er stand mitten in den Glasscherben und hatte es noch nicht einmal bemerkt. Er hatte nicht das Geringste bemerkt. Erneut warf er einen Blick in den Spiegel und lachte laut.

Vigdis legte den Hörer auf. Sie hatte improvisieren müssen. Dabei hasste sie es, zu improvisieren, sie fühlte sich immer richtig krank, wenn die Dinge nicht nach Plan liefen. Schon als kleines Mädchen hatte sie begriffen, dass nichts von allein geschah, sondern dass es einzig und allein auf den Plan ankam. Sie erinnerte sich noch gut daran, wie die Familie von Skien nach Slemdal gezogen war. Sie ging in die siebte Klasse und stand plötzlich vor den neuen Mitschülern. Sie hatte gesagt, wie sie hieß, während die anderen bloß dasaßen und sie anstarrten, ihre Kleider und den seltsamen Plastikrucksack, der einige der Mädchen sogar dazu verleitet hatte, kichernd mit dem Finger auf sie zu zeigen. In der letzten Stunde hatte sie eine Liste verfasst, welche von den Mädchen der Klasse ihre besten Freundinnen werden sollten, wem sie die kalte Schulter zeigen wollte, welche der Jungen sich in sie verlieben sollten und bei welchem Lehrer sie die Lieblingsschülerin werden wollte. Zu Hause hatte sie die Liste über ihr Bett gehängt und erst Weihnachten wieder abgenommen, als hinter jedem der Namen ein Häkchen war.

Doch jetzt war es anders, jetzt war sie auf andere angewiesen, damit alles wieder an seinen Platz kam.

Sie sah auf die Uhr. Zehn vor halb neun. Tom Waaler hatte gesagt, dass sie es innerhalb von zwölf Minuten schaffen sollten. Er hatte versprochen, die Sirenen schon außerhalb von

Slemdal abzuschalten, so dass sie sich keine Sorgen um die Nachbarn machen müsse, wie er sich ausgedrückt hatte. Ohne dass sie das überhaupt erwähnt hatte.

Sie blieb in der Halle sitzen und wartete. Hole war hoffentlich in der Badewanne eingeschlafen. Sie sah erneut auf die Uhr. Lauschte der Musik. Die anstrengenden Police-Songs waren jetzt endlich vorbei, und stattdessen sang Sting die Lieder von seinem Soloalbum mit seiner angenehm beruhigenden Stimme. Über den Regen, der wieder und wieder fallen wird wie die Tränen der Sterne. Das war so schön, dass sie fast weinen musste.

Dann hörte sie Gregors wütendes Bellen. Endlich.

Sie öffnete die Tür und trat wie abgesprochen auf die Treppe. Sie sah eine Gestalt durch den Garten zur Terrasse rennen und eine weitere hinter dem Haus verschwinden. Zwei maskierte Männer in schwarzen Uniformen und mit kleinen, kurzen Gewehren blieben vor ihr stehen.

»Noch immer im Bad?«, flüsterte der eine durch seine schwarze Maske. »Nach der Treppe links?«

»Ja, Tom«, flüsterte sie. »Und danke, dass ihr so …«

Doch sie waren bereits auf dem Weg hinein.

Sie schloss die Augen und lauschte. Die laufenden Schritte auf der Treppe, Gregors verzweifeltes *Wuff-Wuff* von der Terrasse, Stings zerbrechliches *How fragile we are*, und der plötzliche Lärm, als die Badezimmertür aufgetreten wurde.

Sie drehte sich um und ging hinein. Die Treppe hinauf. Den Rufen entgegen. Sie brauchte einen Drink. Sie sah Tom oben auf der Treppe stehen. Er hatte die Sturmhaube abgenommen, doch sein Gesicht war derart verzerrt, dass sie ihn fast nicht wiedererkannte. Er zeigte auf etwas. Auf den Teppich. Sie blickte zu Boden. Es war eine Blutspur. Ihr Blick folgte der Spur quer durch das Wohnzimmer bis zu der geöffneten Terrassentür. Sie hörte nicht, was ihr der schwarz gekleidete Idiot hinterherschrie. *Der Plan*, das war alles, woran sie denken konnte. *Der Plan hatte doch ganz anders ausgesehen.*

Kapitel 36

Waltzing Mathilda

Harry rannte. Gregors Stakkatobellen tickte im Hintergrund wie ein wütendes Metronom, doch ansonsten war es vollkommen still um ihn herum. Die nackten Fußsohlen patschten im nassen Gras. Er streckte seine Arme nach vorne, während er durch die nächste Hecke brach, und spürte kaum, wie die Dornen die Handflächen und die Bjørn-Borg-Kollektion aufrissen. Seine eigenen Kleider und Schuhe hatte er nicht finden können, vermutlich hatte sie sie mit nach unten genommen, wo sie saß. Bei der Suche nach einem anderen Paar Schuhe hatte Gregor zu bellen begonnen, so dass er fliehen musste, wie er war, in Hose und Hemd. Der Regen rann ihm in die Augen, und die Häuser, Apfelbäume und Büsche verschwammen. Ein weiterer Garten tauchte aus dem Dunkel auf. Er wagte es, über den niedrigen Zaun zu springen, verlor aber das Gleichgewicht. Promillerennen. Ein gepflegter Rasen schlug ihm ins Gesicht. Er blieb liegen und lauschte.

Jetzt glaubte er, aus verschiedenen Richtungen Hundegebell zu hören. War Victor gekommen? So schnell? Waaler musste ihn um Bereitschaft gebeten haben. Harry erhob sich und sah sich um. Er hatte die Anhöhe erreicht, auf die er zugelaufen war.

Bewusst war er den beleuchteten Wegen ausgewichen, auf

denen er von Menschen gesehen werden konnte und wo schon bald die Polizeiwagen patrouillieren würden. Unten am Bjørnetråkk konnte er Albus Anwesen sehen. Vier Autos waren vor dem Eingang geparkt, zwei davon mit laufendem Blaulicht. Er sah zur anderen Seite der Anhöhe hinab. War das Holmen, oder Gressbanen? Irgend so etwas. Ein Privatwagen stand unten an der Kreuzung mit leuchtendem Parklicht. Er hatte auf einem Fußgängerüberweg geparkt. Harry war schnell gewesen, aber Waaler noch rascher. Nur Polizisten parkten so.

Er rieb sich kräftig das Gesicht. Versuchte die Betäubung zu verjagen, nach der er sich noch vor kurzem so gesehnt hatte. Auch zwischen den Bäumen am Stasjonsvei blinkte ein Blaulicht. Er saß im Netz, das sich bereits zusammenzuziehen begann. Er würde nicht entkommen können. Waaler war zu gut. Aber er verstand es nicht ganz. Das konnte nicht bloß ein Alleingang von Waaler sein, jemand musste seine Genehmigung gegeben haben, so viele Kräfte einzusetzen, um einen einzelnen Mann festzunehmen. Was war geschehen? Hatte Beate die Mail nicht bekommen, die er geschickt hatte?

Er lauschte. Es waren definitiv mehrere Hunde. Er sah sich um. In Richtung der erleuchteten Villen, die in der nächtlichen Dunkelheit am Hang lagen. Er dachte an die Wärme und die Gemütlichkeit hinter diesen Fenstern. Norweger mochten das Licht. Und sie hatten Strom. Erst wenn sie nach Süden reisten und für vierzehn Tage verschwanden, machten sie die Lichter aus. Sein Blick huschte von Haus zu Haus.

Tom Waaler sah zu den Villen empor, die die Landschaft wie Weihnachtskerzen dekorierten. Große, schwarze Gärten. Wiesen mit Apfelbäumen. Er hatte die Füße auf das Armaturenbrett von Victors speziell umgebautem Lieferwagen gelegt. In diesem Wagen hatten sie die beste Kommunikationstechnik, so dass er den Einsatz von hier aus steuern konnte. Er hatte Funkverbindung zu allen Einheiten, die das Gelände jetzt umstellt hatten. Er sah auf die Uhr. Die Hunde waren auf der

Spur, vor etwa zehn Minuten waren sie mit ihren Führern im Dunkel der Gärten verschwunden.

Es knackte im Funkgerät: »Stasjonsvei an Victor Null-Eins. Wir haben hier ein Auto mit einem Stig Antonsen, der in den Revehivei 17 will. Er sagt, er komme von der Arbeit. Sollen wir ...«

»Überprüft Adresse und Identität und lasst ihn fahren«, sagte Waaler. »Das Gleiche gilt für alle anderen dort draußen, o. k.? Benützt euren Kopf.«

Waaler fischte eine CD aus seiner Brusttasche und schob sie in den Spieler. Mehrstimmiger Falsettgesang. *Thunder all through the night, and a promise to see Jesus in the morning light.* Der Mann auf dem Beifahrersitz zog die Augenbrauen hoch, doch Waaler tat so, als bemerke er es nicht, und drehte die Musik lauter. Strophe. Strophe. Refrain. Strophe. Refrain. Nächstes Lied. *Pop Daddy, Pop Daddy. Oh sock it to me. You're the best.* Waaler blickte auf die Uhr. Verflucht, wie lange die Hunde brauchten! Er schlug mit der Hand auf das Armaturenbrett und erhielt erneut einen Blick vom Beifahrersitz.

»Die haben doch eine frische Blutspur, der sie folgen können«, sagte Waaler. »Das kann doch nicht so schwer sein.«

»Das sind Hunde, keine Roboter«, sagte der Mann. »Beruhigen Sie sich, die haben ihn bald.«

Der Künstler, der für alle Ewigkeit den Namen Prince behalten wird, war mitten in *Diamonds and Pearls,* als die Meldung kam: »Victor Null-Drei an Victor Null-Eins. Ich glaube, wir haben ihn. Wir stehen vor einer weißen Villa in ... äh, Erik versucht gerade, die Adresse herauszufinden, aber am Haus steht jedenfalls die Nummer 16.«

Waaler stellte die Musik leiser. »O. k., findet es heraus und wartet, bis wir kommen. Was ist das für ein Pfeifen im Hintergrund?«

»Das kommt aus dem Haus.«

Es knackte im Radio: »Stasjonsvei an Victor Null-Eins. Tut mir leid, dass ich mich wieder melden muss, aber wir haben hier ein Auto vom Sicherheitsdienst ›Falken‹. Sie sagen, sie müssten in den Harelabben 16. Bei der Zentrale ist von dort ein Alarm eingegangen. Soll ich …«

»Victor Null-Eins an alle Einheiten!«, rief Waaler. »Los! Harelabben 16!«

Bjarne Møller war übelster Laune. Mitten in seiner Lieblingssendung! Er fand die weiße Villa mit der Nummer 16, parkte auf der Straße davor und ging durch den Eingang auf die offene Tür zu, in der ein Polizist mit einem Schäferhund stand.

»Ist Waaler hier?«, fragte der Dezernatsleiter, und der Polizist nickte in Richtung Tür. Møller bemerkte, dass das Glas der Eingangstür eingeschlagen worden war. Waaler stand hinter der Tür auf dem Flur und diskutierte wütend mit einem anderen Polizisten.

»Was zum Teufel geht hier vor?«, fragte Møller ohne Einleitung.

Waaler drehte sich um. »Na, so was. Was führt Sie hierher, Møller?«

»Ein Anruf von Beate Lønn. Wer hat diesen Schwachsinn hier genehmigt?«

»Unser Staatsanwalt.«

»Ich rede nicht von dem Haftbefehl. Ich frage danach, wer das Okay dafür gegeben hat, dass ihr hier den Dritten Weltkrieg veranstaltet, bloß weil einer unserer eigenen Kollegen eventuell – eventuell! – etwas zu erklären hat.«

Waaler wippte mit den Füßen, während er Møller in die Augen sah. »Dezernatsleiter Ivarsson. Wir haben in Harrys Wohnung ein paar Dinge gefunden, die uns glauben lassen, dass er uns nicht bloß etwas zu erklären hat. Er steht unter Mordverdacht. Sonst noch etwas, Møller?«

Møller zog überrascht die Augenbrauen hoch. Waaler musste wirklich angespannt sein, denn zum ersten Mal hatte er erlebt, dass er sich einem Vorgesetzten gegenüber so aggressiv äußerte. »Ja. Wo ist Harry?«

Waaler deutete auf die roten Fußabdrücke auf dem Parkett. »Er war hier. Einbruch, wie Sie sehen. Langsam hat er ganz schön viel zu erklären, nicht wahr?«

»Ich habe gefragt, wo er ist?«

Waaler und der andere Polizist wechselten Blicke. »Harry will uns anscheinend nichts erklären. Der Vogel war bereits wieder ausgeflogen, als wir hierher kamen.«

»Ach? Ich hatte den Eindruck, dass ihr die ganze Gegend eingekesselt hättet.«

»Das hatten wir auch«, sagte Waaler.

»Und wie ist er euch dann entkommen?«

»Damit.« Waaler deutete auf den Apparat auf dem Telefontischchen. Am Hörer war etwas, was nach Blut aussah.

»Er ist durch ein Telefon entkommen?« Møller verspürte einen – in Anbetracht seiner schlechten Laune und des Ernstes der Situation – irrationalen Drang zu grinsen.

»Es gibt Grund zur Annahme«, sagte Waaler, während Møller sah, wie die kräftige David-Hasselhoff-Kiefermuskulatur Schwerstarbeit leistete, »dass er sich ein Taxi gerufen hat.«

Øystein fuhr langsam die Allee hinauf und lenkte das Taxi auf den gepflasterten, halbrunden Platz vor dem Tor des Osloer Gefängnisses. Er parkte zwischen zwei Autos, so dass das Heck des Wagens zum leeren Park am Gønlandleiret zeigte. Dann drehte er den Zündschlüssel halb herum, so dass der Motor ausging, die Scheibenwischer aber noch weiter ihre Arbeit verrichteten. Er wartete. Es war niemand zu sehen, weder auf dem Platz noch im Park. Er warf einen Blick zum Polizeipräsidium, ehe er den Hebel unter dem Lenkrad zog. Ein Klicken war zu hören, und der Kofferraum öffnete sich.

»Wir sind da«, rief er und blickte in den Spiegel.

Das Auto bewegte sich, der Kofferraumdeckel ging ganz auf und fiel dann wieder zu. Dann öffnete sich die hintere Tür, und ein Mann schlüpfte hinein. Øystein studierte den klitschnassen, schlotternden Passagier im Rückspiegel.

»Du siehst aber gut aus, Harry.«

»Danke.«

»Schicke Klamotten.«

»Nicht meine Größe, aber Bjørn Borg. Leih mir deine Schuhe.«

»Hä?«

»Ich habe bloß ein paar Filzpantoffeln im Flur gefunden, damit kann ich keinen Besuch im Gefängnis machen. Und deine Jacke.«

Øystein verdrehte die Augen und zog sich die kurze Lederjacke aus.

»Hattest du Schwierigkeiten, an den Sperren vorbeizukommen?«, fragte Harry.

»Nur auf dem Hinweg. Sie mussten überprüfen, ob Adresse und Name von demjenigen stimmten, dem ich das Päckchen liefern sollte.«

»Den Namen habe ich an der Tür gefunden.«

»Auf dem Rückweg haben sie bloß ins Auto geguckt und mich durchgewunken. Dann, vielleicht nach einer halben Minute, wurde es auf einmal vollkommen hektisch im Polizeifunk. An alle Einheiten und so, hehe.«

»Ja, mir war so, als hätte ich dahinten was gehört. Du bist dir doch im Klaren, dass du keinen Polizeifunk abhören darfst, oder, Øystein?«

»Also, es ist nicht verboten, einen Funkempfänger zu haben, nur ihn zu benutzen. Und benutzen tu ich ihn fast nie.«

Harry band die Schnürsenkel zu und warf die Filzpantoffeln nach vorne zu Øystein. »Der Himmel wird dich belohnen. Wenn sie die Nummer des Taxis notiert haben und du Besuch bekommst, sag einfach, wie es war. Dass dich jemand direkt über deine Handynummer gerufen hat und der Passagier darauf bestanden hat, im Kofferraum zu liegen.«

»Nicht wahr? Das ist doch keine Verarschung, oder?«

»Das ist das Wahrste, das ich seit langem gehört habe.«

Er holte tief Luft und drückte auf die Klingel. Im Moment gab es noch keine Gefahr, aber es war schwer zu sagen, wie schnell sich die Nachricht, dass er gesucht wurde, verbreitete. Immerhin gingen Polizisten hier im Gefängnis ein und aus.

»Ja?«, fragte die Stimme durch die Sprechanlage.

»Hauptkommissar Harry Hole«, sagte Harry besonders deutlich und sah direkt in die Kamera über der Tür, wobei er hoffte, möglichst klar zu wirken. »Zu Raskol Baxhet.«

»Ich habe Sie nicht auf der Liste.«

»Nicht?«, fragte Harry. »Ich habe Beate Lønn gebeten, meinen Besuch bei Ihnen anzukündigen. Heute Abend um neun. Fragen Sie Raskol.«

»Außerhalb der Besuchszeiten müssen Sie auf der Liste stehen, Hole. Rufen Sie morgen zu Bürozeiten wieder an.«

Harry trat von einem Fuß auf den anderen. »Wie heißen Sie?«

»Bøygset, aber, also, ich kann nicht …«

»Hören Sie, Bøygset. Es geht um eine wichtige Polizeiangelegenheit, und ich habe nicht vor, bis morgen auf die Bürozeiten zu warten. Sie haben doch heute Abend sicher ständig die Sirenen gehört, oder?«

»Ja, aber …«

»Also, wenn Sie morgen nicht den Zeitungen erklären wollen, wie Sie es geschafft haben, die Liste mit meinem Namen zu verschlampen, schlage ich Ihnen vor, vom Robotermodus auf denkender Mensch umzuschalten und auf den richtigen Knopf zu drücken. Das ist der direkt vor Ihrer Nase, Bøygset.«

Harry starrte in das tote Kameraauge. Einundzwanzig, zweiundzwanzig … Es summte im Schloss.

Raskol saß auf einem Stuhl in der Zelle, als Harry hereingelassen wurde.

»Danke, dass Sie die Besuchsanmeldung bestätigt haben«, sagte Harry und sah sich in der drei mal vier Meter kleinen Zelle um. Ein Bett, ein Tisch, zwei Schränke, ein paar Bücher.

Kein Radio, keine Magazine, keine persönlichen Gegenstände, nackte Wände.

»Es ist mir lieber so«, sagte Raskol als Antwort auf Harrys Gedanken. »Das schärft die Sinne.«

»Dann spüren Sie mal nach, wie sehr das, was ich jetzt sage, die Sinne schärft«, sagte Harry und setzte sich auf die Bettkante. »Es war nicht Arne Albu, der Anna getötet hat. Ihr habt den Falschen erwischt. Das Blut eines Unschuldigen klebt an euren Händen, Raskol.«

Harry war sich nicht sicher, er glaubte aber ein winziges Zucken in der freundlichen, doch gleichzeitig kalten Märtyrermaske des Zigeuners zu erkennen. Raskol senkte den Kopf und legte die Handflächen an die Schläfen.

»Ich habe eine E-Mail vom Mörder erhalten«, sagte Harry. »Es zeigte sich, dass er mich von Anfang an manipuliert hat.« Er fuhr mit der Hand über das karierte Bettzeug, während er den Inhalt der letzten Mail wiedergab. Gefolgt von einem Resümee der Geschehnisse des Tages.

Raskol saß reglos da und hörte Harry zu, bis dieser fertig war. Dann hob er den Kopf. »Das bedeutet, dass auch an Ihren Händen das Blut eines Unschuldigen klebt, *Spiuni*.«

Harry nickte.

»Und jetzt kommen Sie hierher, um mir zu erzählen, dass ich Blut über Sie gebracht habe und Ihnen etwas schulde.«

Harry antwortete nicht.

»Einverstanden«, sagte Raskol. »Also, sagen Sie's, was bin ich Ihnen schuldig?«

Harry hörte damit auf, die Decke zu streicheln. »Sie schulden mir drei Dinge. Erstens brauche ich einen Ort, an dem ich mich verstecken kann, bis ich dieser Sache wirklich auf den Grund gegangen bin.«

Raskol nickte.

»Zweitens brauche ich den Schlüssel zu Annas Wohnung, um ein paar Dinge zu überprüfen.«

»Den haben Sie zurückbekommen.«

»Nicht den Schlüssel mit den Initialen A.A., der liegt in einer Schublade in meiner Wohnung, und dort komme ich nicht hin. Und drittens ...«

Harry hielt inne, und Raskol sah ihn fragend an.

»Wenn ich von Rakel erfahre, dass sie jemand auch nur schief angesehen hat, werde ich mich stellen, alle Karten auf den Tisch legen und Sie als denjenigen entlarven, der den Mord an Arne Albu beauftragt hat.«

Raskol lächelte freundlich und überlegen. Als tue es ihm für Harry leid, was beiden vollkommen bewusst war – dass nämlich niemand jemals eine Verbindung zwischen Raskol und dem Mord an Albu würde herstellen können. »Um Rakel und Oleg brauchen Sie sich keine Sorgen zu machen, *Spiuni*. Meine Kontaktperson hat die Order erhalten, seine Handwerker zurückzurufen, nachdem wir mit Albu fertig waren. Eher sollten Sie sich Sorgen um den Ausgang des Verfahrens machen. Mein Kontakt meint, die Sache sehe nicht gerade gut aus. Die Familie des Kindsvaters scheint gewisse Kontakte zu haben, oder?«

Harry zuckte mit den Schultern.

Raskol zog die Schublade seines Schreibtisches heraus, nahm einen blanken Schlüssel heraus und reichte ihn Harry. »Gehen Sie direkt zur U-Bahn-Station Grønland. Am Ende der ersten Treppe sitzt eine Toilettenfrau hinter einer Scheibe. Sie bekommt fünf Kronen, um Sie hereinzulassen. Sagen Sie, dass Harry gekommen ist, gehen Sie in die Herrentoilette und schließen Sie sich in einem der Klos ein. Wenn Sie jemanden hören, der *Waltzing Mathilda* pfeift, heißt das, dass Ihr Transport bereit ist. Viel Glück, *Spiuni*.«

Der Regen hämmerte so hart auf den Boden, dass die Tropfen vom Asphalt nach oben zurückspritzten, und wenn man sich Zeit nahm, konnte man ganz unten am Ende der engen, nur in einer Richtung befahrbaren Sofies Gate kleine Regenbögen im Licht der Straßenlaternen erkennen. Aber Bjarne Møller hatte keine Zeit. Er stieg aus dem Auto, zog sich den Mantel über den Kopf und rannte über die Straße zu dem Hauseingang, in dem Ivarsson, Weber und ein weiterer Mann, der pakistanischer Abstammung zu sein schien, warteten.

Møller begrüßte sie per Handschlag, und der Dunkelhäutige präsentierte sich als Ali Niazi, Harrys Nachbar.

»Waaler kommt, sobald er in Slemdal aufgeräumt hat«, sagte Møller. »Was habt ihr hier gefunden?«

»Ziemlich interessante Sachen, fürchte ich«, sagte Ivarsson. »Das Wichtigste ist jetzt, wie wir der Presse klarmachen können, dass einer unserer eigenen Polizisten …«

»He, he«, donnerte Møller, »nicht so schnell. Gib mir erst mal einen kurzen Bericht.«

Ivarsson lächelte gezwungen. »Komm mit.«

Der Chef des Raubdezernates ging vor den drei anderen durch eine niedrige Tür und dann über eine steile Steintreppe in den Keller hinunter. Møller bückte seinen dünnen, langen Körper so gut er konnte, um nicht an Decke und Wände zu stoßen. Er mochte Keller nicht.

Ivarssons Stimme hallte an den Wänden dumpf wider. »Wie du weißt, erhielt Beate Lønn heute eine Reihe von E-Mails, die Hole weitergeleitet hat. Hole behauptet, diese E-Mails von einer Person erhalten zu haben, die geständig ist, Anna Bethsen ermordet zu haben. Ich war im Präsidium und habe diese E-Mails vor einer Stunde gelesen. Klar ausgedrückt handelt es sich vorwiegend um unverständliches, verwirrtes Gekritzel. Aber es beinhaltet auch Enthüllungen, die der Absender nicht haben könnte, wenn er nicht eine wirklich intime Kenntnis der Geschehnisse hätte, die an diesem Abend bei Anna Bethsen vorgefallen sind. Auch wenn diese Enthüllungen Hole am Abend des Mordes bei Anna Bethsen platzieren, beinhalten sie dennoch ein vermeintliches Alibi für Hole.«

»Vermeintliches?« Møller duckte sich unter einem Türrahmen hindurch. Dahinter war die Decke noch niedriger, und er ging gebeugt weiter, wobei er krampfhaft nicht daran zu denken versuchte, dass sich über ihm vier Stockwerke Mauerwerk befanden, die im Großen und Ganzen durch Lehm und alte Holzbalken zusammengehalten wurden. »Wie meinst du das, Ivarsson? Hast du nicht gesagt, die Briefe seien eine Art Geständnis?«

»Zuerst haben wir die Wohnung untersucht«, sagte Ivarsson. »Wir schalteten seinen PC ein, öffneten die Mailbox und fanden tatsächlich die Mails, die er empfangen hatte. Genau so, wie er es Beate Lønn geschrieben hatte. Ein vermeintliches Alibi also.«

»Das habe ich schon einmal gehört«, sagte Møller deutlich verärgert. »Können wir jetzt zum Punkt kommen?«

»Der entscheidende Punkt ist, wer diese E-Mails an Harrys PC geschickt hat.«

Møller hörte Stimmen.

»Es ist gleich um die Ecke«, sagte der Mann, der sich als Harrys Nachbar vorgestellt hatte.

Sie blieben vor einem Kellerabteil stehen. Hinter der Drahtgittertür saßen zwei Männer in der Hocke. Der eine leuchtete mit einer Taschenlampe auf die Rückseite eines Laptops, während er dem anderen eine Nummer vorlas, die dieser notierte. Møller sah, dass zwei Stromkabel zu der Steckdose in der Ecke führten. Eines zu dem Laptop und ein weiteres zu einem Nokia-Mobiltelefon, das wiederum mit dem Laptop verbunden war.

Møller richtete sich so gut es ging auf. »Und was hat das zu bedeuten?«

Ivarsson legte die Hand auf die Schulter von Harrys Nachbar. »Ali sagte, er sei ein paar Tage nach dem Mord an Anna Bethsen hier unten im Keller gewesen und da habe er zum ersten Mal den Laptop mit dem Telefon in Harrys Kellerabteil bemerkt. Das Telefon haben wir bereits überprüft.«

»Ja und?«

»Es ist Holes. Jetzt versuchen wir herauszufinden, wer den Laptop gekauft hat. Wie auch immer, wir haben das Verzeichnis der gesendeten Mails überprüft.«

Møller schloss die Augen. Sein Rücken schmerzte bereits.

»Und da sind sie.« Ivarsson schüttelte vielsagend den Kopf. »All die Mails, von denen uns Harry Glauben machen will, der unbekannte Mörder hätte sie ihm geschickt.«

»Hm«, sagte Møller. »Das sieht nicht gut aus.«

»Aber den eigentlichen Beweis hat Weber in der Wohnung gefunden.«

Møller sah Weber fragend an, der mit düsterer Miene einen kleinen, durchsichtigen Plastikbeutel hochstreckte.

»Ein Schlüssel?«, fragte Møller. »Mit den Initialen A.A.?«

»In der Schublade des Telefontischchens«, sagte Weber. »Er stimmt mit dem Schlüssel zu Anna Bethsens Wohnung überein.«

Møller starrte Weber dumpf an. Das harte Licht der nackten Glühbirne gab seinem Gesicht die gleiche leichenblasse Farbe wie den weißgekalkten Wänden, und Møller hatte das Gefühl, in einem Grab zu sein. »Ich muss raus«, sagte er leise.

Kapitel 37

Spiuni gjerman

Harry schlug die Augen auf, sah direkt in ein lachendes Kindergesicht und spürte den ersten Hammerschlag.

Er schloss die Augen wieder, doch weder das Lachen des Mädchens noch die Kopfschmerzen verschwanden.

Er versuchte, die Geschehnisse zu rekonstruieren.

Raskol, die Toilette in der U-Bahn-Station, der kleine, gedrungene, pfeifende Mann im abgetragenen Armani-Anzug, die ausgestreckte Hand mit den Goldringen, schwarze Haare und ein langer spitzer Fingernagel am kleinen Finger. »Hei, Harry, ich bin dein Freund Simon.« Und im scharfen Kontrast zu dem abgetragenen Anzug ein nagelneuer Mercedes mit einem Chauffeur, der aussah, als sei er der Bruder von Simon. Die gleichen braunen, munteren Augen und der gleiche haarige, goldgeschmückte Händedruck.

Die zwei vorne im Wagen hatten losgeplaudert in einer Mischung aus Schwedisch und Norwegisch und mit dem seltsamen Tonfall der Zirkusartisten, Messerverkäufer, Prediger und Sänger von Tanzkombos. Aber viel hatten sie nicht gesagt. »Geht's gut, Freund?« »Wetter nicht gut, oder?« »Schöne Kleider, Freund, sollen wir tauschen?« Herzliches Lachen und das Klicken von Feuerzeugen. Ob Harry rauche? Russische Zigaretten, bitte sehr, garantiert übel, aber irgendwie auch gut, weißt du? Weiteres Gelächter. Raskol war nicht mit einem Wort erwähnt worden und auch nicht das Ziel ihrer Fahrt.

Doch es stellte sich heraus, dass die Reise nicht lange dauerte.

Hinter dem Munch-Museum bogen sie von der Straße ab und holperten über einen löchrigen Weg bis zu einem Parkplatz vor einem schlammigen, leeren Fußballplatz. Am Ende des Parkplatzes standen drei Wohnwagen. Zwei neue große und ein kleiner alter ohne Räder, der auf vier Ytongsteinen aufgebockt war.

Die Tür von einem der großen Wagen ging auf, und Harry sah die Silhouette einer Frau. Hinter ihr kamen die Köpfe einiger Kinder zum Vorschein. Harry zählte fünf.

Harry sagte, er sei nicht hungrig, saß in einer Ecke des Wagens und sah den anderen beim Essen zu. Das Essen wurde von der Jüngsten der Frauen serviert und wurde schnell und ohne jede Zeremonie heruntergeschlungen. Die Kinder sahen Harry kichernd an und schubsten sich gegenseitig hin und her. Harry zwinkerte zurück und versuchte zu lächeln, während er spürte, wie langsam das Gefühl in seinen durchfrorenen Körper zurückkkam. Was nicht bloß eine gute Neuigkeit war, denn es war die Rede von beinahe zwei Metern und jeder einzelne Zentimeter schmerzte. Anschließend hatte Simon ihm zwei Wolldecken gegeben, ihm freundlich auf die Schulter geklopft und in Richtung des kleinen Wohnwagens genickt. »Es ist nicht das Hilton, aber hier bist du sicher, mein Freund.«

Was an Wärme in Harrys Körper zurückgefunden hatte, war schlagartig wieder verschwunden, als er den eierförmigen Kühlschrank von Wohnwagen betrat. Er hatte Øysteins Schuhe abgestreift, die mindestens eine Nummer zu klein waren, sich die Füße gerieben und dann versucht, in dem kurzen Bett Platz für seine Beine zu finden. Das Letzte, an das er sich erinnerte, war sein Versuch, sich die nasse Hose auszuziehen.

»Hihihi.«

Harry öffnete wieder die Augen. Das kleine, braune Gesicht war verschwunden, und das Lachen kam jetzt von draußen, durch die offene Tür, durch die die Sonne freimütig hereinschien und die Wand mit den angehefteten Fotografien hinter ihm anstrahlte. Harry richtete sich auf die Ellenbogen auf und betrachtete die Bilder. Eines der Fotos zeigte zwei Jungen, Arm in Arm vor einem Wohnwagen, der aussah wie der, in dem er sich gerade befand. Sie sahen zufrieden aus. Nein, mehr als das. Sie sahen glücklich aus. Vielleicht gelang es Harry deshalb nur kaum, einen dieser Jungen als Raskol zu identifizieren.

Harry schwang die Beine aus der Koje und entschloss sich, seine Kopfschmerzen zu ignorieren. Er blieb ein paar Sekunden sitzen, um sicherzugehen, dass sein Magen standhaft blieb. Er hatte schon schlimmere Eskapaden als die gestrige erlebt, viel schlimmere. Beim Essen am Abend zuvor war er kurz davor gewesen, nach Schnaps zu fragen, doch er hatte es unterlassen. Vielleicht vertrug sein Körper nach so langer Abstinenz den Alkohol wieder besser?

Er bekam die Antwort, als er den Wohnwagen verlassen wollte.

Die Kinder standen mit großen verwunderten Augen da, als Harry sich an der Deichsel festhielt und ins braune Gras kotzte. Er hustete und spuckte ein paar Mal und fuhr sich mit dem Handrücken über den Mund. Als er sich umdrehte, stand Simon mit breitem Grinsen hinter ihm, als sei Erbrechen am Morgen das Natürlichste von der Welt: »Essen, mein Freund?«

Harry schluckte und nickte.

Simon lieh Harry einen zerknitterten Anzug, ein sauberes Hemd mit breiten Manschetten und eine Sonnenbrille. Sie setzten sich in den Mercedes und fuhren die Finnmarksgata hoch. Am Carl-Berners-Plass blieben sie an einer roten Ampel stehen. Simon ließ die Scheibe hinunter und rief einem Mann etwas zu, der rauchend vor einem Kiosk stand. Harry hatte das vage Gefühl, diesen Mann schon einmal gesehen zu haben, und wusste aus Erfahrung, dass dieses Gefühl oftmals bedeutete, dass der Betreffende eine entsprechende Akte hatte. Der Mann lachte und rief etwas zurück, das Harry nicht verstand.

»Ein Bekannter?«, fragte er.

»Ein Kontakt«, antwortete Simon.

»Ein Kontakt«, wiederholte Harry und sah zu dem Streifenwagen hinüber, der auf der anderen Seite der Kreuzung an der Ampel stand.

Simon fuhr nach Westen in Richtung Ullevål-Krankenhaus.

»Sag mal«, sagte Harry, »was für Kontakte hat Raskol eigentlich in Moskau, wenn die in dieser Zwanzig-Millionen-Stadt einen Menschen finden können …«, Harry schnippte mit den Fingern, »… als sei das gar nichts? Ist das die Russenmafia?«

Simon lachte. »Vielleicht. Wenn dir sonst niemand einfällt, der noch besser darin ist, Menschen aufzuspüren.«

»KGB?«

»Wenn ich mich recht erinnere, mein Freund, gibt es den nicht mehr.« Simon lachte lauter.

»Unser Russlandexperte im Sicherheitsdienst hat mir erzählt, dass es noch immer frühere KGBler sind, die da drüben die Strippen ziehen.«

Simon zuckte mit den Schultern. »Dienste, mein Freund. Und Gegenleistungen. Das ist alles.«

»Ich dachte, es ginge um Geld.«

»Genau davon spreche ich, mein Freund.«

Harry stieg in der Sorgenfrigata aus, während Simon weiterfuhr, um sich um ein paar »Geschäfte« in Sagene zu kümmern, wie er das nannte.

Harry suchte die Straße ab. Ein Lieferwagen fuhr vorbei. Er hatte Tess, das Mädchen mit den braunen Augen, das ihn geweckt hatte, dazu gebracht, ihm in Tøyen die aktuellen Ausgaben von *Dagbladet* und *VG* zu besorgen, doch in keiner der Zeitungen wurde nach ihm gefahndet. Das bedeutete nicht, dass er sich überall zeigen konnte, denn wenn er sich nicht allzu sehr irrte, hingen in jedem Streifenwagen Bilder von ihm.

Harry ging rasch zur Tür, steckte Raskols Schlüssel ins Schloss und drehte ihn herum. Er versuchte, die Stille im Treppenhaus nicht zu stören. Vor der Tür von Astrid Monsen lag eine Zeitung. Als er in Annas Wohnung war, schloss er die Tür vorsichtig hinter sich und hielt die Luft an.

Nicht an das denken, was du suchst.

Es roch abgestanden. Er ging ins Wohnzimmer. Nichts war verändert seit seinem letzten Besuch. Staub tanzte im Sonnenlicht, das durch die Fenster hereinfiel und die drei Porträts beleuchtete. Er blieb stehen und betrachtete sie. Die verdrehten Kopfformen kamen ihm seltsam bekannt vor. Er trat dicht an die Bilder heran und fuhr mit den Fingern über die Klumpen der Ölfarbe. Wenn sie zu ihm sprachen, verstand er ihre Worte nicht.

Dann ging er in die Küche.

Es roch nach Abfall und altem Fett. Er öffnete das Fenster, überprüfte das Geschirr und das Besteck auf der Ablage des Spülbeckens. Sie waren mit Wasser abgewaschen, aber nicht richtig gespült worden. Mit einer Gabel stocherte er an einem angetrockneten Essensrest herum. Ein kleines, rötliches Bröckchen trockener Sauce löste sich. Er steckte es in den Mund. Japone-Chili.

Hinter einer großen Kasserolle standen zwei große Weingläser. Das eine hatte einen deutlichen roten Satz, während das andere unbenutzt aussah. Harry steckte seine Nase hinein, roch aber nur warmes Glas. Neben den Weingläsern standen zwei gewöhnliche Wassergläser. Er suchte sich ein Geschirrtuch, mit dem er die Gläser ins Licht halten konnte, ohne selbst Abdrücke zu machen. Das eine war sauber, das andere hatte einen zähen Belag. Er kratzte mit dem Fingernagel etwas ab und leckte am Finger. Zucker. Mit Kaffeegeschmack. Cola? Harry schloss die Augen. Wein und Cola? Nein. Wasser und Wein für einen. Und Cola und ein unbenutztes Wasserglas für den anderen. Er wickelte das Glas in ein Handtuch und steckte es in die Tasche seiner Jacke. Einer Eingebung folgend ging er ins Bad, öffnete den Spülkasten der Toilette und tastete mit der Hand die Innenseite ab. Nichts.

Als er auf die Straße kam, zogen von Westen Wolken auf. Die Luft war etwas frischer. Harry biss sich auf die Unterlippe. Dann fasste er einen Entschluss und ging in Richtung Vibes Gate.

Harry erkannte den jungen Mann hinter dem Tresen des Schlüsseldienstes sofort wieder.

»Guten Tag, ich komme von der Polizei«, sagte Harry und hoffte, dass der Mann nicht seinen Ausweis sehen wollte, der noch in seiner Jacke im Hause der Albus in Slemdal war.

Der junge Mann legte die Zeitung beiseite. »Ich weiß.«

Einen Augenblick lang befiel Harry Panik.

»Ich erinnere mich, dass Sie hier waren, um einen Schlüssel zu holen.« Er lächelte breit. »Ich erinnere mich an alle Kunden.«

Harry räusperte sich. »Tja, streng genommen bin ich ja kein Kunde.«

»Ach nein?«

»Nein, der Schlüssel war nicht für mich. Aber deshalb bin ich nicht ...«

»Es muss aber so gewesen sein«, unterbrach ihn der junge Mann. »Das war doch ein Systemschlüssel, oder?«

Harry nickte. Im Augenwinkel sah er langsam einen Streifenwagen vorbeifahren. »Ich wollte Sie etwas wegen eines Systemschlüssels fragen. Ich frage mich, wie sich ein Unberechtigter einen Nachschlüssel eines solchen Schlüssels beschaffen kann. Zum Beispiel eines Trioving-Schlüssels.«

»Gar nicht«, sagte er mit der unerschütterlichen Sicherheit eines Wissenschaftsjournal-Lesers. »Nur Trioving kann Nachschlüssel herstellen, die wirklich funktionieren. Die einzige Möglichkeit besteht also darin, die Bestellvollmacht der Hausverwaltung zu fälschen. Aber auch das wird entdeckt werden, wenn man den Schlüssel abholt, denn dort muss man sich ausweisen, und die Papiere werden mit den Listen der Hausbewohner abgeglichen.«

»Aber ich habe hier doch selbst einen solchen Schlüssel abgeholt. Einen Schlüssel, den ich für eine andere Person holen sollte.«

Der Junge runzelte die Stirn. »Nein, ich erinnere mich genau daran, dass Sie mir Ihren Ausweis gezeigt haben und ich den Namen auf der Liste überprüft habe. Wessen Schlüssel wollen Sie denn erhalten haben?«

Harry sah im Spiegel hinter dem Tresen, wie der gleiche Streifenwagen jetzt in anderer Richtung zurückpatrouillierte.

»Vergessen Sie es. Gibt es eine andere Möglichkeit, sich einen Nachschlüssel zu beschaffen?«

»Nein, Trioving, die diese Art Schlüssel herstellen, nehmen nur Bestellungen von autorisierten Schlüsseldiensten wie uns entgegen. Und wir überprüfen, wie gesagt, die Identität und führen Buch über die bestellten Schlüssel für jedes Gebäude. Das System sollte ziemlich sicher sein.«

»Das hört sich so an, ja.« Harry fuhr sich mit der Hand ärgerlich über das Gesicht. »Ich habe vor einiger Zeit angerufen und erfahren, dass eine Frau, die in der Sorgenfrigata gewohnt hat, drei Schlüssel für ihre Wohnung bekommen hat. Den einen fanden wir in ihrer Wohnung, den anderen gab sie dem Elektriker, der etwas reparieren sollte, und den dritten fanden wir an einem anderen Ort. Ich glaube nur, dass sie den dritten Schlüssel nicht selbst bestellt hat. Könnten Sie das für mich überprüfen?«

Der Mann hinter dem Tresen zuckte mit den Schultern. »Kann ich schon, aber warum fragen Sie die Frau nicht selbst?«

»Jemand hat ihr in den Kopf geschossen.«

»Ups«, sagte er, ohne die Miene zu verziehen.

Harry blieb reglos stehen. Er spürte etwas. Ein winziges Schaudern, vielleicht ein Zug von der Tür. Genug, dass sich

424

seine Nackenhaare aufstellten. Ein leises Räuspern war zu hören. Er hatte niemanden hereinkommen hören. Ohne sich umzudrehen versuchte er zu erkennen, wer in das Geschäft gekommen war, doch der Winkel war zu ungünstig.

»Die Polizei«, sagte eine laute, hohe Stimme hinter ihm. Harry schluckte.

»Ja?«, fragte der junge Mann über Harrys Schulter hinweg.

»Die stehen draußen«, sagte die Stimme. »Unten in der Nummer vierzehn ist bei einer alten Frau eingebrochen worden. Sie braucht sofort ein neues Schloss, und sie wollen wissen, ob wir das sofort erledigen können?«

»Fahr du doch mit ihnen, Alf. Wie du siehst, habe ich hier zu tun.«

Harry spitzte die Ohren, bis sich die Schritte entfernten. »Anna Bethsen.«

Er hörte, dass er flüsterte. »Können Sie überprüfen, ob sie persönlich alle Schlüssel abgeholt hat?«

»Das brauche ich nicht. Das *muss* sie getan haben.«

Harry beugte sich über den Tresen. »Könnten Sie es trotzdem überprüfen?«

Der Mann seufzte schwer und verschwand im Hinterzimmer. Er kam mit einem Ordner zurück und schlug eine Seite auf. »Sehen Sie selbst«, sagte er, »hier, hier und hier.«

Harry erkannte die Ausgabeformulare, sie waren identisch mit demjenigen, das er selbst unterschrieben hatte, als er Annas Schlüssel geholt hatte. Doch alle Formulare vor ihm waren von Anna selbst unterzeichnet worden. Er wollte fragen, wo das Formular mit seinem Namen war, als sein Blick auf die Daten fiel.

»Hier steht, dass der letzte Schlüssel bereits im August geholt wurde«, sagte er. »Aber das ist ja lange, bevor ich hier war ...«

»Ja?«

Harry starrte vor sich hin. »Danke«, sagte er. »Jetzt weiß ich genug.«

Draußen war der Wind stärker geworden. Harry rief aus einer der Telefonzellen am Valkyrieplass an.

»Beate?«

Über dem Turm der Seemannsschule segelten zwei Möwen im Wind und spielten mit den Böen. Unter ihnen lag der Oslofjord, der einen unheilverkündenden grünen Schimmer hatte, dahinter der Ekeberg, wo die Menschen auf den Bänken wie winzige Pünktchen aussahen.

Harry hatte alles über Anna Bethsen erzählt. Von ihrer Begegnung.

Von dem letzten Abend, an den er sich nicht erinnern konnte. Von Raskol. Und Beate hatte berichtet, dass der Besitzer des Laptops, den sie in Harrys Kellerverschlag entdeckt hatten, ermittelt war. Das Gerät war vor drei Monaten bei Expert im Colosseum gekauft worden, und die Garantie war auf Anna Bethsen eingetragen worden. Und dass das angeschlossene Handy dasjenige war, das Harry verloren haben wollte.

»Ich hasse Möwengeschrei«, sagte Harry.

»Sonst hast du nichts zu sagen?«

»Im Moment – nein!«

Beate stand von der Bank auf. »Ich sollte nicht hier sein, Harry. Du hättest mich nicht anrufen sollen.«

»Aber du bist hier.« Harry gab es auf, bei dem Wind die Zigarette anzünden zu wollen. »Und das heißt doch, dass du mir glaubst, oder?«

Beate machte bloß eine wütende Armbewegung.

»Ich weiß auch nicht mehr als du«, sagte Harry. »Nicht einmal sicher, dass nicht ich es war, der Anna erschossen hat.«

Die Möwen scherten aus und ließen sich elegant von der Bö zur Seite tragen.

»Erzähl mir noch mal, was du weißt«, sagte Beate.

»Ich weiß, dass sich dieser Typ irgendwie die Schlüssel für

Annas Wohnung besorgt haben muss, so dass er in der Mordnacht bei ihr ein und aus gehen konnte. Als er ging, nahm er Annas Laptop und mein Handy mit.«

»Warum war dein Handy noch bei Anna?«

»Es muss mir im Laufe des Abends aus der Jackentasche gerutscht sein. Wie schon gesagt, ich war ein bisschen aufgedreht.«

»Und dann?«

»Sein ursprünglicher Plan war einfach. Nach dem Mord nach Larkollen zu fahren, um die Schlüssel, die er benutzt hatte, in Arne Albus Hütte zu platzieren. Befestigt an einem Schlüsselring mit den Initialen A.A., um jeden Zweifel auszuschließen. Aber als er mein Handy fand, ist ihm plötzlich bewusst geworden, dass er dem Fall noch einen besonderen Kick geben konnte. Indem er nämlich die Sache so aussehen ließ, als hätte ich zuerst Anna erschossen und dann die Schuld auf Arne Albu gelenkt. Deshalb hat er mit meinem Handy ein Internetabo bei einem Server in Ägypten bestellt und begonnen, mir Mails zu schicken, ohne dass es möglich war, den Absender aufzuspüren.«

»Und sollte er doch aufgespürt werden, würde die Spur zu ...«

»Zu mir führen. Bis zur nächsten Rechnung von Telenor hätte ich nichts gemerkt. Und vermutlich nicht einmal dann, denn so genau schaue ich mir die Rechnungen auch nicht an.«

»Und du lässt auch dein Handy nicht sperren, nachdem du es verloren hast ...«

»Hm.« Harry stand abrupt auf und begann, vor der Bank auf und ab zu laufen. »Schwieriger zu verstehen ist aber, wie er in meinen Keller gekommen ist. Ihr habt keine Einbruchsspuren gefunden, und keiner bei uns im Haus würde einen Unbekannten hereinlassen. Er muss mit anderen Worten einen Schlüssel gehabt haben. Ein Schlüssel reichte, denn auch wir haben diese Systemschlüssel für Eingang, Dachboden, Keller und Wohnungen, diese Systemdinger sind ganz schön schwer

427

zu beschaffen. Und der Schlüssel für Annas Wohnung war auch so ein Ding …«

Harry blieb stehen und starrte nach Süden. Ein grünes Frachtschiff mit zwei großen Kränen näherte sich dem Fjordende.

»An was denkst du?«, fragte Beate.

»Ich frage mich, ob ich dich nicht bitten sollte, ein paar Namen zu überprüfen.«

»Lieber nicht, Harry. Ich sollte, wie gesagt, nicht einmal hier sein.«

»Und ich frage mich, wo du die blauen Flecken herhast.«

Sie fasste sich sofort an den Hals. »Vom Training, Judo. Sonst noch Fragen?«

»Ja, kannst du das mit zu Weber nehmen?« Harry zog das Handtuch mit dem Glas aus der Jackentasche. »Er soll die Fingerabdrücke überprüfen und sie mit meinen vergleichen.«

»Hat er deine?«

»Die Kriminaltechnik hat die Fingerabdrücke von allen, die am Tatort ermitteln. Und bitte ihn, analysieren zu lassen, was im Glas war.«

»Harry…«, begann sie warnend.

»Bitte?«

Beate seufzte und nahm das eingewickelte Glas.

»Låsesmeden AS«, sagte Harry.

»Was?«

»Solltest du dich anders entscheiden, was diese Namen angeht, kannst du da die Mitarbeiter überprüfen. Das ist eine kleine Firma.«

Sie sah ihn resigniert an.

Harry zuckte mit den Schultern. »Wenn du nur das mit dem Glas machst, bin ich schon mehr als happy.«

»Und wie erreiche ich dich, wenn ich eine Antwort von Weber habe?«

»Willst du das wirklich wissen?« Harry lächelte.

»Ich will möglichst wenig wissen. Du nimmst dann Kontakt zu mir auf?«

Harry schlug die Jacke enger um sich. »Gehen wir?«

Beate nickte, blieb aber stehen. Harry sah sie fragend an.

»Was er da geschrieben hat«, sagte sie, »dass nur die Rachelustigsten überleben. Glaubst du, das stimmt, Harry?«

Harry streckte in dem kurzen Bett des Wohnwagens seine Beine aus. Das Rauschen der Autos auf der Finnmarkgata erinnerte Harry an seine Kindheit in Oppsal, wenn er bei geöffnetem Fenster auf dem Bett lag und dem Verkehr lauschte. Wenn sie bei Großvater in der sommerlichen Stille in Åndalsnes waren, hatte er sich immer nur nach einem zurückgesehnt: dem gleichmäßigen, einschläfernden Rauschen, das nur ab und zu von einem Motorrad, einem kaputten Auspuff oder einer entfernten Polizeisirene unterbrochen wurde.

Es klopfte an der Tür. Es war Simon. »Tess will, dass du ihr auch morgen eine Gutenachtgeschichte erzählst«, sagte er und kam herein. Harry hatte erzählt, wie das Känguru zu springen gelernt hatte, und hatte zum Dank von allen Kindern einen Gutenachtkuss bekommen.

Die zwei Männer rauchten schweigend. Harry deutete auf das Bild an der Wand. »Das sind Raskol und sein Bruder, nicht wahr? Stefan, Annas Vater?«

Simon nickte.

»Wo ist Stefan jetzt?«

Simon zuckte uninteressiert mit den Schultern, und Harry begriff, dass das ein Un-Thema war.

»Auf dem Bild scheinen die zwei gute Freunde zu sein«, sagte Harry.

»Sie waren wie siamesische Zwillinge, weißt du. Freunde. Giorgi hat zweimal für Stefan im Gefängnis gesessen.« Simon lachte. »Ich sehe, du bist erstaunt, mein Freund. Das ist eine Tradition, verstehst du? Es ist eine Ehre, die Strafe für einen Bruder oder einen Vater zu übernehmen, weißt du.«

»Die Polizei sieht das ein bisschen anders.«

»Ihr habt keinen Unterschied gesehen zwischen Giorgi und Stefan. Zigeunerbrüder. Nicht gerade leicht für norwegische Polizisten.« Er grinste und bot Harry eine Zigarette an. »Insbesondere, wenn sie Masken tragen.«

Harry zog an der Zigarette und entschloss sich, einen Schuss ins Blaue zu wagen. »Was ist zwischen sie gekommen?«

»Was glaubst du?« Simon riss dramatisch die Augen auf. »Eine Frau natürlich.«

»Anna?«

Simon antwortete nicht, aber Harry wusste, dass er ins Schwarze getroffen hatte. »Weil Stefan nichts mehr mit ihr zu tun haben wollte, als sie einen *gadzo* kennengelernt hatte?«

Simon drückte die Zigarette aus und stand auf. »Es ging nicht um Anna, weißt du. Aber Anna hatte eine Mutter. Gute Nacht, *Spiuni.*«

»Hm, eine Frage noch.«

Simon blieb stehen.

»Was bedeutet *spiuni?*«

Simon lachte. »Das ist eine Abkürzung für *spiuni gjerman* – deutscher Spion. Aber beruhige dich, mein Freund, das ist nicht böse gemeint. An manchen Orten nennt man sogar Jungs so.«

Dann schloss er die Tür und war verschwunden.

Der Wind war abgeflaut, und es war nur noch das Rauschen vom Finnmarksvei zu hören. Trotzdem konnte Harry nicht einschlafen.

Beate lag da und lauschte den Autos draußen. Als sie klein war, war sie bei seiner Stimme eingeschlafen. Die Märchen, die er erzählte, standen in keinem Buch, sie entstanden beim Erzählen. Sie waren nie vollkommen gleich, obgleich sie manchmal einen ähnlichen Anfang hatten und die gleichen Personen auftauchten: zwei schlimme Diebe, ein lieber Papa und seine heldenmutige, kleine Tochter. Und sie endeten immer damit, dass die Diebe sicher hinter Schloss und Riegel saßen.

Beate konnte sich nicht daran erinnern, ihren Vater je beim Lesen gesehen zu haben. Als sie größer wurde, hatte sie begriffen, dass ihr Vater an etwas litt, was man Dislexie nannte. Sonst wäre er Jurist geworden, hatte Mutter gesagt.

»Was wir von dir hoffen.«

Aber die Geschichten hatten nie von Juristen gehandelt, und als Beate erzählte, dass sie in der Polizeischule aufgenommen worden war, hatte ihre Mutter geweint.

Beate riss plötzlich die Augen auf. Es hatte an der Tür geklingelt. Sie stöhnte und schwang die Füße aus dem Bett.

»Ich bin es«, sagte die Stimme durch die Sprechanlage.

»Ich habe gesagt, dass ich dich nicht mehr sehen will«, sagte Beate, in dem dünnen Morgenmantel vor Kälte schlotternd. »Hau ab!«

»Ich gehe sofort, aber ich möchte dich erst um Entschuldigung bitten. Ich war nicht ich selbst. Ich bin nicht so. Ich war bloß ein bisschen … wild. Bitte, Beate. Bloß fünf Minuten.«

Sie zögerte. Ihr Nacken war noch immer steif, und Harry hatte die blauen Flecken bemerkt.

»Ich habe ein Geschenk für dich mitgebracht«, sagte die Stimme.

Sie seufzte. Sie würde ihm ohnehin wieder begegnen, und da war es vielleicht besser, die Sache hier zu bereinigen, als später in der Arbeit. Sie drückte auf den Knopf, knotete den Morgenmantel zu und wartete in der Tür, während sie auf seine Schritte lauschte.

»Hei«, sagte er, als er sie lächelnd ansah. Ein breites, weißes David-Hasselhoff-Lächeln.

Kapitel 38

Gyrus fusiforme

Tom Waaler überreichte ihr das Geschenk, achtete aber darauf, sie nicht zu berühren, da sie noch immer die ängstliche Körpersprache einer Antilope zeigte, die ein Raubtier wittert. Stattdessen ging er an ihr vorbei ins Wohnzimmer und setzte sich aufs Sofa. Sie folgte ihm und blieb stehen. Er sah sich um. Die Wohnung sah in etwa so aus wie all die Wohnungen der jungen Frauen, in denen er in regelmäßigen Abständen landete: persönlich und unoriginell, gemütlich und langweilig.

»Willst du es nicht aufmachen?«, fragte er. Sie tat es.

»Eine CD«, sagte sie überrascht.

»Nicht *irgendeine* CD«, sagte er. »*Purple Rain*. Lass sie mal laufen, dann verstehst du schon.«

Er beobachtete sie, während sie die CD in das mickrige All-in-one-Gerät schob, das sie und ihre Mitschwestern Stereoanlage nannten. Fräulein Lønn war nicht wirklich schön, aber auf ihre Weise süß. Einen etwas langweiligen Körper ohne Formen, mit denen man hätte spielen können. Aber schlank und durchtrainiert. Und es hatte ihr gefallen, was er mit ihr gemacht hatte, sie hatte einen gesunden Enthusiasmus gezeigt. Zumindest in den ersten Runden, als er es etwas piano angegangen hatte. Tja, denn es war tatsächlich mehr als nur eine

Runde geworden. Merkwürdig eigentlich, da sie so ganz und gar nicht sein Typ war.

Doch eines Abends dann hatte er ihr das ganze Programm verabreicht. Und sie war – wie die meisten – nicht ganz einverstanden gewesen. Was die Sache für ihn umso prickelnder hatte werden lassen. Das bedeutete in der Regel allerdings auch, dass er das letzte Mal von ihnen gehört hatte. Was ihn in der Regel nicht störte. Doch Beate sollte sich freuen. Es hätte schlimmer kommen können. Ein paar Abende zuvor hatte sie ihm, als sie in seinem Bett lagen, plötzlich erzählt, wo sie ihn das erste Mal gesehen hatte.

»In Grünerløkka«, hatte sie gesagt, »abends, du hast in einem roten Auto gesessen. Auf den Straßen war viel los, und du hattest die Scheibe heruntergekurbelt. Es war im Winter. Im letzten Jahr.«

Er war ziemlich überrascht gewesen. Insbesondere, da er sich nur an einen Abend erinnern konnte, an dem er im letzten Winter in Grünerløkka gewesen war, jenen Samstagabend nämlich, an dem sie Ellen Gjelten exekutiert hatten.

»Ich erinnere mich an Gesichter«, hatte sie mit einem triumphierenden Lächeln gesagt, als sie seinen Gesichtsausdruck bemerkte. »Gyrus fusiforme. Das ist der Teil des Gehirns, der Gesichtsformen wiedererkennt. Meiner ist abnorm. Ich sollte im Zirkus auftreten.«

»Soso«, hatte er geantwortet, »an was erinnerst du dich sonst noch?«

»Du hast dich mit einer anderen Person unterhalten.«

Er hatte sich auf die Ellenbogen aufgestützt, sich über sie gebeugt und ihr mit dem Daumen über den Kehlkopf gestreichelt. Ihren Puls wie einen kleinen, ängstlichen Hasen unter seinen Fingern gespürt. Oder war das sein eigener Puls gewesen?

»Dann erinnerst du dich doch sicher auch an das Gesicht der anderen Person?«, hatte er gefragt und bereits nachgedacht, was er jetzt tun müsse. Wusste jemand, dass sie heute

Abend hier war? Hatte sie über ihr Verhältnis den Mund gehalten, worum er sie nämlich gebeten hatte? Hatte er Mülltüten unter der Spüle?

Sie hatte sich zu ihm gedreht und verwundert gelächelt: »Wie meinst du das?«

»Würdest du die andere Person wiedererkennen, wenn man dir zum Beispiel ein Bild zeigen würde?«

Sie hatte ihn lange angesehen und vorsichtig geküsst.

»Nun?«, hatte er gesagt und langsam die andere Hand unter der Decke hervorgeholt.

»Hm. Nein. Die hatte mir den Rücken zugedreht.«

»Aber du erinnerst dich sicher an die Kleider, die sie trug? Falls man dich bitten würde, diese Person zu identifizieren, meine ich.«

Sie hatte den Kopf geschüttelt. »Gyrus fusiforme behält nur Gesichter in Erinnerung. Der Rest meines Gehirns ist ganz normal.«

»Aber an die Farbe des Autos, in dem ich gesessen habe, erinnerst du dich?«

Sie hatte gelacht und sich an ihn geschmiegt. »Das heißt doch wohl, dass mir gefallen hat, was ich gesehen habe.«

Er hatte die Hand von ihrem Hals genommen.

Zwei Abende später hatte er das ganze Programm durchgezogen. Und da hatte ihr nicht gefallen, was sie zu sehen bekam. Und zu hören. Und zu spüren.

»*Dig if you will the picture of you and I engaged in a kiss – the sweat of the body covers me ...*«

Sie stellte die Musik leiser.

»Was willst du?«, fragte sie und setzte sich in den Sessel.

»Was ich schon sagte, mich entschuldigen.«

»Das hast du jetzt getan. Lass uns einen Schlussstrich ziehen.« Sie gähnte demonstrativ. »Ich wollte eigentlich gerade ins Bett gehen, Tom.«

Er spürte die Wut kommen. Nicht die rote, die alles verdrehte und blind machte, sondern die weiße, die alles erhellte und Klarheit und Energie gab. »Gut, dann kommen wir zum Geschäft. Wo ist Harry Hole?«

Beate lachte. Prince schrie im Falsett.

Tom schloss die Augen, spürte wie er stärker und stärker wurde durch die Wut, die wie erfrischendes Eiswasser durch seine Adern rann. »Harry hat dich an dem Abend, an dem er verschwunden ist, angerufen. Er hat E-Mails an dich weitergeleitet. Du bist seine Kontaktperson, die einzige, der er im Augenblick vertraut. Wo ist er?«

»Ich bin wirklich müde, Tom.« Sie stand auf. »Wenn du noch weitere Fragen hast, auf die ich dir keine Antworten geben werde, können wir das vielleicht morgen abhandeln.«

Tom Waaler blieb sitzen. »Ich hatte heute ein interessantes Gespräch mit einem der Gefängniswärter im Botsen. Harry war gestern Abend dort, unmittelbar vor unserer Nase, während wir und die halbe Bereitschaft draußen nach ihm gesucht haben. Wusstest du, dass Harry etwas mit Raskol zu tun hat?«

»Ich habe keine Ahnung, wovon du redest oder was das mit der Sache zu tun haben soll.«

»Ich auch nicht, aber ich schlage vor, dass du dich jetzt mal einen Moment hinsetzt, Beate. Und dass du dir eine kleine Geschichte anhörst, die deine Meinung über Harry und seine Freunde vielleicht ändern wird.«

»Die Antwort ist nein, Tom. Raus.«

»Nicht einmal dann, wenn dein Vater ein Teil dieser Geschichte ist?«

Er sah das Zucken an ihrem Mundwinkel und erkannte, dass er auf der richtigen Spur war.

»Ich habe Quellen, die – wie soll ich das sagen – sonst nicht so gern mit Polizisten reden, und daher weiß ich, was damals vorgefallen ist, als dein Vater in Ryen erschossen worden ist. Und wer ihn erschossen hat.«

Sie starrte ihn an.

Waaler lachte. »Damit hast du nicht gerechnet, was?«

»Du lügst.«

»Dein Vater wurde mit einer Uzi erschossen, sechs Schüsse in die Brust. Laut Bericht ist er in die Bank gegangen, um zu verhandeln, obgleich er selbst unbewaffnet und alleine war und ergo nichts zum Verhandeln hatte. Das Einzige, was er erreichen konnte, war, die Täter nervös und aggressiv zu machen. Ein Riesenfehler. Unbegreiflich. Insbesondere da dein Vater so etwas wie eine Legende an Professionalität war. In Wirklichkeit aber war er in Begleitung eines Kollegen. Ein junger Wachtmeister, ein vielversprechender Mann, von dem man sich einiges erwartete, jemand, der Karriere machen sollte. Doch er hatte noch nie live einen Bankraub mitbekommen und sicher keine Täter mit solchen Wummen. Er wollte deinen Vater nach der Arbeit nach Hause fahren, weil er sich gerne dicht bei seinen Vorgesetzten aufhielt ... dein Vater kommt also in Ryen mit einem Auto an, das, was leider nicht im Bericht steht, nicht das Auto deines Vaters ist. Denn das steht zu Hause bei euch in der Garage, Beate, bei dir und Mama, als ihr die Nachricht kriegt, nicht wahr?«

Er konnte sehen, wie die Adern an ihrem Hals anschwollen und dick und blau wurden.

»Der Teufel soll dich holen, Tom.«

»Jetzt komm her und hör dir Papas kleines Abenteuer an«, sagte er und klopfte auf das Sofakissen neben sich. »Denn ich werde sehr leise sprechen, und ich glaube wirklich, dass du das hier mitbekommen solltest.«

Sie trat widerstrebend einen Schritt näher, blieb dann aber stehen.

»O.k.«, sagte Tom. »Es war so, dass an diesem Tag im – wann war das, Beate?«

»Freitag, der dritte Juni, um Viertel vor drei«, flüsterte sie.

»Juni, ja. Sie hören die Meldung im Funk, und die Bank ist gleich nebenan. Sie fahren hin und beziehen draußen mit ihren Waffen Stellung. Der junge Polizist und der erfahrene Kommissar. Sie halten sich ans Lehrbuch und warten auf Verstärkung oder darauf, dass die Täter die Bank verlassen. Es kommt ihnen nicht einmal in den Sinn, in die Bank zu gehen. Bis einer der Täter an der Tür auftaucht, die Waffe am Kopf einer Bankangestellten, und den Namen deines Vaters ruft. Der Täter hat sie draußen bemerkt und Hauptkommissar Lønn erkannt. Er ruft, dass er die Frau nicht verletzen wolle, aber dass er eine Geisel brauche. Und dass es o.k. sei, falls Lønn an ihren Platz treten wolle. Doch dann müsse er die Waffe zu Boden legen und allein für den Austausch in die Bank kommen. Und dein Vater, was tut der? Er denkt nach. Er muss schnell denken. Die Frau hat einen Schock. Daran kann man sterben. Er denkt an seine eigene Frau, deine Mutter. Ein Tag im Juni, Freitag, bald Wochenende. Und die Sonne ... schien die Sonne, Beate?«

Sie nickte.

»Er fragt sich, wie warm es dort in der Filiale sein wird. Die Belastung. Die Verzweiflung. Dann entschließt er sich. Wozu entschließt er sich? Was tut er, Beate?«

»Er geht hinein.« Die flüsternde Stimme war tränenerstickt.

»Er geht hinein.« Waaler senkte seine Stimme. »Hauptkommissar Lønn ist hineingegangen, und der junge Polizist wartet. Wartet auf Verstärkung. Wartet darauf, dass die Frau herauskommt. Wartet darauf, dass ihm jemand sagt, was er tun soll oder dass das Ganze bloß ein Traum oder eine Übung ist, dass er nach Hause gehen kann, denn es ist Freitag, und die Sonne scheint. Stattdessen hört er ...«

Waaler schnalzte mit der Zunge. »Dein Vater fällt gegen die Eingangstür, die sich öffnet, und bleibt auf der Schwelle liegen. Mit sechs Schüssen in der Brust.«

Beate sank auf den Stuhl.

»Der junge Polizist sieht den Hauptkommissar liegen und begreift plötzlich, dass es keine Übung ist. Kein Traum. Dass sie dort drinnen wirklich automatische Waffen haben und kaltblütig Polizisten erschießen. Er hat eine solche Angst, wie er sie noch niemals zuvor und auch niemals danach wieder verspürt hat. Er hat von so etwas gelesen, hatte gute Noten in den Psychologiefächern. Aber irgendetwas hat bereits nachgegeben. Er hat die Panik bekommen, die er in seinem Examen so gut beschrieben hat. Er setzt sich ins Auto und fährt weg. Er fährt und fährt, bis er zu Hause ist, und seine Frau, die er gerade geheiratet hat, tritt auf die Treppe und ist wütend, weil er zu spät zum Essen kommt. Wie ein Schuljunge steht er da und nimmt die Predigt entgegen, verspricht, dass es nie wieder vorkommen wird, und setzt sich dann an den Tisch. Nach dem Essen sehen sie fern, und ein Reporter berichtet, dass ein Polizist während eines Bankraubes erschossen worden ist. Dein Vater ist tot.«

Beate verbarg ihr Gesicht in den Händen. Alles war wieder da. Der ganze Tag. Mit der runden, gleichsam verwundert fragenden Sonne am sinnlos wolkenfreien Himmel. Auch sie hatte das für einen Traum gehalten.

»Wer können die Täter gewesen sein? Wer kennt den Namen deines Vaters, wer kennt alle, die im Dezernat arbeiten, und wer weiß, dass der eine der beiden Polizisten dort draußen, Hauptkommissar Lønn, eine Bedrohung darstellt? Wer ist es, der so kalt und strategisch ist, deinen Vater vor eine Wahl zu stellen, deren Ausgang er bereits kennt? So dass er ihn erschießen kann und anschließend ein leichtes Spiel mit dem jungen, ängstlichen Polizisten hat? Wer ist das, Beate?«

Die Tränen rannen zwischen ihren Fingern hindurch. »Ras...« Sie schluchzte.

»Ich habe dich nicht verstanden, Beate.«

»Raskol.«

»Raskol, ja. Und nur er. Sein Partner war nämlich wütend. Sie seien Räuber, keine Mörder, sagte er und war so dumm, Raskol damit zu drohen, ihn zu verpfeifen. Zum Glück gelang es ihm, sich ins Ausland abzusetzen, ehe Raskol ihn schnappen konnte.«

Beate schluchzte. Waaler wartete.

»Weißt du, was das Komischste ist? Dass du dich vom Mörder deines Vaters hast täuschen lassen. Genau wie dein Vater.«

Beate blickte auf. »Wie ... wie meinst du das?«

Waaler zuckte mit den Schultern. »Ihr bittet Raskol, euch bei der Suche nach einem Mörder zu helfen. Dabei ist er selbst auf der Jagd nach einem Mann, der damit gedroht hat, gegen ihn in einer Mordsache auszusagen. Was tut er? Ist doch klar, dass er euch auf die Spur dieses Mannes setzt.«

»Lev Grette?« Sie wischte sich die Tränen ab.

»Warum nicht? So konntet ihr ihm helfen, ihn zu finden. Ich habe gelesen, dass ihr Grette erhängt aufgefunden habt. Dass er Selbstmord begangen hat. Da wäre ich mir nicht so verflucht sicher. Es würde mich nicht wundern, wenn euch da jemand ein bisschen zuvorgekommen wäre.«

Beate räusperte sich. »Du vergisst ein paar Sachen. Zum einen haben wir einen Abschiedsbrief gefunden. Lev hat nicht viele schriftliche Sachen hinterlassen, aber ich habe mit seinem Bruder gesprochen, der ein paar von Levs alten Schulheften auf dem Dachboden in Disengrenda gefunden hat. Ich habe sie mit zu Jean Hue genommen, dem Graphologen des Kriminalamts, der Levs Handschrift eindeutig erkannt hat. Zum anderen sitzt Raskol bereits im Gefängnis. Freiwillig. Das passt nicht ganz zu jemandem, der töten würde, um seiner Strafe zu entgehen.«

Waaler schüttelte den Kopf. »Du bist ein kluges Mädchen, aber wie deinem Vater fehlt dir die psychologische Einsicht. Du verstehst nicht, wie das Hirn eines Verbrechers funktioniert. Raskol sitzt nicht im Gefängnis, er ist nur vorübergehend im Botsen stationiert. Eine Verurteilung wegen Mordes würde alles verändern. Und in der Zwischenzeit schützt du ihn und seinen Freund Harry Hole.« Er beugte sich vor und legte seine Hand auf ihren Arm. »Tut mir leid, wenn ich dir weh getan habe, aber jetzt weißt du es, Beate. Dein Vater hat keinen Fehler gemacht. Und Harry arbeitet mit seinem Mörder zusammen. Also, was machen wir? Sollen wir Harry gemeinsam suchen?«

Beate kniff die Augen zusammen und drückte die letzten Tränen weg. Dann öffnete sie wieder die Augen. Waaler streckte ihr ein Taschentuch entgegen, das sie annahm.

»Tom«, sagte sie. »Ich muss dir etwas erklären.«

»Ist nicht nötig.« Waaler streichelte ihre Hand. »Ich verstehe das. Das ist ein Loyalitätskonflikt. Denk nur daran, was dein Vater gemacht hätte. Professionalität, nicht wahr?«

Beate sah ihn nachdenklich an. Dann nickte sie langsam. Sie holte tief Luft. Da klingelte das Telefon.

»Willst du nicht rangehen?«, fragte Waaler nach dreimaligem Klingeln.

»Das ist meine Mutter«, sagte Beate. »Ich rufe sie in dreißig Sekunden zurück.«

»Dreißig Sekunden?«

»Das ist die Zeit, die ich brauche, um dir zu sagen, dass du der Letzte wärst, dem ich sagen würde, wo Harry ist, wenn ich es denn wüsste.« Sie reichte ihm das Taschentuch. »Und für dich, die Schuhe anzuziehen und zu verschwinden.«

Tom Waaler spürte die Wut wie eine Fontäne in seinem Rücken und Nacken emporschießen. Er gewährte sich ein paar Sekunden, um das Gefühl zu genießen, ehe er sie mit einem Arm packte und unter sich zerrte. Sie rang nach Atem und wehrte sich, aber er wusste, dass sie seine Erektion spürte und dass sich die Lippen, die sie jetzt so fest zusammenpresste, bald öffnen würden.

Nach sechsmaligem Klingeln legte Harry auf und verließ die Telefonzelle, so dass das Mädchen hinter ihm hineinkonnte. Er drehte der Kjølberggate und dem Wind, der von dort herüberwehte, den Rücken zu, zündete sich eine Zigarette an und blies den Rauch in Richtung Parkplatz und Wohnwagen. Im Grunde war es komisch. Hier stand er – in der einen Richtung, ein paar gute Steinwürfe entfernt die Kriminaltechnik, in der

440

anderen das Präsidium und in einer dritten die Wohnung. Im Anzug eines Zigeuners. Gesucht. Es war zum Totlachen.

Harry klapperten die Zähne. Er wandte sich halb ab, als ein Streifenwagen über die stark befahrene, aber ansonsten menschenleere Durchgangsstraße raste. Er hatte nicht schlafen können. Konnte einfach nicht untätig daliegen, während die Zeit gegen ihn arbeitete. Er drückte die Zigarettenkippe mit dem Absatz aus und wollte gehen, als er bemerkte, dass die Telefonzelle bereits wieder frei war. Er sah auf die Uhr. Bald Mitternacht, seltsam, dass sie nicht da war. Vielleicht schlief sie und war nicht rechtzeitig zum Telefon gekommen? Er wählte die Nummer noch einmal. Sie nahm sofort ab. »Beate.«

»Hier ist Harry. Habe ich dich geweckt?«

»Ich … ja.«

»Sorry. Soll ich lieber morgen anrufen?«

»Nein, schon gut, dass du jetzt anrufst.«

»Bist du alleine?«

Eine Pause folgte. »Warum fragst du danach?«

»Du hörst dich so … ach vergiss es. Hast du was herausgefunden?«

Er hörte sie schlucken, als versuche sie, wieder zu Atem zu kommen.

»Weber hat die Fingerabdrücke auf dem Glas überprüft. Die meisten waren von dir. Die Analyse der Reste im Glas sollte im Laufe von ein paar Tagen da sein.«

»Gut.«

»Was den PC in deinem Keller angeht, so zeigte sich, dass der mit einem Ilie-Programm lief, mit dem man Datum und Uhrzeit programmieren kann, wann eine Mail abgeschickt werden soll. Die letzte Änderung stammt von dem Tag, an dem Anna Bethsen starb.«

Harry spürte den eiskalten Wind nicht mehr.

»Das bedeutet, dass die Mails, die du bekommen hast, bereits auf dem PC gespeichert waren, als er in deinem Keller installiert worden ist«, sagte Beate. »Das erklärt, warum dein pakistanischer Nachbar ihn schon länger dort unten hat stehen sehen.«

»Willst du damit sagen, dass der die ganze Zeit über da unten gestanden und vor sich hin getickt hat?«

»Solange Handy und Computer am Netzgerät hängen und Strom kriegen, ist das kein Problem.«

»Verflucht!« Harry schlug sich gegen die Stirn. »Aber das heißt ja, dass derjenige, der das Gerät programmiert hat, den gesamten Handlungsverlauf vorhergesehen hat. Dass das Ganze wie ein verdammtes Marionettentheater abgelaufen ist. Mit uns als Puppen.«

»Sieht so aus. Harry?«

»Ich bin da. Ich muss das nur ein bisschen wirken lassen. Das heißt, ich muss das für eine Weile vergessen, das wird mir sonst zu viel. Was ist mit dem Firmennamen, den ich dir gegeben habe?«

»Die Firma, ja. Was bringt dich zu der Annahme, dass ich da was getan habe?«

»Nichts, abgesehen von dem, was du gerade gesagt hast.«

»Ich habe nichts gesagt.«

»Nein, aber mit einem vielversprechenden Tonfall.«

»Ach ja?«

»Du hast was gefunden, nicht wahr?«

»Ich habe was.«

»Sag schon.«

»Ich habe den Steuerberater angerufen, den die Firma beauftragt hat, und habe eine Frau dazu gebracht, mir die Personennummern und Geburtsdaten der Leute zu geben, die dort arbeiten. Vier Vollzeit- und zwei Teilzeitangestellte. Ich habe die Namen mit dem Strafregister abgeglichen. Fünf von ihnen sind sauber. Aber der eine Kerl hat …«

»Ja?«

»Ich musste nach unten scrollen, um alles lesen zu können. Vor allem Drogen. Stand unter dem Verdacht, mit Heroin und Morphium gedealt zu haben, ist aber bloß für den Besitz einer kleineren Menge Hasch verurteilt worden. Und wegen Einbruchs und zweimaligen schweren Raubes.«

»Gewaltanwendung?«

»Bei einem der Raubüberfälle hat er eine Waffe benutzt. Er hat nicht geschossen, aber die Waffe war geladen.«

»Perfekt. Das ist unser Mann. Du bist ein Engel. Wie heißt er?«

»Alf Gunnerud. Zweiunddreißig Jahre, unverheiratet. Wohnhaft in der Thor-Olsens-Gate 9. Sieht so aus, als würde er alleine wohnen.«

»Sag mir noch mal Namen und Adresse.«

Beate wiederholte.

»Hm. Unglaublich, dass Gunnerud mit einer solchen Akte eine Anstellung bei einem Schlüsseldienst bekommen hat.«

»Als Besitzer der Firma ist ein Birger Gunnerud eingetragen.«

»O. k., verstehe. Bist du sicher, dass mit dir alles in Ordnung ist?«

Pause.

»Beate?«

»Alles o. k., Harry. Was willst du jetzt tun?«

»Ich denke, ich werde seiner Wohnung einen Besuch abstatten und sehen, ob ich etwas Interessantes finde. Sollte dem so sein, rufe ich dich aus seiner Wohnung an, damit du ein Auto schicken kannst, so dass die Beweise auf vorschriftsmäßige Weise gesichert werden können.«

»Wann gehst du dahin?«

»Warum?«

Erneute Pause.

»Um sicher zu sein, dass ich da bin, wenn du anrufst.«

»Morgen um elf. Dann ist er hoffentlich in der Arbeit.«

Als Harry aufgelegt hatte, blieb er stehen und sah zu dem bewölkten Nachthimmel empor, der sich wie eine gelbe Kuppel über die Stadt wölbte. Er hatte die Musik im Hintergrund gehört. Leise. Aber er hatte es gehört:

443

I only want to see you bathing in the purple rain.

Er warf eine neue Münze in den Automaten und wählte die Nummer der Auskunft.

»Ich brauche die Nummer eines Alf Gunnerud ...«

Das Taxi glitt wie ein leiser, schwarzer Fisch durch die Nacht, über Ampeln, unter Straßenlaternen hindurch und an Schildern vorbei, die in Richtung Zentrum wiesen.

»Wir können uns nicht immer so treffen«, sagte Øystein. Er blickte in den Spiegel und sah Harry den schwarzen Pullover anziehen, den er ihm von zu Hause mitgebracht hatte.

»Hast du an das Brecheisen gedacht?«, fragte Harry.

»Liegt im Kofferraum. Was, wenn der Typ trotzdem zu Hause ist?«

»Menschen, die zu Hause sind, gehen für gewöhnlich ans Telefon.«

»Und was, wenn er nach Hause kommt, während du in der Wohnung bist?«

»Dann tust du, was ich dir gesagt habe: zweimal kurz hupen.«

»Ja, ja, aber ich habe doch keine Ahnung, wie dieser Typ aussieht.«

»Um die dreißig, sagte ich doch. Wenn du so einen in die Nummer neun gehen siehst, hupst du.«

Øystein blieb an einem Parkverbot-Schild in der schmutzigen, verkehrsüberlasteten Darmschlinge von Straße stehen, die in einem verstaubten Buch mit dem Titel »Die Väter der Stadt IV«, aus der benachbarten Deichmann'schen Bibliothek, als »unansehnliche und höchst uninteressante Straße mit Namen Thor-Olsens-Gate« klassifiziert wurde. Doch gerade an eben diesem Abend passte Harry das ausgezeichnet. Der Lärm, die vorbeifahrenden Autos und die Dunkelheit würden ihn schützen, und niemandem würde überdies ein wartendes Taxi auffallen.

Harry schob das Brecheisen in den Ärmel seiner Lederjacke und ging schnell über die Straße. Zu seiner Erleichterung sah er, dass die Nummer neun mindestens zwanzig Klingelknöpfe bot. Das eröffnete ihm mehrere Möglichkeiten, wenn der Bluff nicht gleich bei den ersten Versuchen klappte. Alf Gunneruds Name stand in der rechten Reihe an zweitoberster Stelle. Er blickte rechts vom Eingang an der Fassade empor. Hinter den Fenstern der fünften Etage war kein Licht. Harry klingelte im Erdgeschoss. Eine schlaftrunkene Frauenstimme antwortete.

»Hei, ich will zu Alf«, sagte Harry. »Aber die haben da oben wohl die Musik so laut, dass sie mein Klingeln nicht hören. Also zu Alf Gunnerud. Dem Schlosser in der Fünften. Könn' Se mir nicht die Tür aufmachen?«

»Es ist nach Mitternacht.«

»Tut mir leid, gute Frau, ich sorg dafür, dass die da oben die Musik leiser machen.«

Harry wartete. Dann kam der Summton.

Harry nahm drei Stufen auf einmal. In der fünften Etage blieb er stehen und lauschte, doch er hörte nur sein eigenes, klopfendes Herz. Er hatte zwei Türen zur Auswahl. Auf der einen klebte ein Pappzettel mit der Aufschrift »Andersen«, die andere war leer.

Dies war der kritischste Teil seines Plans. Ein einfaches Schloss wäre leicht aufzuhebeln, ohne das ganze Haus aufzuwecken, aber wenn Alf das ganze Arsenal seines Schlüsseldienstes nutzte, hatte Harry ein Problem. Er scannte die Tür von oben bis unten. Kein Aufkleber des Wachdienstes Falken oder anderer Alarmzentralen. Keine bohrsicheren Sicherheitsschlösser und auch keine Twinzylinder mit doppelten Stiftreihen, bei denen jeder Dietrich versagte. Nur ein altes Yale-Zylinderschloss. Mit anderen Worten also das, was die Engländer *a piece of cake* nennen.

Harry zog den Ärmel der Lederjacke gerade und fing das herausfallende Brecheisen mit der Hand auf. Er zögerte, bevor er die Spitze des Eisens in den Türspalt unter dem Schloss drückte. Das alles ging beinahe zu leicht. Doch er hatte keine Zeit nachzudenken und auch keine andere Wahl. Er brach die Tür nicht auf, sondern drückte sie in Richtung der Scharniere, so dass er Øysteins Scheckkarte in den Spalt schieben konnte, während die Falle im Schließblech auf Spannung kam. Dann legte er noch etwas mehr Gewicht auf das Eisen und drückte mit der Fußsohle unten gegen die Türkante. Die Tür knackte in den Scharnieren, als er dem Brecheisen einen Stoß gab und gleichzeitig die Scheckkarte bewegte. Er schlüpfte hinein und schloss die Tür hinter sich. Die ganze Operation hatte acht Sekunden gedauert.

Das Brummen eines Kühlschranks und Sitcom-Lachen von einem Nachbarfernseher. Harry versuchte ruhig und tief zu atmen, während er in die Dunkelheit lauschte. Er konnte die Autos von draußen hören und spürte einen kalten Luftzug, was beides darauf hindeutete, dass die Wohnung alte Fenster hatte. Aber das Wichtigste: Nichts deutete darauf hin, dass jemand in der Wohnung war.

Er fand den Lichtschalter. Der Flur konnte zweifellos eine leichte Renovierung vertragen, das Wohnzimmer eine umfassende Sanierung. Die Küche war abbruchreif. Und das Interieur der Wohnung begründete die fehlenden Sicherungsmaßnahmen. Oder besser gesagt – das Fehlen des Interieurs. Denn Alf Gunnerud hatte nichts, nicht einmal die eine Stereoanlage, die er auf Harrys Aufforderung hin hätte leiser stellen können. Den einzigen Hinweis darauf, dass hier jemand wohnte, boten zwei Campingstühle und ein grüner Wohnzimmertisch sowie die überall verstreuten Kleider und ein Bett mit Decke, aber ohne Laken.

Harry zog die Küchenhandschuhe an, die Øystein mitgebracht hatte, und trug einen der Campingstühle in den Flur. Er stellte ihn vor den hohen Wandschrank, der bis an die drei Meter hohe Decke reichte, schüttelte alle Gedanken aus seinem Kopf und stieg vorsichtig auf den Stuhl. Im gleichen Moment klingelte das Telefon. Harry versuchte, sich mit dem anderen Fuß abzustützen, der Stuhl klappte zusammen, und Harry ging polternd zu Boden.

Tom Waaler hatte ein schlechtes Gefühl. Der Situation fehlte die Voraussagbarkeit, die er zu jeder Zeit anstrebte. Da seine Karriere und seine Zukunft nicht bloß in seinen Händen lagen, sondern auch in den Händen derer, mit denen er Allianzen bildete, war der menschliche Faktor ein Risiko, das er ständig berücksichtigen musste. Und das schlechte Gefühl rührte daher, dass er im Augenblick nicht wusste, ob er Beate Lønn, Rune Ivarsson oder – und das war das Übelste – dem Mann trauen konnte, der seine wichtigste Einnahmequelle war: Knecht.

Als Tom erfahren hatte, dass die Stadtverwaltung nach dem Überfall im Grønlandsleiret Druck auf den Polizeipräsidenten ausübte, den Exekutor endlich zu fassen, hatte er Knecht den Befehl gegeben, in Deckung zu gehen. Sie hatten sich auf einen Platz geeinigt, den Knecht von früher kannte. Pattaya bot im asiatischen Raum die größte Ansammlung von in der westlichen Welt gesuchten Verbrechern und lag überdies nur einige wenige Autostunden südlich von Bangkok. Als weißer Tourist konnte Knecht in der Menge untertauchen. Knecht hatte Pattaya als das »Sodom Asiens« bezeichnet, weshalb Waaler nicht verstehen konnte, warum er plötzlich wieder in Oslo aufgetaucht war und gesagt hatte, er halte es dort unten einfach nicht mehr aus.

Waaler blieb an der Uelandsgate an einer roten Ampel stehen und blinkte nach links. Ein schlechtes Gefühl. Den letzten Überfall hatte Knecht begangen, ohne sich vorher mit ihm zu besprechen, und das war ein schwerwiegender Verstoß gegen die Regeln. Da musste er wohl etwas unternehmen.

Er hatte gerade versucht, bei Knecht zu Hause anzurufen, hatte aber keine Antwort erhalten. Das konnte alles und nichts bedeuten. Zum Beispiel, dass er in seiner Hütte in Tryvann war und die Details des Überfalls auf den Geldtransporter überarbeitete, über den sie gesprochen hatten. Oder dass er das Material checkte – Kleider, Waffen, Polizeifunkempfänger, Zeichnungen. Es konnte aber auch bedeuten, dass er wieder rückfällig geworden war und zu Hause mit einer Spritze im Unterarm in einer Ecke lag.

Waaler fuhr langsam durch die dunkle, schmutzige Sackgasse, in der Knecht wohnte. Ein wartendes Taxi parkte auf der anderen Straßenseite. Waaler sah zu den Fenstern der Wohnung empor. Seltsam, da war Licht. Wenn Knecht wieder auf Drogen war, war die Hölle los. In die Wohnung zu kommen war eine Kleinigkeit, Knecht hatte bloß ein einfaches Scheißschloss. Er sah auf die Uhr. Der Besuch bei Beate hatte ihn erregt, und er wusste, dass er so bald nicht würde schlafen können. Vielleicht sollte er noch ein bisschen herumfahren, ein paar Leute anrufen und sehen, was passierte.

Waaler drehte Prince lauter, gab Gas und fuhr den Ullevålsvei hinauf.

Harry saß, den Kopf auf die Hände gestützt, auf dem Campingstuhl. Seine Hüfte schmerzte, und er hatte nicht die Spur eines Beweises, dass Alf Gunnerud der Mann war. Es hatte bloß zwanzig Minuten gedauert, das wenige Hab und Gut in der Wohnung zu durchsuchen, so dass einem fast der Verdacht kommen konnte, Gunnerud wohne eigentlich woanders. Im Bad hatte Harry eine Zahnbürste gefunden, eine fast leere Tube Solidox-Zahncreme und ein Stück unidentifizierbare Seife, die in einer Schale klebte. Sowie ein Handtuch, das vielleicht einmal weiß gewesen war. Das war's. Mehr gab es nicht. Das war seine Chance gewesen.

Harry hätte weinen können. Mit dem Kopf gegen die Wand hämmern. Den Hals einer Jim-Beam-Flasche abschlagen und Schnaps und Glasscherben trinken. Denn es musste – musste – Gunnerud sein. Statistisch gesehen gab es unter allen Indizien gegen eine Person eine Form von Hinweis, die allen ande-

448

ren überlegen war – nämlich frühere Verurteilungen und Verdachtsmomente. Die ganze Sache schrie nach Gunnerud. Er hatte Drogen und Waffengebrauch in seinem Strafregister, arbeitete bei einem Schlüsseldienst und konnte alle Arten von Systemschlüsseln bestellen, so auch für die Wohnung von Anna oder Harry.

Harry trat ans Fenster. Dachte darüber nach, dass er sich schon einmal festgefahren hatte und dem Manuskript eines alten Mannes auf Punkt und Komma gefolgt war. Aber es gab keine weiteren Anleitungen mehr, keine Repliken. In einem Riss in der Wolkendecke tauchte der Mond auf und sah aus wie eine halb gegessene Fluortablette, doch nicht einmal der konnte ihm etwas einflüstern.

Er schloss die Augen. Konzentrierte sich. Was hatte er in der Wohnung gesehen, das ihm weiterhelfen konnte? Was hatte er übersehen? Er ging in Gedanken alles noch einmal durch, Stück für Stück.

Nach drei Minuten gab er auf. Das war's. Hier war nichts.

Er überprüfte, dass alles so war wie bei seinem Kommen, und machte das Wohnzimmerlicht aus. Dann ging er in die Toilette, stellte sich vor die Kloschüssel und öffnete seine Hose. Wartete. Mein Gott, jetzt konnte er nicht einmal mehr das. Dann kam es, und er seufzte müde. Er zog ab, und das Wasser rauschte durch die Schüssel, als ihm kalt und heiß wurde. Hatte er beim Rauschen des Wassers eine Hupe gehört? Er ging in den Flur und schloss die Badezimmertür, um besser hören zu können. Da war es. Ein kurzes, hartes Hupen unten von der Straße. Gunnerud war auf dem Weg! Harry stand bereits an der Tür, als es ihm in den Sinn kam. Natürlich musste ihm das jetzt einfallen. Jetzt, da es zu spät war. Das rauschende Wasser. *Der Pate*. Die Pistole. »Das ist irgendwie mein Lieblingsversteck.«

»Scheiße, Scheiße!« Harry rannte wieder in die Toilette, packte den Knopf oben am Spülkasten und begann frenetisch zu drehen. Rostige Gewinde kamen zum Vorschein. »Schnel-

449

ler!«, flüsterte er, drehte die Hand und spürte sein Herz beschleunigen, während sich die verdammte Stange mit müdem Kreischen drehte, ohne sich jedoch lösen zu wollen. Unten im Treppenhaus hörte er eine Tür ins Schloss fallen. Dann löste sich die Stange, und er konnte den Deckel des Behälters abnehmen. Der raue Laut von Porzellan auf Porzellan ertönte, während das Wasser im Kasten noch immer stieg. Harry schob die Hand hinein und fuhr mit den Fingern über den glitschigen Belag der Innenseite. Was zum Teufel? Nichts? Er drehte den Deckel des Spülkastens um. Und da war es. Festgeklebt an der Unterseite. Er holte tief Luft. Den Schlüssel unter dem durchsichtigen Klebestreifen kannte er nur zu gut, jede Kerbe, jede Vertiefung. Es war Harrys Haustürschlüssel, der Schlüssel zum Keller und zu seiner Wohnung. Das Bild daneben war ihm nicht weniger bekannt. Das vermisste Bild über dem Spiegel. Søs lächelte, und Harry versuchte, ernsthaft auszusehen. Sonnengebräunt und glücklich unwissend. Das weiße Pulver in dem Plastikbeutel, der mit drei Streifen schwarzem Tape daneben befestigt war, kannte er hingegen nicht, doch er war bereit, eine ansehnliche Summe darauf zu wetten, dass es sich dabei um Diacetylmorphin handelte, besser bekannt als Heroin. Viel Heroin. Heroin für sechs Jahre ohne Bewährung, mindestens. Harry fasste nichts an, sondern setzte den Deckel wieder auf den Spülkasten und begann zu schrauben, während er auf Schritte lauschte. Wie Beate schon gesagt hatte, die Beweise wären keinen Pfifferling mehr wert, wenn man herausbekam, dass Harry ohne Durchsuchungsbefehl in der Wohnung war. Dann war der Knopf wieder fest, und er lief zur Wohnungstür. Ihm blieb keine Wahl, er öffnete und trat auf den Treppenabsatz. Schlurfende Schritte waren auf dem Weg nach oben. Er schloss die Tür leise, blickte über das Geländer und sah auf einen dichten, dunklen Haarschopf. In fünf Sekunden würde er Harry zu Gesicht bekommen. Doch drei lange Schritte hinauf in die sechste Etage hätten gereicht, um Harry außer Sichtweite zu bringen.

Der junge Mann blieb abrupt stehen, als er Harry vor sich auf dem Treppenabsatz sitzen sah.

»Hei, Alf«, sagte Harry und warf einen Blick auf die Uhr. »Ich habe auf dich gewartet.«

Der Typ starrte ihn mit großen Augen an. Das blasse, sommersprossige Gesicht war von halblangen, fettigen Haaren in Liam-Gallagher-Schnitt eingerahmt und ließ Harry nicht an einen hartgesottenen Killer denken, sondern eher an einen Jungen, der Angst vor der nächsten Tracht Prügel hatte.

»Was willst du?«, fragte er mit lauter, heller Stimme.

»Dass du mich ins Polizeipräsidium begleitest.«

Der Mann reagierte sofort. Er drehte sich um, ergriff das Geländer und sprang auf den darunter liegenden Treppenabsatz. »He!«, rief Harry, doch Alf war bereits aus seinem Blickfeld verschwunden. Die schweren Schritte der Füße auf jeder fünften oder sechsten Stufe auf dem Weg nach unten hallten an den Wänden wider.

»Gunnerud!«

Harry bekam nur das Schlagen der Haustür unten als Antwort.

Er fasste an seine Innentasche, als ihm bewusst wurde, dass er keine Zigaretten mehr hatte. Dann stand er auf und schlenderte hinterher. Sollte sich doch die Kavallerie um ihn kümmern.

Tom Waaler stellte die Musik leiser, fischte das piepende Handy aus der Tasche, drückte die Yes-Taste und legte das Telefon an sein Ohr. Am anderen Ende hörte er raschen, zitternden Atem und Verkehrsgeräusche.

»Hallo?«, sagte die Stimme. »Bist du das?« Es war Knecht. Er hörte sich ängstlich an.

»Was ist los, Knecht?«

»Oh, gut, dass du da bist. Die Hölle ist los, du musst mir helfen. Schnell!«

»Ich muss gar nichts, beantworte meine Frage!«

»Sie sind uns auf die Schliche gekommen. Als ich nach Hause gekommen bin, wartete ein Bulle bei mir auf der Treppe.«

Waaler blieb vor einem Zebrastreifen vor dem Ringvei stehen. Ein alter Mann ging mit seltsam trippelnden Schritten über die Straße. Es dauerte unendlich lange.

»Was wollte er?«, fragte Waaler.

»Was glaubst du denn? Mich festnehmen.«

»Und warum bist du nicht festgenommen worden?«

»Ich war schnell wie der Teufel. Bin sofort abgehauen. Aber sie sind mir auf den Fersen, hier sind schon drei Streifenwagen vorbeigefahren. Hörst du? Die kriegen mich, wenn du nicht …«

»Schrei nicht so laut. Wo waren die anderen Polizisten?«

»Ich habe keine anderen gesehen, ich bin einfach nur gerannt.«

»Und konntest so leicht abhauen? Bist du sicher, dass der Kerl ein Polizist war?«

»Ja, das war doch dieser Typ!«

»Welcher Typ?«

»Na, Harry Hole. Der war neulich auch wieder im Laden.«

»Davon hast du mir nichts gesagt.«

»Das ist ein Schlüsseldienst. Bei uns sind ständig irgendwelche Bullen.«

Die Ampel wurde grün. Waaler hupte, um dem Wagen vor sich ein Zeichen zu geben. »O. k., da reden wir später drüber. Wo bist du jetzt?«

»In einer Telefonzelle vor dem, äh … Parlament.« Er lachte nervös. »Und ich fühl mich hier gar nicht wohl.«

»Gibt es etwas in deiner Wohnung, das dort nicht sein dürfte?«

»Nein, die ist sauber. Das ganze Material ist in der Hütte.«

»Und was ist mit dir? Bist du auch sauber?«

»Du weißt gut, dass ich clean bin. Kommst du jetzt oder nicht? Mann, ich zitter am ganzen Körper.«

»Immer mit der Ruhe, Knecht.« Waaler überschlug im

Kopf, wie lange er brauchen würde. Tryvann. Präsidium. Zentrum. »Stell dir vor, das wäre ein Banküberfall. Du kriegst eine Pille von mir, wenn ich komme.«

»Ich hab doch gesagt, dass ich damit aufgehört habe.« Er zögerte. »Ich wusste nicht, dass du auch Pillen vertickst, Prinz.«

»Immer.«

Pause.

»Was hast du?«

»*Mother's arms*. Rohypnol. Hast du noch die Jericho-Knarre, die ich dir gegeben habe?«

»Klar, hab ich immer dabei.«

»Gut, dann hör mir genau zu. Wir treffen uns am Kai an der Ostseite des Containerhafens. Ich bin noch 'ne ganze Ecke weit weg, also gib mir vierzig Minuten.«

»Was redest du da! Du musst hierher kommen, verflucht, jetzt!«

Waaler lauschte dem an der Membran zischenden Atem ohne zu antworten.

»Wenn die mich schnappen, zieh ich dich mit rein, das ist dir doch klar, Prinz? Ich rede, wenn ich dann billiger davonkomme, ich bin nicht bereit, für dich zu brummen, wenn du nicht ...«

»He, jetzt werd mal nicht panisch, Knecht. Panik können wir jetzt nicht gebrauchen. Welche Garantie habe ich, dass du nicht längst verhaftet bist, und dass das Ganze bloß eine Falle ist, um mich zu schnappen? Verstehst du jetzt? Du musst alleine unter irgendeiner Lampe stehen, damit ich dich deutlich sehe, wenn ich komme.«

Knecht stöhnte. »Scheiße! Scheiße!«

»Also, o. k.?«

»Ja doch, o. k. Aber bring diese Pillen mit. Scheiße!«

»Im Containerhafen. In vierzig Minuten. Unter einer Lampe.«

»Komm nicht zu spät!«

»Warte, noch etwas. Ich parke den Wagen etwas von dir entfernt, und wenn ich Bescheid sage, nimmst du die Waffe hoch, damit ich sie sehen kann.«

»Warum das denn? Bist du jetzt paranoid?«

»Sagen wir mal, die Situation ist gerade etwas unübersichtlich, und ich möchte kein Risiko eingehen. Tu einfach, was ich dir sage.«

Waaler beendete das Gespräch und sah auf die Uhr. Dann drehte er die Musik bis zum Anschlag auf. Gitarren. Herrlich. Weißer Lärm. Herrlich. Weiße Wut.

Er fuhr zu einer Tankstelle.

Bjarne Møller trat über die Türschwelle und sah sich missbilligend im Wohnzimmer um.

»Gemütlich, nicht wahr?«, sagte Weber.

»Ein alter Bekannter, höre ich?«

»Alf Gunnerud. Auf ihn ist die Wohnung jedenfalls gemeldet. Wir haben eine Masse Fingerabdrücke und werden bald wissen, ob er das ist. Glas.« Er zeigte auf einen jungen Mann, der mit einem Pinsel die Scheibe bearbeitete. »Die besten Abdrücke gibt es immer auf Glas.«

»Wenn ihr schon anfangt, Fingerabdrücke zu sammeln, habt ihr vermutlich auch noch etwas anderes gefunden?«

Weber deutete auf eine Plastiktüte, die gemeinsam mit anderen Gegenständen auf dem Wollteppich am Boden lag. Møller hockte sich hin und schob einen Finger in den Riss in der Tüte. »Hm, schmeckt nach Heroin. Das scheint ja bald ein halbes Kilo zu sein. Und was ist das hier?«

»Ein Bild von zwei Kindern, deren Identität wir noch nicht kennen. Und ein Trioving-Schlüssel, der sicher nicht für diese Wohnung ist.«

»Wenn es ein Systemschlüssel ist, kann Trioving herausfinden, wer der Besitzer ist. Der Junge auf dem Bild kommt mir irgendwie bekannt vor.«

»Das finde ich auch.«

»Gyrus fusiforme«, sagte eine Frauenstimme hinter ihnen.

»Fräulein Lønn«, sagte Møller überrascht. »Was macht das Raubdezernat hier?«

»Ich habe den Tipp bekommen, dass hier Heroin zu finden ist. Und habe euch um Verstärkung gebeten.«

»Ihr habt eure Spitzel also auch im Drogenmilieu?«

»Räuber und Drogensüchtige sind eine große, glückliche Familie, wissen Sie?«

»Welcher Spitzel?«

»Ich hab keine Ahnung. Er hat mich zu Hause angerufen, als ich schon im Bett war. Wollte weder sagen, wie er heißt, noch woher er wusste, dass ich bei der Polizei bin. Aber der Tipp war dermaßen konkret und detailliert, dass ich die Sache ernst genommen und einen der Staatsanwälte geweckt habe.«

»Hm«, sagte Møller. »Drogen. Vorstrafen. Vertuschungsgefahr. Sie haben vermutlich sofort grünes Licht bekommen, oder?«

»Ja.«

»Ich sehe keine Leiche, warum also habt ihr mich gerufen?«

»Weil mir der Spitzel noch einen Tipp gegeben hat.«

»Ach ja?«

»Alf Gunnerud soll Anna Bethsen sehr gut gekannt haben, intim. Als Liebhaber und Dealer. Bis sie ihn plötzlich fallen ließ, als sie einen anderen traf, während Gunnerud im Knast war. Was halten Sie davon, Møller?«

Møller sah sie an. »Ich bin froh«, sagte er, ohne eine Miene zu verziehen. »Froher, als Sie sich vorstellen können.«

Er sah ihr weiter in die Augen, bis sie schließlich ihren Blick senken musste.

»Weber«, sagte er. »Verriegle die Wohnung hier und ruf all deine Leute zusammen. Wir haben einen Job zu erledigen.«

Kapitel 39

Glock

Stein Thommessen hatte zwei Jahre als Polizeimeister auf der Kriminalwache gearbeitet. Sein Wunsch war es, einmal als Kommissar zu ermitteln, und er träumte davon, Ermittler zu werden. Feste Arbeitszeiten zu haben, ein eigenes Büro und einen besseren Lohn als sogar ein Hauptkommissar. Zu Trine nach Hause zu kommen und ihr von dem interessanten, fachlichen Problem berichten zu können, das er im Dezernat mit dem Pathologen diskutiert hatte und das sie unglaublich kompliziert und tief gehend finden würde. Doch bis dahin hielt er für einen Hungerlohn Wache und wachte todmüde auf, obgleich er zehn Stunden geschlafen hatte. Und wenn Trine sagte, sie könne sich nicht vorstellen, so den Rest ihres Lebens zu verbringen, versuchte er ihr zu erklären, wie es einem ergeht, wenn man tagein, tagaus Jugendliche mit einer Überdosis in die Ambulanz fährt, Kindern erklären muss, dass sie sich von ihrem Vater verabschieden müssen, weil der ihre Mutter verprügelt, und zudem von allen nur Scheiße zu hören kriegt, weil sie die Uniform hassen, die du trägst. Und Trine verdrehte die Augen, das alles war wie eine Platte mit einem Sprung.

Als Hauptkommissar Tom Waaler vom Dezernat für Gewaltverbrechen in die Wache trat und Stein Thommessen fragte, ob er ihn begleiten könne, um einen Gesuchten zu verhaften, dachte Thommessen zuerst, dass ihm Waaler vielleicht ein paar Tipps geben konnte, wie er es schaffen könnte, Ermittler zu werden.

Als er das im Auto auf der Nylandsgate in Richtung Verteilerkreisel erwähnte, lächelte Waaler und bat ihn, ein paar Sätze zu Papier zu bringen, mehr nicht. Vielleicht könne er – Waaler – dann ein gutes Wort für ihn einlegen.

»Das wäre wirklich ... sehr, sehr nett.« Thommessen fragte sich, ob er sich bedanken sollte oder ob er sich damit zu sehr einschmeichelte. Bis jetzt gab es schließlich noch nicht viel, wofür er sich bedanken konnte. Aber auf jeden Fall musste er Trine gegenüber erwähnen, dass er seine Fühler ausgestreckt hatte. Ja, genau so musste er das sagen: »die Fühler ausgestreckt«. Nur das, und dann geheimnisvoll tun, bis er eventuell etwas hörte.

»Was für ein Kerl ist das, den wir verhaften sollen?«, fragte er.

»Ich war gerade im Wagen, als ich über Funk etwas von einem Heroinfund in der Thor-Olsens-Gate gehört habe. Alf Gunnerud.«

»Ja, davon hab ich auf der Wache gehört, fast ein halbes Kilo.«

»Und im nächsten Augenblick hat mich ein Typ angerufen und mir den Tipp gegeben, dass er Gunnerud unten am Containerhafen gesehen hat.«

»Die Spitzel scheinen heute Abend ja aktiv zu sein. Das mit dem Heroin war auch aufgrund eines Tipps. Es kann ja ein Zufall sein, aber zwei anonyme ...«

»Vielleicht ist es der gleiche Spitzel«, unterbrach ihn Waaler. »Vielleicht einer, der es auf Gunnerud abgesehen hat, weil der ihn betrogen hat oder so.«

»Vielleicht ...«

»Sie wollen also in ein Kommissariat?«, fragte Waaler, und Thommessen meinte eine gewisse Verärgerung in seiner Stimme zu hören. Sie scherten aus dem Kreisverkehr in Richtung Hafen aus. »Ja, das kann ich verstehen. Das ist schon etwas anderes. Haben Sie sich schon Gedanken gemacht, in welches Dezernat?«

»Gewaltverbrechen«, sagte Thommessen. »Oder Raub. Nicht Sitte, denke ich.«

»Nein, klar. Da wären wir.«

Sie rollten über einen dunklen, offenen Platz mit übereinandergestapelten Containern, der am Ende von einem rosa Gebäude begrenzt wurde.

»Der da unter der Lampe passt auf die Beschreibung«, sagte Waaler.

»Wo?«, fragte Thommessen mit zusammengekniffenen Augen.

»Dahinten am Gebäude.«

»Mein Gott, Sie sehen aber gut.«

»Sind Sie bewaffnet?«, fragte Waaler und wurde langsamer.

Thommessen blickte Waaler überrascht an. »Sie haben nichts davon gesagt, dass ...«

»Ist schon o. k., ich habe eine Waffe. Bleiben Sie im Wagen, damit Sie Verstärkung rufen können, wenn er Probleme macht, o. k.?«

»Gut. Sind Sie sicher, dass wir nicht jetzt schon Verst...«

»Wir haben nicht genug Zeit.« Waaler machte das Fernlicht an und stoppte den Wagen. Thommessen schätzte die Distanz bis zu der Silhouette unter der Lampe auf fünfzig Meter, doch spätere Messungen sollten ergeben, dass es genau vierunddreißig Meter waren.

Waaler lud seine Pistole – eine Glock 20, die er beantragt und für die er eine Ausnahmegenehmigung bekommen hatte –, nahm eine große, schwarze Taschenlampe, die zwischen den Vordersitzen gelegen hatte, und stieg aus. Er rief etwas und begann auf den Mann zuzugehen. In den Berichten der beiden Polizeibeamten über die Geschehnisse sollte sich später genau in diesem Punkt ein kleiner Unterschied herausstellen. In Waalers Report stand, dass er gerufen hatte: »Polizei! Zeig sie mir!« Womit er natürlich meinte, er solle ihm die Hände über seinem Kopf zeigen. Der Staatsanwalt stimmte zu, dass davon auszugehen sei, dass ein mehrfach vorbestrafter Straftäter diese Art Ausdrucksweise zu verstehen wisse. Im Übrigen hätte Hauptkommissar Waaler sich ja in jedem Fall eindeutig als Polizist zu erkennen gegeben. In Thommessens Bericht stand ursprünglich, Waaler habe gerufen: »Hei, hier ist der Onkel Polizist. Zeig sie mir.« Nach einer Beratung zwischen Thommessen und Waaler habe Thommessen dann aber Waalers Version als die wahrscheinlich richtigere bezeichnet.

Über das, was danach geschehen war, gab es keine Meinungsverschiedenheiten. Der Mann unter der Lampe hatte seine Hand unter seine Jacke geschoben und eine Waffe gezogen, die sich später als eine Jericho 941 mit herausgefeilter Seriennummer herausstellte und deren Herkunft somit unmöglich zurückzuverfolgen war. Waaler – einer der besten Schützen des Polizeikorps – hatte aufgeschrien und rasch drei Schüsse abgefeuert. Zwei davon trafen Alf Gunnerud. Der eine in die linke Schulter, der andere in die Hüfte. Keiner der Treffer war tödlich, doch Gunnerud stürzte zu Boden und blieb liegen. Waaler rannte daraufhin mit gezückter Waffe auf Gunnerud zu und rief: »Polizei! Finger weg von der Waffe, sonst schieße ich! Waffe weg! Waffe weg, habe ich gesagt!«

Ab diesem Moment hatte der Bericht von Stein Thommessen nichts Substanzielles mehr zu bieten, da er sich vierunddreißig Meter entfernt befand, es dunkel war und ihm Waaler überdies die Sicht auf Gunnerud versperrte. Andererseits gab es keinen Hinweis in Thommessens Bericht – oder am Tatort –, der den weiteren, in Waalers Bericht beschriebenen Tathergang in Zweifel stellte: dass nämlich Gunnerud zur Waffe gegriffen und diese trotz der Warnung auf Waaler gerichtet habe, doch dass Waaler ihm zuvorgekommen sei. Der Abstand zwischen den zweien habe da etwa drei bis vier Meter betragen.

Ich muss sterben. Aber das macht keinen Sinn. Ich starre in die rauchende Mündung einer Waffe. So war das doch nicht geplant, jedenfalls nicht von mir. Natürlich kann ich trotzdem die ganze Zeit über auf diesem Weg gewesen sein, ohne es zu wissen. Aber mein Plan war das nicht. Mein Plan war besser. Mein Plan hatte Sinn. Der Druck in der Kabine fällt ab, und eine unsichtbare Kraft presst von innen gegen mein Trommelfell. Jemand beugt sich zu mir herüber und fragt mich, ob ich bereit wäre, wir würden landen.

Ich flüstere, dass ich gestohlen habe, gelogen, gedealt, herumgehurt und mich geprügelt. Aber getötet habe ich nie jemanden. Dass ich die Frau in Grensen verletzt habe, war ein unglücklicher Zufall. Die Sterne unter uns scheinen direkt durch den Flugzeugrumpf.

»Es ist eine Sünde ...«, flüstere ich. »Gegen die, die ich geliebt habe. Kann auch sie vergeben werden?« Aber die Stewardess ist bereits gegangen, und Landungslichter leuchten an allen Ecken und Enden auf.

Es war dieser Abend, an dem Anna zum ersten Mal »nein« und ich »doch« gesagt und die Tür aufgedrückt hatte. Es war der reinste Stoff, den ich jemals in die Finger bekommen hatte, und wir sollten uns dieses Mal nicht den Spaß verderben, indem wir das Zeug rauchten. Sie protestierte, aber ich sagte ihr, ich hätte es dabei, und bereitete die Spritze vor. Sie hatte noch nie eine Spritze in den Fingern gehabt, und so setzte ich ihr den Schuss. Es ist schwieriger, das bei anderen zu machen. Nachdem ich zweimal die Vene verfehlt hatte, sah sie mich an und sagte langsam: »Ich war jetzt zwei Monate clean. Ich war gerettet.« »Willkommen zurück«, sagte ich bloß. Da lachte sie kurz und sagte: »Ich werde dich töten.« Beim dritten Versuch fand ich die Vene. Ihre Pupillen weiteten sich, langsam wie eine schwarze Rose, und Blut tropfte von ihrem Unterarm und landete mit einem matten Seufzen auf dem Teppich. Dann kippte ihr Kopf nach hinten. Tags darauf rief sie mich an und wollte mehr. Die Räder kreischen auf dem Asphalt.

Wir hätten etwas aus diesem Leben machen können, du und ich. Das war der Plan, das war der tiefere Sinn. Aber was der Sinn von dem hier ist, ahne ich nicht einmal.

Kapitel 40

Bonnie Tyler

Es war ein trauriger, kurzer und im Großen und Ganzen unnötiger Tag. Bleigraue Wolken schleppten sich regenschwanger über die Stadt, ohne einen Tropfen zu verlieren, und vereinzelte Böen raschelten mit dem Papier der Magazine im Zeitungsständer vor Elmers Frucht-&-Tabak-Kiosk. Die Schlagzeilen der Zeitungen deuteten an, dass die Menschen den sogenannten Krieg gegen den Terrorismus langsam leid waren. Das Ganze hatte längst den klebrigen Klang von Wahlpropaganda, und auch über den Sinn durfte man sich Gedanken machen, da niemand wusste, wo der Hauptschuldige abgeblieben war. Einige meinten sogar, er sei tot. Die Zeitungen begannen deshalb wieder, Platz für Reality-TV-Starlets und ausländische Promis einzuräumen, die etwas Nettes über einen Norweger gesagt hatten, sowie für die Ferienpläne des Königshauses. Das Einzige, was die ereignislose Monotonie störte, war die Schießerei im Containerhafen, bei der ein gesuchter Mörder und Drogendealer die Waffe gegen einen Polizisten erhoben hatte, jedoch getötet worden war, ehe er selbst hatte schießen können. Der Heroinfund in der Wohnung des Toten sei ansehnlich, sagte der Leiter des Dezernats für Betäubungsmitteldelikte, während der Chef des Dezernats für Gewaltverbrechen bekanntgab, dass die Ermittlungen in dem

462

Mordfall, dessen der 32-Jährige verdächtigt wird, noch nicht abgeschlossen seien. Der Zeitung mit dem spätesten Redaktionsschluss war es aber gelungen, eine Meldung unterzubringen, nach der die Beweise gegen den Mann, der nicht ausländischer Herkunft war, erdrückend seien. Und dass es sich bei dem beteiligten Polizisten interessanterweise um den gleichen handele, der im letzten Jahr den Neonazi Sverre Olsen bei einer ähnlichen Festnahme im Haus von Olsen erschossen hatte. Der Polizist sei bis zur Klärung der Umstände durch die interne Untersuchungskommission vom Dienst suspendiert, schrieb die Zeitung und zitierte den Polizeipräsidenten, der betonte, dass das ein ganz normaler Routinevorgang in solchen Fällen sei und nichts mit dem Fall Sverre Olsen zu tun habe.

Auch der Brand einer Hütte in Tryvann war in der Zeitung in einer kleinen Notiz erwähnt, weil man ein Stück von der total ausgebrannten Hütte entfernt einen leeren Kanister gefunden hatte, in dem Benzin gewesen war. Deshalb wollte die Polizei nicht ausschließen, dass es sich um Brandstiftung handelte. Was nicht abgedruckt worden war, waren die Versuche der Reporter, mit Birger Gunnerud in Kontakt zu kommen, um eine Stellungnahme zu erhalten, wie es war, am gleichen Abend Bruder und Hütte zu verlieren.

Es wurde früh dunkel, und bereits gegen drei Uhr nachmittags begannen die Straßenlaternen zu flackern.

Ein Standbild des Überfalls auf die Filiale in Grensen zitterte auf der Leinwand, als Harry ins House of Pain kam.

»Bist du weitergekommen?«, fragte er und nickte in Richtung Leinwand, auf der der Exekutor in vollem Galopp zu sehen war.

Beate schüttelte den Kopf. »Wir warten.«

»Darauf, dass er wieder zuschlägt?«

»Er sitzt irgendwo und plant jetzt seinen nächsten Überfall. Der kommt im Laufe der nächsten Woche, denke ich.«

»Du wirkst so sicher.«

Sie zuckte mit den Schultern. »Erfahrung.«

»Deine?«

Sie lächelte, antwortete aber nicht.

Harry setzte sich. »Ich hoffe, ich habe euch keinen Strich durch die Rechnung gemacht, als ich mich nicht an das gehalten habe, was ich dir am Telefon gesagt habe.«

Sie runzelte die Stirn. »Wie meinst du das?«

»Dass ich seine Wohnung erst heute Morgen durchsuchen wollte.«

Harry blickte sie an. Sie schien wirklich keine Ahnung zu haben. Aber Harry arbeitete nicht beim Secret Service. Er wollte etwas sagen, ließ es dann aber bleiben. Stattdessen war es Beate, die das Wort ergriff: »Es gibt eine Sache, die ich dich fragen muss, Harry.«

»Schieß los.«

»Wusstest du von Raskol und meinem Vater?«

»An was denkst du?«

»Dass es Raskol war … damals in dieser Bank. Dass er es war, der ihn erschossen hat.«

Harry blickte zu Boden. Studierte seine Hände. »Nein«, sagte er. »Das wusste ich nicht.«

»Aber es ist dir klargeworden?«

Er sah auf und begegnete Beates Blick. »Ich hatte den Gedanken, das ist alles.«

»Warum bist du auf diesen Gedanken gekommen?«

»Buße.«

»Buße?«

Harry holte tief Luft. »Manchmal raubt einem das Ungeheuerliche eines Verbrechens die Sicht. Oder die Einsicht.«

»Wie meinst du das?«

»Alle Menschen haben das Bedürfnis, Buße zu tun, Beate. Du tust das. Und, weiß Gott, ich tue es auch. Und Raskol tut es. Das ist ebenso grundlegend, wie sich zu waschen. Es geht um Harmonie, um eine lebensnotwendige Balance in unserem Inneren. Und diese Balance nennen wir Moral.«

Harry sah Beate weiß werden. Dann rot. Schließlich öffnete sie den Mund.

»Niemand weiß, warum sich Raskol der Polizei gestellt hat«, sagte Harry. »Aber ich bin überzeugt, dass er das getan hat, um zu büßen. Denn für einen, dessen einzige Freiheit es war, zu reisen, ist das Gefängnis die ultimative Strafe. Anderen das Leben zu nehmen, ist etwas anderes, als Geld zu stehlen. Nehmen wir mal an, er hätte ein Verbrechen begangen, das ihm die Balance geraubt hat. So dass er sich entschied, in vollkommener Einsamkeit zu büßen, für sich und – wenn er einen hat – für Gott.«

Beate brachte endlich die Worte über die Lippen. »Ein moralischer Mörder?«

Harry wartete, aber mehr kam nicht.

»Ein moralischer Mensch ist einer, der die Konsequenzen seiner eigenen Moral zieht«, sagte er leise. »Sonst nichts.«

»Und was, wenn ich mir das hier umgehängt hätte?«, fragte Beate mit verbitterter Stimme, öffnete die Schublade vor sich und nahm das Schulterhalfter heraus. »Was, wenn ich mich mit Raskol in einem der Besucherzimmer hätte einschließen lassen und dann gesagt hätte, er habe mich angegriffen, so dass ich mich hätte verteidigen müssen? Seinen eigenen Vater zu rächen und gleichzeitig Ungeziefer zu bekämpfen, ist das moralisch genug für dich?« Sie knallte das Halfter auf den Tisch.

Harry lehnte sich zurück und schloss die Augen, bis er hörte, dass sich ihr schneller Atem wieder beruhigt hatte. »Die Frage ist, was für dich moralisch genug ist, Beate. Ich weiß nicht, warum du dieses Schulterhalfter mitgenommen hast, und ich habe nicht vor, dich in irgendeiner Hinsicht zurückzuhalten.«

Er stand auf. »Mach deinen Vater stolz, Beate.«

Er fasste an die Klinke, als er Beate hinter sich schluchzen hörte. Er drehte sich um.

»Du verstehst nichts!«, schluchzte sie. »Ich dachte, ich

könnte ... ich dachte, das wäre eine Art ... Abrechnung, nicht wahr?«

Harry blieb stehen. Dann schob er einen Stuhl dicht neben den ihren, setzte sich hin und legte seine Hand an ihre Wange. Ihre Tränen waren warm und zogen in seine raue Haut ein, während sie sprach. »Man geht doch zur Polizei, weil man eine gewisse Vorstellung von Ordnung hat, von einem Gleichgewicht der Dinge, nicht wahr? Abrechnung, Gerechtigkeit und so etwas. Und dann bekommst du plötzlich an einem Tag die Chance, eine Rechnung zu begleichen, von der du eigentlich bloß geträumt hast. Bloß um herauszufinden, dass das doch nicht das ist, was du willst.« Sie schniefte. »Meine Mutter sagte einmal, dass es bloß eine Sache gibt, die schlimmer ist, als seine Lust nicht gestillt zu bekommen. Und das ist, überhaupt keine Lust zu irgendetwas zu verspüren. Hass – das ist vielleicht das Letzte, was einem bleibt, wenn man alles verloren hat. Und dann nimmt man dir den auch noch.«

Sie fegte das Schulterhalfter mit dem Arm vom Tisch, so dass es an die Wand knallte.

Es war vollkommen dunkel, als Harry in der Sofies Gate stand und in einer etwas besser bekannten Jackentasche nach seinem Schlüssel suchte. Als er sich am Morgen im Präsidium gemeldet hatte, war es eine seiner ersten Handlungen gewesen, seine eigenen Kleider von der Kriminaltechnik zu holen, wohin sie aus dem Hause der Albus gebracht worden waren. Aber zuallererst war er in das Büro von Bjarne Møller gegangen. Der Dezernatsleiter hatte gesagt, dass die meisten Vorwürfe, was Harry anging, vom Tisch seien, doch dass sie abwarten müssten, ob es eine Anzeige wegen des Einbruchs im Harelabben 16 gab. Und dass im Laufe des Tages abgeklärt werden sollte, ob man darauf reagieren sollte, dass sich Harry am Abend von Anna Bethsens Tod bei ihr aufgehalten hatte, davon aber nichts gesagt hatte. Harry hatte angemerkt, dass er im Falle einer Untersuchung dieser Sache natürlich auch die

Abmachung zwischen dem Polizeipräsidenten, Møller und ihm selbst zur Sprache bringen müsse, die ihm im Rahmen des Exekutor-Falles gewisse flexible Vollmachten einräumte, und dass sie ihre Tour nach Brasilien genehmigt hätten, obgleich keine brasilianischen Stellen informiert waren.

Bjarne Møller hatte mit einem schiefen Grinsen reagiert und gesagt, er gehe davon aus, dass niemand eine Untersuchung für nötig halten werde, tja, dass es vermutlich überhaupt keine Reaktionen geben werde.

Es war still im Treppenhaus. Harry riss die Absperrbänder vor seiner Tür weg. Eine Spanplatte saß an der Stelle des eingeschlagenen Glases.

Er blieb im Wohnzimmer stehen und sah sich um. Weber hatte ihm erklärt, dass sie vor der Durchsuchung Fotos von der Wohnung gemacht hatten, so dass alles wieder an seinen ursprünglichen Platz gestellt werden konnte. Trotzdem konnte er nicht umhin, die fremden Hände und Augen überall zu spüren. Es war nicht so, dass er viel in seiner Wohnung hatte, das kein Tageslicht vertrug – ein paar heftige, aber alte Liebesbriefe, ein geöffnetes Päckchen Kondome, deren Verfallsdatum sicher längst abgelaufen war, und ein Umschlag mit Bildern des Leichnams von Ellen Gjelten. Sicher konnte man es als pervers auffassen, so etwas in seiner Wohnung zu haben. Abgesehen davon: zwei Pornohefte, eine Bonnie-Tyler-Platte und ein Buch von Suzanne Brøgger.

Harry blickte lange auf das rote, blinkende Licht am Anrufbeantworter, ehe er auf den Knopf drückte. Eine bekannte Jungenstimme füllte den fremden Raum. »Hei, wir sind's. Heute war das Urteil. Mama weint und will, dass ich es dir sage.«

Harry holte tief Luft, um bereit zu sein.

»Wir kommen morgen nach Hause.«

Harry hielt die Luft an. Hatte er richtig gehört? *Wir kommen nach Hause?*

»Wir haben gewonnen. Du hättest die Gesichter von Vaters

Anwälten sehen sollen. Mama meinte, alle seien sicher gewesen, dass wir verlieren. Mama, willst du ... nein, sie weint bloß. Jetzt gehen wir zu McDonald's feiern. Ich soll dich von Mama fragen, ob du uns abholen kommst. Tschüs.«

Er hörte Oleg in den Hörer atmen und jemanden im Hintergrund, der sich lachend die Nase putzte. Dann noch einmal Olegs Stimme, leiser: »Wär schön, wenn du kommst, Harry.«

Harry sank in den Sessel. Etwas viel zu Großes zerplatzte in seinem Hals und ließ die Tränen fließen.

Teil 6

Kapitel 41

C#MN

Der Himmel war wolkenlos, aber es blies ein kalter Wind, und die blasse Sonne gab so wenig Wärme, dass Harry und Aune die Krägen ihrer Jacken hochgeschlagen hatten und dicht nebeneinander die Birkenallee hinuntergingen, die sich bereits für den Winter entkleidet hatte.

»Ich habe meiner Frau erzählt, wie glücklich du klangst, als du mir gesagt hast, dass Rakel und Oleg wieder nach Hause gekommen sind«, sagte Aune. »Sie hat mich gefragt, ob das wohl zu bedeuten hat, dass ihr drei bald zusammenzieht?«

Harry lächelte als Antwort.

»Sie hat auf jeden Fall genug Platz in ihrem Haus«, fuhr Aune vielsagend fort.

»Platz gibt es genug«, sagte Harry. »Sag deiner Karoline einen Gruß von mir. Du kannst ja Ola Bauer zitieren. ›Ich zog in die Sorgenfrigata, aber das half auch nicht sonderlich.‹«

Sie lachten.

»Außerdem bin ich im Moment total von diesem Fall absorbiert«, sagte Harry.

»Der Fall, ja«, sagte Aune. »Ich habe alle Berichte gelesen, wie du es gewünscht hast. Seltsam. Wirklich seltsam. Du wachst zu Hause auf, ohne dich an etwas zu erinnern, und bist – schwups – mitten in diesem Spiel von Alf Gunnerud gefangen. Es ist natürlich schwierig, post mortem eine Diagnose zu stellen, aber der ist wirklich ein interessanter Fall. Ganz ohne Zweifel sehr intelligent und kreativ. Ja, fast künstlerisch, das ist ja ein Meisterwerk von einem Plan, den er sich da ausgedacht hat. Aber ein paar Sachen sind mir unklar geblieben. Ich habe die Kopien der Mails gelesen, die er dir geschrieben hat. Zu Beginn spielte er ja damit, dass du einen Blackout hattest. Also hat er ja wohl gesehen, wie du die Wohnung betrunken verlassen hast, und daraus geschlossen, dass du dich am nächsten Tag an nichts erinnern würdest.«

»Das ist häufig so, wenn einem ins Taxi geholfen werden muss. Ich denke, er stand draußen auf der Straße und hat alles beobachtet, wie er es später in seiner Mail von Arne Albu behauptet hat. Vermutlich hat er Kontakt mit Anna gehabt und gewusst, dass ich an diesem Abend kommen würde. Dass ich derart besoffen ihre Wohnung verließ, war natürlich ein Bonus, mit dem er nicht gerechnet hatte.«

»Und danach ist er mit dem Schlüssel, den er sich selbst über seine Firma beim Hersteller besorgt hat, in ihre Wohnung eingedrungen. Und hat sie erschossen. Mit seiner eigenen Waffe?«

»Vermutlich. Die Seriennummer war rausgefeilt, wie bei der Waffe, die wir im Containerhafen bei Gunnerud gefunden haben. Weber sagte, die Art, wie die Nummern rausgefeilt waren, deute darauf hin, dass die Waffen vom gleichen Lieferanten stammten. Irgendjemand scheint im großen Stil Waffen ins Land zu schmuggeln. Die Glock-Pistole, die wir bei Sverre Olsen zu Hause gefunden haben – das ist der, der Ellen getötet hat –, hatte die gleichen Schleifmarken.«

»Und dann hat er ihr die Waffe in die rechte Hand gesteckt. Obwohl sie Linkshänderin war?«

»Ein Köder«, sagte Harry. »Er wusste natürlich, dass ich mich irgendwann in die Sache einmischen würde, nicht zuletzt, um sicher zu sein, dass ich nicht selbst verwickelt war. Und dass ich, im Gegensatz zu den anderen Ermittlern, die sie ja nicht kannten, die Sache mit der falschen Hand herausfinden würde.«

»Und schließlich dieses Bild von Frau Albu und den Kindern.«

»Das sollte mich auf die Spur von Arne Albu, ihrem letzten Lover, bringen.«

»Und bevor er die Wohnung verlassen hat, hat er dann auch noch den Laptop und dein Handy mitgenommen, das du in der Wohnung hattest liegen lassen?«

»Noch so ein unerwarteter Bonus.«

»Dieses Hirn hat also im Vorfeld einen komplizierten und wasserdichten Plan ausgearbeitet, wie er seine untreue Geliebte loswerden kann, außerdem den Mann, mit dem sie ihn betrogen hat, als er selbst im Gefängnis saß, und ebenso ihre neue alte Flamme, den blonden Polizisten. Und dann beginnt er auch noch zu improvisieren. Er nutzt noch einmal seine Stelle im Schlüsseldienst, um sich einen Schlüssel für deine Wohnung und deinen Keller zu beschaffen, stellt dort Annas Laptop rein, koppelt ihn mit deinem Handy und sendet dir automatisch Mails über einen Server, der sich nicht aufspüren lässt.«

»Fast nicht.«

»Ja, dein anonymer Computerfritze hat ihn ja gefunden. Was er aber nicht herausgefunden hat, ist, dass diese Mails alle bereits geschrieben worden waren und an zuvor festgelegten Tagen von dem PC in deinem Keller abgeschickt wurden. Dass der Absender also, mit anderen Worten, alles schon vorbereitet hatte, ehe der Laptop samt Handy in deinen Keller gestellt wurde. Korrekt?«

»Hm. Hast du dir die Inhalte der Mails unter den Gesichtspunkten angesehen, um die ich dich gebeten habe?«

»Ja, doch. Wenn man sie im Nachhinein liest, erkennt man schon, dass sie zwar einen bestimmten Handlungsverlauf skizzieren, insgesamt aber recht vage bleiben. Das fällt einem aber natürlich nicht auf, wenn man selbst mittendrin ist. Da muss man natürlich den Eindruck bekommen, der Entsprechende sei voll informiert und zu jeder Zeit auf dem Laufenden. Aber das konnte ihm gelingen, weil er ja in vielerlei Hinsicht das Ganze dirigiert hat.«

»Nun. Wir wissen noch nicht, ob es Gunnerud war, der den Mord an Arne Albu orchestriert hat. Ein Arbeitskollege vom Schlüsseldienst behauptet, dass Gunnerud und er zur vermutlichen Tatzeit im Gamle Major etwas getrunken haben.«

Aune rieb sich die Hände. Harry wusste nicht, ob die Ursache dafür der kalte Wind war oder seine Freude über die vielen logischen Möglichkeiten und Unmöglichkeiten. »Gehen wir mal davon aus, dass es Gunnerud war, der Albu getötet hat«, sagte der Psychologe. »Welches Schicksal hatte er für Albu ausersehen, als er dich auf ihn losließ? Dass Albu verurteilt würde? Aber dann wärst du ja ungeschoren davongekommen. Oder umgekehrt. Zwei Männer können nicht für den gleichen Mord verantwortlich gemacht werden.«

»Richtig«, sagte Harry. »Aber vielleicht sollte man sich fragen, was das Wichtigste in Arne Albus Leben war.«

»Exakt«, sagte Aune. »Ein Vater von drei Kindern, der freiwillig oder unfreiwillig seine beruflichen Ambitionen herabschraubt. Die Familie, nehme ich an.«

»Und was hat Gunnerud, oder was habe meinetwegen ich, mit dem Beweis erreicht, dass Arne Albu Anna noch immer traf?«

»Dass seine Frau sich die Kinder geschnappt und ihn verlassen hat.«

»›Das Schlimmste für einen Menschen ist nicht, ihm das Leben zu nehmen, sondern das, wofür er lebt.‹«

»Ein gutes Zitat.« Aune nickte anerkennend. »Von wem ist das?«

»Das habe ich vergessen«, antwortete Harry.

»Aber noch eine andere Frage muss man sich stellen. Was wollte er dir nehmen, Harry? Was macht dein Leben lebenswert?«

Sie hatten das Haus erreicht, in dem Anna gewohnt hatte. Harry fingerte lange mit den Schlüsseln herum.

»Nun?«, fragte Aune.

»Gunnerud kannte von mir wohl nur das, was Anna erzählt hatte. Und sie kannte mich in einer Zeit, in der ich ... tja, nicht viel mehr als meinen Job hatte.«

»Job?«

»Er wollte, dass ich in den Knast gehe. Und davor natürlich meinen unehrenhaften Abschied von der Polizei.«

Schweigend gingen sie die Treppen empor.

Im Innern der Wohnung hatten Weber und seine Leute ihre Arbeit beendet. Weber berichtete zufrieden, dass sie an mehreren Stellen Gunneruds Fingerabdrücke gefunden hätten, unter anderem am Bett.

»Er ist nicht gerade vorsichtig gewesen«, sagte Weber.

»Er war hier so oft, dass ihr ohnehin irgendwo Abdrücke gefunden hättet«, sagte Harry. »Außerdem war er überzeugt davon, niemals verdächtigt zu werden.«

»Der Mord an Albu war übrigens ziemlich interessant«, sagte Aune, während Harry die Schiebetür zu dem Raum mit den Porträts und der Grimmer-Lampe öffnete. »Falsch herum begraben. Am Strand. Das wirkt ziemlich rituell, als wollte uns der Mörder etwas über sich selbst verraten. Hast du dir darüber mal Gedanken gemacht?«

»Mit dem Fall habe ich nichts zu tun.«

»Das habe ich dich nicht gefragt.«

»Nun. Vielleicht wollte der Mörder eher etwas über das Opfer zum Ausdruck bringen.«

»Wie meinst du das?«

Harry schaltete die Grimmer-Lampe ein, und das Licht fiel auf die drei Bilder. »Ich musste an etwas denken, das ich damals im Jurastudium gelesen habe. Im Gulathing-Gesetz aus dem Jahre 1100. Darin heißt es, dass jeder Mensch Anspruch darauf hat, in geweihter Erde begraben zu werden, nur nicht Verbrecher, Verräter und Mörder. Diese sollen im Spülsaum des Meeres verscharrt werden, dort, wo sich Wasser und Land treffen. Der Ort, an dem Albu begraben worden ist, deutet nicht auf eine Tat aus Eifersucht hin, wie wenn Gunnerud ihn getötet hätte. Da will uns jemand zeigen, dass Arne Albu ein Verbrecher war.«

»Interessant«, sagte Aune. »Warum willst du, dass wir uns diese Bilder noch einmal ansehen? Die sind schrecklich.«

»Bist du dir wirklich sicher, dass du nichts darin siehst?«

»Doch, doch, ich sehe eine prätentiöse, junge Künstlerin mit einem übertriebenen Sinn fürs Dramatische, aber fehlender künstlerischer Gabe.«

»Ich habe eine Kollegin namens Beate Lønn. Sie kann heute nicht hier sein, sie ist auf einer Polizeitagung in Deutschland, wo sie einen Vortrag darüber hält, wie es möglich ist, maskierte Täter mit Hilfe gewisser Computersimulationen in Verbindung mit ein bisschen Gyrus fusiforme zu erkennen. Sie ist mit einer speziellen Fähigkeit auf die Welt gekommen. Sie erkennt alle Gesichter, die ihr irgendwann einmal im Leben begegnet sind.«

Aune nickte. »Davon habe ich schon einmal gehört.«

»Als ich ihr diese Bilder gezeigt habe, hat sie die dargestellten Personen wiedererkannt.«

»Ach wirklich?« Aune zog die Augenbrauen hoch. »Lass hören.«

Harry deutete mit der Hand auf die Bilder. »Das da links ist Arne Albu, das in der Mitte bin ich, und das letzte zeigt Alf Gunnerud.«

Aune kniff die Augen zusammen, schob seine Brille zurecht und betrachtete die Bilder aus unterschiedlichen Entfernungen. »Interessant«, murmelte er. »Höchst interessant, ich sehe bloß Kopfformen.«

»Ich will nur, dass du als Experte bestätigst, dass ein Wiedererkennen auf diese Art möglich ist. Das würde uns helfen, die Verbindung Gunnerud–Anna noch deutlicher zu beweisen.«

Aune wedelte mit der Hand. »Wenn es stimmt, was du über Fräulein Lønn sagst, kann sie Gesichter mit minimaler Information wiedererkennen.«

Als sie wieder draußen waren, sagte Aune, dass er aus rein professionellem Interesse diese Beate Lønn gerne einmal treffen würde. »Sie ist Ermittlerin, nehme ich an?«

»Im Raubdezernat. Im Fall ›Exekutor‹ arbeite ich mit ihr zusammen.«

»Ach ja, wie kommt ihr vorwärts?«

»Tja. Wir haben wenig Spuren. Man hatte erwartet, dass er wieder zuschlagen würde, doch dann ist nichts mehr geschehen. Eigentlich merkwürdig.«

Im Bogstadvei sah Harry die erste Schneeflocke im Wind herumwirbeln.

»Winter«, rief Ali zu Harry über die Straße und zeigte zum Himmel. Er sagte ein paar Worte auf Urdu zu seinem Bruder, der sofort damit begann, die Obstkisten in den Laden zu tragen. Dann stapfte Ali zu Harry hinüber. »Ist das nicht toll, dass es vorbei ist?«

»Doch«, sagte Harry.

»Der Herbst ist ein Scheiß. Endlich Schnee.«

»Ach das. Ich dachte, du meintest diese Sache.«

»Das mit dem PC in deinem Keller? Ist das vorbei?«

»Hat dir das niemand gesagt? Sie haben den Mann gefunden, der den da hingestellt hat.«

»Ah, ja. Dann hat man meiner Frau wohl deshalb gesagt, dass ich nun doch nicht mehr ins Präsidium müsse, um auszusagen. Um was ging das Ganze eigentlich?«

»Kurz gesagt handelte es sich um einen Kerl, der mir ein schweres Verbrechen in die Schuhe schieben wollte. Lad mich doch mal zum Essen ein, dann erzähl ich dir die Details.«

»Ich hab dich doch eingeladen, Harry.«

»Du hast nicht gesagt, wann.«

Ali verdrehte die Augen. »Warum braucht ihr immer einen

Tag und eine Uhrzeit, bevor ihr es wagt, jemanden zu besuchen? Klopf an die Tür, und ich mach dir auf. Wir haben immer genug zu essen.«

»Danke, Ali. Ich werde laut und deutlich klopfen.« Harry schloss die Haustür auf.

»Habt ihr herausgefunden, wer die Frau war? War sie eine Komplizin?«

»Was meinst du?«

»Diese unbekannte Frau, die ich damals vor deinem Keller gesehen habe. Das hab ich doch diesem Tom-Irgendwas gesagt.«

Harry blieb mit der Hand auf der Klinke stehen. »Was genau hast du ihm gesagt, Ali?«

»Er hat mich gefragt, ob ich etwas Ungewöhnliches im oder vor dem Keller bemerkt hätte, und da ist mir eingefallen, dass ich eine unbekannte Frau gesehen habe, die an der Kellertür stand und mir den Rücken zudrehte, als ich zur Tür hereinkam. Ich erinnere mich daran, weil ich sie eigentlich fragen wollte, wer sie ist. Aber dann habe ich das Schloss gehört und dachte mir, dass wohl alles in Ordnung ist, wenn sie einen Schlüssel hat.«

»Wann war das, und wie sah sie aus?«

Ali breitete bedauernd die Arme aus. »Ich hatte es eilig und hab nur flüchtig ihren Rücken gesehen. Vor drei Wochen. Vor fünf Wochen. Blond. Dunkel. Ich weiß es nicht.«

»Aber du bist dir sicher, dass es eine Frau war?«

»Auf jeden Fall muss ich wohl gedacht haben, dass es eine Frau ist.«

»Alf Gunnerud war mittelgroß, hatte schmale Schultern und halblange, dunkle Haare. Trifft die Beschreibung zu? Könnte das dich dazu gebracht haben, eine Frau zu sehen?«

Ali dachte nach. »Ja, das kann schon sein. Es kann aber auch die Tochter von Frau Melkersen gewesen sein, die zu Besuch war. Zum Beispiel.«

»Mach's gut, Ali.«

Harry entschloss sich, rasch eine Dusche zu nehmen, ehe er sich umzog und zu Rakel und Oleg hochfuhr, die ihn auf Pfannekuchen und Tetris eingeladen hatten. Bei der Rückkehr aus Moskau hatte ihm Rakel ein wunderschönes Schachspiel mit geschnitzten Figuren und einem Brett aus Holz und Perlmutt mitgebracht. Die Namco-G-Con-45-Pistole, die Harry Oleg gekauft hatte, hatte ihr aber leider nicht gefallen. Sie hatte sie augenblicklich beschlagnahmt und ihm erklärt, dass Oleg nicht mit Waffen spielen solle, ehe er nicht mindestens zwölf Jahre alt war. Harry und Oleg hatten das beide etwas betreten und ohne weitere Diskussionen akzeptiert. Aber sie wussten ja, dass Rakel sicher die Gelegenheit wahrnehmen würde, eine Runde zu joggen, wenn Harry auf Oleg aufpasste. Und Oleg hatte Harry zugeflüstert, dass er wisse, wo sie die Namco-G-Con-45-Pistole versteckt hatte.

Das glühend heiße Wasser der Dusche vertrieb die Kälte aus seinem Körper, während er zu vergessen versuchte, was Ali gesagt hatte. In jedem Fall blieben irgendwelche Zweifel, egal wie klar alles aussah. Und Harry war noch dazu ein geborener Zweifler. Aber irgendwann musste man mit dem Glauben beginnen, wenn das Dasein eine Kontur bekommen sollte, einen Sinn.

Er trocknete sich ab, rasierte sich und zog ein sauberes Hemd an. Blickte in den Spiegel und lächelte. Oleg hatte gesagt, er habe gelbe Zähne, und Rakel hatte etwas zu laut gelacht. Im Spiegel sah er auch die Überschrift der ersten Mail von C#MN, die noch immer an die gegenüberliegende Wand geheftet war. Morgen würde er sie entfernen und wieder das Bild von Søs und sich aufhängen. Morgen. Er betrachtete die Mail im Spiegel. Merkwürdig, dass ihm das nicht an dem Abend aufgefallen war, an dem er vor dem Spiegel gestanden und das Gefühl gehabt hatte, dass etwas fehlte. Harry und seine kleine Schwester. Wahrscheinlich war so etwas möglich, weil man irgendwie für eine Sache blind wird, wenn man sie so oft gesehen hat. Weil man blind wird. Er betrachtete die

Mail im Spiegel. Dann bestellte er ein Taxi, zog sich die Schuhe an und wartete. Sah auf die Uhr. Das Taxi war sicher schon gekommen. Los jetzt. Er bemerkte, dass er den Hörer abgenommen hatte und im Begriff war, eine Nummer zu wählen.

»Aune?«

»Kannst du dir bitte die Mails noch einmal ansehen? Und mir sagen, ob du glaubst, dass die von einem Mann oder von einer Frau geschrieben worden sind?«

Kapitel 42

Dis

Der Schnee schmolz in der folgenden Nacht. Astrid Monsen war gerade aus dem Haus gekommen und ging über den nassen, schwarzen Asphalt in Richtung Bogstadvei, als sie den blonden Polizisten auf der gegenüberliegenden Straßenseite bemerkte. Ihre Schrittfrequenz und ihr Puls steigerten sich abrupt. Sie blickte starr nach vorne und hoffte, dass er sie nicht sah. In den Zeitungen waren Bilder von Alf Gunnerud gewesen, und tagelang waren die Polizisten im Treppenhaus auf und ab gerannt und hatten ihr die Ruhe zum Arbeiten geraubt. Doch jetzt war es vorbei, hatte sie sich selbst gesagt.

Sie hastete in Richtung Zebrastreifen. Bäcker Hansen. Wenn sie dort ankam, war sie gerettet. Eine Tasse Tee und ein Berliner am hintersten Tischchen des schmalen Cafés. Jeden Tag präzis um halb elf.

»Tee und Berliner?« »Ja, gerne.« »Das macht dann 38 Kronen.« »Bitte sehr.« »Danke.«

An den meisten Tagen war das das längste Gespräch, das sie mit jemandem führte.

In den letzten Wochen war es vorgekommen, dass ein älterer Mann an ihrem Tisch saß, und obgleich es viele freie Tische gab, war dieser Platz der einzige, an dem sie sitzen konnte, weil … nein, sie wollte jetzt nicht daran denken. Wie auch immer, sie hatte sich genötigt gesehen, bereits um Viertel nach zehn zu kommen, um als Erste am Tisch zu sein. Sie dachte, dass das heute ihr Glück war, denn sonst wäre sie bei seinem Kommen zu Hause gewesen und hätte öffnen müssen, denn das hatte sie Mutter versprochen. Nach den zwei Monaten, in denen sie weder auf das Klingeln des Telefons noch auf die Türglocke reagiert hatte und schließlich die Polizei hatte kommen müssen, hatte Mutter ihr damit gedroht, sie wieder einweisen zu lassen.

Sie log Mutter nicht an.

Andere ja. Andere log sie die ganze Zeit über an. Bei den Telefonaten mit den Verlagen, in den Boutiquen und den Chat-Seiten im Internet. Besonders dort. Dort konnte sie so tun, als wäre sie eine andere, eine der Romanfiguren aus den Büchern, die sie übersetzte, oder Ramona, die dekadente, promiskuöse, aber furchtlose Frau, die sie in einem früheren Leben gewesen war. Astrid hatte Ramona entdeckt, als sie klein war. Sie war Tänzerin, hatte lange, schwarze Haare und braune, mandelförmige Augen. Astrid hatte Ramona immer wieder gemalt, insbesondere ihre Augen, doch sie musste das heimlich tun, denn ihre Mutter zerriss die Zeichnungen immer wieder und sagte, sie wolle einen solchen Schund nicht im Hause haben. Ramona war über viele Jahre verschwunden gewesen, doch dann war sie zurückgekommen, und Astrid hatte bemerkt, wie Ramona mehr und mehr die Leitung übernahm, ganz besonders, wenn sie den männlichen Autoren schrieb, die sie übersetzte. Nach den einleitenden Phrasen über Sprache und Referenzen sandte sie gerne auch unformelle Mails. Schon nach kurzer Zeit baten die französischen Autoren häufig inständig darum, sie doch einmal treffen zu können, wenn sie in Oslo waren, um ein Buch zu lancieren, oder – allein, sie zu treffen, sei Grund genug für eine Reise. Immer lehnte sie ab, ohne dass das aber abschreckend auf die engagierten Werber wirkte, eher im Gegenteil. Das war es, was aus ihr als Autorin nun geworden war, nachdem sie vor einigen

Jahren aus dem Traum aufgewacht war, selber einmal Bücher zu schreiben. Ein Verlagslektor hatte am Telefon die Beherrschung verloren und sie angefaucht, ihn endlich mit ihrem hysterischen Gejammer zu verschonen, für das kein Leser jemals bereit wäre, Geld auszugeben, und für das sich allenfalls ein Psychologe interessieren würde, der dann aber gegen Bezahlung.

»Astrid Monsen!«

Sie spürte, wie sich ihr Hals zusammenschnürte und sie augenblicklich Panik bekam. Hier draußen auf der Straße durfte sie jetzt keine Atemnot bekommen. Sie wollte gerade über die Straße gehen, als die Ampel auf Rot schaltete. Sie hätte es noch geschafft, aber sie ging nie bei Rot.

»Guten Tag, ich war gerade auf dem Weg zu Ihnen.« Harry Hole schloss zu ihr auf. Er hatte noch immer den gleichen gejagten Gesichtsausdruck und die roten Augen. »Lassen Sie mich Ihnen erst einmal sagen, dass ich Waalers Bericht über Ihr Gespräch gelesen habe. Und dass ich weiß, dass Sie mir gegenüber gelogen haben, weil Sie Angst hatten.«

Sie spürte, dass sie bald zu hyperventilieren beginnen würde.

»Es war wirklich dumm von mir, Ihnen nicht gleich alles über meine Rolle in diesem Fall zu sagen«, sagte der Polizist.

Überrascht blickte sie zu ihm auf. Er hörte sich wirklich aufrichtig an.

»Und ich habe in der Zeitung gelesen, dass der Schuldige endlich gefasst ist«, hörte sie sich selbst sagen.

Sie blieben stehen und sahen einander an.

»Und sogar tot«, fügte sie leise hinzu.

»Tja«, sagte er und versuchte zu lächeln. »Vielleicht könnten Sie mir trotzdem bei ein paar Fragen weiterhelfen?«

Zum ersten Mal saß sie nicht allein an ihrem Tisch bei Bäcker Hansen. Das Mädchen hinter der Theke hatte sie mit einem verwegenen Wir-sind-doch-Freundinnen-Blick angesehen, als ob der großgewachsene Mann an ihrer Seite ein Verehrer sei. Und da er aussah, als komme er geradewegs aus dem Bett, dachte das Mädchen vielleicht sogar, dass ... nein, daran wollte sie jetzt nicht denken.

Sie hatten sich gesetzt, und er hatte ihr den Ausdruck einiger Mails gegeben, die sie sich ansehen sollte. Ob sie als Autorin erkennen könne, ob die von einem Mann oder von einer Frau geschrieben waren? Sie hatte sie sich angesehen. Autorin hatte er gesagt. Sollte sie ihm die Wahrheit sagen? Sie hob ihre Teetasse vor den Mund, damit er nicht sehen konnte, dass sie bei diesem Gedanken lächeln musste. Natürlich nicht. Sie musste lügen.

»Schwierig zu sagen«, meinte sie. »Ist das Fiktion?«

»Sowohl als auch«, sagte Harry. »Wir glauben, dass sie von der Person stammen, die Anna Bethsen ermordet hat.«

»Dann wird das wohl ein Mann sein.«

Harry blickte auf die Tischplatte, und sie sah rasch zu ihm auf. Er war nicht schön, hatte aber etwas. Sie hatte das – so unwahrscheinlich sich das auch anhörte – schon gesehen, als sie ihn vor ihrer Tür auf dem Flur liegen sah. Vielleicht weil sie einen Cointreau mehr als üblich getrunken hatte, aber sein Gesicht war ihr friedlich vorgekommen, sie hatte es als beinahe schön empfunden, als er so wie ein schlafender Prinz dalag, den jemand vor ihre Tür gelegt hatte. Der Inhalt seiner Taschen hatte auf dem Treppenabsatz verstreut gelegen, und sie hatte alles eingesammelt. Sogar in seine Geldbörse hatte sie einen Blick geworfen und Namen und Adresse herausgefunden.

Harry hob seinen Blick, und sie sah rasch weg. Wäre es möglich, ihn zu mögen? Bestimmt. Das Problem war, dass er sie nicht mögen würde. Hysterisches Gejammer. Grundlose Furcht. Weinkrämpfe. So etwas würde er nicht haben wollen. Er wollte solche wie Anna Bethsen. Wie Ramona.

»Sind Sie sich sicher, dass Sie sie nicht wiedererkennen?«, fragte er langsam.

Sie sah ihn entgeistert an. Erst da bemerkte sie, dass er ein Bild in der Hand hielt. Er hatte ihr das gleiche Bild schon einmal gezeigt. Eine Frau und drei Kinder am Strand.

»Zum Beispiel aus der Mordnacht?«, fragte er.

»Hab ich nie in meinem Leben gesehen«, antwortete sie mit fester Stimme.

Es begann wieder zu schneien. Große, nasse Schneeflocken, die bereits schmutzig grau waren, ehe sie sich auf den braunen Boden zwischen dem Präsidium und dem Botsen legten. Im Büro wartete eine Nachricht von Weber auf ihn. Sie bestätigte Harrys Verdacht, den Verdacht, der ihn die Mails noch einmal unter einem anderen Gesichtspunkt hatte ansehen lassen. Trotzdem kam Webers kurze, sachliche Nachricht wie ein Schock. Eine Art erwarteter Schock.

Den Rest des Tages hing Harry am Telefon, wenn er nicht zur Faxmaschine rannte. In den Pausen dazwischen dachte er nach, stapelte Stein auf Stein und versuchte, nicht daran zu denken, nach was er suchte. Aber es war zu deutlich geworden. Diese Achterbahn konnte steigen, fallen und sich drehen, so viel sie wollte, sie war dennoch wie alle anderen Achterbahnen und musste dort enden, wo sie begann.

Als Harry fertig war und das meiste klar vor ihm lag, lehnte er sich im Bürostuhl zurück. Er fühlte keinen Triumph, bloß Leere.

Rakel stellte keine Fragen, als er anrief und sagte, sie solle nicht auf ihn warten. Danach ging er die Treppe zur Kantine nach oben und hinaus auf die Terrasse, auf der ein paar Raucher standen und schlotterten. Die Lichter der Stadt blinkten bereits unter ihm in der frühen Nachmittagsdämmerung. Harry zündete sich eine Zigarette an, fuhr mit der Hand über die Brüstung und formte einen Schneeball. Er knetete ihn fester, schlug härter und härter mit den Handflächen dagegen, bis das Schmelzwasser durch seine Finger rann. Dann warf er ihn in Richtung Stadt. Er sah dem glänzenden Schneeball nach, der sich nach unten senkte, schneller und schneller, bis er mit dem grauweißen Hintergrund verschwamm.

»In meiner Klasse war einer, der Ludwig Alexander hieß«, sagte Harry laut.

Die Raucher stampften mit den Beinen auf den Boden und sahen Harry an.

»Er spielte Klavier und wurde bloß Dis genannt. Weil er einmal im Musikunterricht dumm genug gewesen war, der Lehrerin gegenüber zu erwähnen, dass Dis seine Lieblingstonart war. Wenn der erste Schnee fiel, gab es in jeder Pause Schneeballschlachten zwischen den einzelnen Klassen. Dis wollte nicht mitmachen, aber wir zwangen ihn dazu. Das war das Einzige, wobei er mitmachen durfte. Als Kanonenfutter. Er selbst warf so schwach, dass seine Schüsse immer nur schwächliche Lobs wurden. Die andere Klasse hatte Roar, einen dicken Kerl, der in Oppsal Handball spielte. Er hat die Schneebälle von Dis immer zum Spaß mit dem Kopf angenommen und Dis anschließend mit seinen Unterarmschüssen blau und grün gepfeffert. Eines Tages hat Dis einen großen Stein in seinen Schneeball gesteckt und ihn so hoch geworfen, wie er konnte. Roar sprang lachend auf und holte Schwung zum Kopfball. Es hörte sich an, wie wenn ein Stein in einem flachen Gewässer auf einen anderen Stein fällt, irgendwie hart und weich gleichzeitig. Das war das einzige Mal, dass ich den Krankenwagen in der Schule gesehen habe.«

Harry zog hart an seiner Zigarette.

»Im Lehrerzimmer haben sie lange darüber gestritten, ob Dis eine Strafe bekommen sollte. Er hatte den Schneeball ja auf niemanden geworfen, es ging also um die Frage, ob eine Person dafür bestraft werden sollte, nicht berücksichtigt zu haben, dass sich ein Idiot wie ein Idiot aufführte.«

Harry drückte die Zigarette aus und ging hinein.

Es war bereits nach halb vier. Der kalte Wind fegte über den offenen Platz zwischen dem Akerselva und der U-Bahn-Station Grønlands Torg, wo die übliche Klientel aus Schülern und Rentnern langsam durch Frauen und Männer mit Schlips und verschlossenen Gesichtern ersetzt wurde, die von ihren Büros nach Hause hasteten. Harry stieß mit einem von ihnen zusammen, als er die Treppe nach unten rannte, und bekam ein Schimpfwort nachgerufen, das an den Wänden widerhallte. Er blieb vor der Luke zwischen den Toiletten stehen. Die gleiche alte Frau vom letzten Mal saß dort.

»Ich muss noch einmal mit Simon sprechen.«

Sie sah ihn mit ruhigen, braunen Augen an.

»Er ist nicht mehr in Tøyen«, sagte Harry, »alle sind weggezogen.«

Die Frau zuckte mit den Schultern, als verstehe sie nichts.

»Sagen Sie, dass es Harry ist.«

Sie schüttelte den Kopf und gab ihm mit der Hand ein Zeichen zu verschwinden.

Harry beugte sich zum Glas vor, das sie trennte. »Sagen Sie, es ist der *Spiuni gjerman.*«

Simon nahm den Enebakkvei an Stelle des langen Egeberg-Tunnels.

»Ich mag keine Tunnel, weißt du«, erklärte er, während sie sich im dichten Nachmittagsverkehr den Berg hinaufquälten.

»Die beiden Brüder, die nach Norwegen geflohen sind und in einem Wohnwagen gemeinsam aufwuchsen, entzweiten sich also, weil sie sich in das gleiche Mädchen verliebten?«, fragte Harry.

»Maria kam aus einer gut angesehenen *lovarra*-Familie. Sie hielten sich in Schweden auf, wo ihr Vater *bulibas* war. Sie heiratete Stefan und zog mit ihm nach Oslo, als sie erst dreizehn Jahre alt war. Er war damals achtzehn. Stefan war so verliebt, dass er für sie hätte sterben können. Zu der Zeit hielt sich Raskol in Russland versteckt, weißt du. Nicht vor der Polizei, sondern vor ein paar Kosovo-Albanern in Deutschland, die meinten, er haben ihnen ein Geschäft kaputtgemacht.«

»Geschäft?«

»Sie fanden einen leeren Lastwagen auf der Autobahn bei Hamburg«, sagte Simon mit einem Grinsen.

»Aber Raskol kam zurück.«

»Eines schönen Tages im Mai war er plötzlich wieder in Tøyen. Da sahen er und Maria einander zum ersten Mal.« Simon lachte. »Mein Gott, und wie sie sich sahen. Ich musste zum Himmel schauen, um mich zu vergewissern, dass kein Gewitter im Anmarsch war, so geladen war die Luft.«

»Sie verliebten sich also ineinander?«

»Augenblicklich. Während alle dabeistanden und zusahen. Ein paar der Frauen wurde flau.«

»Aber wenn das so deutlich war, reagierten doch sicher die Verwandten?«

»Sie hielten das für nicht so gefährlich. Du musst wissen, dass wir uns früher verheiraten als ihr, weißt du. Wir können die Jugend nicht stoppen. Sie verlieben sich. Mit dreizehn, du kannst dir ja denken …«

»Das kann ich.« Harry rieb sich den Nacken.

»Aber das hier war doch eine ernste Angelegenheit, weißt du. Sie war mit Stefan verheiratet, liebte aber Raskol vom ersten Blick an. Und obgleich sie und Stefan in ihrem eigenen Wagen wohnten, sah sie Raskol beinahe ständig. Es kam, wie es kommen musste. Als Anna geboren wurde, waren es nur Stefan und Raskol, die nicht verstanden, dass Raskol der Vater war.«

»Armes Mädchen.«

»Und armer Raskol. Der einzig Glückliche war Stefan. Er rannte herum und war drei Meter groß, weißt du. Er sagte, Anna sei ebenso schön wie ihr Papa.« Simon lächelte mit traurigen Augen. »Vielleicht hätte es so weitergehen können, wenn sich nicht Stefan und Raskol für einen Banküberfall entschieden hätten.«

»Und der ging schief?«

Der Stau näherte sich dem Ryenkrysset.

»Sie waren zu dritt. Stefan war der Älteste, also ging er als Erster hinein und als Letzter hinaus. Während die zwei anderen mit dem Geld aus der Bank rannten, um den Fluchtwagen zu holen, blieb Stefan mit gezückter Pistole in der Bank, damit niemand den Alarm auslöste. Sie waren Amateure und wussten nicht einmal, dass die Bank einen lautlosen Alarm hatte. Als die beiden kamen, um Stefan zu holen, lag er auf der Kühlerhaube eines Polizeiwagens. Ein Polizist legte ihm Handschellen an. Raskol fuhr den Fluchtwagen. Er war erst siebzehn Jahre und hatte noch nicht einmal einen Führerschein. Er rollte die Scheibe herunter. Mit dreihunderttausend auf dem Rücksitz fuhr er langsam neben dem Streifenwagen, auf dem sich sein Bruder herumwand. Dann bekamen Raskol und der Polizist Augenkontakt. Mein Gott, die Luft knisterte ebenso wie bei der Begegnung von Raskol und Maria, sie starrten sich eine Ewigkeit an. Ich hatte Angst, Raskol könne losschreien. Aber er sagte kein Wort. Er fuhr einfach weiter. Das war das erste Mal, dass sie sich sahen.«

»Raskol und Jørgen Lønn?«

Simon nickte. Sie fuhren aus dem Kreisverkehr in den Ryensving. Bei einer Tankstelle bremste Simon und bog ein. Vor einem zwölfstöckigen Haus blieben sie stehen. Nebenan leuchtete das Logo der DnB von einem blauen Neonschild über der Eingangstüre.

»Stefan bekam vier Jahre, weil er mit der Pistole in die Decke geschossen hatte«, sagte Simon. »Aber nach dem Gerichtsverfahren geschieht etwas Merkwürdiges, weißt du. Raskol besucht Stefan im Botsen, und tags darauf sagt einer der Gefängniswärter, der neue Gefangene habe sich im Aussehen irgendwie verändert. Sein Chef meint, das sei nichts Ungewöhnliches bei denen, die zum ersten Mal im Gefängnis sitzen. Er erzählt von Frauen, die ihre eigenen Männer nicht wiedererkannt haben, als sie zum ersten Mal zu Besuch kamen. Der Wärter lässt sich damit beruhigen, doch einige Tage später erhält das Gefängnis einen Anruf von einer Frau. Sie sagt, dass sie den falschen Gefangenen haben, dass der kleine Bruder von Stefan Baxhet nun für ihn im Knast sitze und entlassen werden müsse.«

»Ist das wirklich wahr?«, fragte Harry, zog den Zigarettenanzünder heraus und zündete sich die Zigarette an.

»Aber sicher«, sagte Simon. »Im Süden von Europa ist es bei Zigeunern üblich, dass die jüngeren Geschwister oder Söhne für den Verurteilten büßen, wenn der eine Familie zu versorgen hat. Wie Stefan. Das ist eine Ehrensache für uns, weißt du.«

»Aber die Behörden müssen den Fehler doch bemerken?«

»Tja!« Simon breitete die Hände aus. »Für euch ist ein Zigeuner ein Zigeuner. Wenn er für etwas einsitzt, was er nicht getan hat, dann hat er sich doch bestimmt noch eines anderen Verbrechens schuldig gemacht, oder?«

»Von wem kam der Anruf?«

»Das haben sie nie herausgefunden. Aber in der gleichen Nacht verschwand Maria. Sie sahen sie nie wieder. Die Polizei fuhr Raskol mitten in der Nacht nach Tøyen, und Stefan wurde trampelnd und fluchend aus dem Wohnwagen getragen. Anna war zwei Jahre alt und lag im Bett und schrie nach ihrer Mama, doch niemand, weder Männer noch Frauen, konnte sie beruhigen. Das gelang erst, als Raskol hereinkam und sie auf den Arm nahm.«

Sie starrten auf den Eingang der Bank. Harry blickte auf die Uhr. In wenigen Minuten würde sie schließen. »Was geschah dann?«

»Als Stefan seine Strafe abgesessen hatte, verließ er sofort das Land. Ich habe manchmal mit ihm telefoniert. Er reiste viel.«

»Und Anna?«

»Sie wuchs im Wohnwagen auf, weißt du. Raskol schickte sie auf die Schule. Sie bekam *gadzo*-Freunde. *Gadzo*-Gewohnheiten. Sie wollte nicht wie wir leben, sie wollte tun, was ihre Freunde taten – über sich selbst bestimmen, eigenes Geld verdienen und eine eigene Wohnung haben. Nachdem sie die Wohnung ihrer Großmutter geerbt hatte und in die Sorgenfrigata gezogen war, hatten wir nichts mehr mit ihr zu tun. Sie ... ja. Es war ihre eigene Entscheidung, wegzugehen. Der Einzige, zu dem sie einen losen Kontakt hatte, war Raskol.«

»Glaubst du, sie wusste, dass er ihr Vater war?«

Simon zuckte mit den Schultern. »Soweit ich weiß, hat niemand je etwas gesagt, aber ich bin mir sicher, dass sie es wusste.« Sie saßen still da.

»Hier war es«, sagte Simon schließlich.

»Kurz vor Bankschluss«, sagte Harry. »Genau wie jetzt.«

»Er hätte Lønn nicht erschossen, wenn er nicht dazu gezwungen gewesen wäre«, sagte Simon. »Aber er tut, was er tun muss. Er ist ein Krieger, weißt du.«

»Keine kichernde Konkubine.«

»Was?«

»Ach nichts. Wo ist Stefan, Simon?«

»Ich weiß es nicht.«

Harry wartete. Sie sahen einen Bankangestellten die Tür von innen verriegeln. Harry wartete noch immer.

»Als ich ihn zuletzt gesprochen habe, rief er aus einer Stadt in Schweden an«, sagte Simon. »Göteborg. Weiter kann ich dir nicht helfen.«

»Ich bin es nicht, dem du hilfst.«

»Ich weiß«, Simon seufzte. »Ich weiß.«

Harry fand das weiße Haus im Vetlandsvei. Die Lichter brannten auf beiden Etagen. Er parkte, stieg aus, blieb stehen und sah in Richtung U-Bahn-Station. Dort hatten sie sich an den ersten dunklen Herbstabenden versammelt, um auf Äpfelklau zu gehen. Siggen, Tore, Kristian, Torkild, Øystein und Harry. Das war die feste Mannschaftsaufstellung. Sie waren nach Nordstrand geradelt, denn da waren die Äpfel größer und die Chancen geringer, dass jemand wusste, wer ihre Väter waren. Siggen war immer als Erster über die Zäune, und Øystein hatte Wache gehalten. Und Harry war der Größte gewesen und hatte die dicksten Äpfel erreicht. Doch an einem Abend hatten sie keine Lust gehabt, so weit zu radeln, und einen Zug durch die Nachbarschaft gemacht.

Harry sah zu dem Garten auf der anderen Seite der Straße hinüber.

Sie hatten bereits die Taschen voll gehabt, als er das Gesicht bemerkte, das sie durch das erleuchtete Fenster in der ersten Etage anstarrte. Ohne ein Wort zu sagen. Es war Dis.

Harry öffnete das Gartentor und ging zur Tür. *Jørgen und Kristin Lønn* stand auf dem Porzellanschild über den Klingelknöpfen. Harry klingelte im ersten Stock.

Beate antwortete erst, nachdem er zweimal geklingelt hatte.

Sie fragte ihn, ob er einen Tee wolle, aber er schüttelte den Kopf, und sie verschwand in der Küche, während er im Flur die Stiefel auszog.

»Warum steht der Name deines Vaters noch immer auf dem Klingelknopf?«, fragte er, als sie mit einer Tasse ins Wohnzimmer kam. »Damit Unbekannte glauben, dass ein Mann im Haus wohnt?«

Sie zuckte mit den Schultern und machte es sich in einem tiefen Sessel bequem. »Wir sind einfach nie auf die Idee gekommen, das Schild auszutauschen. Sein Name steht da wohl schon so lange, dass wir ihn gar nicht mehr bemerken.«

»Hm.« Harry presste seine Handflächen aneinander. »Genau darüber wollte ich eigentlich mit dir sprechen.«

»Über das Türschild?«

»Nein. Über Dysosmie. Über das Phänomen, keine Leichen riechen zu können.«

»Was meinst du?«

»Ich stand gestern bei mir im Flur und blickte auf die erste Mail, die ich von Annas Mörder bekommen habe. Das war genau wie mit deinem Türschild. Die Sinne registrieren es, aber nicht das Gehirn. Das ist wie bei Dysosmie. Der Ausdruck der Mail hing dort schon so lange, dass ich ihn gar nicht mehr gesehen habe, genau wie das Bild von Søs und mir. Als das Bild weg war, habe ich nur bemerkt, dass etwas verändert war, aber nicht, was. Und weißt du, warum?«

Beate schüttelte den Kopf.

»Weil nichts geschehen war, das mich veranlasst hätte, die Dinge anders zu sehen. Ich sah nur das, was ich immer gesehen habe, was ich für möglich hielt. Aber gestern ist etwas geschehen. Ali sagte mir, er habe eine unbekannte Frau vor unserer Kellertür gesehen. Leider nur von hinten. Und da ging mir auf, dass ich bis jetzt immer davon ausgegangen bin, dass es ein Mann gewesen sein muss, der Anna getötet hat. Wenn man den Fehler macht, sich vorzustellen, was man zu suchen glaubt, sieht man die Dinge nicht, die man findet. Und das hat mich die Mail mit anderen Augen sehen lassen.«

Beates Augenbrauen verzogen sich zu einem Fragezeichen. »Willst du damit sagen, dass es nicht Alf Gunnerud war, der Anna Bethsen getötet hat?«

»Weißt du, was ein Anagramm ist?«, fragte Harry.

»Ein Buchstabenspiel ...«

»Annas Mörder hat mir ein *patrin* hinterlassen. Ein Anagramm. Ich habe es im Spiegel entdeckt. Die Mail war mit einem Frauennamen unterschrieben. Spiegelverkehrt. Also schickte ich die Mails zu Aune, der einen Spezialisten für kognitive Psychologie und Sprache hinzuzog. Dem ist es schon gelungen, aus einem einzigen Satz eines anonymen Drohbriefes herauszulesen, ab Mann oder Frau, wie alt und aus welcher Gegend. In diesem Fall ist er zu dem Ergebnis gekommen, dass die Briefe von einer Person zwischen zwanzig und siebzig geschrieben sein mussten, entweder Mann oder Frau und möglicherweise aus dem ganzen Land. Mit anderen Worten, keine große Hilfe. Abgesehen davon, dass er meinte, dass es sich vermutlich um eine Frau handele. Auf Grund eines ganz bestimmten Wortes. Dort steht nämlich ›ihr Typen von der Polizei‹ statt ›ihr Polizisten‹ oder ›ihr von der Polizei‹. Er meinte, dass der Absender unbewusst diesen Ausdruck gewählt haben kann, weil der einen Unterschied zwischen dem Geschlecht des Absenders und des Empfängers macht.«

Harry lehnte sich auf dem Stuhl zurück.

Beate stellte die Tasse ab. »Ich kann nicht gerade sagen, dass ich überzeugt bin, Harry. Eine nicht identifizierte Frau im Treppenhaus, ein Code, aus dem man rückwärts einen Frauennamen bilden kann, und ein Psychologe, der der Ansicht ist, Alf Gunnerud habe sich einer eher weiblichen Ausdrucksweise bedient.«

»Hm.« Harry nickte. »Einverstanden. Aber ich wollte zuerst erzählen, was mich auf die Spur gebracht hat. Doch bevor ich dir sage, wer Anna Bethsen ermordet hat, will ich dich fragen, ob du mir helfen kannst, eine vermisste Person zu suchen?«

»Selbstverständlich. Aber warum mich? Vermisste Personen sind nicht gerade mein …«

»Doch«, sagte Harry traurig lächelnd. »Vermisste Personen sind dein Feld.«

Kapitel 43

Ramona

Harry fand Vigdis Albu unten am Strand. Sie saß, die Arme um die Knie geschlungen, auf dem gleichen Felsen, auf dem er geschlafen hatte, und starrte über den Fjord. Im Morgendunst sah die Sonne wie ein bleicher Abklatsch von sich selbst aus. Gregor lief Harry witternd entgegen. Es war Ebbe, und die Luft roch nach Tang und Öl. Harry setzte sich auf einen Stein hinter sie und fummelte sich eine Zigarette heraus.

»Haben Sie ihn gefunden?«, fragte sie, ohne sich umzudrehen. Harry fragte sich, wie lange sie auf ihn gewartet hatte.

»Es waren mehrere, die ihn gefunden haben«, sagte er. »Ich war einer davon.«

Sie strich sich eine Strähne aus der Stirn, die ihr der Wind vor die Augen geblasen hatte. »Ich auch. Aber das ist lange, lange her. Sie werden mir vielleicht nicht glauben, aber ich habe ihn einmal geliebt.«

Harry klickte mit seinem Feuerzeug. »Warum sollte ich Ihnen nicht glauben?«

»Glauben Sie, was Sie wollen. Nicht alle Menschen können wirklich lieben. Wir – und die – glauben das vielleicht, aber das stimmt nicht. Sie lernen die Mimik, die Antworten, die Vorgehensweise, das ist alles. Und manch einer davon wird so gut, dass wir uns täuschen lassen. Was mich am meisten wundert, ist nicht, dass die das schaffen, sondern dass die sich dafür so anstrengen. Warum all die Mühe, um ein Gefühl erwidert zu bekommen, das sie selbst nicht einmal kennen. Verstehen Sie das, Wachtmeister?«

Harry antwortete nicht.

»Vielleicht haben die einfach nur Angst«, sagte sie und wandte sich zu ihm. »Sich selbst im Spiegel zu sehen und zu entdecken, dass sie Krüppel sind.«

»Von wem reden Sie, Frau Albu?«

Sie drehte sich wieder zum Wasser. »Wer weiß? Anna Bethsen. Arne. Ich selbst. Das, was aus mir geworden ist.«

Gregor leckte Harrys Hand.

»Ich weiß, wie Anna Bethsen getötet wurde«, sagte Harry. Er betrachtete ihren Rücken, bemerkte aber keine Reaktion. Beim zweiten Versuch gelang es ihm, die Zigarette anzuzünden. »Gestern Nachmittag habe ich von der Kriminaltechnik das Analyseergebnis des Inhalts von einem der vier Gläser bekommen, die bei Anna Bethsen auf dem Küchenschrank standen. Auf dem Glas waren meine Fingerabdrücke. Ich hatte anscheinend Cola getrunken. Ich hätte das auch niemals zusammen mit Wein getrunken. Außerdem war das andere Weinglas unbenutzt. Das Interessanteste ist aber, dass sie in den Resten der Cola Spuren von Morphinhydrochlorid gefunden haben. Besser bekannt als Morphin. Sie kennen doch die Wirkung einer hohen Dosierung, nicht wahr, Frau Albu?«

Sie sah ihn an und schüttelte langsam den Kopf.

»Nicht?«, fragte Harry. »Kollaps und Verlust der Erinnerung an die Zeit, während der man unter der Droge steht, verbunden mit heftiger Übelkeit, wenn man wieder zu sich kommt. Man kann das, mit anderen Worten, leicht mit den Auswirkungen von zu viel Alkohol verwechseln. Genau wie Rohypnol eignet es sich deshalb gut als Vergewaltigungsdroge. Und vergewaltigt worden sind wir. Wir alle. Nicht wahr, Frau Albu?«

Eine Möwe lachte kreischend über ihnen.

»Sie schon wieder«, sagte Astrid Monsen mit kurzem, nervösem Lachen und ließ ihn in ihre Wohnung. Sie setzten sich in die Küche. Sie schwirrte herum, kochte Tee und stellte einen Kuchen auf den Tisch, den sie bei Bäcker Hansen für den Fall gekauft hatte, dass sie Besuch bekam. Harry murmelte Belanglosigkeiten über den gestrigen Schnee und dass sich die Welt doch nicht so geändert hatte, obwohl alle geglaubt hatten, dass sie wie diese Hochhäuser im Fernsehen kollabieren würde. Erst als sie den Tee eingegossen und sich gesetzt hatte, fragte er, was sie von Anna gehalten habe. Sie blieb mit offenem Mund sitzen.

»Sie haben sie gehasst, nicht wahr?«

In der Stille, die folgte, war aus einem anderen Raum ein kleines, elektronisches Pling zu hören.

»Nein, ich habe sie nicht gehasst.« Astrid umklammerte eine gewaltige Tasse mit grünem Tee. »Sie war einfach ... anders.«

»Wie anders?«

»Das Leben, das sie lebte. Ihre Art. Es gelang ihr, so zu sein ... wie sie sein wollte.«

»Und das hat Ihnen nicht gefallen?«

»Ich ... ich weiß nicht. Nein, vermutlich nicht.«

»Warum nicht?«

Astrid Monsen sah ihn an. Lange. Ein Lächeln flatterte wie ein Schmetterling immer wieder durch ihren Blick.

»Es ist nicht so, wie Sie glauben«, sagte sie. »Ich habe Anna beneidet. Ich habe sie bewundert. Es gab Tage, da wünschte ich mir, sie zu sein. Sie war das Gegenteil von mir. Ich hocke hier drinnen, während sie ...«

Ihr Blick huschte aus dem Fenster. »Sie hatte kaum etwas an und trat einfach hinaus ins Leben, das war Anna. Männer kamen und gingen. Sie wusste, dass sie sie nicht bekommen konnte, liebte sie aber trotzdem. Sie konnte nicht malen, stellte ihre Bilder aber trotzdem aus, auf dass alle Welt sie sehen konnte. Sie sprach mit allen so, als habe sie Grund zur Annahme, dass alle sie mochten. Auch mit mir. Es gab Tage, da hatte ich das Gefühl, Anna habe mir mein eigentliches Ich gestohlen. So als ob es nicht Platz für uns beide gab und ich warten musste, bis ich an der Reihe war.« Sie lachte wieder ihr nervöses Lachen. »Aber dann starb sie. Und da habe ich bemerkt, dass es nicht so war. Ich kann nicht sie sein. Jetzt kann niemand mehr sie sein. Ist das nicht traurig?« Sie richtete ihren Blick auf Harry. »Nein, ich habe sie nicht gehasst. Ich habe sie geliebt.«

Harry spürte es im Nacken kribbeln. »Können Sie mir erzählen, was an dem Abend geschehen ist, an dem Sie mich hier draußen auf der Treppe gefunden haben?«

Das Lächeln kam und ging wie das Licht in einer defekten Neonröhre. Als ob eine glückliche Person ab und zu auftauchte und durch ihre Augen schaute. Harry musste unwillkürlich an einen Damm denken, der kurz davor war, zu brechen.

»Sie waren hässlich«, flüsterte sie. »Aber irgendwie auch schön.«

Harry zog die Augenbrauen hoch. »Hm. Als Sie mir aufgeholfen haben, hab ich da nach Alkohol gerochen?«

Sie sah überrascht aus, als wäre ihr dieser Gedanke zuvor noch nie gekommen. »Nein, eigentlich nicht. Sie haben nach … gar nichts gerochen.«

»Nach nichts?«

Sie wurde krebsrot. »Nichts Spezielles.«

»Habe ich auf der Treppe etwas verloren?«

»An was denken Sie?«

»Ein Handy. Schlüssel.«

»Was für Schlüssel?«

»Das frage ich Sie.«

Sie schüttelte den Kopf. »Kein Handy. Und die Schlüssel habe ich wieder in Ihre Tasche gesteckt. Warum fragen Sie danach?«

»Weil ich weiß, wer Anna Bethsen getötet hat. Ich will nur ganz sichergehen.«

Kapitel 44

Patrin

Am nächsten Tag war der zwei Tage alte Schnee fort. In der Morgensitzung des Raubdezernates sagte Ivarsson, dass sie wohl auf einen neuen Bankraub hoffen mussten, wenn sie im Falle des Exekutors weiterkommen wollten. Beates Vermutung hingegen, er werde in immer kürzeren Abständen zuschlagen, habe sich leider als falsch erwiesen. Zur Überraschung aller schien Beate diese indirekte Kritik nicht nahezugehen, sie zuckte bloß mit den Schultern und sagte, es sei bloß eine Frage der Zeit, bis der Exekutor die Kontrolle verlöre.

Am gleichen Abend rollte ein Streifenwagen auf den Parkplatz vor dem Munch-Museum und blieb stehen. Vier Männer stiegen aus, zwei uniformierte Polizeibeamte und zwei Zivilpersonen, die sich aus der Ferne betrachtet an den Händen zu halten schienen.

»Sorry für die Sicherheitsmaßnahmen«, sagte Harry und deutete auf die Handschellen. »Aber nur so habe ich die Genehmigung dafür gekriegt.«

Raskol zuckte mit den Schultern. »Ich glaube, es quält Sie mehr als mich, dass wir so nah aneinandergekettet sind, Harry.«

Die Gruppe ging über den Parkplatz zum Fußballplatz und den Wohnwagen. Harry gab den Beamten ein Zeichen, draußen zu warten, ehe er und Raskol in den kleinen Wohnwagen kletterten.

Simon wartete drinnen. Er hatte eine Flasche Calvados und drei kleine Gläser bereitgestellt. Harry schüttelte den Kopf, öffnete die Handschellen und schob sich auf die Eckbank.

»Merkwürdig, wieder zurück zu sein?«, fragte Harry.

Raskol antwortete nicht, und Harry wartete darauf, dass Raskols schwarze Augen den Wohnwagen scannten. Harry sah, dass der Blick des Zigeuners auf dem Bild der zwei Brüder über dem Bett hängen blieb, und glaubte zu erkennen, dass sich der weiche Mund ein klein wenig verzog.

»Ich habe versprochen, dass wir vor zwölf wieder zurück im Botsen sind, wir sollten also zur Sache kommen«, sagte Harry. »Es war nicht Alf Gunnerud, der Anna getötet hat.«

Simon sah zu Raskol, der Harry anstarrte.

»Und es war auch nicht Arne Albu.«

In der Pause, die folgte, schien das Rauschen der Autos auf dem Finnmarksvei lauter zu werden. Vermisste Raskol dieses Rauschen, wenn er sich in seiner Zelle schlafen legte? Vermisste er die Stimme aus dem anderen Bett, den Geruch, den gleichmäßigen Atem seines Bruders im Dunkel? Harry wandte sich an Simon. »Kannst du uns allein lassen?«

Simon blickte zu Raskol, der kurz nickte. Er schloss die Tür hinter sich. Harry faltete die Hände und hob den Blick. Raskols Augen glänzten, als habe er Fieber.

»Sie wissen es schon seit einer Weile, nicht wahr?«, sagte Harry leise.

Raskol presste die Handflächen gegeneinander, anscheinend ein Zeichen für Ruhe, aber die weißen Fingerkuppen bewiesen etwas anderes.

»Vielleicht hat Anna Sun Tzu gelesen«, sagte Harry. »Vielleicht wusste sie, dass es das erste Prinzip eines jeden Krieges ist, zu betrügen. Trotzdem gab sie mir die Lösung, es ist mir nur nicht gelungen, den Code zu knacken. Ce, Kreuz, Em und En. Sie hat mir sogar den Tipp gegeben, dass die Netzhaut die

Sachen seitenverkehrt darstellt, so dass man sie nur im Spiegel richtig sieht.«

Raskol hatte die Augen geschlossen. Er sah aus, als spreche er ein Gebet. »Sie hatte eine Mutter, die schön und verrückt war«, flüsterte er. »Anna hat beides geerbt.«

»Sie haben das Anagramm längst gelöst, das weiß ich«, sagte Harry. »Ihre Unterschrift war ein C mit einem Kreuz, das Zeichen für den Ton Cis. Dann ein M und ein N. Liest man die Unterschrift so, wird daraus Cis-Em-En. Schreiben Sie es auf und sehen Sie es sich im Spiegel an. Ne-me-sic. Nemesis. Die weibliche Rächerin. Sie hat es mir ins Gesicht gesagt. Das war ihr Meisterwerk. Für das sie in Erinnerung bleiben würde.«

Harry sagte das ohne jeden Triumph in der Stimme. Er stellte es einfach fest. Und es schien, als schließe der kleine Wohnwagen sie noch enger ein.

»Erzählen Sie mir den Rest«, flüsterte Raskol.

»Sie können es sich doch denken.«

»Erzählen Sie!«, fauchte er.

Harry blickte zu dem kleinen, runden Fenster über dem Tisch, das bereits beschlagen war. Ein Bullauge. Ein Raumschiff. Plötzlich dachte er, er würde, wenn er die Feuchtigkeit vom Fenster wischte, entdecken, dass sie sich im Weltraum befanden, zwei einsame Astronauten im Pferdekopfnebel an Bord eines fliegenden Wohnwagens. Das wäre alles auch nicht fantastischer als das, was er jetzt erzählen sollte.

Kapitel 45

Die Kunst des Krieges

Raskol richtete sich auf, und Harry begann:

»Im Sommer bekam mein Nachbar, Ali Niazi, einen Brief von einer Person, die meinte, seit einigen Jahren die Mietnebenkosten zu schulden. Ali konnte den Namen in der Bewohnerliste nicht finden und schrieb ihm in einem Brief, dass er die Sache vergessen könne. Sein Name war Eriksen. Gestern habe ich Ali angerufen und ihn gebeten, den Brief noch einmal herauszusuchen. Es zeigte sich, dass der Absender in der Sorgenfrigate 17 wohnte. Astrid erzählte mir, dass auf Annas Briefkasten im Sommer während ein paar Tagen ein zweites Namensschild aufgeklebt war. Eriksen. Was wollte sie mit dem Brief? Ich rief beim Schlüsseldienst *Låsesmeden AS* an. Dort gab es tatsächlich eine Schlüsselbestellung für meine Wohnung. Man hat mir die entsprechenden Papiere gefaxt. Das Erste, was ich bemerkte, war, dass die Bestellung eine Woche vor Annas Tod aufgegeben worden war. Der Auftrag war von Ali unterschrieben, dem Hausverwalter und Schlüsselverantwortlichen für den ganzen Block. Die Fälschung der Unterschrift auf dem Formular war nicht gerade gut. Als sei sie von einem mittelmäßigen Maler irgendwo abgemalt worden, zum Beispiel von dem Brief, den sie bekommen hatte. Doch für den Schlüsseldienst reichte sie, denn der bestellte prompt einen Schlüssel für Harry Hole bei Trioving. Harry Hole musste ja ohnedies persönlich kommen, sich ausweisen und den Erhalt des Schlüssels quittieren. Und das tat er. In dem Glauben, dass er für den Erhalt eines Reserveschlüssels für Annas Wohnung quittierte. Zum Totlachen, nicht wahr?«

Raskol schien nicht nach Lachen zumute zu sein.

»Zwischen diesem Treffen und dem Essen am nächsten Tag bereitete sie alles vor. Sie bestellte ein Abonnement für Harrys Handynummer bei einem Server in Ägypten und programmierte die Mails mit Ausgabedatum und -uhrzeit in ihrem Laptop. Tagsüber ging sie in meinen Keller und fand heraus, welcher Verschlag der meine war. Mit dem gleichen Schlüssel ging sie in meine Wohnung, um etwas, das schnell einen Bezug zu mir herstellte, in Alf Gunneruds Wohnung zu platzieren. Sie wählte das Bild von Søs und mir. Der nächste Programmpunkt war ein Besuch bei ihrem ehemaligen Lover und Dealer. Vermutlich war Alf Gunnerud reichlich überrascht, sie wiederzusehen. Was wollte sie? Vielleicht eine Pistole leihen oder kaufen? Weil sie wusste, dass er eine der Waffen hatte, von denen gerade jetzt so viele in Oslo in Umlauf sind – die mit den abgeschliffenen Fabrikationsnummern? Er holte ihr die Pistole, eine Beretta M92F, während sie aufs Klo ging. Vielleicht kam ihm ja in den Sinn, dass sie seltsam lange dort blieb. Und als sie wieder zurück war, hatte sie es plötzlich eilig und musste gehen. So könnte es jedenfalls abgelaufen sein.«

Raskol biss die Kiefer so hart zusammen, dass seine Lippen schmal wurden. Harry lehnte sich nach hinten. »Als Nächstes ging es darum, in Albus Hütte zu kommen und den Reserveschlüssel für ihre Wohnung dort in die Nachttischschublade zu schmuggeln. Auch das war kein Problem, denn sie wusste ja, dass der Hüttenschlüssel in der Lampe war. Während sie dort war, riss sie auch das Bild von Vigdis und den Kindern aus dem Fotoalbum und nahm es mit. Und damit war alles klar. Jetzt hieß es nur noch warten. Darauf, dass Harry zum

Essen kam. Auf der Speisekarte stand Tom Yam mit Japone-Chili und Cola mit Morphinhydrochlorid. Die letzte Zutat ist besonders populär als Vergewaltigungsdroge. Sie ist flüssig, hat keinen wirklichen Eigengeschmack, und die Dosierung ist einfach bei absolut voraussagbarer Wirkung. Das Opfer wird mit einem Blackout aufwachen, als dessen Ursache es Alkohol vermuten wird, da alles an einen heftigen Kater erinnert. Und eigentlich kann man ja auch sagen, dass ich vergewaltigt worden bin. Ich war so benebelt, dass sie keine Probleme hatte, mir das Handy aus der Jacke zu nehmen, ehe sie mich durch die Tür schob. Nachdem ich gegangen war, folgte sie mir, schloss sich in meinem Kellerverschlag ein und koppelte das Handy an den Laptop. Als sie zurückkam, schlich sie sich die Treppe nach oben. Astrid Monsen hörte sie, glaubte aber, dass es Frau Gundersen aus dem dritten Stock war. Und dann bereitete Anna sich auf ihren letzten Auftritt vor, ehe sie den Rest der Handlung sich selbst überließ. Sie wusste natürlich, dass ich mich für die Sache interessieren würde, dienstlich oder privat, weshalb sie mir ein *patrin* gab. Sie nahm die Pistole in die rechte Hand, obgleich sie Linkshänderin war. Und sie steckte das Bild in ihren Schuh.«

Raskols Lippen bewegten sich, doch es kam kein Laut über sie.

Harry fuhr sich mit der Hand über das Gesicht. »Ihr letzter Handstreich, um das Meisterwerk zu vollenden, war, den Abzug zu drücken.«

»Aber warum?«, wisperte Raskol.

Harry zuckte mit den Schultern. »Anna war eine extreme Person. Sie wollte sich an den Menschen rächen, die ihr genommen hatten, wofür sie lebte. Die Liebe. Die Schuldigen waren Albu, Gunnerud und ich. Und eure Familie. Kurz gesagt: Der Hass hat gewonnen.«

»Bullshit«, sagte Raskol.

Harry drehte sich um und nahm das Bild von Raskol und Stefan von der Wand und legte es zwischen sie auf den Tisch.

»Hat der Hass in Ihrer Familie nicht immer die Oberhand behalten?«

Raskol legte den Kopf in den Nacken und leerte sein Glas. Dann lächelte er breit.

An die nächsten Sekunden erinnerte sich Harry im Nachhinein wie an ein Video im schnellen Vorlauf. Als es vorbei war, lag er auf dem Boden, Raskols Klammergriff im Nacken, Alkohol in den Augen, den Geruch von Calvados in der Nase und mit den Scherben der zerbrochenen Flasche am Hals.

»Es gibt nur eine Sache, die gefährlicher ist als hoher Blutdruck, *Spiuni*«, flüsterte Raskol. »Zu niedriger. Also bleib ganz still liegen.«

Harry schluckte und versuchte zu reden, doch Raskol drückte fester zu, so dass es nur ein Stöhnen wurde.

»Sun Tzu ist ganz eindeutig, was Hass und Liebe angeht, *Spiuni*. Beide, Hass und Liebe gewinnen im Krieg, sie sind unzertrennlich wie siamesische Zwillinge. Was verliert, sind Wut und Mitleid.«

»Dann sind wir beide im Begriff zu verlieren«, stöhnte Harry.

Raskol straffte wieder seinen Griff. »Meine Anna hätte sich niemals für den Tod entschieden.« Seine Stimme zitterte. »Sie hat das Leben geliebt.«

Harry konnte seine Worte nur noch fauchen. »Wie – Sie – die – Freiheit – lieben?«

Raskol lockerte seine Umklammerung wieder ein wenig, so dass Harry pfeifend Luft in seine schmerzende Lunge ziehen konnte. Sein Herz hämmerte in seinem Kopf, doch das Rauschen der Autos draußen kam wieder.

»Sie haben eine Entscheidung getroffen«, zischte Harry, »Sie haben sich entschlossen zu büßen. Unverständlich für andere, aber das war Ihre Entscheidung. Das Gleiche hat Anna getan.«

Raskol presste die Flasche gegen Harrys Hals, als dieser sich zu bewegen versuchte. »Ich hatte meine Gründe.«

»Ich weiß«, sagte Harry. »Büßen ist ein Instinkt, mindestens ebenso stark wie die Rachelust.«

Raskol antwortete nicht.

»Wussten Sie, dass Beate Lønn auch eine Entscheidung gefällt hat? Sie hat verstanden, dass ihr nichts ihren Vater zurückbringen kann. Sie ist nicht mehr voller Wut. Sie bat mich, Sie zu grüßen und Ihnen zu sagen, dass sie Ihnen vergibt.« Eine Glasscherbe kratzte an Harrys Haut. Es hörte sich wie die Spitze eines Stiftes auf rauem Papier an. Mit dem zögernd die letzten Worte geschrieben wurden, bis nur noch der Punkt fehlte. Harry schluckte. »Jetzt sind Sie dran, zu entscheiden, Raskol.«

»Was zu entscheiden, *Spiuni*? Ob ich Sie leben lasse?«

Harry atmete rasch, während er versuchte, nicht in Panik zu verfallen. »Ob Sie Beate Lønn die Freiheit geben. Ob Sie ihr erzählen, was an dem Tag geschehen ist, an dem Sie ihren Vater erschossen haben. Und ob Sie sich selbst befreien wollen.«

»Mich selbst?« Raskol lachte sein weiches Lachen.

»Ich habe ihn gefunden«, sagte Harry. »Das heißt, Beate Lønn hat ihn gefunden.«

»Wen gefunden?«

»Er wohnt in Göteborg.«

Raskols Lachen brach abrupt ab.

»Er wohnt dort seit neunzehn Jahren«, fuhr Harry fort. »Seit er erfahren hat, wer wirklich Annas Vater ist.«

»Sie lügen«, rief Raskol und hob die Hand mit der Flasche über den Kopf. Harry spürte seinen Mund trocken werden und schloss die Augen. Als er sie wieder öffnete, hatte Raskol einen glasigen Blick bekommen. Sie atmeten im Takt, und ihre Brustkörbe hoben und senkten sich gegeneinander.

Raskol flüsterte. »Und … Maria?«

Harry musste zweimal ansetzen, ehe ihm seine Stimmbänder gehorchten. »Niemand hat von ihr gehört. Stefan ist einmal erzählt worden, sie sei vor vielen Jahren bei fahrendem Volk in der Normandie gesehen worden.«

»Stefan? Haben Sie mit ihm gesprochen?«

Harry nickte.

»Und warum wollte er mit einem *spiuni* wie Ihnen sprechen?«

Harry versuchte mit den Schultern zu zucken, doch sie steckten fest. »Sie können ihn ja selbst fragen ...«

»Fragen ...« Raskol starrte Harry entgeistert an.

»Simon hat ihn heute geholt. Er sitzt im Wagen nebenan. Er hat ein paar Probleme mit der Polizei, aber die Beamten haben Order, ihn in Ruhe zu lassen. Er will mit Ihnen sprechen. Der Rest ist Ihre Entscheidung.«

Harry schob seine Hand zwischen seinen Hals und die Glasscherben. Raskol machte keine Anstalten, ihn zu hindern, als sich Harry erhob, sondern fragte bloß: »Warum haben Sie das gemacht, *Spiuni*?«

Harry zuckte mit den Schultern. »Sie haben bei den Richtern in Moskau dafür gesorgt, dass Rakel Oleg behalten durfte. Ich gebe Ihnen die Chance, den Einzigen der Ihren, den es noch gibt, zu behalten.« Er nahm die Handschellen aus seiner Jackentasche und legte sie auf den Tisch. »Egal, wie Sie sich entscheiden, bin ich der Meinung, dass wir jetzt quitt sind.«

»Quitt?«

»Sie haben dafür gesorgt, dass die Meinen zurückgekommen sind. Ich für die Ihren.«

»Ich höre, was Sie sagen, Harry. Aber was bedeutet das?«

»Das bedeutet, dass ich alles sagen werde, was ich über den Mord an Arne Albu weiß. Und dass wir uns mit all unserer Kraft dafür einsetzen werden, Sie zu überführen.«

Raskol zog die Augenbrauen hoch. »Es wäre leichter für Sie, die Sache einfach ruhen zu lassen, *Spiuni*. Sie wissen, dass Sie mir nichts nachweisen können, warum wollen Sie es also versuchen?«

»Weil wir Polizisten sind«, sagte Harry, »und keine kichernden Konkubinen.«

Raskol sah ihn lange an. Dann nickte er kurz.

In der Tür drehte Harry sich noch einmal um. Der dünne Mann saß gebeugt über dem kleinen Kunststofftisch, und die Schatten verbargen sein Gesicht.

»Ihr habt Zeit bis Mitternacht, Raskol. Dann nehmen die Beamten Sie wieder mit.«

Eine Krankenwagensirene schnitt sich durch das Rauschen der Finnmarksgata, hob und senkte sich, als versuchte sie, den richtigen Ton zu finden.

Kapitel 46

Medea

Harry schob vorsichtig die Schlafzimmertür auf. Ihm war, als rieche er noch immer ihr Parfüm, doch der Duft war so schwach, dass er sich nicht sicher war, ob er aus dem Raum oder aus seiner Erinnerung kam. Das große Bett thronte wie eine römische Galeere inmitten des Raumes. Er setzte sich auf die Matratze, legte seine Finger auf das kalte, weiße Bettzeug, schloss die Augen und spürte es unter sich wogen. Lange, langsame Wellen. War es hier gewesen, wo Anna an jenem Abend auf ihn gewartet hatte – so wie auch er nun wartete? Es schrillte wütend. Harry sah auf die Uhr. Exakt sieben. Es war Beate. Aune klingelte ein paar Minuten später und kämpfte sich mit rotem Doppelkinn die Treppe nach oben. Kurzatmig grüßte er Beate, ehe sie alle drei ins Zimmer gingen.

»Und du kannst in diesen Porträts erkennen, wer das sein soll?«, fragte Aune.

»Arne Albu«, sagte Beate und deutete auf das Bild links. »Harry in der Mitte und Alf Gunnerud rechts.«

»Beeindruckend«, sagte Aune.

»Tja«, meinte Beate. »Eine Ameise kann sogar im Bau Millionen anderer Ameisengesichter unterscheiden. In Relation zu ihrem Körpergewicht ist ihr Gyrus fusiforme bedeutend größer als meiner.«

»Ich befürchte, bei mir ist das Ding unterentwickelt«, sagte Aune. »Erkennst du etwas, Harry?«

»Ich sehe auf jeden Fall etwas mehr als beim ersten Mal, als Anna mir die Bilder zeigte. Jetzt weiß ich, dass es drei sind, die von der da verurteilt worden sind.« Harry nickte zu der Frauenfigur, die die drei Lampen hielt. »Nemesis, die Göttin der Rache und Gerechtigkeit.«

»Die die Römer den Griechen geklaut haben«, sagte Aune. »Sie behielten die Waage, tauschten die Peitsche mit einem Schwert aus, verbanden ihr die Augen und nannten sie Justitia.« Er trat zur Lampe. »Seit man gut sechshundert Jahre vor Christus erkannte, dass das System der Blutrache nicht funktionierte, seit man dem einzelnen Menschen die Rache nahm und zu einem öffentlichen Anliegen machte, ist diese Frau das Symbol für den modernen Rechtsstaat.« Er fuhr mit der Hand über die kalte Bronzestatue. »Die blinde Gerechtigkeit. Die kalte Rache. Unsere Zivilisation ruht in ihren Händen. Ist sie nicht schön?«

»Wie ein elektrischer Stuhl«, sagte Harry. »Annas Rache war nicht gerade kalt.«

»Sie war kalt und heiß«, sagte Aune. »Gleichermaßen durchdacht wie leidenschaftlich. Sie muss ein sehr emotionaler Mensch gewesen sein. Offenbar mit einem seelischen Schaden, aber den haben wir wohl alle, die Frage ist nur, wie groß er ist.«

»Und was für ein seelisches Leiden hatte Anna?«

»Ich habe sie ja nie getroffen, ich kann nur raten.«

»Dann rate«, seufzte Harry.

»Da wir uns im Bereich der antiken Götter bewegen, gehe ich mal davon aus, dass ihr schon einmal von Narcissos gehört habt, dem griechischen Gott, der sich so unsterblich in sein eigenes Spiegelbild verliebt hatte, dass er sich nicht mehr davon losreißen konnte? Freud prägte den Begriff Narzissmus in der Psychologie und beschrieb damit Personen mit einem übertriebenen Gefühl, einzigartig zu sein, Personen, die von dem

Traum besessen sind, grenzenlosen Erfolg zu haben. Der Wunsch nach Rache an allen, die sie gekränkt haben, überlagert bei Narzissten oft alle anderen Gefühle. Man nennt das narzisstische Wut. Der amerikanische Psychoanalytiker Heinz Kohut hat beschrieben, wie eine solche Person jede noch so kleine Kränkung mit allen Mitteln zu rächen versuchen wird. Zum Beispiel könnte eine für uns alltägliche Abweisung zur Folge haben, dass eine solche Person wie im Zwang und ohne sich selbst Ruhe zu gönnen daran arbeiten wird, das Gleichgewicht wiederherzustellen, unter Umständen bis zum Tod.«

»Dem Tod von wem?«, fragte Harry.

»Von allen.«

»Das ist doch geisteskrank«, platzte Beate hervor.

»Davon rede ich ja«, bestätigte Aune trocken.

Sie gingen ins Esszimmer. Aune saß auf einem der alten, eckigen Stühle an dem langen, schmalen Eichentisch Probe. »Heute baut man die nicht mehr so.«

Beate stöhnte. »Aber dass sie sich das Leben nahm, bloß um sich ... zu rächen? Es müsste doch andere Wege geben.«

»Natürlich«, sagte Aune. »Aber Selbstmord ist oft in sich bereits eine Form von Rache. Man flößt allen, die einen vermeintlich betrogen haben, Schuldgefühle ein. Anna ist bloß noch einen Schritt weiter gegangen. Außerdem haben wir guten Grund zur Annahme, dass sie wirklich nicht mehr leben wollte. Sie war einsam, von ihrer Familie verstoßen und vom Liebesleben ausgeschlossen. Ihre Karriere als Künstlerin war missglückt, und sie war zeitweise drogenabhängig, ohne dass das etwas bei ihr ausgelöst hätte. Sie war mit anderen Worten ein zutiefst enttäuschter, unglücklicher Mensch, der mit kalter Berechnung den Selbstmord wählte. Und die Rache.«

»Ohne moralische Bedenken?«, fragte Harry.

»Die Moral ist dabei natürlich interessant.« Aune verschränkte die Arme. »Unsere Gesellschaft verpflichtet uns schließlich zu leben und verdammt damit den Selbstmord. Aber mit ihrer offensichtlichen Bewunderung für die Antike hat sich Anna möglicherweise auf die griechischen Philosophen gestützt, die der Meinung waren, dass die Menschen selbst entscheiden sollten, wann sie sterben. Auch Nietzsche war der Ansicht, dass der Einzelne das volle moralische Recht habe, seinem Leben ein Ende zu setzen. Er verwendete sogar das Wort ›Freitod‹ oder ›freiwilliger Tod‹.« Aune hob den Zeigefinger. »Aber sie stand auch noch vor einem anderen moralischen Dilemma. Der Rache. Die christliche Ethik, zu der sie sich schließlich bekannte, verbietet ja die Rache. Dabei ist es natürlich ein Paradoxon, dass sich die Christen zu einem Gott bekennen, der der größte Rächer von allen ist. Widersetzt du dich ihm, wirst du für immer in der Hölle schmoren, eine Rache jenseits aller Dimensionen, fast ein Fall für Amnesty International, wenn du mich fragst. Und wenn …«

»Vielleicht hasste sie einfach nur?«

Aune und Harry drehten sich zu Beate um. Sie sah erschreckt zu ihnen auf, als seien ihr die Worte einfach so über die Lippen gerutscht.

»Moral«, flüsterte sie. »Lebenslust. Liebe. Und trotzdem, der Hass ist das Stärkste.«

Kapitel 47

Meeresleuchten

Harry stand am offenen Fenster und lauschte der entfernten Krankenwagensirene, die langsam im Lärm des Stadtkessels unterging. Das Haus, das Rakel von ihrem Vater geerbt hatte, lag hoch über all dem, was dort unten in dem Gewimmel vor sich ging, das Harry durch die hohen Kiefern im Garten nur schwach erahnen konnte. Er mochte es, hier zu stehen und hinabzublicken. Auf die Bäume. Daran zu denken, wie lange sie schon dort standen, und zu spüren, wie ihn dieser Gedanke zur Ruhe kommen ließ. Und die Lichter der Stadt, die ihn an Meeresleuchten erinnerten. Er hatte das nur einmal gesehen, eines Nachts, als ihn Großvater mit dem Ruderboot mit aufs Meer genommen hatte, um am Svartholm nach Krebsen zu leuchten. Es war nur diese eine Nacht gewesen. Doch nie würde er sie vergessen. Das war eine dieser Sachen, die mit jedem Jahr, das verging, klarer und deutlicher wurden. Das war nicht bei allem so. Wie viele Nächte hatte er mit Anna verbracht, wie oft hatten sie in diesem Bett des dänischen Kapitäns die Leinen gelöst und sich treiben lassen? Er erinnerte sich nicht. Und bald würde auch der Rest vergessen sein. Traurig? Ja. Traurig und notwendig.

Trotzdem gab es zwei Augenblicke, die Annas Handschrift trugen, die er nie würde vergessen können. Zwei fast identische Bilder: ihre dichten Haare, die wie ein Fächer auf dem Kopfkissen lagen, die weit aufgerissenen Augen und eine Hand, die sich in die weißen Laken verkrallt hatte. Der Unterschied lag in der anderen Hand. In dem einen Bild waren ihre Finger mit den seinen verflochten, auf dem anderen umklammerten sie den Griff einer Pistole.

»Willst du das Fenster nicht zumachen?«, fragte Rakel hinter ihm. Sie saß mit einem Glas Rotwein in der Hand auf dem Sofa und hatte die Beine unter sich gezogen. Oleg war zufrieden ins Bett gegangen, nachdem er Harry abermals beim Tetris besiegt hatte, und Harry fürchtete, dass damit eine Ära unwiederbringlich vorüber war.

Die Nachrichten hatten nichts wirklich Neues zu berichten. Nur alte Refrains: ein Kreuzzug gen Osten, Vergeltung gen Westen. Sie hatten den Fernseher ausgemacht und stattdessen die Platte der Stone Roses aufgelegt, die Harry zu seiner Überraschung – und Freude – in ihrer Plattensammlung gefunden hatte. Jugendzeit. Das war eine Zeit gewesen, in der ihn niemand in bessere Laune hatte versetzen können als arrogante, englische Drecksblagen mit Gitarren und Attitüde. Jetzt gefielen ihm die Kings of Convenience, weil sie vorsichtig sangen und sich nur eine Spur weniger dicht anhörten als Donovan. Und Stone Roses in geringer Lautstärke. Traurig, aber wahr. Und vielleicht notwendig. Alles dreht sich irgendwie im Kreis. Er schloss das Fenster und versprach sich selbst, Oleg mit aufs Meer zu nehmen und nach Krebsen zu leuchten, sobald sich dazu die Gelegenheit bot.

»*Down, down, down*«, murmelten die Stone Roses durch die Lautsprecher. Rakel beugte sich vor und trank einen Schluck Wein. »Das ist eine beinahe urzeitliche Geschichte«, flüsterte sie. »Zwei Brüder, die die gleiche Frau lieben, das ist fast schon das Rezept für eine Tragödie.«

Sie wurden still, flochten die Finger ineinander und lauschten auf den Atem des anderen.

»Hast du sie geliebt?«, fragte sie.

Harry dachte lange nach, ehe er antwortete: »Ich weiß es nicht mehr. Das war eine Zeit in meinem Leben, die sehr … im Nebel liegt.«

Sie streichelte ihm über die Wange. »Weißt du, was mir immer so komisch vorkommt, wenn ich daran denke? Diese Frau, die ich ja nie kennengelernt oder gesehen habe, ist in deine Wohnung gegangen und darin herumgelaufen. Sie muss das Bild von uns dreien am Frognerseteren gesehen haben, das an deinem Spiegel hängt, und gewusst haben, dass sie das alles kaputtmachen wird. Und trotzdem habt ihr zwei euch vielleicht geliebt.«

»Hm. Sie hatte alle Details geplant, bevor sie von Oleg und dir wusste. Alis Unterschrift hatte sie sich bereits im letzten Sommer besorgt.«

»Und überleg doch mal, wie sie sich als Linkshänderin an dieser Unterschrift abgemüht haben muss.«

»Daran habe ich gar nicht gedacht.« Er drehte seinen Kopf auf ihrem Schoß und sah sie an. »Sollen wir nicht über etwas anderes reden? Was meinst du, soll ich meinen Vater anrufen und fragen, ob wir im Sommer in das Haus in Åndalsnes gehen können? In der Regel ist da Scheißwetter, aber es hat ein Bootshaus und da liegt auch noch das Ruderboot von meinem Großvater.«

Rakel lachte. Harry schloss die Augen. Er liebte dieses Lachen. Es war möglich, dass er, wenn er jetzt keinen Fehler machte, dieses Lachen lange, vielleicht sehr lange würde hören können.

Harry schrak aus dem Schlaf auf. Richtete sich im Bett auf und rang nach Atem. Er hatte geträumt, doch er wusste nicht mehr, was. Sein Herz klopfte wie eine Pauke. Hatte man ihn wieder in diesem Pool in Bangkok unter Wasser gedrückt? Oder hatte er wieder vor dem Attentäter in der Suite des SAS-Hotels gestanden? Sein Kopf schmerzte.

»Was ist los?«, murmelte Rakel schläfrig.

»Nichts«, flüsterte Harry. »Schlaf nur.«

Er stand auf, ging ins Bad und trank einen Schluck Wasser. Das müde Gesicht im Spiegel blinzelte ihn leichenblass an. Draußen war es windig. Die Zweige der großen Eiche im Garten kratzten an der Hauswand. Stachen ihm in die Schulter. Kitzelten ihn im Nacken, so dass sich dort seine Haare aufstellten. Harry füllte sich das Glas noch einmal und trank langsam. Jetzt erinnerte er sich. Was er geträumt hatte. Ein Junge, der auf dem Dach der Schule gesessen und mit den Beinen geschlenkert hatte. Der die Stunde geschwänzt hatte. Der seinen kleinen Bruder die Aufsätze schreiben ließ und der der neuen Freundin seines Bruders all die Plätze gezeigt hatte, an denen sie als Kinder gespielt hatten. Harry hatte das Rezept einer Tragödie geträumt.

Als er wieder unter die Decke kroch, schlief Rakel. Er heftete seinen Blick an die Decke und wartete auf die Dämmerung.

Die Uhr auf dem Nachttischchen zeigte 4.03 Uhr, als er es nicht mehr aushielt, aufstand, die Auskunft anrief und die Nummer von Jean Hue verlangte.

Kapitel 48

Heinrich Schirmer

Beate erwachte, als es zum dritten Mal klingelte.

Sie drehte sich auf die Seite und blickte auf die Uhr. Viertel nach fünf. Sie blieb liegen und fragte sich, was wohl am schlausten war – aufzustehen und ihn zum Teufel zu wünschen oder so zu tun, als ob sie nicht zu Hause wäre. Es klingelte wieder, und dieses Mal in einer Art und Weise, die ihr klar zu verstehen gab, dass er nicht vorhatte, klein beizugeben.

Sie seufzte, stand auf und warf sich den Morgenmantel um. Dann nahm sie den Hörer der Sprechanlage.

»Ja?«

»Sorry, dass ich so spät noch klingle, Beate. Oder so früh!«

»Fahr zur Hölle, Tom!«

Eine lange Pause entstand.

»Hier ist nicht Tom«, sagte die Stimme. »Ich bin's, Harry.«

Beate fluchte leise und drückte auf den Türöffner.

»Ich konnte einfach nicht mehr wach liegen bleiben«, sagte Harry, als er in der Wohnung war. »Es geht um den Exekutor.«

Er setzte sich aufs Sofa, während Beate im Schlafzimmer verschwand.

»Das mit Waaler geht mich ja nichts an, aber ...«, rief er in Richtung der geöffneten Schlafzimmertür.

»Wie du schon sagst, das geht dich nichts an«, kam es zurück. »Außerdem ist er suspendiert.«

»Ich weiß. Ich wurde von der internen Ermittlung über meine Verbindung zu Alf Gunnerud ausgefragt.«

Sie kam in einem weißen T-Shirt und einer Jeans zurück und baute sich vor ihm auf. Harry blickte zu ihr auf.

»Ich meinte, er ist von mir suspendiert worden«, sagte sie.

»Ach?«

»Er ist ein Drecksack. Aber dass du recht hast, bedeutet nicht, dass du irgendwelchen Leuten immer alles Mögliche über andere sagen kannst.«

Harry legte den Kopf zur Seite und kniff die Augen zusammen.

»Soll ich es noch einmal wiederholen?«, fragte sie.

»Nein«, erwiderte er. »Ich glaube, ich hab's begriffen. Und wenn es nicht irgendwelche Leute sind, sondern Freunde?«

»Kaffee?« Aber es gelang Beate nicht, sich rechtzeitig umzudrehen, ehe sich die Röte über ihr Gesicht ausbreitete. Harry stand auf und folgte ihr. Ein einziger Stuhl stand an dem kleinen Küchentisch. An der Wand hing eine bemalte Holzplakette mit einem von Rosen umkränzten alten Haussegen.

»Rakel hat gestern Abend zwei Sachen gesagt, die mich nachdenklich gemacht haben«, sagte Harry und beugte sich über den Küchentisch. »Das Erste war, dass zwei Brüder, die die gleiche Frau lieben, das Rezept für eine Tragödie sind. Das andere war, dass Anna größte Schwierigkeiten gehabt haben muss, Alis Unterschrift zu fälschen, da sie ja Linkshänderin war.«

»Ja und?« Sie schaufelte mit einem Messlöffel Kaffeepulver in den Filter der Maschine.

»Diese Schulhefte von Lev, die du von Trond Grette bekommen hast, um sie mit der Schrift auf dem Abschiedsbrief zu vergleichen – erinnerst du dich noch, welches Fach das war?«

»Ich habe nicht so genau darauf geachtet, ich weiß nur

noch, dass ich überprüft habe, ob sie wirklich von ihm waren.« Sie goss Wasser in den Tank.

»Es war Norwegisch«, sagte Harry.

»Vielleicht«, sagte sie und wandte sich ihm zu.

»Ganz sicher«, sagte Harry. »Ich komme gerade von Jean Hue.«

»Dem Graphologen? Jetzt, mitten in der Nacht?«

»Er hat sein Büro zu Hause und hatte Verständnis. Er hat das Schulheft und den Abschiedsbrief mit dem hier verglichen.«

Harry breitete einen Zettel aus und legte ihn auf den Küchentisch. »Dauert das lange mit diesem Kaffee?«

»Gibt es irgendetwas Eiliges?«, fragte Beate und betrachtete den Zettel.

»Alles ist eilig«, sagte Harry. »Das Erste, was du tun musst, ist, noch einmal die Bankkonten zu überprüfen.«

Es kam durchaus vor, dass Else Lund, Geschäftsführerin und eine von zwei Angestellten des Reisebüros Brastour, nachts von Kunden angerufen wurde, die in Brasilien ausgeraubt worden waren, Pass oder Ticket verloren hatten und in ihrer Verzweiflung ihre Handynummer wählten, ohne an den Zeitunterschied zu denken. Deshalb schaltete sie nachts ihr Handy aus. Und deshalb war sie auch reichlich verärgert, als um halb sechs ihr Festanschluss klingelte und die Stimme am anderen Ende sie bat, so schnell wie möglich ins Geschäft zu kommen. Ihre Stimmung hellte sich nur unwesentlich auf, als sich die Stimme dann noch als die eines Polizisten zu erkennen gab.

»Ich hoffe, es geht wirklich um Leben und Tod«, sagte Else Lund.

»Das tut es«, sagte die Stimme. »Vorwiegend um Tod.«

Rune Ivarsson war wie gewöhnlich der Erste auf der Dienststelle. Er starrte aus dem Fenster. Er mochte die Stille, er mochte es, die ganze Etage für sich zu haben, aber nicht allein deshalb. Wenn die anderen kamen, hatte Ivarsson bereits alle Faxe gelesen, die Berichte des Vorabends und alle Zeitungen und sich so den Vorsprung verschafft, den er brauchte. Darum ging es schließlich, wenn man Chef war – man musste den Überblick haben, sich selbst eine Art Kommandobrücke schaffen, von der aus man einen erhöhten Standort hatte. Wenn seine Untergebenen in der Abteilung manchmal ihrer Frustration darüber Luft machten, dass die Leitung Informationen zurückhielt, begriffen sie eben einfach nicht, dass Wissen Macht ist, und dass die Abteilungsleitung Macht haben musste, wenn sie den Kurs abstecken wollte, der sie schließlich in den Hafen führen sollte. Ja, dass es im Grunde zu ihrem Besten war, das Wissen der Leitung zu überlassen. Wenn er jetzt den Befehl gab, dass alle, die am Fall Exekutor arbeiteten, ihm direkt berichten sollten, so geschah dies, um das Wissen dort zu konzentrieren, wo es hingehörte, statt die Zeit mit endlosen Plenumsdiskussionen zu vergeuden, die einzig und allein den Sinn hatten, den Untergebenen das Gefühl zu geben, irgendwie beteiligt zu sein. Gerade jetzt war es wichtig, dass er sich als Chef profilierte und Initiative und Durchsetzungsvermögen zeigte. Auch wenn er alles darangesetzt hatte, die Beweise gegen Lev Grette wie sein eigenes Verdienst aussehen zu lassen, wusste er doch, dass die Art und Weise, wie alles geschehen war, seine Autorität geschwächt hatte. Die Autorität der Leitung war keine Frage des persönlichen Prestiges, sondern ein Anliegen der gesamten Direktion, hatte er sich gesagt.

Es klopfte an der Tür.

»Ich wusste nicht, dass Sie zu den Alpha-Tieren zählen, Hole«, sagte Ivarsson zu dem blassen Gesicht in der Tür, während er das Fax zu Ende las. Er hatte den Entwurf eines Zeitungsartikels über die Jagd auf den Exekutor erhalten, für den er tags zuvor interviewt worden war. Das Interview gefiel ihm nicht recht. Zwar hatte er nicht das Gefühl, falsch zitiert worden zu sein, aber es war den Reportern dennoch gelungen, seine Antworten irgendwie ausweichend und unbeholfen darzustellen. Zum Glück waren die Bilder gut. »Was wollen Sie, Hole?«

»Ihnen nur Bescheid geben, dass ich ein paar Leute zu einer Besprechung im Sitzungszimmer in der sechsten Etage einberufen habe. Ich dachte, Sie hätten vielleicht Interesse, auch daran teilzunehmen? Es geht um den sogenannten Bankraub im Bogstadvei. Wir fangen jetzt an.«

Ivarsson hielt mit dem Lesen inne und blickte auf. »So, Sie haben also eine Sitzung einberufen? Interessant. Darf ich fragen, wer diese Sitzung genehmigt hat, Hole?«

»Niemand.«

»Niemand also.« Ivarsson lachte sein kurzes, schepperndes Möwenlachen. »Dann gehen Sie bitte hinauf und sagen Sie, dass die Sitzung bis nach dem Lunch verschoben ist. Ich habe hier nämlich einen ganzen Stapel Berichte, die ich jetzt erst lesen muss, verstanden?«

Harry nickte langsam, als müsse er erst nachdenken. »Verstanden. Aber die Sache läuft im Rahmen des Dezernats für Gewaltverbrechen, und wir fangen jetzt an. Viel Vergnügen mit den Berichten.«

Er drehte sich um, doch im gleichen Moment knallte Ivarssons Faust auf die Tischplatte.

»Hole! Sie drehen mir, verflucht noch mal, nicht so einfach den Rücken zu! Wenn hier im Hause einer Sitzungen einberuft, dann bin ich das. Ganz besonders, wenn es um Raub geht. Haben Sie das verstanden?« Eine rote, nasse Unterlippe vibrierte im weißen Gesicht des Dezernatsleiters.

»Wie Sie gehört haben, habe ich von dem *sogenannten* Banküberfall im Bogstadvei gesprochen, Ivarsson.«

»Und was, zum Teufel, meinen Sie damit?« Seine Stimme war bloß noch ein Pfeifen.

»Ich meine damit, dass der Überfall im Bogstadvei niemals wirklich ein Raub war«, sagte Harry. »Das war ein gut geplanter Mord.«

Harry stand am Fenster und sah über das Botsen. Draußen war der Tag irgendwie widerwillig wie ein knirschender Karren in Gang gekommen. Regenwolken über dem Ekeberg und schwarze Regenschirme im Grønlandsleiret. Hinter seinem Rücken waren alle versammelt: Bjarne Møller, gähnend und tief in seinem Stuhl hängend. Der Polizeipräsident, lächelnd mit Ivarsson schwatzend. Weber, still, mit ungeduldig verschränkten Armen. Halvorsen mit gezücktem Notizblock und Beate Lønn mit nervös flackerndem Blick.

Kapitel 49

Stone Roses

Die Regenwolken hatten im Laufe des Tages ein Einsehen, und die Sonne kam zögernd zwischen all dem Bleigrau zum Vorschein, bis sich die Wolken plötzlich wie der Vorhang einer Bühne für den finalen Akt öffneten. Es sollte sich zeigen, dass dies die letzten wolkenlosen Stunden des Jahres waren, ehe die Stadt endgültig ihre Winterdecke über sich zog. Als Harry zum dritten Mal die Klingel drückte, lag das Haus in der Disengrenda wie in Sonne gebadet da.

Er konnte die Uhr wie ein Magenknurren im Reihenhaus hören. Dann öffnete sich knackend das Fenster des Nachbarn.

»Trond ist nicht da«, krächzte es. Ihr Gesicht hatte inzwischen einen anderen Braunton, eine Art Gelbbraun, das Harry an von Nikotin verfärbte Haut denken ließ. »Der Arme«, fügte sie hinzu.

»Wo ist er?«, fragte Harry.

Sie verdrehte die Augen und deutete mit ihrem Daumen über die Schulter.

»Auf dem Tennisplatz?«

Beate begann zu gehen, doch Harry blieb stehen.

»Ich habe noch einmal über unser letztes Gespräch nachgedacht«, sagte Harry. »Über die Fußgängerbrücke. Sie sagten, alle seien so überrascht gewesen, weil er so ein stiller, höflicher Junge war.«

»Ja?«

»Aber dass alle hier auf der Straße wussten, dass er es war, der das getan hatte.«

»Wir haben ihn ja morgens hier losfahren sehen.«

»In der roten Jacke?«

»Ja.«

»Levs Jacke?«

»Lev?« Sie lachte und schüttelte den Kopf. »Ich rede doch nicht von Lev. Der hatte sicher die seltsamsten Ideen, aber bösartig war er nie.«

»Wer war es dann?«

»Trond. Von dem habe ich die ganze Zeit gesprochen. Ich hab ja gesehen, wie blass er war, als er zurückkam. Trond kann doch kein Blut sehen.«

Der Wind nahm zu. Im Westen hatten schwarze Popcornwolken begonnen, den blauen Himmel aufzufressen. Die Böen machten den Pfützen in der roten Asche eine Gänsehaut und verwischten das Spiegelbild von Trond Grette, der den Ball zu einem neuen Service in die Luft warf.

»Hallo«, sagte Trond und schlug gegen den Ball, der sich langsam durch die Luft spann. Ein kleines Wölkchen weißer Kreide stäubte hoch, als der Ball auf der anderen Seite des Netzes die Linie traf, wo er, für den unsichtbaren Gegner kaum retournierbar, aufsprang.

Trond drehte sich zu Harry und Beate um, die auf der Außenseite des Stahlnetzes standen. Er trug ein weißes Tennishemd, weiße Tennisshorts, weiße Strümpfe und weiße Schuhe.

»Perfekt, nicht wahr?«, stellte er lächelnd fest.

»Fast«, sagte Harry.

Trond lächelte nur noch breiter, hielt sich die Hand über die Augen und blickte zum Himmel auf. »Sieht aus, als würde es wieder zuziehen. Was kann ich für Sie tun?«

»Sie können mit uns ins Präsidium kommen«, sagte Harry.

»Präsidium?« Er sah sie überrascht an. Das heißt, er versuchte, überrascht auszusehen. Er riss die Augen etwas zu theatralisch auf, und in seiner Stimme klang ein beinahe affektierter Ton mit, den sie früher bei ihm nie gehört hatten. Seine Stimme war übertrieben tief und stieg zum Schluss in die Höhe: Präsi-di-um? Harry spürte, wie sich seine Nackenhaare aufstellten.

»Und zwar sofort«, sagte Beate.

»Ah ja.« Trond nickte, als sei ihm soeben etwas aufgegangen, dann lächelte er wieder. »Natürlich.« Er begann in Richtung Bank zu gehen, auf der ein paar Schläger unter einem grauen Mantel hervorragten. Seine Schuhe schlurften über die Asche.

»Er hat die Kontrolle über sich verloren«, flüsterte Beate, »ich lege ihm Handschellen an.«

»Nein …«, begann Harry und griff nach ihrem Arm, doch sie hatte die Gittertür bereits aufgestoßen und war auf den Platz getreten. Plötzlich schien sich die Zeit irgendwie zu weiten, sich aufzublasen wie ein Airbag, so dass sich Harry kaum mehr bewegen konnte. Durch das Gitter sah er, wie Beate mit den Fingern nach den Handschellen tastete, die sie am Gürtel befestigt hatte. Er hörte Tronds Tennisschuhe auf der Asche. Kleine Schritte. Wie ein Astronaut. Automatisch hob sich Harrys Hand zum Griff der Pistole in seinem Schultergurt unter der Jacke.

»Grette, es tut mir leid …«, konnte Beate noch sagen, ehe Trond die Bank erreichte und unter den grauen Mantel griff. Die Zeit hatte jetzt zu atmen begonnen, sie krümmte und weitete sich in einer einzigen Bewegung. Harry spürte, wie sich seine Finger um den Griff der Waffe legten, doch er wusste, dass noch eine Unendlichkeit zwischen diesem Moment lag und demjenigen, in dem er die Waffe gezückt, geladen, entsichert und gezielt hätte. Unter Beates gehobenem Arm sah er etwas im Sonnenlicht aufblitzen.

»Mir auch«, sagte Trond und hob das stahlgraue und oliv-grüne AG3-Gewehr an die Schulter. Sie zuckte einen Schritt zurück.

»Meine Liebe«, sagte Trond leise. »Bleib ganz, ganz ruhig stehen, wenn du noch ein paar Sekunden leben willst.«

»Wir haben uns geirrt«, sagte Harry und drehte sich vom Fenster weg zu den Anwesenden. »Stine Grette wurde nicht von Lev getötet, sondern von ihrem eigenen Ehemann, Trond Grette.«

Die Unterhaltung zwischen dem Polizeipräsidenten und Ivarsson brach ab, Møller richtete sich im Stuhl auf, Halvorsen vergaß zu notieren, und selbst Weber legte seinen appetitlosen Ausdruck ab.

Es war Møller, der schließlich das Schweigen brach. »Dieser Buchhaltertyp?«

Harry nickte den ungläubigen Gesichtern zu.

»Das ist doch nicht möglich«, sagte Weber. »Wir haben den Film aus dem 7-Eleven und die Fingerabdrücke auf der Cola-flasche, die keinen Zweifel daran lassen, dass der Täter Lev Grette ist.«

»Wir haben die Handschrift auf dem Abschiedsbrief«, sagte Ivarsson.

»Und wenn ich mich recht erinnere, hat uns Raskol persön-lich den Tipp gegeben, dass der Täter Lev Grette ist«, gab der Polizeipräsident zu bedenken.

»Sieht aus, als ob die Sache ziemlich klar wäre«, meinte Møller. »Ziemlich aufgeklärt.«

»Lasst es mich erklären«, sagte Harry.

»Ja bitte, das wäre nett«, sagte der Polizeipräsident.

Die Wolken hatten Fahrt aufgenommen und kamen jetzt wie eine schwarze Armada über das Aker-Krankenhaus herange-segelt.

»Mach keine Dummheiten, Harry«, sagte Trond. Die Mündung des Gewehres lag an Beates Stirn. »Leg die Waffe auf den Boden.«

»Sonst was?«, fragte Harry und zog die Waffe unter seiner Jacke hervor.

Trond lachte leise. »Ganz einfach: Sonst erschieße ich deine Kollegin.«

»Wie du deine Frau erschossen hast?«

»Sie hatte es verdient.«

»Ach ja? Weil sie Lev lieber mochte als dich?«

»Weil sie meine Frau war.«

Harry hielt die Luft an. Beate stand zwischen Trond und ihm, hatte ihm aber den Rücken zugedreht, so dass er ihren Gesichtsausdruck nicht erkennen konnte. Es gab in dieser Situation mehrere mögliche Wege. Möglichkeit eins bestand darin, Trond klarzumachen, dass er etwas Dummes, Übereiltes getan hatte, und darauf zu hoffen, dass er das einsah. Auf der anderen Seite war zu bedenken, dass ein Mann, der ein geladenes AG3-Gewehr mit auf den Tennisplatz nahm, darüber nachgedacht hatte, wie und wozu er es benutzen wollte. Möglichkeit zwei war, das zu tun, was Trond wollte, die Waffe auf den Boden zu legen und darauf zu warten, abgeschlachtet zu werden. Und Möglichkeit drei war, Trond unter Druck zu setzen, etwas zu tun, das ihn seine Pläne ändern ließ. Oder zu explodieren und abzudrücken. Die erste Option war hoffnungslos, die andere führte zum schlechtesten denkbaren Resultat, und die dritte – dass es mit Beate wie mit Ellen ging – hätte Harry nicht überlebt, auch wenn er selbst mit dem Leben davongekommen wäre.

»Aber sie wollte vielleicht nicht mehr deine Frau sein«, sagte Harry. »War es das?«

Tronds Finger krümmte sich um den Abzug, und sein Blick begegnete Harrys über Beates Schulter hinweg. Harry begann automatisch innerlich zu zählen. Einundzwanzig, zweiundzwanzig …

»Sie dachte, sie könnte mich einfach verlassen«, sagte Trond leise. »Mich – dabei habe ich ihr alles gegeben.« Er lachte. »Im Tausch gegen einen Kerl, der nie irgendetwas für irgendwen getan hat, der das Leben für eine Geburtstagsgesellschaft hielt, bei der alle Geschenke für ihn waren. Lev war kein Dieb. Er konnte einfach nur nicht lesen, was von wem für wen war.« Tronds Gelächter wurde vom Wind weggerissen wie Krümel von Buchstabenkeksen.

»Wie von Stine für Trond«, sagte Harry.

Trond blinzelte hart mit beiden Augen. »Sie sagte, dass sie ihn liebe. *Liebe*. Dieses Wort hat sie nicht einmal benutzt, als wir geheiratet haben. Gern haben, sagte sie, dass sie mich gern habe. Weil ich so lieb zu ihr war. Aber lieben tat sie den, der auf der Dachrinne saß, die Beine baumeln ließ und auf den Applaus wartete. Darum ging es ihm doch, um den Applaus.«

Es lagen weniger als sechs Meter zwischen ihnen, und Harry konnte sehen, wie Tronds Knöchel der linken Hand weiß wurden, als er den Lauf des Gewehres umklammerte.

»Aber nicht für dich, Trond, du brauchtest keinen Applaus, nicht wahr? Du hast deine Triumphe in aller Stille genossen. Alleine. Wie damals auf der Fußgängerbrücke.«

Trond schob seine Unterlippe vor. »Gebt ihr wenigstens zu, dass ihr mir geglaubt habt?«

»Ja, wir haben dir geglaubt, Trond. Wir haben dir jedes Wort geglaubt.«

»Und was ist dann schiefgelaufen?«

»Beate hat die Konten von Trond und Stine Grette im letzten halben Jahr überprüft«, sagte Harry.

Beate hielt einen Papierstapel hoch, um ihn den anderen zu zeigen. »Beide haben sie Geld an das Reisebüro Brastour überwiesen«, sagte sie. »Das Reisebüro bestätigte, dass Stine Grette im März ein Ticket nach São Paulo im Juni bestellt hat und dass Trond Grette eine Woche später nachkam.«

»Das stimmt bisher mit der Aussage von Trond Grette überein«, sagte Harry. »Erstaunlich ist aber, dass Stine dem Filialleiter Klementsen gesagt hat, sie mache Ferien auf Teneriffa. Und dass Trond Grette sein Ticket am Tag ihrer Abreise bestellte und bezahlte. Eine ziemlich üble Planung, wenn man gemeinsam Ferien machen und den zehnjährigen Hochzeitstag feiern will, nicht wahr?«

Es war so still im Besprechungszimmer, dass man hören konnte, wie sich der Motor des Kühlschranks auf der anderen Seite des Flures einschaltete.

»Das erinnert fatal an eine Hausfrau, die alle über ihr eigentliches Reiseziel angelogen hat; und an einen ohnehin schon misstrauischen Ehemann, der die Kontoauszüge überprüft und feststellt, dass das Reisebüro Brastour nichts mit Teneriffa zu tun haben kann. Und der dann Brastour anruft, den Namen des Hotels erfährt, in dem seine Frau logiert, und loszieht, um sie nach Hause zu holen.«

»Und dann«, fragte Ivarsson. »Hat er sie bei einem Schwarzen gefunden?«

Harry schüttelte den Kopf. »Nein, ich glaube, er hat sie überhaupt nicht gefunden.«

»Wir haben das überprüft, sie hat überhaupt nicht in diesem Hotel eingecheckt«, sagte Beate. »Und Trond flog mit einem früheren Flugzeug zurück als sie.«

»Außerdem hat Trond in São Paulo 30 000 Kronen von seinem Konto abgehoben. Zuerst hat er behauptet, dafür einen Diamantring gekauft zu haben, dann, dass er Lev das Geld gegeben habe, weil er pleite gewesen sei. Aber ich bin mir ziemlich sicher, dass nichts davon stimmt, ich glaube, das Geld war die Bezahlung für eine Ware, für die São Paulo bekannter ist als für Juwelen.«

»Und das wäre«, fragte Ivarsson sichtlich irritiert, als Harrys Pause kein Ende nehmen wollte.

»Auftragsmord.«

Harry hätte am liebsten noch länger gewartet, erkannte aber an Beates Blick, dass sie sein Verhalten bereits jetzt schon recht theatralisch fand. »Als Lev im Herbst nach Oslo zurückkam, bezahlte er die Reise mit seinem eigenen Geld. Er war alles andere als pleite und wollte auch keine Bank ausrauben. Er war gekommen, um Stine mit nach Brasilien zu nehmen.«

»Stine?«, platzte Møller hervor. »Die Frau seines eigenen Bruders?«

Harry nickte. Blicke zuckten hin und her.

»Und Stine soll nach Brasilien gegangen sein, ohne irgendjemand davon zu erzählen?«, fuhr Møller fort. »Weder den Eltern noch den Freunden? Sogar ohne ihren Job zu kündigen?«

»Tja«, sagte Harry. »Wenn du dich entschlossen hast, dein Leben mit einem Bankräuber zu teilen, der sowohl von der Polizei als auch von Kollegen gesucht wird, gibst du deine Pläne und deine neue Adresse sicher nicht bekannt. Es gab nur eine Person, der sie alles gesagt hat, und das war Trond.«

»Der Letzte, dem sie es hätte sagen dürfen«, fügte Beate hinzu.

»Sie glaubte wohl, ihn zu kennen, nach den dreizehn Jahren, die sie zusammen waren.« Harry trat ans Fenster. »Der empfindliche, aber Wärme und Sicherheit gebende Buchhalter, der sie so über alles liebte. Lasst mich ein bisschen spekulieren, was weiter geschehen ist.«

Ivarsson schnaubte: »Und wie nennen Sie das, was Sie bisher getan haben?«

»Als Lev nach Oslo kommt, nimmt Trond Kontakt mit ihm auf. Er sagt, dass sie als erwachsene Menschen doch in der Lage sein sollten, über alles zu reden. Lev ist froh und erleichtert. Doch er will sich in der Stadt nicht zeigen, das ist ein zu großes Risiko für ihn, weshalb sie sich in Disengrenda treffen, während Stine in der Arbeit ist. Lev kommt und wird von Trond freundlich empfangen, der behauptet, er sei zu Beginn schon sehr betroffen gewesen, habe das jetzt aber verarbeitet und freue sich für sie. Er macht ihnen beiden eine Flasche Cola auf, und sie trinken und reden über praktische Details. Trond bekommt Levs geheime Adresse in D'Ajuda, damit er die Post weitersenden und Stines letzten Lohn überweisen kann. Als Lev geht, weiß er nicht, dass er Trond soeben die letzten Details für einen Plan gegeben hat, der seinen Ausgangspunkt bereits in Tronds Reise nach São Paulo hatte.«

Harry sieht, dass Weber langsam zu nicken beginnt.

»Freitagmorgen. D-Day. Nachmittags will Stine mit Lev nach London fliegen und von dort am nächsten Morgen nach Brasilien. Der Flug ist bei Brastour reserviert, als Reisepartner ist ein Peter Berntsen angegeben worden. Die Koffer stehen gepackt zu Hause. Aber sie und Trond gehen wie gewöhnlich zur Arbeit. Um zwei ist Trond mit der Arbeit fertig und geht ins SATS-Center in der Sporveisgate. Als er kommt, bezahlt er mit seiner Mitgliedskarte für eine Squashstunde, die er reserviert hat, sagt dann aber, er habe keinen Partner gefunden. Damit ist der erste Teil seines Alibis gesichert: eine registrierte BBS-Bezahlung um 14.34 Uhr. Dann sagt er, dass er stattdessen im Studio trainieren will, und verschwindet in der Garderobe. Um diese Uhrzeit sind dort viele verschiedene Menschen. Er schließt sich mit seiner Tasche auf dem Klo ein, zieht sich den Overall an mit irgendetwas darüber, das ihn verbirgt, vermutlich einen langen Mantel, wartet, bis er damit rechnen kann, dass alle, die ihn in der Toilette haben verschwinden sehen, gegangen sind, setzt seine Sonnenbrille auf, nimmt seine Tasche und geht schnell und unbemerkt aus der Garderobe und an der Rezeption vorbei. Ich tippe, dass er Richtung Stenspark und Pilestrede gegangen ist. Dort ist eine Baustelle, wo sie gegen drei Uhr mit der Arbeit aufhören. Er geht hinein, zieht seinen Mantel aus und setzt sich die hochgerollte Sturmhaube auf den Kopf, die er mit einer Schirmmütze kaschiert. Dann geht er den Hügel hoch und nach links in Richtung Industrigata. Als er zur Kreuzung am Bogstadvei kommt, geht er in den 7-Eleven. Er war ein paar Wochen vorher da, um die Winkel der Kameraeinstellungen auszukundschaften. Und der Container, den er bestellt hat, ist da. Die Bühne ist bereit für die eifrigen Polizisten. Natürlich erwartet er, dass wir für den betreffenden Zeitpunkt alle Kameras in den Läden und Tankstellen ringsherum überprüfen. Dann spielt er uns dieses kleine Schauspiel vor, bei dem wir sein Gesicht nicht sehen, wohl aber sehr deutlich eine Flasche Cola erkennen, aus der er ohne Handschuhe trinkt und die er dann in eine Plastiktüte steckt, damit er und wir uns sicher sein können, dass die Fingerabdrücke nicht durch möglichen Regen verwischt werden. Er wirft sie schließlich in den grünen Container, der erst nach ein paar Tagen abgeholt werden soll. Natürlich hatte er eine recht hohe Meinung von uns, und fast hätten wir dieses Beweisstück ja auch nicht sichern können, aber er hatte Glück – Beate fuhr dermaßen verrückt, dass wir es schafften, Trond ein wasserdichtes Alibi zu verschaffen, indem wir den endgültigen, zweifelsfreien Beweis gegen Lev sicherten.«

Harry hielt inne. Die Gesichter vor ihm drückten leichte Verwirrung aus.

»Bei der Colaflasche handelte es sich um diejenige, aus der Lev in der Disengrenda getrunken hatte«, sagte Harry. »Oder sonst irgendwo. Trond hatte sie genau für diesen Zweck aufbewahrt.«

»Ich fürchte, Sie vergessen eines«, murmelte Ivarsson. »Ihr habt doch selbst gesehen, dass der Bankräuber die Flasche ohne Handschuhe angefasst hat. Wenn es Trond Grette gewesen ist, müssen doch auch seine Fingerabdrücke auf der Flasche sein.«

Harry nickte Weber zu.

»Kleber«, sagte der alte Polizist kurz.

»Wie bitte?« Der Polizeipräsident wandte sich zu Weber.

»Ein bekannter Trick unter Bankräubern. Man schmiert sich einfach ein bisschen Klebstoff auf die Fingerkuppen, lässt es trocknen und – schwups – keine Fingerabdrücke mehr.«

Der Polizeipräsident schüttelte den Kopf. »Aber woher kennt dieser Buchhalter, wie ihr ihn nennt, all diese Tricks?«

»Er war der kleine Bruder eines der professionellsten Bankräuber Norwegens«, sagte Beate. »Er kannte die Vorgehensweise und den Stil von Lev in- und auswendig. Außerdem bewahrte Lev die Videos seiner Überfälle zu Hause in der

Disengrenda auf. Trond hat sich die Methoden so exakt angeeignet, dass er sogar Raskol täuschen konnte. Und dazu kommt noch die physische Ähnlichkeit zwischen den zwei Brüdern, so dass die Videoanalyse bestätigte, es *könne* sich bei dem Täter um Lev Grette handeln.«

»Verdammt«, entfuhr es Halvorsen. Er zog den Kopf ein und blickte verlegen zu Bjarne Møller, doch Møller saß bloß mit offenem Mund da und starrte dumpf vor sich hin, als habe man ihm eine Kugel durch den Kopf geschossen.

»Du hast die Pistole noch nicht hingelegt, Harry. Hast du eine Erklärung dafür?«

Harry versuchte, gleichmäßig zu atmen, obgleich sein Herz schon längst in panischer Geschwindigkeit auf der Flucht war. Sauerstoff für sein Hirn, das war jetzt das Wichtigste. Er versuchte, nicht zu Beate zu blicken. Sie stand im Wind, und ihre blonden, dünnen Haare wehten hin und her. Die Muskeln an ihrem schlanken Hals bewegten sich, und ihre Schultern hatten zu zittern begonnen.

»Ganz einfach«, sagte Harry. »Dann erschießt du uns beide. Du musst mir schon einen besseren Vorschlag machen, Trond.«

Trond lachte und legte sein Kinn an den grünen Gewehrkolben. »Was sagst du zu diesem Deal, Harry: Du hast fünfundzwanzig Sekunden, dir noch einmal Gedanken über die Vorschläge zu machen und deine Waffe auf den Boden zu legen.«

»Die üblichen fünfundzwanzig Sekunden?«

»Genau. Du erinnerst dich doch wohl, wie schnell die um waren. Also, überleg es dir schnell, Harry.« Trond trat einen Schritt zurück.

»Weißt du, wie ich auf die Idee gekommen bin, dass sich Stine und der Täter gekannt haben mussten?«, rief Harry. »Sie standen zu dicht beieinander. Viel näher als Beate und du jetzt. Es ist komisch, aber selbst in Situationen, in denen es um

Leben und Tod geht, respektieren Menschen wenn möglich ihre jeweilige Intimzone. Ist doch komisch, oder?«

Trond schob die Mündung des Gewehres unter Beates Kinn und drückte ihr Gesicht hoch. »Beate, wärst du so nett, für uns zu zählen?« Er sprach wieder mit diesem theatralischen Tonfall. »Von eins bis fünfundzwanzig, nicht zu schnell und nicht zu langsam.«

»Es gibt eine Sache, die ich mich frage«, sagte Harry. »Was hat sie zu dir gesagt, ehe du sie erschossen hast?«

»Das willst du wohl gerne wissen, Harry, oder?«

»Ja, das will ich.«

»Dann hat unsere Beate hier noch zwei Sekunden, um mit dem Zählen anzufangen. Eins …«

»Zähl, Beate!«

»Eins.« Ihre Stimme war bloß ein trockenes Flüstern. »Zwei.«

»Stine hat für sich selbst und Lev das endgültige Todesurteil gefällt«, sagte Trond.

»Drei.«

»Sie sagte, ich könne sie ruhig erschießen, sollte ihn aber verschonen.«

Harry spürte, wie sich sein Hals zuzog und er die Pistole immer fester umklammerte.

»Vier.«

»Mit anderen Worten, er hätte also Stine erschossen, egal wie lange der Filialchef gebraucht hätte, das Geld in die Tasche zu packen?«, fragte Halvorsen.

Harry nickte düster.

»Als Allwissender kennen Sie doch sicher auch seine Fluchtroute«, sagte Ivarsson. Er versuchte sich an einem säuerlichen, ironischen Tonfall, doch die Verärgerung war nur zu deutlich herauszuhören.

»Nein, aber ich nehme an, dass er über den gleichen Weg zurück ist. Die Industrigata hoch, dann die Pilestrede runter und über den Bauplatz, wo er sich die Sturmhaube abnahm und sich den Schriftzug ›Polizei‹ auf den Rücken des Overalls klebte. Als er wieder ins Fitnesscenter kam, trug er eine Schirmmütze und eine Sonnenbrille und verhielt sich so unauffällig, dass ihn das Personal nicht erkannte. Er ging direkt in die Garderobe, zog sich wieder die Trainingsklamotten an, die er getragen hatte, als er von der Arbeit kam, tauchte in der Menge des Fitnessraumes unter und fuhr ein bisschen Fahrrad oder stemmte Gewichte. Dann duschte er und ging zum Empfang, wo er den Diebstahl seines Squash-Schlägers meldete. Und das Mädchen, das den Diebstahl aufnahm, notierte den genauen Zeitpunkt, 16.02 Uhr. Sein Alibi war perfekt, als er auf die Straße ging, die Musik der Sirenen hörte und nach Hause fuhr. So in etwa.«

»Ich weiß nicht, ob mir der Sinn dieses Polizei-Schriftzuges wirklich klar ist«, sagte der Polizeipräsident. »Wir benutzen selber doch gar keine Overalls.«

»Elementare Psychologie«, sagte Beate und wurde rot, als sie bemerkte, dass der Polizeipräsident die Augenbrauen hochzog. »Ich meine … nicht elementar in dem Verständnis, dass es … einleuchtend wäre.«

»Fahren Sie fort«, sagte der Polizeipräsident.

»Trond Grette wusste natürlich, dass die Polizei nach allen Personen suchen würde, die in der näheren Umgebung mit Overalls gesehen worden sind. Deshalb musste er etwas an sich tragen, das dazu führte, dass die Polizei sich nicht weiter für die unidentifizierte Person im SATS-Center interessierte. Es gibt nur wenig Sachen, die Menschen stärker auffallen als der Schriftzug ›Polizei‹.«

»Interessante Behauptung«, sagte Ivarsson mit mürrischem Lächeln und legte zwei Finger unter sein Kinn.

»Sie hat recht«, sagte der Polizeipräsident. »Jeder hat doch ein bisschen Angst vor der Autorität.«

»Fahren Sie fort, Lønn.«

»Aber um ganz sicher zu sein, brauchte er sich selbst als

Zeugen und berichtete uns unaufgefordert von einem Mann, der im Trainingscenter mit einem Overall mit der Aufschrift ›Polizei‹ an ihm vorbeigegangen sei.«

»Was selbstverständlich in sich schon ein kleiner Geniestreich war«, sagte Harry. »Grette erzählte das so, als sei er sich nicht bewusst darüber, dass der Schriftzug ›Polizei‹ den Mann eigentlich disqualifizierte. Natürlich stärkte es in unseren Augen Trond Grettes Glaubwürdigkeit, dass er uns freiwillig etwas sagte, das ihn – aus seinem Blickwinkel betrachtet – an der Fluchtroute des Täters platzierte.«

»Häh«, sagte Møller. »Kannst du das Letzte noch mal wiederholen, Harry. Aber langsam.«

Harry holte tief Luft.

»Ach, scheiß drauf«, sagte Møller. »Ich hab Kopfweh.«

»Sieben.«

»Aber du hast nicht getan, um was sie dich gebeten hat«, sagte Harry. »Du hast deinen Bruder nicht verschont.«

»Natürlich nicht«, sagte Trond.

»Wusste er, dass du es warst, der sie getötet hat?«

»Ich hatte das Vergnügen, ihm das persönlich mitzuteilen. Per Handy. Er wartete auf dem Flughafen Gardermoen auf sie. Ich sagte ihm, dass ich auch ihn verfolgen würde, wenn er sich nicht in den Flieger setzte.«

»Und er glaubte dir, dass du Stine getötet hattest?«

Trond lachte. »Lev kannte mich. Er zweifelte keine Sekunde. Außerdem saß er in der Business-Lounge und verfolgte den Tele-Text über den Bankraub, als ich ihm die Details berichtete. Er legte auf, als sie seinen Flug ausriefen. Seinen und Stines. He, du!« Er drückte den Gewehrlauf auf Beates Stirn.

»Acht.«

»Er glaubte wohl, in die Sicherheit zu fliehen«, sagte Harry. »Er wusste ja nichts von dem Auftrag in São Paulo.«

»Lev war ein Dieb, aber ein gutgläubiger Kerl. Er hätte mir niemals seine geheime Adresse in D'Ajuda geben dürfen.«

»Neun.«

Harry versuchte, nicht auf Beates monotone Roboterstimme zu hören. »Und dann hast du dem Killer die Anweisungen gegeben, gemeinsam mit dem Abschiedsbrief, den du genauso geschrieben hast wie früher die Aufsätze für Lev.«

»Sieh an, sieh an«, sagte Trond. »Gut gearbeitet, Harry. Abgesehen davon, dass ich den Abschiedsbrief bereits vor dem Überfall abgeschickt hatte.«

»Zehn.«

»Nun«, sagte Harry. »Auch der Killer hat einen guten Job gemacht. Es sah wirklich beinahe so aus, als habe sich Lev selbst erhängt. Obgleich das mit dem fehlenden Finger natürlich ein bisschen verwirrte. War das die Quittung?«

»Sagen wir es so. Ein kleiner Finger passt gut in einen normalen Briefumschlag.«

»Ich dachte, du könntest kein Blut sehen, Trond.«

»Elf.«

Harry hörte entferntes Donnern durch den pfeifenden und immer stärker werdenden Wind. Die Felder und Wege um sie herum waren menschenleer, als hätten alle vor dem drohenden Unwetter Schutz gesucht.

»Zwölf.«

»Warum ergibst du dich nicht einfach?«, rief Harry. »Du musst doch selbst einsehen, dass es aussichtslos ist.«

Trond lachte. »Natürlich ist es aussichtslos. Aber darum geht es doch gerade. Keine Hoffnung – nichts zu verlieren.«

»Dreizehn.«

»Also, wie sieht dein Plan aus?«

»Mein Plan? Ich habe zwei Millionen Kronen aus einem Bankraub und Pläne für ein langes – warum nicht glückliches – Exil. Die Abreisepläne muss ich ein bisschen beschleunigen, aber ich war darauf vorbereitet. Das Auto ist seit dem Überfall gepackt und abfahrbereit. Ihr könnt wählen, ob ich euch mit den Handschellen an das Gitter ketten oder erschießen soll.«

»Vierzehn.«

»Du weißt, dass das nicht klappt«, sagte Harry.

»Glaub mir, ich weiß verdammt gut, wie man verschwindet. Lev hat doch kaum etwas anderes gemacht. Zwanzig Minuten Vorsprung ist alles, was ich brauche. Dann habe ich das Transportmittel und meine Identität bereits zweimal gewechselt. Ich habe vier Autos und vier Pässe entlang meiner Fluchtroute und gute Kontakte. Zum Beispiel in São Paulo. Zwanzig Millionen Einwohner. Da kannst du ja dann mit der Suche anfangen.«

»Fünfzehn.«

»Deine Kollegin hier wird bald sterben, Harry. Also, was sollen wir machen?«

»Du hast zu viel erzählt«, sagte Harry. »Du wirst uns so oder so töten.«

»Das musst du selbst herausfinden. Was hast du für Alternativen?«

»Dass du für mich stirbst«, sagte Harry und lud seine Pistole.

»Sechzehn«, hauchte Beate.

Harry war fertig.

»Nette Theorie, Hole«, sagte Ivarsson. »Besonders die mit dem Killer in Brasilien. Wirklich …« Er entblößte seine kleinen Zähne zu einem winzigen Lächeln: »Exotisch. Mehr haben Sie nicht? Beweise zum Beispiel?«

»Die Handschrift auf dem Abschiedsbrief«, sagte Harry.

»Sie haben doch gerade gesagt, dass sie nicht mit der Handschrift von Trond Grette übereinstimmt.«

»Nicht so, wie er normal schreibt, nein. Aber in den Aufsätzen …«

»Haben Sie einen Zeugen dafür, dass Trond diese Aufsätze geschrieben hat?«

»Nein«, sagte Harry.

Ivarsson stöhnte: »Sie haben also keinen einzigen wirklichen Beweis in diesem Fall.«

»Mordfall«, sagte Harry leise und sah Ivarsson an. Am Rande seines Blickfeldes sah er Møller beschämt zu Boden blicken und Beate vor Verzweiflung die Hände kneten. Der Polizeipräsident räusperte sich.

Harry entsicherte die Waffe.

»Was tust du da?« Trond kniff die Augen zusammen und stieß den Gewehrlauf an Beates Stirn, so dass ihr Kopf nach hinten schlug.

»Einundzwanzig«, stöhnte sie.

»Ist es nicht befreiend«, fragte Harry, »wenn man endlich erkennt, dass man nichts mehr zu verlieren hat? Das macht alle Entscheidungen um so vieles leichter.«

»Du bluffst.«

»Tu ich das?« Harry drückte den Lauf seiner Pistole gegen seinen linken Unterarm und drückte ab. Der Knall war laut und scharf. Es vergingen einige Zehntelsekunden, ehe das Echo an den Hochhäusern zurückgeworfen wurde. Trond starrte ihn an. Ein zackiger Rand ragte um das runde Loch in der Lederjacke des Polizisten empor, und eine weiße Flocke Wollfutter wirbelte mit dem Wind davon. Es tropfte. Schwere, rote Tropfen trafen mit dem dumpfen Klacken einer Uhr auf den Boden und versickerten in der Mischung aus Kies und welkem Gras. »Zweiundzwanzig.«

Die Tropfen wurden immer größer und fielen schneller und schneller, es klang wie ein rascher und rascher werdendes Metronom. Harry hob die Pistole, legte den Lauf auf eine der Netzmaschen des Zauns und zielte: »So sieht mein Blut aus, Trond«, sagte er so leise, dass es kaum zu hören war. »Sollen wir uns mal deines anschauen?«

Im gleichen Moment erreichten die Wolken die Sonne.

»Dreiundzwanzig.«

Ein dunkler Schatten näherte sich von Westen her. Er fiel zuerst über die Felder, dann über die Reihenhäuser, die Blocks, die rote Asche und die drei Menschen. Auch die Temperatur fiel. Plötzlich, als ob derjenige, der sich vor das Licht gestellt hatte, nicht nur die Wärme abschirmte, sondern selber auch Kälte ausströmte. Aber Trond spürte das nicht. Alles, was er sah und spürte, war der kurze, rasche Atem der Polizistin, ihr ausdrucksloses, blasses Gesicht und die Mündung der Pistole des Polizisten, die ihn wie ein schwarzes Auge anstarrte, das endlich den Gesuchten gefunden hatte und ihn bereits durchbohrte, sezierte und aufbrach. Ein ferner Donner rollte. Aber alles, was er hörte, war das Tropfen des Blutes. Der Polizist war offen, und sein Inhalt rann heraus. Das Blut, der Schmerz, das Leben klatschte schmatzend ins Gras, als ob es nicht verzehrt würde, sondern selber verzehrte, sich durch den Boden brannte. Und Trond wusste, dass er, auch wenn er die Augen schließen und sich die Hände auf die Ohren pressen würde, immer noch sein eigenes Blut rauschen hören würde, wie es sang und sich gegen die Adern presste, als wolle es hinaus.

Er spürte die Übelkeit wie eine Art sanfte Wehe, einen Fötus, der durch den Mund geboren werden sollte. Er schluckte, doch das Wasser rann frisch aus allen Drüsen, schmierte sein Inneres und machte ihn bereit. Die Felder, die Blocks und der Tennisplatz setzten sich langsam in Bewegung. Er krümmte sich, versuchte, sich hinter der Polizistin zu verbergen, doch sie wurde zu klein, zu durchsichtig, nur eine hauchdünne Gardine aus Leben, die im Wind wehte. Er klammerte sich am Gewehr fest, als halte die Waffe ihn und nicht umgekehrt, presste den Finger gegen den Abzug, wartete aber. Musste warten. Auf was? Auf dass die Furcht den Boden verlor? Darauf, dass die Dinge wieder ins Lot kamen? Aber sie würden nicht ins Lot kommen, sie würden nur herumwirbeln und nicht eher zur Ruhe kommen, als bis sie am Boden zerschellten. Alles befand sich im freien Fall seit der Sekunde, in der Stine ihm offenbart hatte, dass sie ihn verlassen würde, und das Rauschen des Blutes in seinen Ohren hatte ihn die ganze Zeit über daran erinnert, dass das Tempo zunahm. Jeden Morgen beim

Aufwachen hatte er gedacht, dass er sich jetzt an das Fallen gewöhnt hätte, dass er die Furcht abgeschüttelt hätte, die Würfel waren ja gefallen, der Schmerz bereits durchlebt. Doch dem war nicht so. Und dann hatte er sich danach gesehnt, den Boden zu erreichen, den Tag, an dem ihm wenigstens die Angst genommen würde. Und jetzt, da er endlich den Boden unter sich sah, hatte er nur noch mehr Angst. Die Landschaft auf der anderen Seite des Netzes rauschte ihm entgegen.

»Vierundzwanzig.«

Gleich würde Beate am Ziel ankommen. Sie hatte die Sonne in den Augen, sie stand in einer Bankfiliale in Ryen, und das Licht von draußen blendete sie und ließ alles weiß und hart werden. Vater stand neben ihr, still wie immer. Mutter rief irgendwo, aber sie war weit weg, das war sie immer gewesen. Beate zählte die Bilder, die Sommer, die Küsse und die Niederlagen. Es war viel, und es erstaunte sie, wie viel es war. Sie erinnerte sich an Gesichter, Paris, Prag, ein Lächeln unter einem schwarzen Pony, eine unbeholfen formulierte Liebeserklärung, ein atemloses, ängstliches: Tu ich dir weh? Und an ein Restaurant in San Sebastián, das sie sich nicht leisten konnte, in dem sie aber dennoch einen Tisch reserviert hatte. Vielleicht sollte sie trotzdem dankbar sein. Trotz allem?

Sie war aus diesen Gedanken erwacht, als ihr die Gewehrmündung gegen die Stirn gestoßen wurde. Die Bilder verschwanden, und es blieb bloß ein weißer, knisternder Schneesturm auf der Leinwand. Und sie dachte: Warum stand Vater einfach nur untätig neben mir? Warum hat er mich nicht um etwas gebeten? Das hatte er nie getan. Und sie hasste ihn dafür. Wusste er denn nicht, dass sie sich nichts sehnlicher wünschte, als etwas für ihn tun zu können, irgendetwas? Sie war seinen Spuren gefolgt, doch als sie den Bankräuber gefunden hatte, den Mörder, den Witwenmacher, und ihren Vater rächen wollte, ihm ihre Rache geben, die Rache der Familie, hatte er bloß dort neben ihr gestanden, still wie immer, und es abgelehnt.

Und jetzt war sie also dort, wo er selbst gestanden hatte. Wie all die Menschen, die sie nachts im House of Pain auf den Videos der Überfälle überall auf der Welt gesehen hatte, und bei denen sie sich immer gefragt hatte, was sie wohl denken mochten. Jetzt war sie an der Reihe, und sie wusste es noch immer nicht.

Dann hatte jemand das Licht ausgemacht, die Sonne war verschwunden, und sie war in Kälte versunken. Und es war in dieser Dunkelheit, in der sie wieder zu sich gekommen war. Als wäre das erste Erwachen bloß ein Traum gewesen. Und sie hatte wieder zu zählen begonnen. Aber jetzt zählte sie Orte, an denen sie noch nicht gewesen war, Menschen, die ihr noch nicht begegnet waren, Tränen, die sie noch nicht geweint hatte, und Worte, die sie noch nie gehört hatte.

»Doch«, sagte Harry. »Ich habe diesen Beweis.« Er zog einen Zettel heraus und legte ihn auf den Tisch.

Ivarsson und Møller beugten sich gleichzeitig vor und wären beinahe mit den Köpfen zusammengestoßen.

»Was ist das?«, bellte Ivarsson. »›Ein schöner Tag‹?«

»Kritzeleien«, sagte Harry. »Geschrieben auf einem Zeichenblock in der Gaustadklinik. Zwei Zeugen, ich selbst und Beate Lønn, waren anwesend und können bezeugen, dass Trond Grette das geschrieben hat.«

»Ja und?«

Harry blickte in die Runde. Dann wandte er ihnen den Rücken zu und trat langsam ans Fenster. »Habt ihr schon mal eure eigenen Kritzeleien angeguckt, wenn ihr beim Schreiben an etwas anderes gedacht habt? Die können ganz schön entlarvend sein. Deshalb habe ich diesen Zettel mitgenommen, um zu überprüfen, ob das Gekritzel irgendeinen Sinn hat. Zu Beginn tat es das nicht. Ich meine, wenn deine Frau gerade erst ermordet worden ist und du auf der geschlossenen Abteilung einer psychiatrischen Klinik sitzt und wieder und wieder ›Ein schöner Tag‹ schreibst, bist du entweder komplett verrückt

542

oder du schreibst das genaue Gegenteil von dem, was du denkst. Aber dann bin ich auf etwas gekommen.«

Die Stadt war grau und blass wie das Gesicht eines alten, müden Mannes, aber heute, in der Sonne, leuchteten die wenigen Farben, die sie noch hatte. Wie ein letztes Lächeln, ehe man Abschied nimmt, dachte Harry.

»Ein schöner Tag«, sagte er. »Das ist weder ein Gedanke noch ein Kommentar oder Zustand. Das ist ein Titel. Von einem Aufsatz, den man in der Grundschule schreibt.«

Eine Heckenbraunelle flog am Fenster vorbei.

»Trond Grette dachte nicht, er schrieb einfach automatisch. Wie er es in seiner Schulzeit getan hatte, als er sich die neue Handschrift antrainiert hatte. Jean Hue, unser Graphologe, hat bereits bestätigt, dass die Person, die diese Worte geschrieben hat, auch den Abschiedsbrief geschrieben hat. Und die Schulaufsätze.«

Es war, als hake der Film und als friere das Bild ein. Nicht eine Bewegung, nicht ein Wort, nur die immer gleichen, schleifenden Geräusche eines Kopierers draußen auf dem Flur.

Zum Schluss war es Harry selbst, der sich umdrehte und die Stille brach: »Mir scheint, ihr seid einverstanden, dass Lønn und ich uns diesen Trond Grette mal für ein klitzekleines Verhör vornehmen.«

Scheiße, Scheiße! Harry versuchte, die Pistole ruhig zu halten, doch von den Schmerzen wurde ihm schwindelig, und die Windböen zerrten und schubsten seinen Körper hin und her. Trond hatte auf das Blut reagiert, wie Harry es gehofft hatte, und einen Augenblick lang hatte Harry freie Schussbahn gehabt. Doch er hatte gezögert, und jetzt stand Trond wieder hinter Beate, so dass Harry bloß ein Stück von Kopf und Schulter sah. Sie ähnelte ihr, mein Gott wie sie ihr ähnelte! Harry kniff die Augen zusammen, um sie wieder in den Fokus zu bekommen. Die nächste Böe war so stark, dass sie den grauen Mantel von der Bank riss, und einen Augenblick lang sah es so aus, als würde ein unsichtbarer Mann, einzig mit einem Staubmantel bekleidet, über den Tennisplatz rennen. Harry wusste, dass es einen Wolkenbruch geben würde und dass dies die Luftmassen waren, die die Regenwand als letzte Warnung vor sich herschob. Dann wurde es dunkel, als ob es plötzlich Nacht geworden wäre, die zwei Körper vor ihm verschmolzen miteinander, und noch im gleichen Moment war der Regen über ihnen, große, schwere Tropfen, die vom Himmel herabhämmerten.

»Fünfundzwanzig.« Beates Stimme war plötzlich laut und klar.

Im Lichtschein konnte Harry sehen, wie die Körper Schatten auf die rote Asche warfen. Der Knall, der folgte, war so laut, dass er sich wie ein Belag auf seine Ohren legte. Der eine Körper glitt von dem anderen und stürzte zu Boden.

Harry sank auf die Knie und hörte seine eigene Stimme brüllen.

»Ellen!«

Er sah, wie sich die Gestalt, die noch immer dort drinnen stand, umdrehte und begann, mit dem Gewehr in den Händen auf ihn zuzugehen. Harry zielte, doch der Regen rann wie ein Bach über sein Gesicht und blendete ihn. Er blinzelte und zielte. Er spürte nichts mehr, weder Schmerz noch Kälte, weder Trauer noch Triumph, bloß ein großes Nichts. Die Dinge waren nicht dazu da, sich zu einem sinnvollen Ganzen zusammenzufügen, sie wiederholten sich einfach wie ein ewiges Mantra, das sich selbst erklärte – leben, sterben, wiedergeboren werden, leben, sterben. Er drückte den Abzug bis zum Druckpunkt. Zielte.

»Beate?«, flüsterte er.

Sie trat die Gittertür auf und reichte Harry das AG3-Gewehr, der es annahm.

»Was ... was ist passiert?«

»Setesdalzucken«, sagte sie.

544

»Setesdalzucken?«

»Der Arme ist gleich zu Boden gegangen.« Sie zeigte ihm ihre rechte Hand. Der Regen rann darüber und spülte das Blut weg, das aus ihren Fingerknöcheln sickerte. »Ich habe nur auf etwas gewartet, das seine Aufmerksamkeit ablenkte. Und dieser Donner hat ihn ja total erschreckt. Und dich auch, so wie es aussieht.«

Sie blickten zu dem Körper, der regungslos im linken Aufschlagfeld lag.

»Hilfst du mir mit den Handschellen, Harry?« Die hellen Haare klebten ihr im Gesicht, doch sie schien es nicht zu bemerken. Sie lächelte.

Harry wandte sein Gesicht in den Regen und schloss die Augen. »Gott im Himmel«, murmelte er. »Entlasse diese arme Seele nicht vor dem zwölften Juli zweitausendundzwanzig. Hab Gnade.«

»Harry?«

Er öffnete die Augen. »Ja?«

»Wenn er zweitausendundzwanzig entlassen werden soll, müssen wir ihn jetzt aber schleunigst ins Präsidium bringen.«

»Ich meine nicht ihn«, sagte Harry und stand auf. »Ich meine mich, da werde ich pensioniert.«

Er legte seinen Arm um ihre Schultern und lächelte. »Setesdalzucken, du …«

Kapitel 50

Ekeberg

In der zweiten Dezemberwoche begann es wieder zu schneien. Und dieses Mal meinte es der Winter ernst. Der Schnee türmte sich an den Häuserecken auf, und weitere Niederschläge wurden vorhergesagt. Mittwochnachmittag kam das Geständnis. Trond Grette erzählte auf Anraten seines Anwalts, wie er den Mord an seiner Frau geplant und später durchgeführt hatte.

Es schneite die ganze Nacht hindurch, und am nächsten Tag gab er auch zu, für den Mord an seinem Bruder verantwortlich zu sein. Der Mann, den er dafür bezahlt hatte, nannte sich El Ojo, das Auge, hatte keine Adresse und wechselte seinen Künstlernamen und seine Handynummer jede Woche. Trond war ihm nur einmal auf einem Parkplatz in São Paulo begegnet, wo sie die Details besprochen hatten. El Ojo hatte 1500 Dollar Vorschuss bekommen, den Rest hatte Trond in einem Schließfach auf dem Tiete-Terminal eingeschlossen. Die weitere Vereinbarung lautete, dass er den Abschiedsbrief an eine Poststelle in Campos Belos schickte, einem Stadtteil südlich des Zentrums, und den Schließfach-Schlüssel an den gleichen Ort, wenn er Levs kleinen Finger erhalten hatte.

Während der langen Verhöre gab es nur einmal Grund zum Schmunzeln, denn auf die Frage, wie es Trond als Tourist gelungen sei, in Kontakt mit einem professionellen Killer zu kommen, hatte dieser geantwortet, dass dies deutlich leichter sei, als in Norwegen einen Handwerker zu bekommen. Die Analogie war wohl auch kein Zufall.

»Lev hat mir das einmal erzählt«, sagte Trond. »Sie annoncieren als *plomero* neben den Telefon-Sexnummern in der Zeitung *Folha de São Paulo*.«

»Plom-was?«

»*Plomero*, Klempner.«

Halvorsen faxte die sparsamen Erkenntnisse an die brasilianische Botschaft, die ohne weitere Spitzfindigkeiten versprachen, die Sache weiterzuverfolgen.

Das AG3-Gewehr, das Trond beim Überfall benutzt hatte, gehörte Lev und lag schon seit einigen Jahren auf dem Dachboden in der Disengrenda. Woher das Gewehr stammte, war nicht herauszufinden, da die Seriennummer herausgefeilt war.

Für das Versicherungskonsortium der Nordea-Bank kam das Weihnachtsfest in diesem Jahr sehr früh, denn das Geld aus dem Überfall im Bogstadvei wurde im Kofferraum von Tronds Auto gefunden, und nicht eine Krone fehlte.

Die Tage vergingen, der Schnee kam, und die Verhöre gingen weiter. Eines Freitagnachmittags, als alle müde waren, fragte Harry Trond, warum er sich nicht erbrochen hatte, als er seiner eigenen Frau in den Kopf schoss – er konnte doch kein Blut sehen? Es wurde still im Raum. Trond blickte lange zur Videokamera in der Ecke. Dann schüttelte er bloß den Kopf.

Doch als sie fertig waren und durch den Kulvert zurück zu seiner Zelle gingen, hatte er sich plötzlich an Harry gewandt:

»Nicht jedes Blut ist gleich.«

Am Wochenende saß Harry auf einem Stuhl am Fenster und sah zu, wie Oleg und die Nachbarjungs draußen im Garten der hölzernen Villa eine Schneeburg bauten. Rakel fragte ihn, an was er denke, und beinahe wäre es ihm herausgerutscht.

Stattdessen fragte er, ob sie einen kleinen Spaziergang machen sollten. Sie holte Mütze und Handschuhe. Sie gingen am Holmenkollbakken vorbei, und dort fragte Rakel ihn, ob sie nicht seinen Vater und Søs am Weihnachtsabend einladen sollten.

»Es gibt doch nur uns«, sagte sie und drückte seine Hand.

Montag begannen Harry und Halvorsen mit dem Fall »Ellen«. Sie fingen wieder von vorn an. Verhörten die Zeugen, die früher schon einmal verhört worden waren, lasen alte Berichte, überprüften Hinweise, die liegen geblieben waren, und verfolgten alte Spuren. Kalte alte Spuren, wie sich herausstellte.

»Hast du die Adresse von dem Typ, der behauptet hat, Sverre Olsen in Grünerløkka mit einem Typ in einem roten Auto gesehen zu haben?«, fragte Harry.

»Kvinsvik. Er soll bei seinen Eltern wohnen, aber ich bezweifle, dass wir ihn dort finden.«

Harry erwartete keine große Kooperation, als er in Herberts Pizza kam und nach Roy Kvinsvik fragte. Doch nachdem er einem jungen Kerl mit einem T-Shirt mit dem Logo der Nationalallianz ein Bier spendiert hatte, erfuhr er, dass man in puncto Roy nicht mehr der Schweigepflicht unterlag, weil dieser erst neulich den Kontakt zu seinen alten Freunden abgebrochen hatte. Roy hatte anscheinend eine Anhängerin der bekennenden Christen kennengelernt und den Glauben an den Nazismus verloren. Niemand wusste, wer sie war oder wo Roy jetzt wohnte, aber jemand hatte ihn anscheinend vor der Philadelphia-Gemeinde stehen und singen sehen.

Der Schnee türmte sich zu Wechten und Wehen auf, während sich die Räumfahrzeuge im Shuttleverkehr durch die Innenstadt schoben.

Die Frau, die in der DnB-Filiale in Grensen angeschossen worden war, durfte das Krankenhaus verlassen. Im *Dagbladet* zeigte sie mit einem Finger, wo sie die Kugel getroffen hatte, und mit zwei Fingern, wie nah sie an ihrem Herz vorbeigeschrappt war. Jetzt wollte sie nach Hause und das Weihnachtsfest für Mann und Kinder vorbereiten, stand dort. Am Mittwochmorgen um zehn Uhr trat sich Harry im Präsidium vor dem Sitzungssaal 3 den Schnee von den Füßen, ehe er anklopfte.

»Kommen Sie herein, Hole«, donnerte die Stimme von Richter Valderhaug, der die internen Ermittlungen über die Schießerei im Containerhafen leitete. Harry bekam einen Stuhl vor dem fünfköpfigen Komitee zugewiesen. Neben Richter Valderhaug waren ein Staatsanwalt, ein Polizist und eine Polizistin sowie der Verteidiger Ola Lunde anwesend, den Harry als einen harten, aber tüchtigen und fairen Mann kannte.

»Wir hätten das Votum des Staatsanwalts gerne noch vor den Weihnachtsferien«, leitete Valderhaug die Besprechung ein. »Können Sie uns so kurz und detailliert wie möglich über Ihren Bezug zur Sache informieren?«

Harry erzählte von seiner kurzen Begegnung mit Alf Gunnerud, knatternd begleitet von der PC-Tastatur des Polizisten. Als er fertig war, dankte ihm Richter Valderhaug und blätterte eine Weile durch seine Papiere, ehe er gefunden hatte, wonach er suchte, und Harry über seine Brille hinweg ansah.

»Wir wüssten gerne, ob Sie nach Ihrem kurzen Rendezvous mit Gunnerud überrascht waren, als Sie hörten, dass er gegenüber einem anderen Polizisten die Waffe gezückt hat.«

Harry dachte an das, was ihm in den Sinn gekommen war, als er Gunnerud auf der Treppe gesehen hatte. Ein Junge, der Angst hatte, noch mehr Prügel zu bekommen. Sicher kein hartgesottener Killer. Harry erwiderte den Blick des Richters und sagte:

»Nein.«

Valderhaug nahm die Brille ab. »Aber als Gunnerud Ihnen begegnete, hat er die Flucht ergriffen, statt die Waffe zu zücken. Warum diese andere Taktik, als er Waaler gegenüberstand, was meinen Sie?«

»Ich weiß es nicht«, sagte Harry. »Ich war nicht dabei.«

»Aber Sie finden das nicht merkwürdig?«

»Doch.«

»Aber gerade haben Sie doch gesagt, dass Sie nicht überrascht waren.«

Harry wippte mit dem Stuhl leicht nach hinten. »Ich bin schon so lange Polizist, Herr Richter. Es überrascht mich nicht mehr, dass Menschen seltsame Dinge tun. Nicht einmal Mörder.«

Valderhaug schob seine Brille wieder auf die Nase, und Harry glaubte einen Anflug von Lächeln auf seinem faltigen Gesicht zu erkennen.

Ola Lunde räusperte sich. »Wie Sie wissen, war Hauptkommissar Tom Waaler wegen einer ähnlichen Sache im letzten Jahr vorübergehend suspendiert, damals wollte er einen Neonazi verhaften.«

»Sverre Olsen«, sagte Harry.

»Die interne Ermittlung kam seinerzeit zu dem Ergebnis, dass es von Seiten der Staatsanwaltschaft keinen Grund gibt, Anklage zu erheben.«

»Die Ermittlungen dauerten nur eine Woche«, sagte Harry.

Ola Lunde blickte fragend zu Valderhaug, der mit einem Nicken antwortete. »Egal«, sagte Lunde, »wir finden es natürlich auffällig, dass der gleiche Mann noch einmal in der gleichen Situation ist. Wir wissen, dass es in der Polizei ein starkes Gemeinschaftsgefühl gibt und man ungern einen Kollegen in eine peinliche Situation bringt, indem man jemanden … äh …«

»Denunziert«, sagte Harry.

»Was?«

»Ich glaube, das Wort, das Sie suchen, ist denunzieren.«

Lunde warf Valderhaug erneut einen Blick zu. »Ich verstehe, was Sie meinen, aber ich würde lieber davon sprechen, mit relevanten Informationen dazu beizutragen, dass die Spielregeln eingehalten werden können. Sind Sie einverstanden, Hole?«

Harrys Stuhl landete mit einem Knall auf den Vorderbeinen. »Ja, das bin ich. Ich kann nur meine Worte nicht so gut wählen wie Sie.«

Es gelang Valderhaug nicht mehr, sein Lächeln zurückzuhalten.

»Da bin ich mir nicht so sicher, Hole«, sagte Lunde, der jetzt selbst grinsen musste. »Es ist gut, dass wir einer Meinung sind, und da Sie und Waaler seit vielen Jahren zusammenarbeiten, möchten wir Sie bitten, uns etwas über den Charakter von Tom Waaler zu sagen. Andere, die wir hier gesprochen haben, haben uns von seinem kompromisslosen Umgang mit Kriminellen und teilweise auch Nicht-Kriminellen berichtet. Kann es sein, dass Tom Waaler in einem unbedachten Augenblick Alf Gunnerud erschossen hat?«

Harry starrte lange aus dem Fenster. Durch den Schnee konnte er nur noch die Konturen des Ekebergs erkennen. Aber er wusste, dass er dort war. Jahraus, jahrein hatte er an seinem Schreibtisch hier im Präsidium gesessen, und immer war er da gewesen, grün im Sommer, schwarz und weiß im Winter, er war nicht zu bewegen, sondern lag einfach da wie eine Tatsache. Das Gute an Tatsachen ist, dass man nicht darüber nachgrübeln muss, ob sie erwünscht sind oder nicht.

»Nein«, sagte Harry. »Es ist nicht denkbar, dass Tom Waaler in einem unbedachten Augenblick Alf Gunnerud erschossen hat.«

Falls jemand im Komitee bemerkte, dass Harry das Wort *unbedacht* ein ganz klein wenig mehr betonte als die anderen Worte, so ließ er es sich nicht anmerken.

Draußen auf dem Flur erhob sich Weber, als Harry aus dem Zimmer kam.

»Der Nächste bitte«, sagte Harry. »Was hast du denn da?«

Weber hielt einen Plastikbeutel hoch. »Die Pistole von Gunnerud. Ich muss rein und das hinter mich bringen.«

»Hm.« Harry schnippte sich eine Zigarette aus seinem Päckchen. »Ungewöhnliche Pistole.«

»Aus Israel«, sagte Weber. »Jericho 941.«

Harry blieb stehen und starrte auf die Tür, die hinter Weber ins Schloss fiel, bis Møller vorbeikam und Harry darauf aufmerksam machte, dass er eine unangezündete Zigarette im Mund hatte.

Im Raubdezernat war es merkwürdig still. Die Beamten hatten zuerst Witze gemacht und gesagt, der Exekutor halte Winterschlaf, doch inzwischen hieß es, er habe sich irgendwo an einem geheimen Ort erschießen lassen, um ewig eine Legende zu bleiben. Der Schnee legte sich auf die Dächer der Stadt, rutschte hinunter und legte sich erneut darauf, während der Rauch ruhig aus den Schornsteinen quoll.

Die Dezernate für Gewaltverbrechen, Raub und Sitte veranstalteten eine gemeinsame Weihnachtsfeier in der Kantine. Es gab Tischkärtchen, und Bjarne Møller, Beate Lønn und Halvorsen landeten nebeneinander. Zwischen ihnen stand ein leerer Stuhl und ein Teller mit Harrys Namensschild.

»Wo ist er?«, fragte Møller und goss Beate Wein ein.

»Unterwegs, er sucht nach einem von Sverre Olsens Kumpeln, der behauptet hat, Olsen und einen anderen Kerl in der Mordnacht gesehen zu haben«, sagte Halvorsen, der sich damit abmühte, eine Bierflasche mit einem Feuerzeug zu öffnen.

»So etwas Frustrierendes«, sagte Møller. »Aber sagen Sie ihm, dass er sich nicht totarbeiten soll. Er könnte sich doch wenigstens Zeit für die Weihnachtsfeier nehmen.«

»Sagen Sie ihm das selbst«, sagte Halvorsen.

»Vielleicht hat er einfach nur keine Lust, hier zu sein«, sagte Beate.

Die beiden Männer sahen sie lächelnd an.

»Was ist?«, fragte sie lächelnd. »Meint ihr, ich kenn ihn mittlerweile nicht auch?«

Sie prosteten sich zu. Halvorsen lächelte noch immer. Er konnte seine Augen nicht losreißen. Es war etwas – er konnte es nicht in Worte fassen – es war etwas mit ihr geschehen. Zuletzt hatte er sie im Besprechungszimmer gesehen, doch da hatte er noch nicht dieses Leben in ihren Augen bemerkt. Das Blut in den Lippen. Diese Haltung, diesen Schwung im Rücken.

»Harry geht lieber ins Gefängnis als auf solche Anlässe«, sagte Møller und erzählte, wie Linda, die Empfangsdame des polizeilichen Überwachungsdienstes, ihn einmal zu einem Tanz genötigt hatte.

Beate lachte derart, dass ihr die Tränen über die Wangen liefen. Dann drehte sie sich zu Halvorsen und legte den Kopf auf die Seite: »Und du sitzt nur da und guckst?«

Halvorsen spürte, wie er rot wurde, und stammelte betroffen: »Aber nein«, ehe Beate und Møller erneut losprusteten.

Später am Abend nahm er all seinen Mut zusammen und fragte sie, ob sie tanzen wolle. Møller blieb allein sitzen, bis sich Ivarsson zu ihm gesellte und sich auf Beates Stuhl setzte. Er war betrunken, lallte und wollte über die Zeit sprechen, in der er vor Angst gelähmt vor einer Bankfiliale in Ryen gehockt hatte.

»Das ist doch lange her, Rune«, sagte Møller. »Du warst da doch noch ein Frischling. Du hättest doch nichts tun können.«

Ivarsson legte den Kopf nach hinten und sah Møller lange an. Dann stand er auf und ging, und Møller dachte, dass Ivarsson einer von diesen Menschen war, die einsam sind, ohne es selbst zu wissen.

Als die DJs Li und Li mit dem Lied *Purple Rain* das Ende der Feier einläuteten, stießen Beate und Halvorsen auf der Tanzfläche mit einem der anderen Tanzpaare zusammen, und Halvorsen bemerkte, dass Beates Körper plötzlich ganz steif wurde. Er sah zu dem anderen Paar hinüber.

»Entschuldigung«, sagte eine tiefe Stimme. Die weißen, starken Zähne im David-Hasselhoff-Gesicht leuchteten im Halbdunkel.

Nach Abschluss der Feier war es unmöglich, ein Taxi zu be-

553

kommen, und Halvorsen bot Beate an, sie nach Hause zu bringen. Sie wateten durch den Schnee nach Osten und brauchten mehr als eine Stunde, ehe sie vor ihrer Tür im Stadtteil Oppsal standen.

Beate lächelte und drehte sich zu Halvorsen. »Wenn du willst, bist du herzlich willkommen«, sagte sie.

»Gerne«, sagte er. »Vielen Dank.«

»Abgemacht«, sagte sie. »Ich sage Mutter morgen Bescheid.«

Er sagte gute Nacht, gab ihr einen Kuss auf die Wange und begann die Polarexpedition zurück in Richtung Westen.

Am siebzehnten Dezember meldete das Staatliche Meteorologische Institut, dass man kurz davor sei, den zwanzig Jahre alten Niederschlagsrekord für den Monat Dezember zu brechen.

Am gleichen Tag kam die interne Ermittlung zu dem Ergebnis, die Waaler-Sache einzustellen.

Sie waren zu dem Schluss gekommen, dass keine Fehler begangen worden waren. Stattdessen wurde Waaler dafür gelobt, in einer äußerst dramatischen Situation korrekt gehandelt und die Ruhe bewahrt zu haben. Der Polizeipräsident telefonierte mit dem Kriminalchef, ob sie Waaler für eine Auszeichnung vorschlagen sollten, doch da Alf Gunneruds Familie zu den besseren der Stadt gehörte – sein Onkel saß in der Stadtverwaltung –, wurde dies dann doch als unpassend erachtet.

Harry nickte nur kurz, als ihm Halvorsen die Nachricht brachte, dass Waaler wieder im Dienst sei.

Der Weihnachtsabend kam, und der weihnachtliche Frieden senkte sich wenigstens über das kleine Norwegen.

Rakel hatte Harry und Oleg aus dem Haus gejagt und das Weihnachtsessen gekocht. Als sie zurückkamen, roch es im ganzen Haus nach Rippchen. Olav Hole, Harrys Vater, kam gemeinsam mit Søs in einem Taxi.

Søs war mehr als begeistert über das Haus, das Essen, Oleg, einfach alles. Während des Essens plauderten sie und Rakel wie alte Freundinnen, während der alte Olav und der junge Oleg einander gegenübersaßen und sich mehr oder weniger anschwiegen. Doch sie tauten auf, als die Zeit für die Geschenke gekommen war und Oleg das große Päckchen mit dem Zettel »Von Olav für Oleg« öffnete. Es waren die gesammelten Werke von Jules Verne. Oleg blätterte mit offenem Mund durch die Bücher.

»Der hat die Geschichte von der Mondrakete geschrieben, die Harry dir vorgelesen hat«, sagte Rakel.

»Das sind die Original-Illustrationen«, sagte Harry und deutete auf die Zeichnungen von Kapitän Nemo, der neben der Flagge am Südpol stand und laut las: »Lebt wohl. Mein neues Reich beginnt mit sechs Monaten Dunkelheit.«

»Die Bücher standen immer im Regal von meinem Vater«, sagte Olav, der genauso zufrieden aussah wie Oleg.

»Das macht doch nix!«, gluckste Oleg.

Olav ließ die Dankesumarmung etwas geniert, aber mit einem warmen Lächeln über sich ergehen.

Als sie zu Bett gegangen waren und Rakel eingeschlafen war, stand Harry auf und trat ans Fenster. Er dachte an all die, die es nicht mehr gab. An Mutter, Birgitta, Rakels Vater, Ellen und Anna. Und an die, die da waren. An Øystein, oben in Oppsal, der von Harry zu Weihnachten ein neues Paar Schuhe bekommen hatte, an Raskol im Botsen und an die zwei Frauen in Oppsal, die so nett gewesen waren, Halvorsen zu einem späten Weihnachtsessen einzuladen, weil er Spätschicht hatte und dieses Jahr nicht nach Hause nach Steinkjer fahren konnte.

Etwas war heute Abend geschehen, er wusste nicht genau, was, aber irgendetwas hatte sich verändert. Er blieb lange stehen und betrachtete die Lichter der Stadt, ehe er plötzlich bemerkte, dass es zu schneien aufgehört hatte. Spuren. Wer heute Nacht über den Weg am Akerselva ging, würde Spuren hinterlassen.

»Hast du bekommen, was du dir gewünscht hast?«, flüsterte Rakel, als er wieder ins Bett ging.

»Mir gewünscht?« Er legte die Arme um sie.

»Es sah so aus, als hättest du dir da am Fenster etwas gewünscht. Was war das?«

»Ich habe alles, was ich mir nur wünschen kann«, sagte Harry und küsste sie auf die Stirn.

»Sag es mir«, flüsterte sie und beugte sich vor, um ihn sehen zu können. »Sag mir, was du dir wünschst, Harry.«

»Willst du das wirklich wissen?«

»Ja.« Sie drückte sich noch enger an ihn.

Er schloss die Augen, und ein Film begann sich langsam abzuspulen, so langsam, dass er jedes Bild wie eine Art Standbild betrachten konnte. Spuren im Schnee.

»Frieden«, log er.

Kapitel 51

Sans Souci

Harry betrachtete das Bild, das weiße, warme Lächeln, die kräftigen Kiefer und die stahlblauen Augen. Tom Waaler. Dann schob er das Bild über den Schreibtisch.

»Lass dir Zeit«, sagte er. »Und sieh es dir genau an.«

Roy Kvinsvik machte einen nervösen Eindruck. Harry lehnte sich auf dem Bürostuhl zurück und sah sich um. Halvorsen hatte einen Weihnachtskalender an die Wand über dem Archivschrank gehängt. Erster Weihnachtstag, Harry hatte fast die ganze Etage für sich. Das war das Beste an den Ferien. Harry zweifelte daran, dass er Kvinsvik so frei und laut reden hören würde wie in dem Moment, als er ihn in der ersten Reihe der Philadelphia-Gemeinde gefunden hatte, aber man soll die Hoffnung ja nie aufgeben.

Kvinsvik räusperte sich, und Harry richtete sich auf.

Vor dem Fenster rieselten leichte Schneeflocken auf die menschenleeren Straßen.

Sind Sie auch zum Nesbø-Fan geworden?
Dann registrieren Sie sich einfach
unter *www.nesbo.de* oder schreiben Sie
eine E-Mail an *info@nesbo.de* und wir
informieren Sie automatisch, wenn der nächste
Thriller mit Harry Hole erscheint.

Lesen Sie hier, wie es mit Harry Holes nächstem Fall weitergeht:

Jo Nesbø

Das fünfte Zeichen

Kriminalroman
Aus dem Norwegischen von Günther Frauenlob

Seit seine Kollegin Ellen bei einem Einsatz getötet wurde, steckt Harry Hole, Hauptkommissar der Osloer Polizei, in einer Krise. Als er wieder zu trinken beginnt, wendet sich selbst seine Freundin Rakel von ihm ab. Schließlich steht seine Entlassung aus dem Polizeidienst bevor. Doch Harry bekommt eine letzte Chance. Kurz hintereinander geschehen drei spektakuläre Morde. Den grausam zugerichteten Frauen fehlt jeweils ein Finger, und an den Tatorten findet sich stets ein Zeichen, das auf weitere Opfer hinweist. Ein Wettlauf mit der Zeit beginnt, doch die Ermittlungen gehen nur zäh voran – bis der Täter plötzlich einen Fehler macht.

Lesen Sie auf den nächsten Seiten, wie der Roman beginnt.

Kapitel 1

Freitag. Eier

Das Haus war 1898 auf lehmigem Grund errichtet worden. Auf der Westseite hatte der Boden ein klein wenig nachgegeben, so dass das Wasser dort über die Schwelle rann, wo die Tür in den Scharnieren hing. Es sickerte auf den Boden des Schlafzimmers und zog einen nassen Streifen über das Eichenparkett, immer gen Westen. In einer Senke des Parketts verharrte der Wasserlauf einen Moment, bis er von den nachdrängenden Tropfen weitergedrückt wurde und wie eine verängstigte Ratte auf die Fußleiste zuschoss. Dort rann das Wasser in beide Richtungen, bahnte sich einen Weg unter der Leiste hindurch, schnupperte gleichsam herum, ehe es eine Ritze zwischen dem Ende der Dielen und der Wand fand. In dieser Ritze lag eine Fünfkronenmünze, in die neben dem Profil von König Olaf die Jahreszahl 1987 eingeprägt war, das Jahr, in dem sie dem Schreiner aus der Hosentasche gefallen war. Das waren noch Zeiten, in denen das Handwerk florierte, viele Dachwohnungen sollten renoviert und ausgebaut werden, so dass sich der Schreiner nicht die Mühe gemacht hatte, nach dem Geldstück zu suchen.

Das Wasser brauchte nicht lange, um einen Weg durch die Zwischendecke unter dem Parkett zu finden. Abgesehen von einem Wasserschaden 1968 – dem Jahr, in dem das Haus ein neues Dach bekommen hatte –, waren die hölzernen Zwischendecken seit 1898 unaufhörlich getrocknet und geschrumpft, so dass der Spalt zwischen den beiden innersten Fich-

tendielen nun beinahe einen halben Zentimeter betrug. Von dort tropfte das Wasser auf einen Balken,
der es weiter nach Westen in die Außenwand führte.
Dort drang es in den Kalkputz und Mörtel, der mehr
als hundert Jahre zuvor von Jacob Andersen gemischt
worden war, einem Maurermeister und Vater von
fünf Kindern.

Wie alle Maurer seiner Zeit rührte auch Andersen
seine ganz spezielle Mörtel- und Putzmischung an.
Er schwor auf ein bestimmtes Mischungsverhältnis
zwischen Kalk, Sand und Wasser, doch er hatte noch
eine andere Spezialität: Rosshaar und Schweineblut.
Jacob Andersen meinte nämlich, dass Haare und Blut
den Putz banden und ihm eine besondere Stärke ver-
liehen. Es war nicht auf seinem Mist gewachsen, was
er eines Tages den kopfschüttelnden Kollegen erzählt
hatte; schon seine schottischen Vorfahren hatten die
gleichen Zutaten verwendet, allerdings von Schafen.
Und obgleich er seinen schottischen Namen aufgegeben und den seines Meisters angenommen hatte, sah
er keinen Grund, auf sechshundert Jahre Erfahrung
zu verzichten. Einige seiner Kollegen hielten es für
unmoralisch, andere sahen ihn gar im Bunde mit
dem Teufel, doch die meisten lachten nur über ihn.
Vielleicht waren sie es, die als Erste eine Geschichte in
Umlauf brachten, die sich nachweislich in der auf-
strebenden Stadt halten sollte, welche damals noch
den Namen Kristiania trug.

Ein Kutscher aus Grünerløkka hatte seine Cousine
aus Värmland geheiratet, und gemeinsam waren sie
in eine Einzimmerwohnung mit Küche in der Seil-
duksgata gezogen, in eines der Häuser, bei deren Bau
Andersen geholfen hatte. Das erste Kind des Ehepaa-

res war so dumm, mit dunklen Locken und braunen Augen auf die Welt zu kommen, und da beide Ehepartner blond und blauäugig waren – und der Mann überdies von eifersüchtiger Natur –, band er seiner Frau eines Nachts die Hände auf den Rücken, nahm sie mit in den Keller und mauerte sie ein. Ihre Schreie wurden von den dicken Lehmziegelwänden gedämpft, die sie auf beiden Seiten einschlossen. Ihr Ehemann hatte vermutlich gehofft, sie würde ersticken, doch wenn die Maurer damals eins beherrschten, dann war es, für gute Belüftung zu sorgen. Zu guter Letzt war die arme Frau mit ihren Zähnen auf die Mauer losgegangen, was vielleicht sogar etwas hätte nutzen können, da der Schotte Andersen Blut und Haare verwendete und glaubte, deshalb teuren Kalk sparen zu können. Die poröse Wand begann sich nun unter dem Angriff starker, värmländischer Zähne aufzulösen. Aber in ihrer Gier nach Leben nahm die Frau zu viel Mörtel und Ziegelmasse in den Mund. Zuletzt konnte sie weder kauen noch schlucken oder ausspucken, und so verschlossen ihr Sand, Grus und Stücke gebrannten Lehms die Atemwege. Ihr Gesicht lief blau an, das Herz schlug langsamer, und schließlich hörte sie auf zu atmen.

Sie war das, was die meisten als tot bezeichnen würden.

Doch der Sage nach führte das Schweineblut dazu, dass die unglückliche Frau sich noch immer am Leben wähnte. Und so glitt sie von da an ungeachtet ihrer Fesseln durch die Wand und begann zu spuken. Unter den alten Leuten in Grünerløkka erinnerten sich viele aus ihrer Kindheit an die Geschichte von der Frau mit dem Schweinskopf. Sie geisterte mit einem Messer in der Hand herum und schnitt Kindern den Kopf ab, die noch zu später Stunde draußen waren. Denn ohne den Geschmack des Blutes in ihrem Mund wäre sie vollends dahingeschwunden. Die wenigsten allerdings kannten den Namen von Maurer Andersen, der unbekümmert damit fortgefahren war, seine Spezialmischung anzurühren. Als er drei Jahre nach dem Bau des Hauses, in dessen Mauerwerk nun das Wasser eindrang, von einem Gerüst fiel, hinterließ er zweihundert Kronen und eine Gitarre. Es sollte fast weitere hundert Jahre dauern, bis Maurer begannen, künstliche, haarähnliche Fasern in ihren Zementmischungen zu verwenden, und man in einem mailändischen Laboratorium herausfand, dass die Mauern von Jericho mit Blut und Kamelhaar verstärkt worden waren.

Das meiste Wasser versickerte nicht in der Wand, sondern rann nach unten. Denn Wasser, Feigheit und Gier suchen immer den geringsten Widerstand. Erste Tropfen wurden von dem klumpigen, pulverigen Lehm zwischen den Balkenlagen des obersten Stockwerks aufgesogen, doch es kamen immer mehr nach, und der Lehm war bald gesättigt. Das Wasser drang durch und weichte eine Zeitung vom 11. Juli 1898 auf, in der verkündet wurde, dass die Baukonjunktur in Kristiania wohl ihren Gipfel erreicht hatte und dass den skrupellosen Gebäudespekulanten hoffentlich schwierigere Zeiten bevorstünden. Auf Seite drei hieß es zudem, dass die Polizei noch immer keine Spur in dem Mordfall der jungen Näherin hatte, die eine Woche zuvor erstochen in ihrem Badezimmer aufgefunden worden war. Im Mai war ein Mädchen, das in gleicher Weise geschändet und dann ermordet worden war, am Fluss Akerselva gefunden worden, doch die Polizei wollte sich nicht dazu äußern, ob es zwischen den beiden Fällen eine Verbindung gab.

Das Wasser troff von der Zeitung durch die Balken darunter auf die Rückseite der mit Ölfarbe angestrichenen Deckenverkleidung. Da diese im Zuge des Wasserschadens 1968 durchlässig geworden war, sickerte das Wasser hindurch und bildete Tropfen, die hängen blieben, bis sie so schwer waren, dass ihr Gewicht die Oberflächenspannung überwand und sie drei Meter und acht Zentimeter in die Tiefe stürzten. Dort landete schließlich das Wasser. Im Wasser.

Vibeke Knutsen zog gierig an der Zigarette und blies den Rauch durch das offene Fenster in der vierten Etage. Es war Nachmittag, warme Luft stieg von dem sonnengedörrten Asphalt des Hinterhofs auf und nahm den Rauch ein Stück weit mit in die Höhe, bis er sich vor der hellblauen Fassade auflöste. Von der anderen Seite des Daches drangen die Geräusche vereinzelter Autos auf dem sonst so befahrenen Ullevålsvei herüber. Doch jetzt waren Ferien, und die Stadt war beinahe menschenleer. Eine Fliege lag auf der Fensterbank, alle sechs Beine von sich gestreckt. Sie war nicht klug genug gewesen, die Hitze zu meiden. Auf der Seite der Wohnung, die auf den Ullevålsvei hinausging, war es kühler, doch dort gefiel Vibeke die Aussicht auf den Vår Frelsers Friedhof nicht. Lauter berühmte Menschen. Tote berühmte Menschen. Im Erdgeschoss des Hauses befand sich ein Geschäft, in dem »Monumente« verkauft wurden, wie es auf dem Schild hieß, also Grabsteine. Marktnähe nennt man das wohl.

Vibeke legte die Stirn an die kühle Fensterscheibe.

Sie hatte sich gefreut, als es endlich warm geworden war, aber aus der Wärme war rasch Hitze geworden. Bereits jetzt sehnte sie sich nach kühleren Nächten und Menschen auf den Straßen. Heute waren nur acht Kunden in der Galerie gewesen, fünf vor der Mittagspause und drei danach. Aus reiner Langeweile hatte sie anderthalb Schachteln Zigaretten geraucht. Ihr Herz raste, und ihr Hals brannte derart, dass sie, als ihr Chef anrief und wissen wollte, wie das Geschäft lief, nur schwer sprechen konnte. Doch als sie zu Hause ankam und die Kartoffeln aufsetzte, meldete sich das Verlangen schon wieder.

Vibeke hatte zwei Jahre zuvor mit dem Rauchen aufgehört, als sie Anders begegnet war. Er hatte sie nicht darum gebeten. Ganz im Gegenteil. Bei ihrer ersten Begegnung auf Gran Canaria hatte er sogar eine Zigarette von ihr geschnorrt. Einfach so zum Spaß. Und als sie einen Monat später in Oslo zusammengezogen waren, hatte er als Erstes gesagt, dass ihre Beziehung das bisschen Passivrauchen wohl ertragen müsse. Und dass die Krebsforscher sicher übertrieben. Und dass er sich mit der Zeit bestimmt an den Rauchgeruch ihrer Kleider gewöhnen werde. Tags darauf stand ihr Entschluss fest. Als er ein paar Tage später beim Essen bemerkte, es sei lange her, dass er sie zuletzt mit einer Zigarette gesehen habe, hatte sie geantwortet, sie habe eigentlich nie wirklich geraucht. Anders hatte sich mit einem Lächeln über den Tisch gebeugt und ihr über die Wange gestrichen: »Weißt du was, Vibeke? Das hatte ich die ganze Zeit über im Gefühl.«

Sie hörte es hinter sich im Topf brodeln und warf

einen Blick auf die Zigarette. Noch drei Züge. Sie nahm den ersten. Es schmeckte nach nichts.

Sie erinnerte sich nicht mehr daran, wann sie wieder begonnen hatte zu rauchen. Vielleicht im letzten Jahr, etwa zu der Zeit, als er anfing, seine Geschäftsreisen auszudehnen. Oder war das an Neujahr gewesen, als er beinahe jeden Abend Überstunden gemacht hatte? Weil sie unglücklich war? War sie unglücklich? Sie stritten nie miteinander. Sie schliefen auch so gut wie nie mehr miteinander, doch das habe mit der vielen Arbeit zu tun, hatte Anders gesagt und das Thema damit beendet. Nicht dass es ihr wirklich fehlte. Wenn sie ein seltenes Mal den halbherzigen Versuch dazu unternahmen, schien er überhaupt nicht anwesend zu sein. Daraus hatte sie geschlossen, dass auch sie eigentlich nicht da sein musste.

Aber sie stritten nie. Anders mochte es nicht, wenn man laut wurde.

Vibeke sah auf die Uhr. Viertel nach fünf. Wo er nur blieb? In der Regel sagte er wenigstens Bescheid, wenn es spät wurde. Sie drückte die Zigarette aus, ließ sie in den Hinterhof fallen, drehte sich zum Ofen um und sah nach den Kartoffeln. Stach mit einer Gabel in die größte. Fast fertig. Ein paar kleine schwarze Klümpchen dümpelten im Kochwasser. Merkwürdig. Kamen die aus den Kartoffeln oder aus dem Topf?

Sie überlegte gerade, wofür sie den Topf zuletzt verwendet hatte, da ging die Tür auf. Aus dem Flur hörte sie raschen Atem. Jemand streifte sich die Schuhe ab.

Anders kam in die Küche und machte den Kühlschrank auf. »Und?«, sagte er fragend.

»Fleischbällchen.«

»Okay …« Es klang wie ein Fragezeichen. Sie wusste warum. Schon wieder Fleisch? Sollten wir nicht öfter Fisch essen?

»Das wird sicher lecker«, sagte er tonlos und beugte sich über den Topf.

»Was hast du gemacht, du bist ja vollkommen verschwitzt?«

»Ich kann heute Abend nicht zum Sport und bin deshalb mit dem Fahrrad zum Sognsvann hoch und wieder runter. Was sind das für Klumpen im Wasser?«

»Keine Ahnung«, sagte Vibeke. »Ich habe sie auch gerade erst bemerkt.«

»Keine Ahnung? Ich dachte, du wärest fast mal Köchin geworden?« Blitzschnell fischte er einen der Klumpen mit Daumen und Zeigefinger aus dem Wasser und steckte sich die Finger in den Mund.

Sie starrte auf seinen Hinterkopf. Auf sein dünnes, braunes Haar, das ihr in der ersten Zeit so gut gefallen hatte. Gepflegt und kurz genug geschnitten. Mit Seitenscheitel. Er hatte so ordentlich ausgesehen. Wie einer mit Zukunft. Einer für mehr als nur eine Nacht.

»Nach was schmeckt es?«, fragte sie.

»Nach nichts«, sagte er, noch immer über den Herd gebeugt. »Nach Eiern.«

»Eiern? Aber ich habe den Topf ge…« Sie hielt plötzlich inne.

Er drehte sich um. »Was ist?«

»Es … tropft.« Sie deutete auf sein Haar.

Er runzelte die Stirn und fuhr sich mit der Hand über den Hinterkopf. Dann legten sie wie auf Kommando die Köpfe in den Nacken und blickten an die

Decke. Dort hingen zwei Tropfen. Vibeke, die etwas kurzsichtig war, hätte sie gewiss nicht entdeckt, wenn sie durchsichtig gewesen wären. Doch das waren sie nicht.

»Sieht aus, als gäb's bei Camilla eine Überschwemmung«, sagte Anders. »Du solltest hochgehen und klingeln, ich versuch dann den Hausmeister zu erreichen.«

Vibeke blinzelte an die Decke. Und warf dann einen Blick auf die Klümpchen in ihrem Topf. »Mein Gott«, flüsterte sie und spürte, dass ihr Herz zu rasen begann.

»Was ist jetzt schon wieder?«, fragte Anders.

»Hol du den Hausmeister, dann könnt ihr gemeinsam bei Camilla klingeln. Ich rufe die Polizei.«

Kapitel 2

Freitag. Ferienliste

Das Polizeipräsidium im Stadtteil Grønland, der Hauptsitz des Polizeidistrikts Oslo, lag auf einem Höhenzug, der sich von Grønland bis hinauf nach Tøyen zog. Von hier aus hatte man eine gute Aussicht auf die östlichen Viertel der Innenstadt. Das Gebäude, ganz aus Glas und Stahl erbaut, wurde seit 1978 genutzt. Hier war nichts schief, sondern alles bis in den letzten Winkel korrekt, wofür die Architekten Telje-Torp-Aasen eine Auszeichnung erhalten hatten.

Der Fernmeldetechniker, der in den beiden sieben und neun Stockwerke hohen Büroflügeln die Kabel verlegt hatte, war vom Gerüst gestürzt, hatte sich das Rückgrat gebrochen und bekam eine Berufsunfähigkeitsrente – und eine Standpauke von seinem Vater.

»Seit sieben Generationen sind wir jetzt Maurer, sind zwischen Himmel und Erde balanciert, haben der Schwerkraft getrotzt, bis sie uns zu Boden riss. Mein Großvater hat versucht, diesem Fluch zu entgehen, doch er verfolgte ihn über die Nordsee bis hierher. Deshalb habe ich bei deiner Geburt geschworen, dass du nicht zu diesem Schicksal verdammt sein solltest. Und ich dachte, ich hätte es geschafft. Telefontechniker. Was zum Teufel hat ein Fernmeldetechniker sechs Meter über dem Boden verloren?«

Durch das Kupfer ebenjener vom Sohn verlegten Leitungen kam an diesem Tag das Signal von der Notrufzentrale. Es schoss durch die Etagendecken, die aus Industriebeton gegossen waren, bis hinauf in die sechste Etage, in das Büro von Bjarne Møller, dem Leiter des Dezernats für Gewaltverbrechen. Møller grübelte gerade darüber nach, ob er sich auf die bevorstehenden Familienferien in der Hütte in Os vor den Toren Bergens freuen oder ob ihm davor grauen sollte. Os im Juli bedeutete mit großer Wahrscheinlichkeit Scheißwetter. Dabei hatte Bjarne Møller gar nichts dagegen, die für Oslo angekündigte Hitzewelle gegen ein wenig Sprühregen einzutauschen. Aber zwei höchst lebhafte kleine Jungen bei Dauerregen ohne andere Hilfsmittel als ein Kartenspiel bei Laune zu halten, dem überdies der Herz-König fehlte, war wirklich eine Herausforderung.

Bjarne Møller streckte die langen Beine aus und

kratzte sich hinter dem Ohr, während er sich auf die Nachricht konzentrierte. »Wie haben die das entdeckt?«, fragte er.

»Es hat getropft, beim Mieter drunter«, antwortete die Stimme aus der Notrufzentrale. »Der Hausmeister und ein Nachbar haben geklingelt, aber es hat keiner geantwortet. Da die Tür unverschlossen war, sind sie schließlich hineingegangen.«

»In Ordnung. Ich schicke zwei meiner Leute.« Møller legte auf, seufzte und fuhr mit einem Finger die Liste der Diensthabenden entlang, die unter einer Plastikhülle auf seinem Schreibtisch lag.

Das halbe Dezernat war verwaist. Wie jedes Jahr in den Sommerferien. Was freilich nicht bedeutete, dass die Bewohner Oslos jetzt in Lebensgefahr schwebten, denn auch die Verbrecher der Stadt schienen etwas von Sommerferien zu halten. Jedenfalls war der markante Rückgang der Straftaten, die in den Zuständigkeitsbereich des Dezernats für Gewaltverbrechen fielen, anders kaum zu erklären.

Møllers Finger stoppte unter dem Namen Beate Lønn. Er wählte die Nummer der Kriminaltechnik in der Kjølberggata. Niemand hob ab. Er wartete, bis der Anruf an die Zentrale weitergeleitet wurde.

»Beate Lønn ist im Labor«, sagte eine helle Stimme.

»Hier ist Møller vom Morddezernat. Holen Sie sie bitte.«

Møller wartete.

Es war Karl Weber gewesen, der erst kürzlich pensionierte Leiter der Kriminaltechnik, der Beate Lønn vom Morddezernat zur Kriminaltechnik hatte versetzen lassen. Møller sah darin einen neuerlichen Beweis für die Theorie der Neodarwinisten, dass der einzige Antrieb des Individuums darin bestand, die eigenen Gene zu vererben. Und Weber schien der Meinung zu sein, dass Beate Lønn eine ganze Menge Kriminaltechnikergene hatte. Auf den ersten Blick schienen Karl Weber und Beate Lønn sehr verschieden. Weber war mürrisch und reizbar, Lønn eine stille, graue Maus, die, als sie frisch von der Polizeischule gekommen war, schon rot wurde, wenn man sie bloß ansprach. Aber ihr Polizeiinstinkt war gleich stark ausgeprägt. Sie gehörten zu dem Typ passionierter Ermittler, der, wenn er erst Beute gewittert hat, alles ausblenden und sich einzig und allein auf eine Spur konzentrieren kann, ein Indiz, eine Videoaufzeichnung, eine vage Zeugenaussage, bis schließlich alles einen Sinn ergibt. Böse Zungen behaupteten, Weber und Lønn gehörten ins Labor und nicht unter Menschen, weil die Menschenkenntnis eines Ermittlers schließlich wichtiger als ein Fußabdruck oder die Faser einer Jacke sei.

Weber und Lønn stimmten zu, was das Labor, nicht aber, was den Fußabdruck oder die Jackenfaser betraf.

»Lønn.«

»Hallo Beate, hier ist Bjarne Møller. Störe ich?«

»Natürlich. Was gibt's?«

Møller erklärte ihr kurz die Sachlage und gab ihr die Adresse. »Ich schicke auch zwei von meinen Jungs«, fügte er hinzu.

»Wen?«

»Mal sehen, wen ich finde, du weißt ja, Urlaubszeit.« Møller legte auf und fuhr mit dem Finger weiter nach unten. Er stoppte bei dem Namen Tom Waaler.

Die Rubrik »Urlaub« war leer, was Bjarne Møller nicht weiter verwunderte. Man konnte leicht das Gefühl bekommen, Hauptkommissar Tom Waaler mache niemals Ferien, ja, er schlafe kaum. Als Ermittler war er eines der beiden Asse der Abteilung. Immer zur Stelle, immer einsatzfreudig und fast immer mit den entsprechenden Resultaten. Und im Gegensatz zu dem anderen Superermittler war Tom Waaler verlässlich, hatte eine blitzsaubere Akte und wurde von allen respektiert. Kurz gesagt: ein Traum von einem Untergebenen. Und bei Toms unbezweifelbaren Führungseigenschaften war es wohl nur eine Frage der Zeit, bis er Møllers Job als Leiter des Dezernats übernehmen würde.

Das Klingeln hallte durch die dünnen Wände.

»Waaler«, antwortete eine klangvolle Stimme.

»Møller hier, wir …«

»Einen Augenblick, Bjarne. Ich muss eben erst ein anderes Gespräch beenden.«

Bjarne Møller trommelte beim Warten mit den Fingern auf die Tischplatte. Tom Waaler konnte der jüngste Dezernatsleiter werden, der jemals dem Morddezernat vorgestanden hatte. War es das, was Møller manchmal zweifeln ließ, wenn er daran dachte, Tom eines Tages die Verantwortung zu übertragen? Oder waren es die zwei Fälle, bei denen Waaler in einen Schusswechsel geraten war? Beide Male hatte der Hauptkommissar bei einer Festnahme zur Waffe gegriffen und als einer der besten Schützen der Polizei tödliche Treffer gelandet. Aber Møller wusste auch, dass es paradoxerweise gerade diese beiden Episoden sein konnten, die bei der Ernennung des neuen Leiters die Entscheidung zu Toms Gunsten beeinflussen mochten. Die internen Ermittlungen hatten nichts zutage gefördert, was dem widersprach, dass Tom Waaler zur Selbstverteidigung geschossen hatte. Im Gegenteil. Es war vielmehr festgehalten worden, dass er die Situation richtig eingeschätzt und in einer äußerst kritischen Lage Tatkraft bewiesen hatte. Konnte es ein besseres Zeugnis für jemanden geben, der sich um eine leitende Stellung bewarb?

»Tut mir leid, Møller, das Handy. Womit kann ich dienen?«

»Wir haben einen Fall.«

»Endlich.«

Der Rest des Gesprächs war in weniger als zehn Sekunden erledigt. Jetzt fehlte ihm nur noch der zweite Mann. Møller hatte an Kriminalassistent Halvorsen gedacht, doch auf der Liste stand, dass der zu Hause in Steinkjer Urlaub machte. Er fuhr mit dem Finger weiter nach unten. Urlaub, Urlaub, krank.

Der Dezernatsleiter seufzte tief, als sein Finger bei einem Namen stoppte, den er zu umgehen gehofft hatte.

Harry Hole.

Der Eigenbrötler. Der Alkoholiker. Das Enfant terrible der Abteilung. Aber – neben Tom Waaler – tatsächlich der beste Ermittler der sechsten Etage. Hätte Bjarne Møller mit den Jahren nicht eine geradezu perverse Lust entwickelt, seinen Hals für diesen großgewachsenen Polizisten mit dem Alkoholproblem zu riskieren, Harry Hole wäre längst aus dem Polizeidienst geflogen. Normalerweise hätte er Harry als Erstes angerufen, um ihm den neuen Fall zu übertragen, aber die Lage war nicht normal.

Oder genauer gesagt: Sie war nur allzu normal.

Vier Wochen zuvor hatten sich die Ereignisse überschlagen, nachdem Harry im Winter noch einmal den alten Mordfall an Ellen Gjelten aufgerollt hatte, Harrys engster Kollegin. Seit sie am Ufer des Akerselva erschlagen worden war, hatte er das Interesse an allen anderen Fällen verloren. Das Problem dabei: Der Fall »Ellen« war seit langem aufgeklärt. Doch Harry verfolgte ihn so manisch, dass sich Møller ernsthaft Sorgen um Harrys geistige Gesundheit machte. Der Gipfel war, als Harry vor einem Monat in sein Büro gestürmt war und ihm eine haarsträubende Verschwörungstheorie aufgetischt hatte. Aber als es hart auf hart kam, konnte er seine phantasievollen Vorwürfe gegen Tom Waaler weder beweisen noch untermauern.

Und dann war Harry einfach verschwunden. Nach ein paar Tagen hatte Møller im Restaurant Schrøder angerufen und bestätigt bekommen, was er befürchtet hatte: Harry hatte einen neuen Rückfall erlitten. Da hatte Møller ihn in die Urlaubsliste eingetragen, um sein Fehlen zu kaschieren. Wieder einmal. In der Regel gab Harry nach etwa einer Woche ein Lebenszeichen von sich. Jetzt waren vier vergangen. Der Urlaub war vorbei.

Møller starrte auf den Telefonhörer, stand auf und trat ans Fenster. Es war halb sechs, und dennoch war der Park vor dem Präsidium beinahe menschenleer, nur einige wenige Sonnenanbeter trotzten der Hitze. Am Grønlandsleiret saßen die Händler allein mit ihrem Gemüse unter den Markisen ihrer Stände. Sogar die Autos fuhren langsam, und das ohne Stau. Møller strich sich die Haare über den Schädel zurück, eine langjährige Angewohnheit, die er aber nach Meinung seiner Frau endlich ablegen sollte, da die Leute sonst meinen könnten, er wolle seine Glatze verbergen.

Harry. Blieb ihm wirklich keine andere Wahl? Møller folgte mit dem Blick einem torkelnden Mann auf dem Grønlandsleiret. Wahrscheinlich würde der Mann es im Café Ravnen versuchen, dort nicht eingelassen werden und schließlich im Boxer landen. Dem Ort, an dem der Fall »Ellen« endgültig begraben worden war. Und vielleicht auch Harry Holes Laufbahn als Polizist. Møller stand unter Druck, er würde bald entscheiden müssen, was er mit dem Problem »Harry« anstellen wollte. Langfristig. Jetzt ging es erst mal um den Fall.

Møller hob den Hörer ab. War er tatsächlich im Begriff, Harry Hole und Tom Waaler auf den gleichen Fall anzusetzen? Urlaubszeit war einfach Scheiße. Der elektrische Impuls verließ das staatliche Telje-Torp-Aasen-Monument für Recht und Ordnung, und es klingelte an einem Ort, an dem das blanke Chaos herrschte. In einer Wohnung in der Sofies Gate.

Ein großer Liebesroman vor der farbenprächtigen Kulisse Australiens

Inez Corbi

DAS LIED DER ROTEN ERDE

Australien-Saga

ISBN 978-3-548-28214-5
www.ullstein-buchverlage.de

Australien, 1800: Die junge Irin Moira kommt nach New South Wales, wo ihr ungeliebter, wesentlich älterer Ehemann als Arzt der Strafkolonie arbeiten soll. Einer der Sträflinge ist Duncan, ein verurteilter Rebell. Als Duncan Moira vor einem Überfall rettet, kommen die beiden sich näher. Ihre Liebe scheint jedoch aussichtslos, und so ergreifen sie gemeinsam die Flucht.

»Inez Corbi erzählt eine Geschichte schillernd wie ein Opal, voller Abenteuer und mit einer erfrischend aufsässigen Heldin. Ein wahres Vergnügen.« *Andrea Schacht*

ullstein

UB574